金陵全書

甲編·方志類·府志

光緒續纂江寧府志（三）

（清）蔣啓勛　修
（清）趙佑宸
（清）汪士鐸等纂

南京出版社

續纂江甯府志卷十四之十一下　上元秦際唐分纂

人物忠義貞烈

江甯

甘肅布政使周開麒妾汪氏子婦浙江候補巡檢聽鈞妻朱氏孫女繡姑〇均有傳〇均殉浙江難兵部主事薄彭齡妻曾氏長齡妻江氏中書科中書方長霦妻張氏女素貞〇在浙殉難布政司理問郭長庚繼妻汪氏叔母劉氏五品銜江西布政司經歷熊瀛母徐氏嫂王氏妻王氏妹發姐署睢州州判熊臨瀚母徐氏浙江江山縣廣濟驛丞朱繼祖妻羅氏嫂張氏姪慶官均殉浙難山東縣丞杜紹基妻徐氏議敘九品逸仙妻金氏議敘九品廣成妻朱氏縣丞李文濤妻秦氏子婦陸氏孫婦張氏陳氏鹽大使范濂妾顧氏兄妾吳氏僕曹陳氏鹽大使錢與年祖母聶氏母節婦曹氏〇妻陸氏主簿宋耀先母曾氏妻何氏五品銜候選從九品陳伯銘庶母朱氏妻陸氏女接弟〇有傳署正衛監

生陳保熙母張氏女駷姑　職員張兆賡妻隨氏女平姑姪女轉姑廩生兆勳妻

章氏　職員劉大堂妻牛氏女慶姐錦堂妻陳氏　職員陸祥慶母吳氏妻汪

氏女字金　職員張恩福姨姪女淩二姑淩平姑　職員馬錦頤叔母

楊氏職員彭年子婦錢氏妻盧氏　安徽從九品張象恆妻焦氏八品軍功象泰妻諶

氏　從九品丁永佑妻李氏子婦李氏女淑姑桃姑均殉安慶難　孝廉方正某

妻駱氏佚名子婦孀婦楊氏　舉人張曦照妻李氏子善保女臘姑　舉人趙鍾靈

母張氏伯母濮氏妻陳氏弟婦戴氏妹從葉　舉人卓榮妻程氏女二姑岳母程宋

氏○有傳　舉人陳鐸母郭氏妻節婦周氏　舉人汪士鐸次女范汪氏有傳

副貢生秦汝槐母李氏叔母徐氏嫂潘氏○妹四姑五姑　歲貢生張鑄妻

黃氏女五姑有傳　歲貢生錢尊彝妻陳氏從九品庚妻金氏監生應松孀母王氏應松妻

張氏女汪錢氏孫女董錢氏　優貢生朱巽姪婦柴氏王氏姪女香姑杏姑靜姑

廩生余鳳翔妻李氏女同姑　廩生王家聲聘妻陶氏妹平姑美姑岳母陶

陳氏
廩生林彭年叔祖母節婦上官氏彭年妻吳氏大咬二咬安姑均殉松江難
廩生車持謙妻袁氏有傳○僕如意 增生郭嗣宗繼妻節婦劉氏姪婦
汪氏 文生翁似錦妻節婦方氏子婦孀婦汪氏孫乃福乃壽 文生江汝楫妻
陶氏女香姑 文生田寅祖母朱氏母丁氏 文生焦若淞妻節婦芮
氏文生若瀚妻節婦王氏 文生張世芳妻范氏女葱姑 文生李錫齡妻顧
氏女大姑二姑三姑四姑 文生魯大成母蔣氏妻黃氏弟婦守貞江氏子一女二姪
女一 文生汪元熙妻高氏子大庚二庚三庚妹田汪氏 增生端木埻繼
妻金氏址妻節婦閻氏藝妻節婦陶氏錫鼎妾方氏錫彤妻章氏舉正妻易氏女字方址孫女字蔡年姑
宇章錫鍪女晉姑 文生袁自超妻江氏女帶姑 文生張庚發妻陳氏女玉
琴字傳 文生梁錫章繼妻諶氏姪女大香姑二香姑 文生周熙元岳母
錢田氏錢二姑錢大姑 文生張湘妻舒氏子德鸞子婦況氏女素瓊姑素貞姑妻姊管舒
氏 文生談其淵妻李氏女富姑團姑 監生李敬祖妻陳氏士豪妻陳氏

監生于薰妻朱氏監生芳妻陸氏成霖妻周氏芳妾章氏菼妹五姑監生高以安
妻程氏守節十餘年〇姊節婦周程氏監生張吉祥繼妻洪氏有傳女靜兒監生
汪庚妻李氏女登姑朝棟監生李長無母秦氏長春妻陸氏張氏陳氏子婦鄭氏監生
監生武芝庭伯母金氏哈氏監生范承宗妻高氏子二女三監生
葉廷鈺母張氏附傳弟婦王氏子婦張氏姪婦常氏監生張肇元妻節婦孫
氏肇榮妻節婦陶氏監生錢世珍妻汪氏從九品世寶子鉞監生徐堯臣妻
郭氏子老七監生林恬妻汪氏佾生長年監生陳慶恩母胡氏舅母胡劉
氏文童陳秉和妻許氏文童悅賢妻張氏文童張兆坤妻陳氏女大姑
文童林立庠妻孫氏〇文童立庠妻湯氏均殉王墅邨難文童許長福妻楊氏
子一女二文童沈登雲母節婦查氏嬸母節婦史氏儘先把總楊瑾繼妻
戴氏女錫鳳武生諶錫平妻栜氏子婦羅氏馮閒松妻徐氏瑞松妻周氏
龔連妻祁氏僕某氏江程氏女字余朱某氏子婦徐氏女周朱氏楊氏住白酒

坊　吳鳴岐母陳氏妻節婦雷氏女存姐祥姐○吳錫鴻母戴氏妻劉氏伯母朱氏
三慶　許鶴年姊胡許氏女二姑　盧長發妻節婦陳氏女愛子　倪
有梅祖母韓氏母萬氏　陳張氏陳姐張氏李氏陳姐喜姐　游擊陳步鼇
妻王氏兆書妻李氏兆陽妻王氏兆騏妻吳氏紹聞妻許氏同妻姚氏銀姐　陳克順妻子
氏妾丁氏　陳寶熙妻張氏女美姐　陳雲生母孫氏妹葱子　陳桂堂
妻潘氏妹愛姑桂元妻余氏外祖母張孫氏　潘張氏周氏　孀婦潘葛氏楊氏　潘
華氏姑某氏　節婦孫王氏二姑　孫顧氏妻節婦張氏有傳○女喬姑　袁
長松妻朱氏女一慶雲妻熊氏　錢茂女二姑四姑　高承楷妻周氏青年守節
○周姓范姓　糧道書吏王明輝母楊氏妻彭氏僕謝氏　藩司書吏王廷淦
母衛氏嫂端氏女賚姑二姑外甥女月姑　王廣應妻穆氏子婦穆氏劉氏潤身妻陶氏寶
瑞妻陶氏廣受母楊氏廣一母某氏廣和妻某氏廣樹妻張氏廣秀妻薛氏　王徐氏大姑二姑　王
乙生妻曾氏辛生妻楊氏　王德妻陳氏女二姑　張克恭妻文氏克寬妻節

婦沈氏　楊王氏子女老幼共十三人　楊進恩妻劉氏女喜姑　監生方廷煊
妻節婦沈氏女寶珠　汪阮氏張氏七娘大女二女彭氏○貞女字王守貞三十年○　黃
廷樑妻張氏青年守節○恩濤妻白氏青年守節　程式金妻陶氏子婦邵氏女安貞　周
徐氏子二　周方氏家屬六人　周許氏張氏朱氏李氏宛姑二姑　周大成妻
董氏有傳○子婦倪氏　周春華妻錢氏嫂朱氏妹美姑桂姑　周陳氏張氏　周
梓振妻徐氏岳母徐王氏　劉趙氏楊氏楊氏大姑二姑　劉楊氏楊氏趙氏住三
条營　文童劉煥章妻孀婦楊氏妾孀婦江氏子婦葉氏　劉耀宗妻鮑氏一子
女三　劉張氏一女　任孫氏岳氏陳氏陶氏　李成妻侯氏弟婦楊氏　李培
元弟婦張氏陳氏鄭氏　姑趙氏子一女二　江甯府書吏杜廉生母金氏
伯母朱氏葉氏妻徐氏　杜張氏師姐　馬舒長妻楊氏子振五子婦哈氏　夏吳
氏陳氏　蔣王氏家屬共十一人　顧德源母楊氏妻張氏　謝增榮祖母柳
氏母孫氏妻寇氏　增生陸廉妻節婦張氏子來哥　龔義生妻朱氏女二姑

三姑

朱聰齡伯母江氏張氏嫂陶氏劉氏馮氏陶大姑　陳硯秋妻張氏姊貞女大姑　陳大妻袁氏女平姑　錢懷之妻鄒氏大寶二寶　潘德培妻節婦汪氏承謨妻節婦華氏　楊惠泉母王氏妻魏氏女一　周朱氏藐姑　周楊氏李氏三姑　劉敬敷妻陳氏嫂陳氏　劉潤妻周氏子一女二　鄒文發妻節婦張氏叔母某氏妹秀蘭　沈殿揚妻節婦張氏九齡妻節婦張氏六十如姑轉姑姪女平安外甥張春保財保甥女魏張氏　馬國慶孀母金氏妻馬氏　許元松妻節婦畢氏女五姐七姐　夏永麟妻錢氏女艾姑　江爲善妻孀婦張氏誠妻孀婦焦氏　沈蘭堂妻汪氏女留姑　倪文華妻汪氏女幼姑　陳開芝妻節婦謝氏開藩妻節婦劉氏開順妻許氏　陳興位妻華氏正位妻戴氏德義妻劉氏耀南妻張氏懷五妻易氏應三妻戴氏　陸長齡母楊氏叔母梁氏妹巧姑　蔣文瀾母楊氏妻徐氏妹四姑美姐　戴士祿妻趙氏子婦周氏女汪戴氏　茹長恩妻趙氏子榮官　周瑞楨妻王氏子興子　夏秦氏陳夏氏　吳生妻陸氏監生瀛洲

妻張氏○以上見邑志　把總熊槐齡母金氏生母速氏　文生陳銓妻劉氏文生
元吉妻吳氏　監生劉翰章妻顧氏女全姑　監生李逢恩妻費氏硯農妻吳
氏　文童張德華妻吳氏岳母吳某氏　江紹祥母某氏妹大姑　節婦
陳許氏女大姑　李愔壽母謝氏妻張氏　隨崇業妻李氏女好姑　陳
小道妻周氏啟成妻朱氏　徐達亮妻王氏女轉姑　袁李氏女二姑戚徐袁氏
徐逸名妻王氏茂元妻蔡氏　江潘司書吏朱啟璜妻劉氏子婦徐氏姪
婦節婦嚴氏孫女六姑　李陳氏全姑　殷懷德妻嚴氏子婦曾氏姑杏姑　孫女冬妻姊節
婦江嚴氏　節婦孫吳氏子婦許氏　欒萬氏女大姑　蔣際安母某氏妻某氏
女大姑二姑　李受之母某氏住孝順里妻沈氏女大姑二姑弟婦某氏某氏十年均殉蘇州
難　曹德輝妻節婦張氏妹節婦汪曹氏　王錢氏女琴姑　張仁母某氏
住牛市與子婦等合門殉難　常大泉妻高氏女小姑　張鍾嫱母鄭氏妻夏氏
程崇仁妻王氏女翠雲　劉植園弟婦某氏姪女雲鳳姐　復興庵女尼

祥林徒福海徒孫荷仔萊仔安仔小葱小成汪彭氏某姑某姑○女僕某某氏某某氏某某氏○

以上見備考　節婦段王氏子二密○以上續訪

以上婦女一門殉難

署浙江嘉興府知府方秉彞妻徐氏在浙殉難　知縣陳昌緒女大姑有傳　知縣王琳母鄭氏　布政司經歷王作霖妻孀婦余氏有傳　鹽經歷王起璜妻鄧氏殉浙江難　訓導鄭維杰聘妻汪氏　縣丞陶源妻張氏　安徽巡檢王玉孫女貞媖　職員張鳳梧母孫氏　職員陳澤遠繼妻姚氏　職員李鎔女興姑　府照磨鮑光廷母張氏　從九品章綸庶祖母張氏　從九品鍾承平妻王氏　浙江從九品王佐孀母某氏殉浙江難　五品銜從九品張翰軒妻孫氏　山東從九品張鳳岐母劉氏　河南從九品楊維藩妻李氏　從九銜吳康母居氏　從九品陶德新妻汪氏　從九品趙承肇妻

王氏　從九品段子厚母節婦王氏　從九品章國棟妻陸氏
五品銜監生黃延齡母宋氏　舉人賈星垣妻黃氏守節十餘年〇殉浙江難
舉人傅遇年母節婦鄭氏　廩貢生翁覲宸妻倪氏　廩生許庚
姜張氏　廩生錢鼎文妻節婦王氏　廩生沈頤生聘妻汪氏
增生陳慶霖繼妻鄧氏　增生楊蔭棠妻李氏　文生吳剛女五
姑字呂　文生姚桂馨姑母吳姚氏　文生張金元母郭氏旌表節孝
文生鄧廷楠繼妻陳氏　文生張葆元母毛氏　文生張世棟
妻范氏　文生楊煥奎繼妻王氏　文生馬湨妻孀婦李氏　文
生沈爾濬孀母田氏殉蘇州難　文生魏雲程妻節婦郭氏　文生顧
大璋母李氏　文生謝汝齡妻韓氏　文生鄭傑母張氏青年守節
文生張濬源岳母卜氏　文生王嗣元妻汪氏　文生汪葆齡妻
陳氏　文生劉文植妻殷氏　監生俞春林妻胡氏　監生胡文

中妻徐氏　監生陳家駒妻戴氏　監生蕭煜妻范氏守節二十二年

監生陶德輝叔祖母張氏　監生陶椿齡繼妻游氏　監生楊鈐妻費氏　監生李鎮妻余氏　監生巢瀛洲妻張氏　監生李炳文妻趙氏有傳　監生范懋恪妻焦氏　監生闞建伯妻節婦陶氏

監生徐國樑母曲氏　監生陶鑑妻陸氏　監生張家驤繼妻劉氏　監生趙耀民女大姑　文童朱兆祺妻張氏　文童陳寶忠妻戴氏　文童陳培慶妻韓氏　文童董家祺妻李氏十一年殉難

文生詹長生母黃氏　文童鄒彭年伯母李氏　文童鄧午坤女二姑　文童熊爾壽祖母節婦胡氏女僕林氏　文童曹匯川妻節婦唐氏　衛千總高占鰲女大姑　千總張遇龍母石氏　翁鄉氏

龔湧川妻蔡氏　孀婦徐常氏　徐王氏　徐天壽女小玉姑

徐森妻楊氏　涂玉麟妻丁氏　余朱氏　從九品余德倫

妻蕭氏殉浙江難　孀婦朱劉氏　朱姚氏　朱身榮妻陳氏　許鶴
年甥女俞胡氏　吳劉氏　李承訓戚吳李氏　吳三元妻張氏
胡管氏　胡劉氏　孀婦胡某氏　胡光謙女三姑　周名藩
姑母孀婦瞿周氏　于培興母節婦周氏　梅淼妻張氏殉常熟難
李承訓戚崔李氏　陳其祥孀母張氏　陳紹文妻王氏　陳齊
鵬妻盛氏　陳壽平妻節婦蔣氏　朱炳然女陸朱氏　陳進妻
杜氏　陳民彝妻節婦翁氏　陳紫綬女二姑　陳廷樑妻張氏
殉安慶難　陳金門妻歐陽氏　謝增榮外祖母孫黃氏　府經歷孫
念成女二姑　孫張氏守節十餘年　蘭朱氏　李承訓戚安李氏
姚潘氏　陶吳氏　陶翠姑　陶廷元姨母杜張氏　曹陳氏
節婦曹張氏　王夏氏　張庚發女王張氏　王鍾氏　陳介之
女王陳氏　王全姐　王福安妻劉氏　王長興妻洪氏　王廣

粟妻張氏　王起鳳妻馬氏　王蔡氏　王敦仁妻節婦陳氏守節十四年　孀婦張王氏　張童氏　張王氏　張顧氏　張書勳妻李氏　張百金妻金氏　張彬侯妻王氏　張載揚妻楊氏　張肇元妻孫氏　李商銀妻郭氏　周寬氏　張耀廷妻李氏　張承恩妻時氏　萬德麟戚王楊氏　楊友蘭妻張氏　楊銓妻張氏　楊守田妻安氏　楊春圃姑母費楊氏　楊王氏　蔣王氏　方承露女大姑　汪曹氏守節多年　黃開祁妻葉氏　程敦禮妻吳氏　周徐氏守節　藩司書吏周介堂妻葉氏　周大姑　周焦氏　周程氏　周永發妻龔氏　周張氏女從戴　劉國駿妻丁氏　劉偉堂妻王氏十年殉崑山難　劉育女興姑　劉徐氏　金有奇妻何氏　李承訓戚金李氏　林恩妻李氏　淩宏益女大姑　吳榮鳳妻張氏　汪庚戚李二姑　李清妻湯氏　李雲章妻吳

氏四年殉難　李鎮女大姑　李善保繼妻王氏　李德旺妻吳氏
李士元妻趙氏　督院書吏呂吉甫妻馬氏　許宋氏　趙李氏
李承訓戚趙李氏　趙啟聘妻蔣氏　蔣王氏　沈國瑩母常
氏　范顧氏　范春姑　孀婦范嚴氏　費楊氏　顧吳氏　顧
大女　蔡大文妻蔣氏　蔡某妻沈氏　戴榮成妻余氏　卞赤
懷妻節婦陳氏　盛鳴九妻郭氏　端木塏姑母鄭端木氏　鄭
逸妻唐氏　祝連魁妻有氏　陸張氏　端木金譜妻張氏　王
張氏　莫程氏　柏以沅妻陶氏　席張氏　葉趙氏　葉德森
妻容氏十年殉難　葉兆洵妻汪氏青年守節六年殉難　施大妻節婦查氏
朱大妻節婦王氏　吳三祿妻某氏　倪自球妻湯氏　文童崔
錦堂妻劉氏　七品軍功陳治妻陶氏　孫錦源妻節婦溫氏
文生秦汝福妻錢氏　焦張氏　張沅妻節婦劉氏　汪榮純妻

阮氏　潘周氏　潘張氏　周許氏　周張氏　周名女大姑
周美春妻陳氏　金大玨繼曾祖母萬氏　李班五妻節婦王氏
夏汝霖妻吳氏　顧逸名女少姑　歐陽釗妻莊氏　黃必揚
妻節婦紀氏　張青娥　王國桐妻吳氏守節二十七年　張世卓妻史
氏二十六歲守節　施鏡堂妻王氏守節十九年　張懋楨妻陶氏守節三十五年
萬瀛洲繼妻張氏守節三十九年　戴某妻蘭氏蘭全祉女守節二十五年　王世慈
聘妻張氏奉姑守貞七年　陳匯聘妻張氏女守貞十六年　王大林僕吳氏
鮑武淦僕盧氏　謝景培僕曹氏　胡錦堂僕張氏　張氏女
某　王大林僕張氏　洪氏　徐氏　王氏　王氏　如意　玉
蘭　李氏　李氏　謝氏　葛氏　霍氏　葉氏　謝氏以上家主名氏
均佚　佘正春妻殷氏　陳倫聚妻宋氏　馬文邦妻李氏　唐兆
祥妻劉氏　郎永康妻節婦金氏　嚴存善妻王氏　鮑必成妻

節婦張氏　周潤章妻焦氏　聶大妻劉氏○以上見邑志　巡檢吳昌
烈聘妻李氏　八品銜朱月亭妻程氏　從九品陳金龍妻葉氏
從九品姚沂妹朱姚氏　職員石毓奇母節婦洪氏　職監生
方錦珩妻詹氏　拔貢生程亮祖妻某氏　廩生黃廷章妻殷氏
監生吳灼堂女四姑　監生張儒珍妻李氏　奉祀生王登書
妻節婦裴氏　監生錢遴女五姑　監生高守仁妻朱氏　佾生
顧長炘妻徐氏　文童陳殷母某氏　文童葉克基妻孫氏　文
童梁承井聘妻韓氏　督署書吏蔣某妻周氏　書吏張問之妻
王氏　監生吳源淇妻芮氏　鍾啟義妻陳氏　秦小羅　龔汪
氏　江朱氏　吳子見女慧貞　陳治平繼妻節婦蔣氏　隨崇
業妻李氏　吳文焯妻節婦羅氏　施廷富妻黃氏　張麟趾妻
趙氏　徐奎妻節婦黃氏　朱曉亭妻王氏　朱炳然女陳朱氏

戚鏞妻單氏　葉張氏　葉國楨妻節婦劉氏　葉靜涵妻節婦張氏　范士貴妻節婦周氏　蔡沈氏　孫應齡岳母趙張氏　戴宏發妻鮑氏　繆興富妻某氏　張實秋妻某氏　李炳華妻節婦陳氏　馬長年妻周氏　李子和妻伍氏　方沈氏　馬錢氏　李汪氏　許木匠妻某氏住新橋　徐子見妻易氏六年殉難　錢馭母武氏　王必全母某氏　王廣華妻端木氏　張施氏　姜允堯母吳氏　程上琳女二姑　周有堂妻阮氏　周召南母葉氏　周瑞恩母余氏　劉氏棟妻班氏　盧捷三妻賀氏　郗自知妻周氏　王宗泰母李氏○以上見備考　李仁妻林氏翠環住湻化村　周承猷妻張氏殉句容難○以上續訪

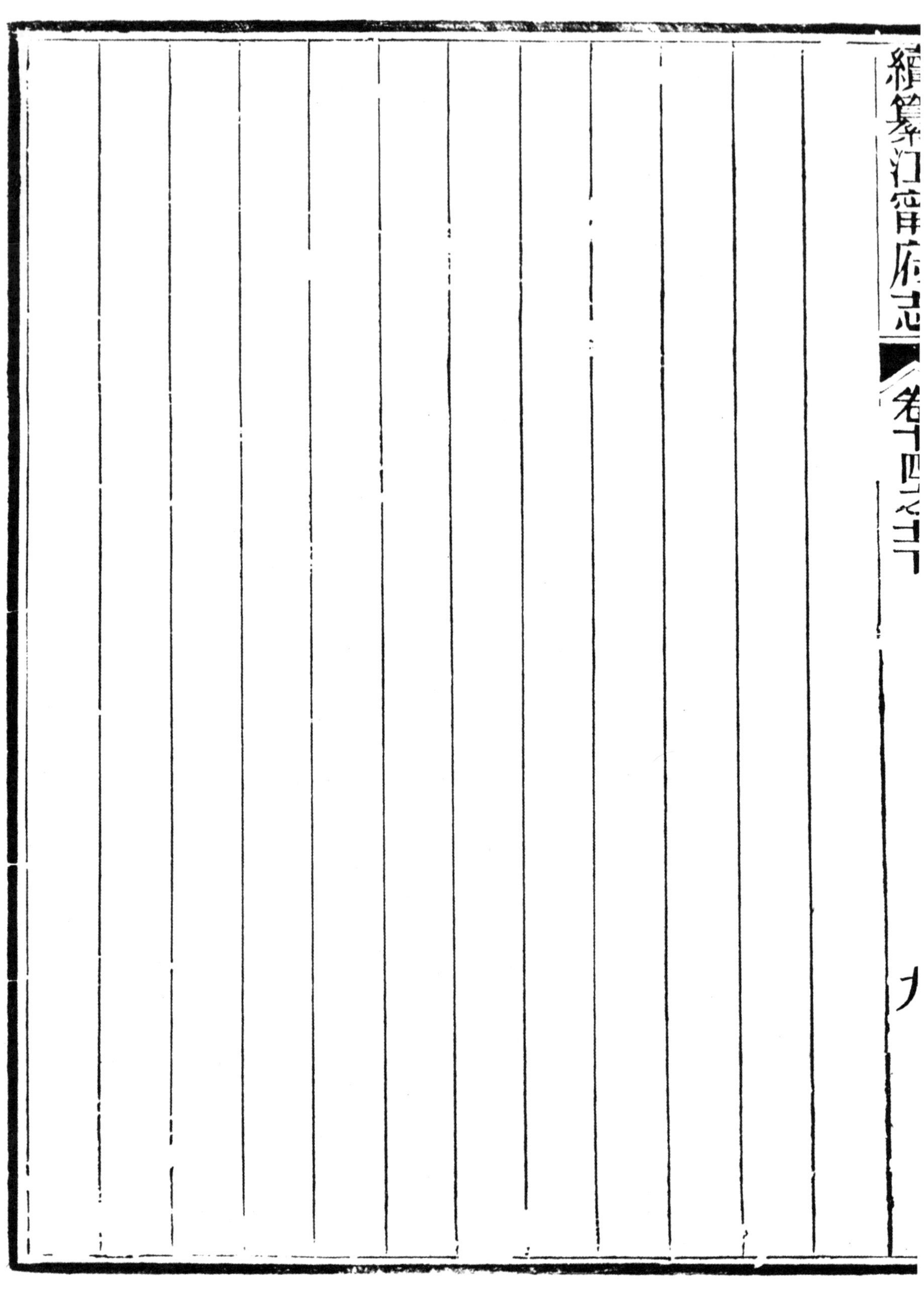

續纂江寧府志卷十四之十二上

上元秦際唐分纂

人物 忠義貞烈

句容

官

候補同知祝錫勳無錫人〇八年句容陣亾　總兵銜副將李鴻勳廣東高要人南門陣亾

副將周兆熊成都人〇八年大岡子陣亾　都司銜李窗六年十一月東門蕭家橋陣亾

太湖東山汛外委蔡連陞陽河人〇十年句容城陷陣亾　外委陳文煥通州人句容陣亾

紳

贈知州孝廉方正廩貢生駱懋修有傳　孫崇元妻王氏　女淑貞　贈國子監

學錄訓導蔣裕升弟六品頂戴裕福　從九品徐日昶妻夏氏　子婦趙氏　子士權　士

俊　孫茂恭　子婦王氏　女雲林　孫女某姑　男僕某　從九品王錫嵩有傳　母許氏王莊邨人

從九品王永招妻周氏不屈死 從九品張昶晙小眞小權○陣亾○晙妻葛氏春林
妻節婦梅氏曙堂妻節婦朱氏瑾懷妻孀婦李氏懷女大姑二姑三姑 從九品沈永春沈鐵邨人
一門五人殉 五品銜武生高遠元年陣亾○從姪德茂○觸柱死○德洪○自焚死○德起○投水死○
姪孫樹坤○自縊死○樹龍○被戕○五品銜文童德鋐○陣亾○樹銀樹桐小毛烈生長元姪女張高氏姪壻張
某起妻呂氏洪妻金氏坤妻張氏龍妻潘氏鋐妻陳氏坤女桂英鋐女鴉頭鋐子毛團 蘇右營
把總陳紳有傳子雙福石牌陣亾
以上一門殉難
理問銜駱桐川不屈被戕 寶山縣訓導孔繼彰十年殉難 四品軍功楊
道泰楊巷邨人○八年灣池陣亾 六品銜朱南橋不屈死 縣丞高世珍有傳光
里廟人不屈死 六品頂戴從九品趙永儒在高家邊殉難 從九品余應龍七年
土堰岡陣亾 議敘八品王子貞 議敘八品駱星巖 從九品王貞
益不屈死 從九品楊有仁死內應事 從九品楊桂馨楊巷邨人十年被戕 從

九品李慶漣陣亾　六品頂戴文生楊振聲陣亾　六品軍功陳衍萬
達巷邨人○十　六品軍功王新安同治元　六品軍功金宏勝
年高麗山陣亾　年殉難
同治十三年　六品軍功任衡平孔邨人○同　六品軍功駱星
勦賊陣亾　治二年被戕
衍十年　六品軍功謝貞章石坑邨人○　職員魏元周在孔塘
陣亾　高麗山陣亾　埂遇賊
被　六合千總淩慶元某科武解元　把總束某陣亾　外委鄧開
戕　勦賊陣亾
友同治八年
勦賊陣亾

士

贈鹽運司知事文生李永增兄永福　永謙　子世松　嫂金氏
謙妻陳氏　妻鮑氏　姪女巧姑
文生朱質弟贈鹽運司知事文生鴻逵　文生王元貞弟子貞
族遐許姪女大姑字楊　妻朱
氏　文生張孝友有傳　弟某　文生孔廣培女大　文生孔
子一　十年陣亾　姑
廣恩女大　文生竇錦文妻吳　文生駱中模文生雲鵬　文生
姑　氏　雲鴻　雲鴻妻張
氏　文生濱妻張　文生駱道肥妻張氏　女停　監生高君賢
氏　均不屈被戕　姑○十年殉難

馬里邨人一門五人　監生竇佩芳妻朱氏　文童陳榮生妻葉氏子炳元炳揚孫生兒連子　文童錢大紳僕趙升○殉鎮江難

以上一門殉難

貢生蔣兆寅六年殉難　增生方庚吉　文生徐沃洲不屈死　文生王矜式同治元年陣亡　文生王履坊　文生張孝友同治二年殉難　文生淩慶五　附貢生李受祺陣亡　文生竇桂芳十年陣亡　文生駱長炳不屈被戕

文生許世馨　監生俞桐七年在俞橀邨殉難　監生朱宜芳不屈死　監生爰昆　監生陳紹祖同治二年在高家邊殉難　監生王鴻文北墅黃岡寺陣亡　監生張金波　監生張照　監生張凝　監生張定樾十年不屈死　監生郭世仁十年在羅家莊殉難　監生駱慶醇　監生東時升　監生史國俊十年殉難　監生許閔六年天王寺陣亡　文童孫立湖十年罵賊死　文童孔廣思六年不屈死　武生仇安賢東陽鎮人　武生范紹增七年太祝廟陣亡

董事武生解聲和　董事武生謝敬三　董事武生謝幹臣　三
岔鎮董事闞東山六年陣亾　三岔鎮董事陳清源六年陣亾　董事武生
巫覲光不屈死　董事王宜德　董事丁益芳七年殉難　董事劉慶廣
六年殉難　董事蔣明藺七年殉難

兵勇團丁

朱明良紀茂　文啟寬良元世榮世懷世相美珠　巫慶朝慶相　王長清澄林
承靈　王啟餘啟○以上均團丁昌鋪頭橋陣亾　曹於鳳於喜顯貴正瑞於壽正邦世章
於彩　王定鎰定明定朋定茂　王廷名凝有安明　王凝生安忠凝瑤凝榮凝洪
定禮安雙安元　王明五鳳山　王凝煥安乾德生安監安雲安正凝雲德阡凝治
安庫安桂可桂　王某良金政子成玉長有凝位德祿　王堯章招財　張達江餘立
延元延明東海餘祐慶根起富興長餘棠　張餘瑞德善延光　張延萬延濆餘金
延康德明美扶德昆德康餘祥道琚　張餘有餘壽延芳延功延華長春　張延希

天富金根 張慶愛余道長祥 楊邦孝加法國仁邦賢加江恆順 楊加聖加明

周道運洪勛 周恆信恆盛篤全篤洪貞連孝龍孝有基才基元恆松昌興篤凡

田余禮發有 嚴儉進儉法 淩士旺邦瑞士雙邦隆邦元邦桂 淩老四長才

興根 經忠銀本信忠梧 歐正旺正興正隆正祥 李賢忠永有思和成裕廷珠

良彩 許本祥本家本原象堂本象本瑞生禮廣益立進本楊本元 許立敬本起

許本忠立旺和本本春 夏昌運昌茂 夏正新修成正發 趙鳳德宗運 謝

如福如祥○如壽以上均北墅團丁六年陣亾 黃岡寺團丁張慶元長清○七年陣亾

李相局團丁范茂泰茂全○鋪頭橋陣亾 茅莊團丁笪家才家璋名義名英家

瑞○六年陣亾

以上一門殉難

吳聚南 陳祥福 陳朝武 高士興 高良謨 王德福 張

延貴 潘順喜 楊邦春 丁大才 周貞進 周篤玉 周玉

周章發 劉廣信 劉秉燿 任本發 唐世科 李承育 孔傳培 萬茂源 華泰仔 趙延萬 郭大有○以上均北墅團丁六年陣亾 林勇洪先榮陣亾 徐世成七年陣亾 朱志道西堰岡陣亾 陳正昌六年虎耳山陣亾 王昌順西堰岡陣亾 楊有華西堰岡陣亾 任誼三西堰岡陣亾 萬明德七年陣亾 祝尚全七年陣亾○以上八名均黃岡寺團丁 金粟庵團丁陳世旺攀鳳岡陣亾 西社邨團丁陳世萬在上山岡陣亾 惠勇陳得發高橋陣亾 保勇陶得勝攻張堰陣亾 續勇汪必元陣亾 李相局團丁丁一芳鋪頭橋陣亾 安營兵丁許金山金山衞陣亾 郭莊廟勇目蔣文燕六年陣亾 續勇蔣福全陣亾 李相局團丁解興之鋪頭橋陣亾 朱朝坤十年陣亾 朱朝紳 陳家裕鋪頭橋陣亾 陳廷邦 陳奎 錢錦德 曹德武鋪頭橋陣亾 楊景得陣亾 劉大壽鋪頭橋陣亾 包正朝鋪頭橋陣亾 李賢芳鋪頭橋陣亾 范邦富鋪頭橋陣亾 范得山陣亾 文世璜 劉大春

朱德良 曹德五以上十七名均團丁

民

馮正明正安正乙○均在西壩橋陣亡 戎興慧弟長松母舒氏嫂朱氏妹素琴戚管舒氏

朱某朱家邨人全邨殉難 朱元潤本鐘 胡先知妻楊氏 胡秀兒母楊氏均在馬院邨殉難

胡雙喜之珊○均在淤鄉陣亡 吳成傳十一年殉一門四口 吳登馥達魁華恭

吳宇鶴母節婦郭氏妻駱氏 盧慶臻母孀婦樊氏○堉十年殉 于國愛于家邊人一門四人殉

于家俊于家邊人○一門十二人殉難 于家駒家騏德興 倪繩錦在潦塘邨被戕

嫂節婦戴氏○同殉 梅廷璋妻趙氏坤一坤一妻趙氏 部盛聚世元世春世隆世江○七年

均在太祝廟陣亡 陳啟高應臺女三姑 陳某潤東邨人全邨殉難 陳某西頭店人全邨殉難

陳紹錫姪祖灝○孫莊人○十年閏三月均殉難 陳維善綸科綸福○均陣亡 陳正秀

前李邨人○一門三人殉 孫某孫家邨人全邨殉難 孫某西頭店人全邨殉難 巫某正塘頭人全邨

殉難 樊祖灝繼宗繼志王氏妻許氏金氏緒元母節婦葛氏福保壽保王氏大姑二姑

川姑幼姑祖瑞祖聖氏孫女某姑、妹王樊氏◆瑞未婚妻陳妹丈王介夫**樊啟堂**子姪妻孥茲戚二十

餘口殉難**姚隆芝**姚家邨人一門六口**姚餘厚**烏塘頭人○一門四人殉**姚國相**國豐國治

○均姚家邨人十年被戕**高廷義**廷忠廷亨○均西堰岡陣亾**高君懷**君賢應書應瑾書妻張

氏**陶光謙**妻龐氏**何鴻儒**子興兒妻戴氏張氏**王大鳳**旅坤馬平橋被戕

王德昌應餘○七年、太祝廟陣亾**王應順**聖金聖佐○七年陣亾**王美勤**本山○六年淤鄉被

戕**王元貞**妻朱氏子泰保女傳保○均十年殉難**王喜兒**弟壽兒母劉氏永山妻陳氏○

均十年殉難、**王炤**鞏**王孟輝**妻樊氏**王某**王圩塘人全邨殉難**張詩**劍彤書

駱氏繡英淑珍大姑小姑菊秋多姑僕宋福**張慶備**慶和慶譜慶友六年均淤鄉殉難

張康訓母節婦孫氏國選妻節婦李氏曉章妻節婦耿氏**張延坤**延信○均在潦塘邨殉難**張**

延林張巷邨人○一門三人殉**汪烈正**兄弟四家十五人殉難**汪立宏**南水邨人○立慶立貴

十年城陷二十餘口殉**潘明良**兆瑞三元傳高○均在淤鄉邨殉難**楊松林**母高氏均在楊山

邨殉難**楊明連**弟明富○在萬里濠殉難妻陳氏○在城殉難**楊貢禹**妻戴氏、**楊某**

正塘頭人全邨殉難楊義周楊巷邨人〇一門三口殉楊禮茂楊巷邨人〇一門五人殉楊義聰楊巷邨人〇子道愷〇守城陣亾〇家屬二人同殉楊義松楊巷邨人〇一門十口殉楊義源楊巷邨人〇一門六人殉楊德茂楊巷邨人〇一門六人殉楊德元楊巷邨人〇一門三人殉楊道巖楊巷邨人一門四人殉難楊義謙楊家莊人〇一門八人殉楊義祥楊巷邨人〇一門六人殉楊義昇楊巷邨人〇一門四人殉章齊坤陣亾〇妻楊氏廣文母王氏廣田妻華氏余開生女許丁有傳〇罵賊死劉同春母汪氏〇均在馬院邨殉難劉慶澄子長齡均陣亾鄒正奎上鄒邨人正信正身我儉〇均十年被戕〇正位〇十年守城陣亾〇純熙〇同治元年陣亾〇正堃〇亦陣亾嚴文壽馬莊橋人一門四人殉唐繼富旭和六年在淤鄉邨殉凌相孫監生慶壽妻楊氏女金姑祿姑〇均不屈被戕凌長蔚長祐妻許氏祐妻王氏毛蕙初相臣〇均十年陣亾成言浩孝江忠全言才友儉孝恆〇均西壩橋陣亾成孝桐孝檜〇均淤鄉陣亾譚某正塘頭人全邨殉難譚全金譚家邨人〇一門四人殉房道勤儀古莊人〇一門八人殉房德連房家邊人〇一門七人殉房同九房家邊人〇一門六人殉李有球文生成名子永福孫華

文生實萼曾孫啟元子婦陳氏孫婦程氏孫女巧姑珍姑玉姑轉姑女僕張氏

李永貴弟永

富妻羅氏母遲氏

李永祥弟永年永順姪世德世復世儒母葛氏妻黃氏弟婦王氏張氏

彭氏女巧林孫女銀姑鳳貞

李永泰子世松弟婦汪氏

李星漢母佘氏弟鳴泉妹一妻

張氏子一

李蘭英母汪氏

李某一門焚死

孔昭理子紅兒妻劉氏女端英繁英

蔣正身正楠○均十年陣亾

呂福壽蘇氏均西社郵殉難

紀修義景運幹祥六年殉難

范朝方德全均在太祝廟陣亾

趙天祥如祥○均於六年在馬平橋殉難

趙治秀成庶

○六年均在天王寺殉難

趙道儒裕生清修

趙國言妻陸氏子文春春妻高氏○同治元年自焚死

趙永奎趙莊八永王賢志六品軍功賢普○均十年被戕

趙永廷永球永奎永相賢堯妻

張氏廷蕅妻戴氏永相女龍英姑

戴立墪儒修○城下郵七年殉難

戴延斌啟松○七年均北城

殉難

戴道新文銘

顧靜安仁裕

盛某盛家邊八全郵殉難

寶賢椿賢亨達蓁○

均十年陣亾

段某陳家邊八全郵殉難

杜繩武妻陳氏

郭天元子婦夏氏

葛鳳

餘妻寶氏

駱佳妻郭氏○六年殉難

笪昌桂昌珍七年均在北城陣亾

笪啟東子銘

榮妻莊氏妹節婦杜笪氏○均殉難　麽某王圩塘人全邨殉難　麽茂林柘溪邨人○一門七人殉

麽茂森柘溪邨人○一門六人殉　李廷爽妻汪氏　李芳林桂林○七年被戕　祝文

聖西佴墅人○一門七人殉　許方平許家莊人○一門五人殉　謝惟善妻楊氏謝家邊人十年被戕

以上一門殉難

駱常珍　笪國杏在泰家山殉　笪修儉靡墅橋陣亾　麽志林淤鄉陣亾　席

知興　席盛中　柏宏益　柏宏喬　柏起齡　柏士浩以上六名均淤

鄉陣亾　歐陽大福六年殉難　歐陽國縉歐巷邨人十年被戕　孔慶庚淤鄉陣亾

洪明林　洪遠第　洪元彥　龔明泰　余開禮　朱之濬　朱

兆彬　朱應芷　朱惟久　雷長祥　袁仁昌　袁守輔　滕頭

從　滕明雲　姚孝烈　喬慈任　喬繼賢　王善熙　王知香

王士炳　王定順　王厚元　王鴻職　王加元　金明第

金知泰　嚴起雲　嚴道瑞　毛彬文　房問興　房茂義　鄭

邦運 鄭國元 衛賢學 衛昭棟 衛家達 裔餘魁 葛繼賢以上均於鄉郡陣亡 徐匯源 雍掌衡 雍元宏太倉州被戕 雍元容 江隆茂西門外八十年殉難 俞宏三住俞檻郡七年殉難 俞某死內應事 朱之道七年在北城陣亡 朱有德被戕 朱立賢同治元年陣亡 胡文思在前巷郡陣亡 胡有欽 吳承錦在花茂郡遇賊被戕 吳錦華花茂郡殉難 吳某東陽鎮人十年陣亡 倪紹城 醫士倪德煥 倪紹誠十年罵賊死 倪金元 陳懷仁 陳德富 陳德懷 陳逼寶 陳車匠 陳聰溶湖隄郡被戕 陳玉福 陳守城陣亡 陳鎮閭李郡人在虎耳山陣亡 荀世芳 巫儀恬 樊紹文 屠增麟 姚洪月在北鹿岡陣亡 姚奇福姚家郡人十年被戕 姚長浚 高星台 高銀保 高士貞 曹世康在天王寺陣亡 何壯乾糜墅橋殉難 何長存 王宗魯湖柘郡人 王正洪 王遠光十年在王家郡殉難 王長仁 王司務 王遠榮 王大成十年殉難 張餘六年在道士橋殉難 張葆元十年殉難

張慶紘在西城郵殉難　張慶貴　張延合在范家莊殉難　張朝松　張餘好

戴郵人同治元年在榨上郵陣亡　張葆元不屈死　道士張子雲　楊師質戴郵人○

不屈死　楊禮位楊巷郵人六年被戕　楊義貴楊巷郵人十年被戕　楊道佟楊巷郵人

楊道文楊巷郵人○同治元年榨上郵陣亡　楊道朋楊巷郵人十年被戕　周基茂六年在淤鄉郵

陣亡　周恆信住方溪郵六年殉難　周恆楞四年不屈死　周德綦　劉鳳清陣亡

劉元喜在道士橋殉難　劉顯芳在新坊郵殉難　劉盛國在西堰岡陣亡　劉敬師

甘本澄　談子敬　商致和　任存煥孔郵人○同治二年被戕　房祖昇

房家邊人八年虎耳山陣亡　馬汝明　李有畜　李有晉烏山郵人○同治元年陣亡

李某朱張巷人○六年在淤鄉殉難　宋鳳章在李家橋殉難　萬德起住高陽橋七年殉難　解

吉喜陣亡　華恩賀在華家邊遇賊被戕　尚德漢在義城橋殉難　阮家友在北鹿岡陣亡

段順江段家邊人○同治元年榨上郵陣亡　桂楨絕粒死　郭蔭培十年在淮北被戕

駱道中　駱春沼　歐陽萬鈺歐巷郵人十年被戕　史珮玉　孔繼純

孔兆勝有傳陣亾○　孔長生　孔昭鰲十年殉難　許華章十年殉難　許貞
柏白七年北鹿岡陣亾　蔣忠璘　趙何通六年在馬平橋殉難　趙瑞麟　趙相立
六年在馬平橋陣亾　趙政恆　趙政迺　趙家棟三年罵賊死　趙德恭七年陣亾
趙顯增殉長洲難　戴德成住窯山邨七年殉難　戴世允十年殉難　戴世晝同治
元年殉難　戴道銘十年殉難　戴世乾同治元年殉難　戴世貴　戴成良十年殉難
謝儉祿　謝欽聚謝家邊人十年被戕　謝道運謝家邊人○十年守城陣亾

以上民

華山房頭僧淡然　僧長華七年被戕

以上方外殉難附

張錦黼錦黻○丹陽人珥陵鎮陣亾　荆學文秀發○丹陽人○珥陵鎮陣亾　鄧學孟呂松川
秀雙喜明秀明吉○丹陽人○蘇巷陣亾

以上流寓一門殉難

徐永山　陳書元　王汝培　張榮孝　湯恭厚以上五名均丹陽人珥陵鎮陣亾

韋茂健丹陽人○帳墓邨陣亾　陳有成　張以鍾以上二名均丹陽人華山里陣亾

姜國茂溧陽人○古讀里陣亾　武生呂魁元溧陽人○塘陵邨被戕　文生蔣雨滋丹徒人○黃莊陣亾

施再恩　施忠良　朱勝揚　朱廷章　姚福德　王香培　王元貴　王正陞　張永和　周勝坤　顧金相均係蘇鎮中營兵丁句容陣亾

以上流寓兵丁附

續纂江甯府志卷十四之十二中　上元秦際唐分纂

人物 忠義貞烈

句容

五品銜陳士麟妻李氏廩貢生廷鈺妻陸氏　從九品黃以能妻王氏文生翰母王氏　文生以慶妻駱氏　監生以成妻周氏　以成妾陳氏　以慶婢女貞奴　從九品劉誾妻張氏從九品章亨妻陳氏　岳母陳王氏　文生渭未婚妻李氏　承基妻汪氏　善庭妻經氏　從九品李步瀛妻節婦孔氏炳南妻張氏　大元妻高氏　職員孫永佳女大姑監生永祁女大姑○在孫家邊殉難　文生朱淼祖母節婦李氏昌祐妻李氏　文生曹國治妻貢氏文生錫疇妻張氏　文生修政妻徐氏○有傳　附貢生湯獻廷母許氏文生青選繼母蔣氏　可貞妻某氏○皆自焚死　文生駱文林妻任氏監生存鎬妻黃氏　文生駱中驊妻節婦曹氏文生楚漁叔母節婦李氏　文生重晉女大姑字王　文生文林女定姑　監生登瀛女能姑　敬堂妻吳氏　正湘妻王氏　文生戴銘恩妻曹氏文生芹妻蔣氏　臣壽妻王氏　朝謨妻王氏　光梧妻王氏　趙孫

氏俞氏辛氏曹氏辛氏文生趙珍妻駱氏文生清源妻許氏監生吳鏞女順

芳姑懷芳姑○均在東陽鎮殉難文生陳丹巖妻駱氏文生定嫂節婦淩氏燦庭妻杜氏

監生裴韋雲姪某聘妻周氏姪女滿貞監生王慶瑞妻節婦陳氏德芳

未婚妻錢氏心一妻周氏監生劉德元母王氏繼妻傅氏弟婦陳氏姪女幼姑○均在樊家邊殉難

監生劉峻乾繼妻王氏六年殉難○秉垣妻王氏秉垣女明珠五姑監生寶昌

霖妻湯氏監生步蟾妻林氏雍延錦妻宮氏孝胡聘妻李氏均在殷岸橋士山河殉難

雍永熙妻宮氏杰妻沈氏松年妻高氏年女祿姑立益妻闞氏○均十年殉俞徐氏雍氏

俞正琴妻陳氏學淵妻許氏女小姑○均在茅山殉難朱曉祁妻李氏可如繼妻袁氏孔

羣女大姑昌馭妻陶氏乾美妻王氏惟允妾殷氏昌朧妻許氏朱攸崇妻欒氏女二姑陳

紹芳妻節婦王氏有傳○克銀女小姑羊姑欒繼貞妻某氏貞女二姑○均在下埠殉

時良璧妻李氏女大姑姚國平妻譚氏七年被戕○奇高妻楊氏○同殉○隆延妻汪

氏○同治二年焚死○世泰妻鄒氏○同焚○隆高妻陳氏世福妻徐氏○均係姚家邨人曹炳和妻朱氏

文忠妻某氏○一門殉難

高星達妻黃氏 孫女金珠

王長熠妻倪氏 貢生鈺女二姑

王善璠妻駱氏 妻妹駱大姑婢女如意十年均在五墟邨殉難

王天增妻趙氏 天文妻趙氏正祥妻趙氏正貴妻蔣氏○均十年殉難

張春泉妻王氏 崑瑤妻蔣氏

張耀廷母某氏 妻魏氏女三姑

張成基母節婦許氏 妹閨貞

張文福母許氏 嫂陳氏弟婦楊氏蔭椿妻王氏映壽妻戴氏慶松妻胡氏

張昇新妻芮氏 子細仔

張才琴妻駱氏 子一大岡頭殉難

張銘春妻芮氏 女小姑六年在西城邨殉難

張啟堂母曹氏 妹幼姑

楊長榮妻王氏 女玉珍監生長貴女秀英

楊明純妻節婦劉氏 有傳良棟妻節婦李氏良棟子婦未婚張氏良董妻某氏良董子婦某氏○均殉難

劉洪聲妻朱氏 善養妻陳氏

劉照盛妻陳氏 善養妻陳氏

劉德沅母張氏 姑母胡劉氏

鄒正登妻陳氏 下鄒邨八○正奎妻于氏○均同治元年殉難

商仁應妻王氏 仁祥妻王氏正源聘妻楊氏

經德瑚妻節婦孫氏 德某子婦節婦雍氏德禧妻石氏德墳妻王氏恆慧妻張氏德博妻張氏○均殉難

經德厚妻楊氏 正依子婦張氏

湯元昇妻戴氏 女大姑子婦端木

氏○在花茂都賊逼不屈死　湯戴氏端氏　湯家寬妻節婦戴氏子一○湯巷人　湯

傳長叔母竇氏妻朱氏　田朱氏史氏　沈濮氏宮氏楊氏　沈致和妻某

氏女小姑　沈立兆妻濮氏女小姑立富妻周氏　李賢連母郭氏妻某氏○花塘

頭人十一年殉難　宋勝浩妻沈氏桂榮壽妻朱氏○均范家莊殉難　華錦榮女巧姑

荷姑字林監姑字許均六年在雙廟村殉　尚德鍾妻王氏有傳○世續聘妻王氏世鏻妻王氏祚坦

繼妻邸氏世絨女桃姑祚偁妻王氏　寶大欣妻劉氏大士妻梅氏世孝妻潘氏　李正瑩妻

呂氏二女　孫怡洲妻李氏子婦李氏　濮朱氏葛氏朱氏　史紀氏戴氏　許

錫純妻孔氏子三　蔣正楷母萬氏自銘母孔氏　戴雍氏尚氏　戴良繖

妻袁氏世華妻袁氏世瑩妻周氏

以上一門殉難

五品銜陳厚寬妻張氏　五品封典州同銜趙炘妻許氏十年不屈死

孝廉方正廩生田志蓮妻郭氏有傳○十年在趙家塘都殉難　候選訓導楊

應春母貢氏楊巷鄉人○同治元年自焚死　議敘八品朱安國妻孔氏六年罵賊死　未入流管壽誃妻吳氏在浙殉難　江蘇候補未入流張金鑑僕婦李嫣殉蘇州難　廩貢生駱重恆女貞女焦駱氏　增生王汝恭妻顧氏曹鄉殉難　主簿沈駿妻傅氏　增貢生孔廣生聘妻張氏六年殉難　文生曹振修妻節婦某氏六年罵賊死　陶汝調妻劉氏　文生楊熙妻高氏　文生駱重觀女劉駱氏　文生劉卓堂子婦駱氏　文生劉嗣昌妻駱氏　文生淩長俊妻駱氏　文生劉長傑女李劉氏　文生邵耿光妻魏氏十年殉難　文生郭聶芳妻淩氏　文生郭雲衢妻陳氏　文生葛亮楷女住姑　文生駱道腴妻裴氏　文生駱崇實妻張氏　文生戴芹妻華氏　監生倪德兆妻許氏在唐陵鄉遇賊被戕　文童欒起喜妻竇氏　監生居烜堂姊秦居氏在居家邊不屈死　監生湯元謨妻陳氏在池頭鄉遇賊被戕　監生戴熙宇妻石氏在葛橋殉

難　監生趙清澈母節婦史氏十年殉難　文童羅永珍女毛姑十年殉難
文童羅鳳儀妻楊氏十年投河死　文童駱重鼎女節婦張駱氏
文童趙步瀛妻節婦景氏十年殉難　補用游擊王桂母嚴氏在許巷殉難
世襲雲騎尉趙裕艮妻李氏　宮義松妻李氏　雍衡甫妻李
氏　雍立墉妻高氏土山殉難　雍德培妻節婦華氏　施國成女貞
女紅英聘周有傳○同治元年罵賊死　徐步龍妻張氏　俞學金妻朱氏　朱
俞宏宇妻節婦楊氏　朱孝棟聘妻孫氏　朱昌耀妻李氏
孝松妻張氏殉蘇州難　朱道澄繼妻節婦李氏　朱智達聘妻駱氏
朱繼椿妻張氏　朱懋妻蔣氏楊栁邨人　胡是儉妻倪氏在太陽邨身負
遺孤殉難　吳達賢妻周氏十年殉難　吳星曜妻蔣氏　吳承增妻張氏
在花茂邨殉難　吳立魁妻楊氏陸門口人投水死　吳承兢妻節婦欒氏錢家邊人
吳士驁妻節婦曹氏　于有琦妻殷氏東邊塘人○同治二年被戕　倪熾

鑑妻王氏在茅山殉難　梅芝山妻董氏　梅金源妻許氏　王郭氏
王炳妻駱氏　王茂遷妻節婦陳氏　王應鶴妻戴氏　王進
洲女二姑字孫通德鄉土橋人投水死　張延高妻李氏在范家莊殉難　張銘彝
妻芮氏　張啟相妻李氏十年在羅家莊殉難　張貞昌妻節婦楊氏徐邨人同
治三年不屈死　張延宗妻楊氏張巷邨人同治二年殉　張永妻許氏　張椿年
母郭氏六年投國公廟井死　張瑜妻郭氏六年在北門外殉難　張慶鳳妻楊氏張巷
邨人　楊錫侯妻節婦朱氏　楊德高繼妻龐氏楊巷邨人○十年不屈死　楊
德昇妻張氏楊巷邨人○同治二年殉　楊義學妻許氏楊巷邨人○同治二年殉　楊正
潮妻經氏　章安邦母毛氏　章順賢妻葛氏不屈被戕　丁龍山妻
吳氏　周篤樑妻節婦華氏十年殉難　劉朱氏　劉朝養妻楊氏臨泉
鄉人　劉惠堂妻陳氏六年不屈死　田進良妻李氏十年殉朱家集捻匪之難　田
志源妻李氏　談秀升妻謝氏　嚴治妻甘氏十年殉難　邱貞祥妻

吳氏十年殉難　商仁義妻楊氏同治元年遇賊不屈被戕　包景昌妻王氏曹莊殉難
唐壽生妻駱氏唐莊殉難　毛麗江母任氏　毛廣聰祖母李氏
湯琢章妻蔣氏　歐利雲妻王氏　秋某妻吳氏自焚死　文童李
永昶妻節婦任氏　夏禮廷妻施氏曹家邊人不屈死　鄧李氏　魏昌
吉妻湯氏孔塘埂人在湯巷殉難　顧明德妻夏氏　華信堂妻王氏十年殉難
華潤三妻徐氏在華家邊遇賊被戕　華呂氏　華文培妻劉氏　芮允
喜母張氏六年投國公廟井死　陳朝秀妻董氏李邨人〇十年殉難　陳仁廣妻田
氏　陳人淵妻節婦笪氏陳武莊人十年殉難　殷恆福妻駱氏淩邨殉難　孫
淩九妻節婦朱氏　韓永秀妻張氏在曹屋邨殉難　文長庚母徐氏十年
殉難　居泰氏　居馨妻戴氏　錢枝元女二姑字王十年王家邨殉難
姚聚昌妻潘氏　姚奇安女小英姚家邨人十年不屈死　高順崇妻王氏
曹全義妻王氏　曹全智妻王氏附傳〇不屈死　曹步洲妻節婦王

氏　陶心茂妻吳氏臨泉鄉人●王啓琛妻駱氏十年遇賊被戕　竇步階妻
林氏　葛大任妻節婦陶氏葛橋人　貞女駱焦氏城陷赴水死　駱長
華妻潘氏　駱同富妻李氏　笪教祥妻巫氏　濮德昌妻節婦
朱氏臨泉鄉人　濮克愚妻萬氏　石正猷母李氏在臨泉鄉殉難　端木樂
信妻楊氏　歐陽國炳妻謝氏歐巷村人○十年投水死　曾年林妻王氏
呂元基母姜氏在淵東鄉殉難　呂樹倫妻李氏　孔昭遲妻駱氏十年殉難
孔振宗妻巫氏　孔廣源妻陳氏　許天成妻黃氏十年殉難　許
大文女巧姑　徐繼寬女烈女聘許蔣自新母竇氏　謝守基
妻唐氏　謝貞魁妻節婦巫氏大墓鄉人同治二年殉難　戴樹堂妻王氏
戴星海妻楊氏　戴希呂妻王氏　戴秀松妻王氏　戴鶴年
妻曹氏　戴朝楷聘妻經氏　戴芳圃妻朱氏戴家邊人　趙倫福妻
徐氏在潦塘鄉殉難　趙永尊妻鄒氏趙莊人　陳倫浩母吳氏　陳慶元

毋節婦文氏 陳世祥妻李氏在赤岸橋罵賊被戕 陳啟成妻朱氏 王
博纏妻周氏 王家駒妻葛氏 王孟超妻高氏 傅陳氏 畢
孔氏 紀鄧氏 許李氏

續纂江甯府志卷十四之十二下　上元秦際唐分纂

人物忠義貞烈

溧水

官

贈知府原任溧水縣知縣林戴榮順天大興人咸豐三年在省城陣亡○弟泰觀○被戕○弟監生梅岑幼子八一同殉　溧水縣知縣張毓林○安徽盱眙人○七年殉難　溧水縣周硯銘○河南輝縣人○八年陣亡　溧水縣訓導宋祥殉難　四川建昌鎮總兵曾占鰲四川川北人名宦有傳○十年在溧守城巷戰陣亡

紳

教諭陳起庚妻項氏　直隸州州判陳繼羣弟布政司理問長型○姪文生允銓○住栢塘鎮○支解死　五品頂戴縣丞周垣十年陣亡全家殉難　布政司理問徐大晟女貞姑○住栢塘鎮○均不屈死　八品銜周昌文韋氏韋氏　八品銜趙心傳子八品軍

功順楨〇被戕〇孫幼兒〇妾繆氏 子婦姚氏〇同殉

七品軍功孫祖吉守蕃 守芝〇十一年均不屈殉難

以上一門殉難

從九品馮毓鉉　六品軍功從九品王良榮十年在丹陽陣亾　從九品劉正元八年在南石街邨殉　從九品靳燃德　五品軍功廪生靳聲聞　五品軍功文生范邦彥　議敘八品周楨　千總陸沛霖　五品頂戴千總徐憲淦同治二年南門陣亾　五品頂戴江甯城守把總周保龍西陽莊人陣亾

士

贈國子監助教拔貢生陸爽有傳〇祖母杭氏〇守節四十六年〇母諶氏妻許氏子祖周 妹四十女二順　廪生許晉錫有傳〇子玉麟 妻魏氏 子婦劉氏孫女英姑〇八年均在石臼湖殉難　增生蔡廷棟十年在泉水邨被戕〇妻范氏〇同殉　增生施濟有傳〇繼妻宮氏〇赴水死〇從九

品驊鎮○罵賊死○鎮妻武氏鎮姪棊泰縣丞鴻鋆同治元年殉○森女六姑利沅利瀛瀛妻武氏○均同殉

文生王泰有傳兄繼蘭石湫壩八○均十年遇賊被戕　**文生陶堃**子正琮○有傳　**文生吳正元**文童艮佐○住仙壇鄉十年罵賊死　**文生秦紹先**法言文生維超生母節婦吳氏維超繼母節婦劉氏維超叔母周氏○均十一年殉○有昇○十年被戕　**文生孫鳳**同治元年不屈死○妻李氏○二年不屈死　**文生任塏**有傳○弟埈○均六年在烏山陣亡　**文生丁紹曾**附傳○子從九品延固孫巧官馬官福官妻謝氏子婦章氏周氏弟婦謝氏楊氏長女葉丁氏二女字劉○均殉蘇州難　**文生朱修吉**弟豫吉在揚州絕粒死　**監生馮盛恆**八年在洪藍埠陣亡○子五品軍功縣丞毓華○八年在灣沚陣亡　**監生顏煥**有傳○八年罵賊死○妻武氏○同治元年殉○增貢生瑢○芮氏瑢子盛登○殉溧陽難○佳騂○七年在博望鎮罵賊死　**監生孫鉞**監生溉監生瀨同治元年不屈死　**文童楊鐸**繼母呂氏妹杏貞瑞貞

以上一門殉難

貢生陶燚　**廩生李蓁**同治二年在思鶴鄉罵賊死　**增生楊華**　**文生俞鑑源**　**文生陳鑑**有傳○六年殉難　**文生陳則琳**同治元年被戕　**文生滕樹滋**

文生張階雲八年在洪藍埠殉難 文生王輔君 文生張沅 文生章廷幹 文生丁鵬有傳○十年在張巷邨不屈死 文生嚴昆望八年在洪藍埠殉難 文生蔡煜八年殉難 文生謝崙七年殉難 文生謝琬十年在丁家口被戕 文生謝雲路 文生邵潤之十一年在高淳南岩圩被戕 文生濮秀芳十年被戕 增生司徒沛有傳○十年爲賊死 監生徐嗣登 監生陳嗣登六年不屈死 監生蕭鑑十年在上三邨率團攻賊死 監生王熉有傳○八年殉難 監生周監 監生劉錫年十年陣亡 監生李藻 監生李國采在楊州絕粒死 監生李藻先 文童張書紳仙壇鄉人 文童濮守杰十年在小水關被戕 文童蔡光宇 文童李忠孟 文童楊光鐸 文童史元佐 武生陳允茂八年被戕 武生張國楨八年在洪藍埠陣亡

兵勇團丁

楊昌德昌化 昌楠 昌達 明松 明高 明治 學儉○七年在西莊邨拒賊陣亡 楊元堂大茂 大

元元平學經○均十一年陣亾 黃光裕修桂修才光煜光揚象坤象清元寬元宏尚福尚根
朝楨○均六年在石場郡陣亾 黃廷合象賓象譜象崑尚玉廷柯○均六年在石場郡陣亾 湯
恆生恆浩承才承春明舉明義承元明行明興明綬明龍明申○均在羅郡拒賊被戕 任欲
柏朝賓○均六年在石場郡被戕 趙象法象模明元均十年陣亾

以上一門殉難

趙誠林十年陣亾 耿萬茂六年在石場郡拒賊陣亾 練勇湯學起六年在烏山剿賊陣亾
周世柏八年在催集鄉陣亾 文應沅六年在石場郡陣亾 馮必有有傳○八年被戕

民

施肇琨弟肇峻峻妻毛氏峻女小姑○均八年殉 施肇桐弟肇松繼母鄧氏繼妻陶氏松妻宮氏
一門十三人名氏惜不詳 徐世考元材天恕天合世顯天成世盛 徐德鰲傳鈞傳與均不
屈死 徐善桂妻王氏○七年在山陽郡被戕 徐樹華代伢 俞守詮士喜守本妻胡氏
朱二農妻徐氏 胡學恩學才加存○均七年四月桑園蒲被戕 吳祖璽祖祥祥祖母黃氏

七年在永安邨被戕 **吳大明** 元倫○七年均不屈被戕 **吳大楚** 大林 明記 申慶 惠慶○十年在石

場邨天保邨均不屈被戕 **陳明貴** 弟明讓 姪隆喜 姪婦夏氏○八年均在王家店被戕 **陳天洪** 順 滿

○七年均在小口邨罵賊死 **陳六** 妻高氏 **陳萬祥** 彭年○均十年被戕 **孫應裕** 妻周氏

孫心照 心康 **端樂才** 親高○七年均在陳治邨不屈死 **韋恆興** 恆才 **蕭用仁**

子承明 承艮 承雙○均六年陣亾 姪承慶○被戕 **張文恭** 附傳○罵賊死○妻端木氏○同殉 **張萬**

全 宗明七年在官塘邨被戕 **張宏梅** 十年在小水關被戕○繼楷○在艾莊殉 **張大方** 十年在劉姑莊

被戕○宏聖○、在小范邨被戕 **張宏標** 十年在艾莊被戕○宏富○十一年殉高淯難○世祥○同治二年在湖熟鎮

殉難 **張行超** 妻經氏 **張純恆** 蘊芳扣伢 **張懷善** 兄國裕 國福 妻董氏 子起麟 姪

起龍 氏 起鳳 堂嫂某氏 起蛟 女鄒張氏 起發 二姑 姪孫朝士 姪女大姑 裕妻某氏 二姑 福妻某 姪婦

任氏 孫女大姐 某氏 二姐 某氏 僕一 姪 **楊朝啟** 妻吳氏○六年不屈死 **楊象進** 象寶生

富日貴○均七年遇賊被戕 **楊世釆** 元道○均六年不屈被戕 **楊元驥** 大任○均十一年罵賊死

黃光根 七年在石場邨被戕 妻陶氏○十年殉難 **黃尚耕** 朝珍 **黃元根** 元御 光明 光襄 光

徹光杰學詩修恆廷順象元○七年在石場郡天保郡俱殉難黃元衢六年在石場郡被戕妻吳氏○十年不屈死丁學勤學詩○七年牌岡郡被戕周爲邦妻王氏女二姑十年閏三月殉難周載言宜祐宜存宜五宜安妻吳氏子婦林氏經雙桂雙福李傳壽全○七年均在石湫壩被戕李其勝七年在小陽沖被戕○廣勝○在塘頭郡被戕許濟林孫保子婦劉氏周氏孫女成姑○八年均在石臼湖殉許濟興子小艾小生妻薛氏養媳薛氏○八年均在石臼湖殉難武至瑞子敎勤妻丁氏孫女大姑○均客家郡殉武傳鳳至柏至斌至茂至玉經海○七年在桑園蒲被戕武思錦洪匯均七年在武檻郡殉難鄭才保弟金保母查氏婢女來喜○均殉全椒難趙象祿象志趙得勝鳳宸○均十年被戕趙登球誠源增業正合○均不屈殉難趙正祥正義○七年均在塱兒山被戕趙善信象福象義象端善起善財○均同治元年在趙華郡殉難謝良喜七年在艾圍郡被戕○賢才方祿○在灣池被戕謝嗣寬十年在溧陽被戕○振秀○在杜桂陶郡殉難謝方杏十年在小茅山被戕○方林○在郭家橋被戕謝方喜振元○殉楊州難傅大明七年在大後郡被戕○母丁氏○同殉芮積懷妻楊氏賀廷耀焦氏六姑陸賢

康弟賢庶賢柏周氏〇七年在石岡鄉殉難

以上一門殉難

馮秉福八年不屈死　師道發七年在王母莊被戕　師在春八年在端家莊被戕　施肇崑八年罵賊死　徐德立　徐善貴　徐善儆七年四月在山陽鄉被戕　徐大鏞有傳〇被賊支解死　徐振鷺十年在小水關被戕　徐振禧十年被賊斷脰死　徐保安七年五月在山陽鄉被戕　徐啟玉有傳五里牌人六年陣亾　徐士喜十年四月城莊被戕　朱國法　朱成周七年在鄰家鄉被戕　朱國發七年在鄰家鄉被戕　朱成貴八年罵賊死　朱家榮十年殉難　捶絲匠胡象賢有傳〇死江甯內應事　胡正蒼　諸洪功七年在周笪鄉被戕　吳大功七年在中大保鄉被戕　梅亭祿七年在贊賢鄉被戕　舒得有　陳之盛七年在陳冶鄉遇賊不屈被戕　陳順進七年在墳頭鄉遇賊不屈被戕　陳繡華八年被戕　陳先進　陳繡章八年罵賊死　陳肇緯有傳〇八年被戕　秦道芬七年在秦檑鄉被戕　孫永長　孫洪元　韓世林八年在朱鄉殉難　韓仁壽十年被戕

顏煥八年不屈死　袁才發　錢邦元　姚杏連七年在姚司郵被戕　曹啟聖七年在社壇郵被戕　陶仁貴八年在端家莊被戕　方洪松七年在楊家店被戕　方明德十年在後方郵被戕　王德滋　王加發　王成瑝　王良用十年被戕　王大生十年不屈死　王加登七年在油榨溝被戕　王元龍七年在小謝笪郵被戕　王心益七年在神塘郵被戕　王述昇七年在石湫壩被戕　王振瑝八年殉難　王志春八年在石湫壩被戕　王照十年在王家郵被戕　王掄有傳　張履清　張純愷　張世衡附傳　張萬銀七年在官塘郵被戕　張繼鵬附傳　張啟瑞　張本彩附傳○倪謝張莊人○七年帶團陣亡　張寶才八年在桑園蒲被戕　張智書十年在艾莊被戕　張宣才八年不屈死　張載華十年被戕　張鵬十年被戕　張彪十年被戕　張其祥十年被戕　張湧十年被戕　汪克勝七年在桑園蒲被戕　楊召伯豐慶鄉楊段莊人○有傳○七年帶團陣亡　章安瀾　楊維玉　楊邦榮　黃道興八年在豐慶鄉被戕　程加儉七年在桑園蒲殉難　程守元十年殉難　丁湯學　周善元六年在廬州三河尖被賊焚死　周

爲悅七年在塘埂郵被戕　周勤讀七年棗樹岡被戕　周爲琨七年在伏寶山被戕　周協魁　周勇十年被戕　林廣贊七年在陳沿郵被戕　林廣善七年在陳沿郵被戕　嚴廷庚同治二年在壽州遇苗逆被戕　嚴廷壽七年在石山村被戕　李錦文　管永有八年在贊賢鄉被戕　董道祿七年在朱郵被戕　許濟壽八年在石臼湖殉難　武至剛七年在後檻郵被戕　武傳正八年在桑園蒲被戕　武富明六年在太平長壽鄉陣亾　武傳安七年不屈死　武思縉　武經綸　武大才七年在中武塩郵被戕　武思緒七年在東蒲被戕　范紅林　夏美順十年不屈死　趙登儲七年在趙郵殉　趙誠枝　戴治連　謝賢盈十年在吳家邊被戕　謝艮龍十年在城莊被戕　趙誠發七年被戕　魏大和三年殉揚州難　傅安七年在秦園蒲被戕　傅春發七年在石岡郵被戕　陸宏瞰七年在石岡郵被戕　衞國龍同治元年在趙華郵罵賊死　衞恆旦　陸賢明七年不屈死　葛繼昆十年不屈死　葛賢珮十年不屈死　翟正有七年在翟家郵被戕　翟正鳳八年在翟家郵被戕　薛孝芳八年被戕　薛傳九　束廷楷八年被戕　笪克明

質克銘

流寓

理問銜李汝霆湖南人子一六年在石巷郡罵賊死

婦女一門殉難

理問銜卞品衡妻陳氏女大姑十一年被戕　布政司理問銜朱景初繼妻葉氏淮安府教授沅妾汪氏訓導紹頤妻甘氏均有傳　職員周鎔妻程氏琨妻劉氏同治元年殉宣城縣難　廩生梅占魁妻倪氏孫利淦　文生孫鶴妻陶氏訓涵妻魏氏均遇賊被戕　文生顏步辛繼母芮氏文生溱母武氏均罵賊被戕　文生張城母某氏妻濮氏子一女二殉句容蔡郡難　文生張煥妻節婦孫氏子婦濮氏孫一女二均殉句容蔡郡難　文生夏竹霖妻馬氏弟婦周氏妹三姑女大姑二姑三姑　監生李長鏞妻劉氏監生長鑑妻王氏殉江甯難　監生陶泩妻節婦劉氏義詔妻朱氏十年投水死　監生胡立賢妻李氏立昂繼妻劉氏昂子婦譚氏　徐元榜妻楊氏

世武妻華氏　元岱妻章氏　世高妻周氏　世滿妻萬氏　世
培妻戴氏　世安妻宮氏　天恩妻魏氏　世勇妻楊氏　世包
妻章氏　元銘妻朱氏　天遇妻楊氏　天稔妻端
木氏　天成妻焦氏　世福妻潘氏　世邑妻章氏　胡大招妻
王氏陳氏　邦德妻韓氏　均罵賊死　吳大本妻楊氏元悅妻張氏　明招妻杭氏　均不屈自盡
楊昌榮妻徐氏子婦丁氏　昌華妻裴氏　昌根妻張氏　學道妻張氏　均不屈死　楊鎔章
妻王氏邦慶妻李氏　楊朝高妻某氏世玉妻某氏　楊朝賓妻朱氏朝怡妻陶
氏　元智妻周氏十一年均殉難　章齊玉妻徐氏啟昆妻徐氏　黃元相妻秦氏象祿
妻徐氏　象松妻程氏　均不屈殉難　范惠泉妻方氏仁高妻張氏　趙大紳妻楊氏
誠煥妻黃氏八年殉難　許兆智妻芮氏珮瑹妻韓氏罵賊死　陳忠賢妻吳氏十年殉難
以上婦女一門殉難
四川通判署仁壽縣知縣濮琮妻俞氏有傳　布政司理問胡存福
妻陳氏　八品銜胡立節妻劉氏　八品銜胡宇軒繼妻劉氏十年
不屈死　職員徐炳南毋陸氏十年殉何容難　舉人徐大文妻陳氏有傳〇住

柘塘邨七年正月在李墟邨殉難 增生梅尙先母倪氏六年殉難 文生孫蔚母俞氏 文生孫鴻妻徐氏十年不屈死 監生趙長謹妻卞氏九年不屈死 監生李鯤妻高氏 監生張錫齡妻經氏 監生王明悅妻徐氏 監生徐鎭妻朱氏 徐佩瓊妻吳氏 徐樹寬妻張氏 徐德貢妻吳氏 徐振啟妻朱氏有傳 徐韋氏 徐振鉞妻陶氏有傳十年不屈死 徐景松聘妻湯氏有傳十年不屈死 徐大妻黃氏七年五月不屈死 徐照熊妻魏氏 俞永守妻胡氏 蕭用仁姪女朱蕭氏六年投水死 朱復初妻蕭氏六年投水死 朱蕭氏 胡元林母王氏十年不屈死 胡陳氏 諸元進妻陶氏七年不屈死 吳維田妻濮氏 吳傳安妻陶氏 梅倪氏 陳宏漢妻芮氏六年不屈死 陳陳傳才妻韋氏十年不屈死 陳禮和妻王氏 陳明椿妻張氏 陳道漢妻周氏七年殉難 陳必禮妻焦氏七年殉難 孫必興妻劉氏 孫

守攺妻節婦李氏同治元年不屈死 孫守萃妻節婦翟氏四年不屈死 韓
某聘妻王氏有傳十一年被戕 姚祖蔭妻朱氏十年殉安徽歙縣王邨難 焦大福
妻章氏 陶大妻武氏七年不屈死 陶育連女二姑同治元年在栖塘鎮被戕
王繼久聘妻貞女謝氏有傳○十年不屈死 王德昌妻節婦秦氏有傳○住石湫
鄉○六年殉難 王正達母顧氏 王志松母劉氏七年不屈被戕 王振聲妻
朱氏六年不屈自縊死 王士源妻范氏 張端仁妻節婦管氏 張登
洲妻毛氏七年不屈死 汪德懿妻吳氏 楊天沛妻陶氏七年殉難 楊
國顯妻王氏 章安貴妻遲氏 黃氏 程志珩妻武氏同治元年不屈
死 丁艮賓母張氏同治元年不屈死 丁維新妻周氏 丁戈氏十年不屈
死 周茂啟妻李氏七年殉難 周象榮妻芮氏八年罵賊死 周大妻王
氏同治元年在梁邨殉難 劉繩毓母節婦李氏六年殉難 劉炳南妻張氏
甘思經繼妻陳氏十年三月在甘家邨殉難 湯承聖妻丁氏十一年不屈死 嚴兄

焜妻謝氏　丁楊氏　丁謝氏　周余氏　李張氏　李謝氏不屈

殉難　許晉圜妻張氏八年在石臼湖殉難　賈本德妻張氏　蔣朱氏　武

陶氏　武大妻徐氏七年被戕　范錦和妻端木氏　海州學正蔡旅

平女踹姑　謝正基妻項氏六年罵賊死　魏其香妻孫氏　陸啟柏

妻周氏　葛順安妻王氏　葛繼柳妻孫氏　葛繼管妻節婦范

氏有傳○罵賊死　葛周惠妻雍氏十年殉難　濮既明妻陳氏十年殉上元龍都鄉難

張日森妻徐氏　管玉成繼妻節婦陳氏　李鴻儒妻王氏

李已明妻朱氏　沈元梁妻吳氏有傳○贊賢鄉人同治元年絕粒死　唐麻子女

大姑　嚴世炳妻徐氏同治二年在壽州苗逆之亂被戕　武徐氏　趙湯氏

趙黃氏　葉丁氏

流寓婦女

江蘇候補縣丞高緝熙妻方氏妹衍慶姑在溧殉難

續纂江甯府志卷十四之十三上　　上元秦際唐分纂

人物（忠義貞烈）

江浦

官

湖北提督武壯公周天培（九年浦口陣亾）　贈太僕寺卿陞用知府孔繼鑅（名宦有傳○八年浦口陣亾）　贈太僕寺卿河南知府宣維祁（名宦有傳○九年浦口陣亾）　贈道銜江浦縣知縣符宗英（江西人○同治二年殉難）　贈道銜江浦縣知縣曾勉禮（江西新建人）　道銜陳某（九年浦口陣亾）　營務處宋某（九年浦口陣亾）　贈道銜候選知縣汪應相　贈府銜補用知縣王如泉　藍翎候選知州陳朝宗　江淮司巡檢范正隆　贈鹽知事從九品韓湘　贈鹽知事從九品佘應元　贈鹽知事從九品王克仁　贈鹽知事從九品沈自新　贈鹽知事從九品方學儀　贈鹽知事

從九品蔣斯燮　贈國子監學錄浙江訓導范建初　贈主簿未入流張守仁　贈主簿未入流張晴明　頭等侍衛伊興額名宦有傳正白旗人○八年浦口陣亡　副都統圖薩泰巴圖魯烏爾恭額名宦有傳○鑲黃旗人○八年浦口陣亡　副都統雙城堡總管台斐音保名宦有傳○八年浦口陣亡　管帶貴州營屆某九年浦口陣亡　副將陳昇　甘肅儘先副將參將陳陞

甘肅副將銜游擊匡國棟　廣西副將銜游擊文哲琿　儘先副將懋功協千總勵勇巴圖魯馬承恩　參將李臣虎　儘先參將陝西甯羨營游擊袁德明　儘先參將貴州遵文協都司宗支湘　儘先參將貴州松桃協守備捍勇巴圖魯陳立昌　儘先參將廣西右營游擊王紹奎　儘先參將甘肅山丹營游擊張海淋　直隸鄭家口游擊鄭邦俊　湖南卽選游擊王金發　儘先游擊湖南澧州營把總蕭勝南　游擊銜廣東廣州協都司楊冠賢

參將蘇如松九年浦口陣亡　游擊王遇春八年浦口陣亡　游擊銜儘先都司
慶甯營守備馬獻圖　游擊銜貴州協都司李三福　游擊銜陝
西潼關協都司羅先第　游擊銜儘先都司川北鎮左營外委岳
長春　儘先游擊湖南綏靖鎮把總王德玉　儘先游擊廣西永
甯營守備梁世忠　直隸都司張勝武　甘肅巴里坤都司田繼
泰　甘肅游擊秦兆泰　花翎都司何桂馨　湖北都司劉名佑
　廣西賓州協都司曾陞　都司銜四川綏定營把總吳正升
都司銜四川夔州營把總彭柱　儘先都司四川綏甯營千總李
步雲　儘先都司川北鎮營千總李正朝　儘先都司甘肅守備
韓魁　都司銜儘先守備陳朝明　正藍旗旗彔藍翎筆帖式劉
忠倫　呼蘭河藍翎委筆帖式德永阿　縣丞龍雨　三姓領
催藍翎委筆帖式恭安　烏拉鑲黃旗佐領儘先協領花翎李營

總都隆阿　吉林烏鎗營正紅旗領催儘先驍騎校藍翎委參領德春　吉林蒙古佐領儘先協領花翎季營總永慶　吉林烏鎗營正藍旗旗彔藍翎儘先佐領委參領海慶　三姓正黃旗驍騎校藍翎委參領巴彥圖　烏拉鑲黃旗領催儘先驍騎校藍翎委催領德升厄　披甲藍翎季驍騎校寶山　吉林蒙古鑲紅旗領催儘先驍騎校藍翎委參領明林　烏拉鑲黃旗都隆阿佐領下領催藍翎季防禦忠祿　伯都納蒙古正白旗驍騎校藍翎委參領雙喜　吉林正藍旗領催季防禦隆泰　甯古塔披甲花翎免補驍騎校儘先防禦德成　三姓正紅旗前鋒藍翎季驍騎校德春　三姓正紅旗領催藍翎季驍騎校額圖琛　烏拉正藍旗花沙布佐領下披甲藍翎季驍騎校喜祿　哈爾城花翎驍騎校委參領格明額　布特哈花翎儘先驍騎校委參領圖倫得依　黑

龍江藍翎領催季防禦淩保　贈都司廣西提標營守備盛世昌
湖南綏靖營外委儘先守備黃朝選　甘肅花馬池守備銜藍
翎把總保自寬　儘先守備甘肅省甯夏營藍翎千總劉發元
直隸守備馬明勳　山東高唐營守備朱麟閣　陝西河州鎮標
營守備粱成懷　即補守備貴州遵義協營外委田仲恆　守備
銜平羅營藍翎外委辛生西　儘先守備甘肅甯夏鎮營藍翎把
總馬恆　貴州朗潤營守備李正清　貴州朗潤營守備黃雲山
四川慶右營守備徐耀龍　儘先守備四川撫邊營把總喩廷
宣　四川守備孫富春　四川慶甯營守備陳長治　四川城守
營守備楊永清　四川鹽捕營守備陸序烈　儘先守備廣東黃
岡協營把總黃朝祿　儘先守備湖南乾州協千總湯承熙　儘
先守備湖南沅州協把總楊再安　湖南鎮營守備田賢廷　儘

先守備湖南鎮筸鎮標營外委吳支相　湖南浮甯營守備徐宏儘先守備湖南靖州協千總梁奉年　儘先守備外委龔文學江浦城守外委千總雲騎尉徐綸庚高淳人〇八年江浦北門陣亾〇名宦有傳千總銜河標蘆蕩營把總包定國　五品銜千總雲騎尉趙德成五品軍功文生吳翰　六品軍功夏長慶　把總古大評營外委田子學　四川提標營外委把總包廷相　五品銜雲南元新營外委曾秀　陝甘督標千總李祿　陝甘督標千總杜雲　陝甘督標千總馬建海　陝西河州鎮標千總張克勤　洪廣營千總外委倪廷瑞　山東沂州營外委孫玉麒　山東武定營齊東汛外委陳文池　山東東昌營外委馬欣亭　慶甯營把總千總蔣興發　綏靖營額外千總黃玉貴　五品銜沅州協外委熊臕萬　山東沂州水汛千總許殿華　山東武定營長山汛千總彭

文賢　山東千總趙武成　山東千總夏宗盛　山東撫營把總黃兆慶　山東沂州營青駝寺汛把總孫寶廷　山東武定營海峰汛把總尹希敏　山東武定營濱州汛把總李大桐　山東撫標外委劉永泰　山東安東營把總鄒連魁　山東武定營青城汛外委金士龍　山東安東營額外蘇魁士　山東武定營額外史魁英　山東武定營額外劉長清　山東沂州營額外李兆魁

山東泰安營額外彭應武　直隸督標千總趙成榮　直隸通永鎮北塘把總劉金標　八溝營千總馬金俊　河屯協把總劉全慶　五品銜李槐林　四川懋功協外委周文沅　川北鎮營把總周榮升　廣西提標營把總盧雄勝　黃岡協營外委方芝

湖南辰州鎮溪營把總鄒佑祥　湖南鎮營把總楊通海　湖南鎮筸營外委鄒世榮　五品銜千總張玉魁　外委屈善宗

通永鎮把總劉全良　二品軍功侯春林　六品銜江南鹽捕營把總劉紳佐　把總周天順　五品銜千總胡安祟　把總馬佑　五品銜把總張德　五品銜千總鄒朝光　山東沂州營額外周順和　山東桃源營額外王純德　五品銜額外黃維章　外委楊由發　外委陳起勝　五品銜湖北鎮營千總鍾大剛　五品銜忠州營把總吳才高　陝甘督標額外溫魁　五品銜千總劉繼勝以上均守浦口陣亾

紳

直隸州州判副貢生張元炳八年在攀龍門外陣亾○子從九品連茹○陣亾○嫂王氏　李氏　子婦夏氏　貞女劉氏　姪婦鮑氏　元成女玉姑　姪孫女招姑　翠姑　巡檢葛廷烈廷煥　五品銜從九品金在鎔世釗　天爵　天祿　天保　開祥　鎔妻顧氏　女翠姑　八品銜梁如楫兄武童永生○均陣亾○子雙　母車氏　妻莫氏　妹珍姑　女二姐○均八年被戕　九品頂戴翁大禮姪監

生純　純子思寬　思亮　妻方氏　純妻車氏○八年殉六合難　千總石模八年陣亡○弟文生桂　文童先聲
先行　先路　先祿　先德　妻姚氏　桂妻鄭氏　姪女大姑　二姑　三姑　四姑○均被戕
以上一門殉難
從九品郭昌基三年殉難　從九品胡雲章　職員謝合裕　六品銜謝
佩蘭　職員謝佩琦　八品頂戴胡漢十一年不屈死　八品銜張文光
贈守禦所千總朱廣泉同治三年浙江陣亡　千總周光玉同治八年勦賊陣亡
五品銜把總趙德成同治五年在河南永城縣陣亡　贈千總外委姚得林同治三年
浙江陣亡　五品銜武生嚴兆元十年陣亡　六品軍功武生薛一湘六年陣亡

士

廩生許廷策弟文童廷貴六年均陣亡　廩生馬迅八年浦口陣亡○文童逵　德彰　德華　德榮　母
王氏　逵妻林氏　遠妻句氏　遇妻林氏○九年均殉安徽定遠難　增貢生鄧洪埻庶母夏氏　弟婦張
氏　增生趙仕清妻姜氏　女密貞○均八年殉難　增生張承楷妻梁氏　女大姑○均殉

文生徐桐妻陳氏○八年殉難　文生吳必正有傳○八年巷戰陣亡○妻蘇氏○女俊姑完姑

文生陳崇貫妻詹氏　嫂顧氏　顧氏弟婦趙氏　監生起魁　起魁妻葛氏　貴榮妻毛氏　邦榮妻謝氏　邦榮子婦鄒氏　名捷妻劉氏　文生韓珍弟琪瑜　族坊　培　得春妻　龔氏　族朱氏　李氏　得春女

一　文生車鳴和弟文童鳴盛　盛妻熊氏　均六年殉　文生張步林弟鵬　鴻　族孫承章○均陣亡

文生田增八年在竹鎮被戕○女二姑○三年投水死　文生嚴啟賓大貴　有銘　中元　啟志　啟劍　啟魁　世鈞　世炳　有和　有全　啟貞　啟亨　啟昌　有德　有富　有義　文生萬錦城六年被戕　妻詹氏　同殉難　文生李登瀛妻焦氏　子元愷　元桂　子婦蔣氏　林氏　孫女英姑

文生仰鋐姪文童登選　嫂陳氏　妻林氏　弟婦張氏○均六年殉難　文生葉汝楫妻謝氏○八年殉難　文生顧先謨妻吳氏八年殉難　文生顧先甲妻袁氏八年殉

文生趙德泰妻葉氏　文生寶珍妻夏氏○均八年殉　監生胡珊八年在石梁鎮被戕　女貞姑投水死　監生黎文炳八年陣亡　子德生　德修　妻夏氏○投河死　監生仰知光妻張氏

監生張懷善有傳　兄國裕　國福　子起麟　起龍　起蛟　姪起鳳　起發　姪孫朝士　妻董氏　嫂三

姪婦任氏　某氏　女二姑　姪女大姑　二　文童張承平
姑姪孫女大姐　二姐　女婿張氏　僕一
弟婦傅氏○　文童文文彬妻陳氏○　文童葛長興育長開長
八年不屈死　八年殉難　長膺
文童夏玉書鶩生○均十年在殷巷被　文童許春泉妻王氏
戕　妻張氏　投水死　八年
殉六合難　女桂楨春田妻　武生李鑾六年殉○妻翟
徐氏○六年在龍虎巷殉難　氏○十年殉難

以上一門殉難

副貢生蘇長華三年陣亡　廪生車文杰　副貢生張元福八年殉難　文
生俞城在江甯明倫堂殉難　文生吳杲投江甯泮池死　文生吳錫福三年不屈死
文生吳烺三年殉難　文生陳勛元　文生陳沅　文生陳崇正八年不屈
死　文生張桂林　文生楊乾八年陣亡　文生周楷六年罵賊死　文生
周端　文生周樸中　文生湯傑八年殉難　文生李惠熙　文生鄭
詢　文生章幹宣　文生趙郊六年不屈死　文生葛廷謨　文生葉
學韓九年六合陣亡　監生徐樹芳八年殉難　監生吳堯年　監生陳啟奎

八年不屈死　監生張本善八年殉難　佾生顧承經八年在西華山被戕　監生謝合林　監生趙仕標六年不屈死　監生蔡崇八年被戕　文童陳國經六年不屈被戕　文童姚肇元八年不屈死　文童彭泗林六年陣亡　文童毛際飛　文童李光玉八年殉難　文童彭泗源八年在鳳凰山觸石死　文童顧承佑九年殉難　文童許新泰八年陣亡　文童許廷賓　武生胡榮　武生陳立猷八年陣亡　武生陳金鰲三年在浦口陣亡　武童王長林六年在北門陣亡

兵勇團丁

林邁先加年〇均八年陣亡　練勇毛德全太〇均六年陣亡

以上一門殉難

徐大五年陣亡　徐法隆　浦口營兵余國龍三年陣亡　朱楚珍八年陣亡　陳鳳藻八年在小店鎮陣亡　陳洪八年陣亡　練勇班加平六年陣亡　六品軍功浦口營軍丁王長貴六年陣亡　浦口營兵丁楊懷七年在浦口陣亡　金長

海五年陣亡　李長太五年在老虎橋陣亡　浦口營兵丁郭長發三年陣亡　練勇
謝維芝六年陣亡

民

熊林弟朋福福妻葉氏均十年殉難　熊元清元善　翁炳士志○六年殉　戎獻玉
弟獻綵妻丁氏綵妻陳氏○均七年殉難　鍾國泰名高○七年殉　徐文煥文職　胡兆山
妻周氏○六年不屈死　吳溱子婦江氏孫慶孫孫女紅姐　吳林魁必科必名壽三壽山
長逵長榮長富○均九年不屈死　吳家寶家貴　蘇大貴大謨妻張氏監生榮妻蔡氏○七年均
不屈殉難　于某弟一母張氏　于長泰長生　陳奇陞松竹廷柱德朝選崇太湖江
陳炳南妻吳氏○十年不屈死　陳以壽妻張氏　陳啟東母吳氏八年殉　陳天
桂福喜參國榮天良天理　韓維春族琴氏　韓成秀子壽子姪連子弟婦李氏八
年均在小店鎮殉　韓春林金榮○均十年不屈死　黎世珍妻姜氏　袁玉壺妻甘氏
光裕妻某氏○均十年不屈死　姚德源四美　曹文輔森霖○均九年殉難　何起才文榮

均十一年殉難　何德茂德堅有仁　羅有德妻夏氏○均八年殉　王正妻吳氏○十年殉難

王仕祺子承基妻張氏弟婦吳氏子婦吳氏○均六年被戕　王照業榮宏三有壽壽

華四福琴錦貴錦榮朝良均不屈死　王永泰一門十餘人　張四二熙德孜義配

眊子仁瑞○均不屈死　張文學文炳文光妻陳氏炳妻朱氏光妻王氏○均十年不屈死　張貴

元妻趙氏　張舉善述善吳氏陳氏述善女二姑三姑均六年殉　張金安天恩　張

文魁文基　楊玉齡金氏妹玉貞姑均八年投水死　楊某母張氏女大姑○均九年殉難

梁一魁妻吳氏甄泰妻戎氏○均十年殉　彭滙川滙宗均不屈殉難　周家書家貴漢章

浚均八年殉　周鳴臯鳴貴遜之淳之　周家芝家書　劉林昆勇長宏源宏昌

昌妻孟氏萬福妻杜氏○均八年殉難　劉玉奇妻傅氏十年殉　劉永泰士進○十年不屈死　劉

增高增美　林浩正勤楚江均八年殉難　嚴中怡妻萬氏○十年殉難　嚴林榮○均十年不

屈死　諶玉清母嚴氏弟婦詹氏妹完姑均八年殉　侯維翰妻周氏鄒虞宗武宗周　李

光玉光有玉妻吳氏光有妻林氏　李朝奇家屬五人均七年殉　李國喜二必有必雙

均九年殉 李元錦元福 蔣二呆子偁長發〇七年均不屈死 仰鈺妻林氏弟鈞登科
鈞妻萬氏均九年殉 鄭蘭鐸妻蔣氏〇三年被戕 戴有龍必貴 芮長和三〇均七年不屈死
桂永富永存長清長根長華 郭昌緒士名士先義敖〇元年均不屈殉難 葉承祖
妻李氏〇九年殉難 葉世楨妻夏氏〇十年殉難 葉家全起渭，世全〇八年殉難 葉三官
四官 狄沛雨秀林〇均六年殉難 吉英華是祥 顧德淵德勤 謝佩珍佩環合
興合舉佩連合茂合本合永 謝懷義所 趙廷衢妻潘氏九年殉 趙勇必士貴
均九年殉 趙錫純妻夏氏步蓮〇步蓮妻張氏 蔡德庚繼妻張氏十年殉難 蔡顔子德
元妻劉氏均十年殉 蔡瀛洲子德馨殿華〇均八年殉 蔡世揚世珍 夏本宏立鑑
夏大蘭妻韓氏 夏匯川大全爾輿〇九年殉難 許祖衡弟祖棠〇八年均陣亾節婦
袁氏〇六年殉難 夏本滙

以上一門殉難

熊金鏞十年殉難 熊兆棠 熊廷壽 翁新順 翁長錦 鍾瑔

徐寶田十年不屈死 余淼九年殉難 余海籌 朱兆祥三年在浦口陣亾 朱金聲 吳聚成三年在浦口陣亾 吳介眉六年在東門罵賊死 吳大年 吳有才 醫生陳開周 孫永和六年不屈死 黎懷德十年不屈死 樊聚川九年不屈死 巫二官 錢海子八年不屈死 錢玉昇 蕭必芳七年殉難 姚世華 高國棟八年殉難 陶長年十年不屈死 王春華 王起順 張渭川十一年殉難 張化尊十年在殷巷陣亾 張有才六年在全椒陣亾 張世明 楊蕙蘭六年殉難 梁際飛十年殉難 黄家全 周世年 劉熊標 林懷升 林德修 金海九年殉難 甘承緒九年殉難 田森 仙壽濤十年不屈死 道會司嚴振翼八年不屈死 毛興榮 鄢正國十一年不屈死 强英章八年殉難 歐如見七年殉難 諶加珍九年殉難 查德生 馬名善九年殉難 李樹模 賈萬侯十年殉難 蔣某 仰登科 文森八年殉難 鄭廷貴 鄧培聚九年殉難 萬和民八年殉難 魏長海九年殉難 傅鑑

八年殉難　葉登科　谷太八年殉難　郝三九年殉難　顧德麟七年不屈死　謝乾一六年不屈死　謝芝田　趙勇六年陣亡　趙弼　蔡正全　某姓男婦城陷自盡　陳超選　韓潮　李玉　廖洪　劉成德　杜正升　盧廷華　張智永　董德全

流寓

文生魏壽祺湖北江夏人浦口陣亡

以上流寓

教諭吳大松妻張氏大模妻游氏大彬聘妻守貞李氏均八年殉六合難　廩生嚴兆奎妻趙氏啟恭母李氏恭妻段氏楚桐祖母姚氏中益妻徐氏啟貞妻郭氏啟恭叔母謝氏有銘妻曹氏大文妻鄧氏　文生張源洛子某聘妻郭氏醇妻吳氏炳妻　妻高氏均八年殉　文生丁啟泰妻車氏爾壽妻仰氏均九年殉難　文生周孚昌妻蔡氏必旺母魏氏均九年殉　文生湯孝鯉妻孫氏子婦孫氏　文生萬掄元妻熊氏十年殉必貴妻李氏長庚

繼妻張氏鳴德妻丁氏鳴珂妻張氏鳴球妻夏氏同殉文生葉世安妻唐氏崇基妻吳氏
培基妻萬氏承全妻吳氏世經妻嚴氏汝鄉妻鄭氏汝生妻黎氏世第妻丁氏均十年殉難文生顧
宜敬妻夏氏承緒妻張氏均九年殉難文生趙英烈節婦周氏監生永錞妻顧氏寶仁
妻丁氏浩妻黃氏楫妻張氏璧妻田氏璧繼妻李氏榮妻萬氏均十年自盡文生蔡端妻王
氏鶴鳴妻蘇氏均八年殉文生夏之璜妻方氏監生爾琪妻顧氏廷選妻萬氏大本妻張氏
大用妻王氏大經妻葉氏奇生妻張氏均十年殉監生詹逢源妻張氏又文妻車氏均十年殉
難監生田渠妻仰氏子婦蔡氏文童詹遐年妻車氏養媳姚氏六年被戕
文童李興華妻鄭氏兆堂妻節婦徐氏必富妻王氏均十年殉難熊奇山妻陳氏
鑑母馬氏鑑妻某氏鳴妻趙氏均十年殉熊趙氏某氏范氏熊岐山母馬氏妻趙氏
徐鑑堂妻吳氏萬鍾妻毛氏文喜妻陳氏均八年殉陳浩妻節婦戎氏士賢聘妻楊氏
耀壽妻劉氏崇太妻顧氏以惠妻詹氏東潮妻鍾氏樹泉妻雍氏榮興妻楊氏炎妻殷氏潮妻趙氏均十年
殉難錢玉升妻張氏兆林妻弓氏茂林妻李氏均十年不屈死高錦海妻段氏十年

不屈死國祥妻楊氏二妻仙氏亦不屈殉難 王國富妻錢氏有志妻朱氏十年殉難 王學純母劉氏弟婦節婦郭氏妻節婦翁氏均在六合獨山被戕 楊起仁妻張氏子一女一 楊尊傳妻湯氏臻傳妻湯氏 梁汝霖妻趙氏兆豐妻王氏均十年殉難 劉志勛妻袁氏魏氏洪源妻葉氏李氏均十年不屈死 嚴世義妻謝氏鑑堂妻趙氏十年均同殉 李嘉福妻丁氏女懷姑 李明倫祖母陳氏叔母毛氏 葛勛祺祖母鍾氏監生廷烈妻毛氏勳標叔母狄氏林氏廩生學金妻吳氏廷煥妻楊氏 葉繩武妻李氏玉涵妻吳氏潤之妻周氏 吉鎮庭妻節婦湯氏女郭吉氏 謝佩瑜祖母周氏叔母徐氏合順妻錢氏六品銜佩蘭妻杜氏佩文妻胡氏監生合林妻毛氏合本妻朱氏珮琮妻熊氏

以上婦女一門殉難

訓導張竆妻劉氏十年在殷巷殉 廩生張長齡妻翁氏八年殉六合難 增生張長齡妻節婦翁氏十年殉蘇州難 文生朱楷妻節婦李氏十年不屈死 文生陳鴻猷妻傅氏 文生陳鑑妻莫氏 文生姚兆凝妻節婦

何氏守節二十五年 文生曹沛遠妻節婦蔡氏十年殉難 文生姚肇凝妻
何氏八年殉難 文生張永妻某氏 文生林森妻蘇氏十年殉難 佾生
東鳴春妻節婦熊氏守節五年 文童韓紹堂妻張氏八年不屈被戕 文生
李步瀛妻熊氏 文生蔣之桐妻曹氏 文生萬錦城妻節婦詹
氏守節七年 文生顧宜敬女仲冬有傳六年投水死 文生郭世忠妻戎氏
九年殉難 文生郭學熙妻團氏 文生趙之矩妻節婦吳氏守節二十二年
縣丞鈕志富妹雲姑八年投河死 監生田學禮妹二姑 監生詹
淮妻張氏八年在東門被戕 監生莫踰純妻林氏同治二年在老江西投河死 增
生夏朝坐妻趙氏八年在石梁鎮投水死 監生李浩妻楊氏 文童毛興
宗妻節婦詹氏八年罵賊被戕 文童詹長年妻節婦余氏六年投水死 文
童莫懷清妻彭氏八年投河死 熊長林妻節婦余氏守節三十六年 熊長
春妻王氏 馮兆恆妻節婦郭氏守節八年 節婦洪金氏守節三十餘年三

年投水死　戎保年聘妻趙氏　徐文喜妻葉氏　徐文熹妻葉氏
胡長庚妻周氏十年不屈死　胡國祥妻節婦方氏守節二十餘年三年投水死　吳長榮叔
吳兆龍妻萬氏八年不屈死　吳秉揚女貞女大姑六年自盡　吳長榮叔
母萬氏八年不屈死　吳量寬聘妻貞女王氏六年殉難○有傳　吳俊妻夏
氏守節十三年　吳天爵妻萬氏　張元棟女陳張氏六年投水死　秦垣
妻節婦張氏三年投河死　孫兆瑞妻節婦傅氏守節多年十年不屈死　韓遇
春妻節婦李氏三年投水死　韓森妻節婦琴氏三年投水死　韓錦堂妻
張氏　殷懷德妻王氏八年不屈死　袁清和妻俞氏　袁玉振妻趙
氏　瞿承泉妻節婦陳氏守節三十二年　瞿永春妻節婦陳氏　曹立
恆妻節婦張氏守節十二年　王長元聘妻貞女楊氏十一年殉楊州難○有傳　張邦基妻
王昌貴妻董氏　王仕興母錢氏　車鳴皋妻嚴氏　張邦基妻
滕氏　張文煥妻高氏　王朝佐妻節婦趙氏守節二十一年　張永秀

妻吳氏　張浩妻吳氏　汪鶴仙妻王氏十年殉難　汪嘉漣妻節婦
周氏　楊右書妻張氏　黃元吉妻節婦陳氏守節二十四年　黃登科
妻吳氏　周芳妻程氏　劉永德聘妻姚氏三年殉　劉長富妻徐
氏　劉長林妻莊氏　林鳳池聘妻劉氏　金步昌母曹氏六年殉
殿中玉妻倪氏　毛九齡妻陳氏十年殉難　毛鍾彝妻王氏　毛
興公妻詹氏　鄢春妻吳氏十年不屈死　臧元達妻黎氏八年殉難　把
總唐得林妻湯氏九年在熊郵殉難　茅二妻吳氏十年殉難　句大文妻節
婦拱氏守節二十七年　莊寶德妻節婦曹氏八年殉難　饒德寅妻蔣氏
范承龍妻葛氏十年殉難　宋世富妻田氏十年殉難　鄭樹耆妻曾氏有傳
拔貢鄧嘉善繼妻節婦張氏守節三十餘年　萬世培妻節婦鄭氏
張蔚庚妻翁氏八年殉六合難　傅掌衡妻湯氏八年殉難　聶光煜妻鍾氏
謝合盛妻錢氏十年不屈死　張元勛女趙張氏六年投水死　蔡駿妻徐

氏八年殉難　夏學和妻湯氏　夏應氏　許廷揚妻謝氏　許嘉禾妻節婦句氏守節十一年　縛樹烈婦懼辱罵賊死有傳　文生藍玉田妻張氏　文生王昌德妻金氏　廩生湯照妻丁氏　文生金鐘祖母曹氏　監生拱介藩妻車氏　文生汪宗福妻湯氏　文童陸宗彝妻朱氏　陸宗才妻夏氏　吳天爵妻萬氏　藍呈瑤妻孫氏　馮鑑妻郭氏　夏汝時妻吳氏　夏學和妻湯氏　郭鰲官妻吳氏　尚發源妻胡氏　左兆麒妻方氏　唐西園妻湯氏　翁慶堂妻陳氏　周鳩臯妻嚴氏　陳啟東妻丁氏　武生平靜妻董氏　劉有才妻王氏　鄧嘉富妻劉氏　徐屏周妻嚴氏　胡秉田妻劉氏　高榮華妻劉氏　知縣馬芝田母王氏　監生唐肇元女大姑　廩生夏錫九妻金氏　監生劉允華妻金氏　監生馬金波妻馮氏　武生馬鑾妻高氏　黃元慶妻孫氏　劉海

母魏氏　劉長齡妻姜氏　劉允恭妻郭氏　葉金聲妻黃氏
葉國柱妻周氏　周天齡妻魏氏　黃加秀妻劉氏　嚴有文妻
普氏　孔廣恩妻馬氏　陳雨三妻葉氏　李永華妻陳氏　陳
春圃妻周氏　方宏妻某氏　葉之春妻張氏　潘建中妻瞿氏
文生鄧德輝妻陳氏　張有喜妻石氏　監生夏寶樹妻顧氏
王朝選妻聶氏　仰鑾妻袁氏　監生仰近光妻陳氏　莫太
和妻梁氏　劉金山妻傅氏　林宜妻李氏　張文廣妻王氏
訓導林初基妻仰氏　韓國楨妻湯氏　佾生林文基妻張氏
鄧嘉茂妻顧氏　林福基妻曹氏　徐淮妻謝氏　余淼妻趙氏
方宏元妻余氏　徐濤妻趙氏　監生林寬妻歐氏　吏員周
瑞符妻程氏　王有義妻曹氏　楊元敏妻成氏　張承業妻傅
氏　嚴大槐妻趙氏　熊純妻陳氏　詹鰲妻李氏　詹鯨妻甘

氏　詹鯤妻范氏　詹霖聘妻姚氏　熊鑣妻馬氏　沈麟趾妻
婁氏　文生余城妻俞氏　鄧嘉富妻劉氏　王有財妻傅氏
高國安妻陳氏　增生石楠妻陳氏　石濟川妻彭氏　石溶妻
丁氏　石承烈妻袁氏　嚴清傳妻徐氏　武生嚴世華妻王氏
田珩妻張氏　徐御鑾妻吳氏　梁舉妻劉氏　顧承緯妻劉
氏　張與善妻陳氏　陳崇福妻趙氏　張承謨妻朱氏　歲貢
鄧嘉樂繼妻吳氏　監生萬鳴皋繼妻李氏　梁大年妻王氏
黃鐸妻趙氏　張炳妻高氏　張明善妻吳氏　劉二妻李氏
陳崇禮妻顧氏　陳崇太妻顧氏　王長福妻金氏　瞿永泉妻
節婦陳氏

續纂江甯府志卷十四之十三中　上元秦際唐分纂

人物忠義貞烈

六合

官

贈布政使司江蘇候補道壯勇公溫紹原湖北江夏人○名宦有傳○妻王氏子婦孀婦陳氏子贈知府輔材姪汝金○均同殉　贈知府六合縣知縣李守誠江西宜黃人○家丁陳某○均城陷殉難　五品銜升用知縣上元縣縣丞周錫光大興人○殉六合難　六品銜六合縣典史龔琳奎宛平人○城陷殉難○　五品銜江蘇補用知縣李作霖奉天錦縣人○城陷殉難　五品銜湖南試用知縣馮明本湖北漢陽人○六合城陷殉難　縣丞朱青雲丹徒人○罵賊不屈釘之城門三日方絕　贈提督宣化鎮總兵羅玉斌湖北穀城人　六合城守千總徐琳江都人　游擊署六合城守王家幹睢甯人　署全椒縣千總海定國上元人○城陷殉難　署六合城守

千總海從龍上元人城陷殉難〇都司驍勇巴圖魯俞承恩松江人　奇兵營千總徐鎮海儀徵人　五品頂戴楊寅賓壽州人　吉林都統常壽　吉林協領慶春　吉林參領慶德　吉林參領薩錦　吉林參領富全　吉林參領台冲阿　吉林參領桂林　吉林參領永山　吉林參領特克西青　吉林參領札克丹　吉林參領舒敏　吉林參領色勒　吉林參領德全　吉林參領喜成　吉林參領德綳額　吉林防禦順喜　吉林防禦永和　吉林防禦託精阿　吉林防禦富通阿　吉林防禦明惠　吉林防禦德克錦　吉林防禦慶玉　吉林防禦東昇　吉林防禦榮德　吉林防禦強謙　吉林防禦薩英額　吉林防禦舒林　吉林防禦富增阿　吉林防禦祥德　吉林防禦勝林　吉林驍騎校祿祥　吉林驍騎校博勒洪武　吉林驍騎校艾新保　吉林驍騎校祥順　吉

林驍騎校慶祿　吉林驍騎校安林　吉林驍騎校魁全　吉林驍騎校阿勒請阿　吉林驍騎校和淩　吉林驍騎校慶順　吉林驍騎校開祿　吉林驍騎校智才　吉林驍騎校富常　吉林驍騎校玉常　吉林驍騎校慶善　吉林驍騎校常德　吉林筆帖式全陞　吉林筆帖式德倫泰　吉林驍騎校丁林　吉林筆帖式薩克新　吉林筆帖式吉勒通阿　吉林筆帖式桂齡　吉林筆帖式永淩　吉林筆帖式德恩　吉林筆帖式富森佈　吉林額委官訥穆錦　吉林額委官富倫　吉林額委官富隆阿

吉林前鋒校永安　吉林前鋒校常青　吉林委官富和　吉林委官常德　吉林委官富山　吉林委官德恒　吉林委官全陞

吉林委官永全　吉林委官鳳山　吉林委官諾敏　吉林委官全在　吉林催領委官蘇冲阿　吉林催領委官額爾錦　吉

林催領委官奇克新　吉林催領委官託敏　吉林前鋒委官永
蘇　吉林披甲委官富山　吉林披甲常明　吉林驍騎校吉蘭
保　吉林催領富魁　吉林催領六十一　吉林催領特克新
吉林披甲德淩額　吉林披甲富德　吉林披甲春福　吉林披
甲德陞　吉林披甲穆精阿　吉林披甲春陞　吉林披甲富魁
吉林披甲豐陞阿　吉林披甲阿爾繃阿　吉林披甲烏勒興
阿　吉林披甲德慶　吉林披甲保貴　吉林披甲常明　吉林
披甲根山　吉林披甲富興　吉林披甲安紳　吉林披甲玉德
吉林披甲春玉　吉林披甲雙福　吉林披甲常有　吉林披
甲貴淩　吉林披甲莫爾格春　吉林披甲孟泰　吉林披甲永
祥　吉林披甲英喜　吉林披甲永蓮　吉林披甲常和　吉林
披甲忠陞　吉林披甲榮慶　吉林披甲得勝　吉林披甲薩炳

春　吉林披甲永安　吉林披甲慶陞　吉林披甲全壽　吉林
披甲慶福　吉林披甲英陞　吉林披甲德慶　吉林披甲德福
吉林披甲松春　吉林披甲富隆阿　吉林披甲壽福　吉林
披甲永成　吉林披甲雙福　吉林披甲全保　吉林披甲富亮
吉林披甲常順　吉林披甲春林　吉林披甲全勝　吉林披
甲常春　吉林披甲慶春　吉林披甲德勝　吉林披甲富山
吉林前鋒常明　吉林前鋒喜壽　吉林前鋒莫淩阿　吉林前
鋒依薩佈　吉林前鋒博勒霍　吉林前鋒卧爾霍春　吉林前
鋒阿爾雅春　吉林前鋒永泰　吉林前鋒富陞銀德　吉林前
鋒淩春　吉林披甲札爾胡善　記名副都統博奇　黑龍江參
領林棟　黑龍江驍騎校庫克精額　黑龍江披甲魁蘇保　黑
龍江披甲巴爾胡喜　黑龍江披甲吉順　黑龍江披甲代順

正白旗副總管吉爾嘎朗　鑲黃旂副總管依薩布　正黃旗防禦愛興阿　鑲黃旗驍騎校巴彥齊勒　鑲黃旗筆帖式喜林　披甲蘇勒洪阿　記名總兵陳雲彪　副將蔡其驃　參將鄧連科　參將趙樹棠　都司唐洪義　游擊李獻臣　游擊蔡秉志　游擊馮化淸　游擊洪祿　游擊苟蘭芳　都司李春芳　外委柯登成　都司馬馨　都司楊廷弼　都司哈桂香　都司得運　千總曹光甲　都司田際泰　都司蕭滏　都司强勇巴圖魯王福來　外委楊道望　外委劉勝昌　外委陸尚禮　守備許豐年　守備任得魁　守備張懷振　守備王重義　守備胡世拔　守備張珂　守備王家祿　守備關福　守備海亮　守備朱麟閣　守備馬佩基　外委馮啟賢　千總張振威　千總張鳳翔　千總張國忠　把總閻忠　把總邱慶　把總李連元

把總李竹林　把總劉俊　守備仝廣泰　守備許殿華　千總李福　守備張文翰　守備胡得義　千總李景時　把總楊得勝　千總彭維賢　外委劉繼勝　外委鄧元發　把總馬英　把總喬倉　把總陳忠　千總劉永才　把總郭峻嶺　把總劉桐　把總黃亮　把總邢立起　把總趙廷溥　把總王金聲　把總丁繼昌　把總王治國　把總羅天德　把總劉登魁　把總陳泰　把總馬占德　把總李志傑　把總李占鼇　外委楊殿試　外委王占魁　外委劉殿臚　外委李百元　千總武舉烏廷楓　外委李春英　外委木振甲　外委白雲祥　把總梁社福　把總馬萬泰　把總貢福山　外委宋元魁　外委李國興　外委湯萬清　外委孫玉龍　外委馬聰　外委胡正芳

外委范清泰　外委田懋得　外委李鳳德　外委高立功

外委杜芳　外委趙成勳　外委郭殿甲　外委田永亭　外委陳志永　外委劉士功　外委王永興　外委姜華　外委程立勳　外委房王啟　外委李光宗　外委梁廷柱　外委張光忠　外委孫義龍　外委虎國斌　外委傅陞　外委唐協忠　外委李昌泰　外委郭貴吉　外委章繼李　外委劉希孔　外委王應祥　外委張福　外委李全忠　千總丹青魁　外委曹盛枝　外委王兆瑞　外委李鳴珂　外委陳漢之　外委馬長勝

外委吳登　經制外委魏尚喜　外委汪得勝　外委王金祿

外委丁耀東　外委李長隆　外委方金定　外委王瑞祺

外委蕭瑞　千總吳逢選　把總牛建魁　千總張志泰　外委侃長青　外委李滿昌

紳

刑部主事武毅公朱麟祺有傳○安徽陣亡○六品銜訓導安祺
八年被戕○安祺子文童立鼎安
祺叔母張氏劉氏安祺姑母
劉朱氏張朱氏○均同殉
浙江候補知縣陸之楨妻柳氏
姪純
祖繼祖姪婦王氏
夏氏○均殉浙江難
廣西知縣劉承炳有傳弟訓導瑩炳
子簪桂簪紱姪
簪笏簪杏簪筆妻蔣氏弟
婦沈氏姪女大姑二姑三姑
咸安宮教習舉人林中芬
附傳○八年帶圍不屈死姪蘭生
母嚴氏弟婦蔣氏均被戕
江陰訓導候選府經歷朱
廷頎有傳弟從九品廷璪
○均於八年力戰陣亡
訓導徐飛有傳八年被戕○子
文生承祺承祐子
婦姚氏哭氏女素玉姑
孫女雲姑○均投水死
六品頂戴訓導方文湛子輔某
弟監生
文泮○均有傳○八年帶團陣亡從九品便文泮子照齡○
某某某八品銜億億子惟億妻周氏○均自焚死
贈鹽運司知事從九品施蔚林有傳○子大德二德孫恩
兒妻潘氏子婦徐氏女
三姑孫女小
姑○均八年殉
從九品徐正心廷瑞廷瑤廷璋
廷墐○均八年戕
從九品
徐嘉麟從九品哲妻錢氏
弟婦謝氏八年被戕
從九品胡長齡子從九品式忠
兄長發弟
從九品祥齡姪式金式陽達金姪孫縈華妻金氏
子婦曹氏弟婦姚氏姪婦李氏周氏孫女珠姑○均八

年被戕

八品銜胡麟祉紅法文增兆奎永發兆燮

八品銜梅瑞芝庶祖母焦氏母胡氏妾朱氏女文玉姑

候補州判陳慶榮附傳○弟文生慶華文生慶和○均八年巷戰死○母汪氏妻徐氏○均同殉

六品軍功未入流陳樹棟八年被戕○子彭庚繼妻周氏女雲姑○均同殉難

從九品陳朝楷兄監生朝鑅○八年陣亡子慶庚嫂葉氏兄妾俞氏妻俞氏女玉姑金姑雲姑望姑銀姑朝揩妻余氏○均投水死

從九品陳嘉名十一年在張家崗被戕○監生以敬文童世楷從九品世榮文童肇周保林長慶佑安宏有球必㦂自立彭年敦華國勳聚倉棉國光桂華椿必明有春綿永來永玉永春貴伯必寬家粱德洪嘉善積珩二五子三全百川四彭五彭本鉉明楚漣源貴湖鍹子三四詁梓湝十仔志海有進朝發正和鴻忠明發四仔世謙大美福龍廷桂彭年本杰志高寶鑑鳴圭春雲壽年上高國興書吏玉衡廷槐福龍家善世榮世鑑志同樸二秀仔嘉祿惠桂志禮虎仔匠工鴻翔長元廷貴大山兆榮

六品軍功從九品孫應奎有傳文生元濤○均八年被戕

從九品鄔連玉克仁有興均八年被戕

州判馬彭庚妾劉氏子婦陳氏女

惠姑〇均同殉
從九品曹慶楨監生潔〇八年被戕
從九品王應元應貴〇均八年在雙墩橋被戕
議敘八品張成玉妻桑氏　繼妻葛氏　瑞傑　瑞傑妻彭氏　從九品兆奎妻方氏　瑛妻方氏　理妻桑氏　琮妻趙氏　乾泰妻薛氏　臻妻徐氏　有泰妻潘氏　全泰妻徐氏
理問銜汪世瑞從九品世多〇均八年不屈死
六品軍功文生張登瀛一門殉難
六品軍功監生汪長清子從九品朝梁　朝栻　朝桂　朝楨　孫慶生　慶壽　慶祥　慶年〇均八年巷戰陣亡〇妻楊氏　子婦袁氏　黃氏　陳氏　路氏　康氏　姪女元姑　喚姑　龍姑　二姑〇均同殉
從九品黃昭榮八年被戕〇子德麟　妻袁氏　女益姑　先姑〇均投水死
訓導黃國錩兄廩生國楨　陳氏　八年陣亡
從九品程肇禪泰瀛　泰清　泰淞　泰湘　泰洙〇泰松妻余氏　泰洙妻楊氏〇八年殉
贈鹽運司知事從九品林燮和子文波　文海　妻夏氏　子婦汪氏　女蘭姑　九姑〇八年殉
議敘八品林克禮孫議敘八品守先〇八年陣亡〇孫啟先　姪孫議敘八品開先　開先子大長　二長　妻陳氏　子婦李氏　姪孫婦陳氏　妹適沈張氏　子婦劉氏　開先女如姑〇均同殉
從九品林榮長從九品思恩　書吏雨豐　德元　瀚　海官　強　自登　妻胡氏　思恩妻程氏　雨豐妻陸氏　子婦徐氏　德元妻王氏　瀚妻錢氏　強妻

吳氏 自登妻 王氏 小老

訓導金森 有傳〇弟枝 根 子訓導蘭芳妻〇 陣亡〇姪蘭蓀 蘭言舉人楠妻

屠 枝妻陳氏 根妻楊氏弟婦薛氏妾周氏標 妻李氏 子婦夏氏 枝女紅姑字朱〇均八年投水死

議敘

九品田萬青 十一年在施家集被戕〇自明 正朝 芳荃 楚艮金鼇 正南 正潭 有法 柱 寶應

士琪 仲賢 惟 士長 領子

從九品唐世標 子肇文 肇鳳 孫嘉釗 嘉興 嘉祥 嘉鈺 嘉銓

妻李氏 子婦孀婦用氏 鄭 氏 王氏 孫女珠姑 完姑

議敘八品康國標 有傳〇監 生國棟

文生國楷 國楨 從九品國梁 叔榮萬〇附傳〇慶宜 國 鑑 國柱 國松 士魁 士鉉 士鑫 士釗 士鑄 文童

士鉊 戚監生許維瀓 王芳慶〇均八年陣亡〇國棟妻林氏 氏 許氏 國梁妻夏氏 佩芳妻葉氏 端榮妻黃氏 榮

萬妻宋氏 慶宜妻苗氏 國榮妻王氏 國標妻李氏 國鑑 妻黃氏 國柱妻馬氏 榮姑字文 文姑 戚張吳氏 汪康

氏 徐康氏 孀婦王袁 氏 吳康氏〇均投水死

從九品任寬 監生起鵬〇 均八年被戕

從九品

馬雲程 母朱氏 妻王氏

從九品馬雲鼇 妻孫氏 子蘭芬

議敘八品馬庚選 妻 葉

氏

從九品文生許恩光 妻余 氏

從九品尹湖 母孫氏 妹陳尹 氏〇均八年殉難

議敘八品曾國棕 有傳〇業師孫杲 〇均八年被戕

議敘八品武君榮 弟婦李 氏 姪

本頁原殘闕，現據南京圖書館藏《光緒續纂江寧府志》（光緒六年刻本，光緒七年初印本）補字。

婦王氏從九品萬其德八年陣亡○弟外委其相○有傳○外委大觀○附傳○均力戰死○大昏母葛

氏大觀母沈氏大鵬妻王氏○均同殉贈布政司都事議敘八品戴松齡妻汪氏○

均八年殉從九品顧鈞母金氏妻葉氏弟婦孫氏節婦厲氏姪女貞姑○均八年在冶山投塘死

議敘八品愼朝冠朝文朝俊陸氏八品銜朝傑母陸氏朝傑妻節婦陸氏文生朝選繼妻節婦李氏

○有傳○朝冠妻葉氏朝聯繼妻姚氏珍姑○均八年殉難贈鹽運司知事從九品葉泰

子婦王氏女珠姑九年投水死○子廷與○均朴橋被戕從九品葉琨弟文生琛內閣學士覲儀母蔡氏翠

姑義姑珍姑和官女僕一布政司理問薛體元附傳○全科行忠實榮華榮春榮

鳴川正義議敘八品達鳴鵠附傳○鳴然彩元景法景連連生王桂嫂王氏子婦常氏

女三姑僕婦康陳氏○均八年被戕從九品陳世大妻許氏○十一年自焚死○文童本華永興志

確法黃必連必知華南振齋志高志禮志雄三全百川四書吏鈞德福謙必茂寶林

二紅貴世祿華南妻夏氏振齋妻李氏本華妻茅氏氏永興妻汪氏志雄妻李氏法黃妻李氏必連母翁氏

嫂王氏必知妻彭氏志高妻呂氏志禮妻李氏子婦呂氏戚氏鈞妻呂氏謙母鄭氏必茂妻王氏寶林母

楊氏二紅妻陸氏貴妻李 從九品陳雲慶母汪氏姊
氏子十仔世祿妻李氏 適曹適姜
訓導陳朝誥妻汪氏子慶 職員汪世瑞妻李氏州同芳蘭
榮子婦徐氏 康氏芳棠鄭
氏芳淇洪氏從九品世 從九品朱蘭弟婦孀婦戴氏
多徐氏芳芝馬氏 弟藻藻妻郭氏
藻女小姑姊石朱 議敘八品王宗仁妻夏氏子從九品志
氏聘子婦金氏 駿駿妻褚氏弟宗
貴宗貴妻徐氏姪 從九品徐兆頤妻王氏 從九品朱廷
志鵬○均殉瓜埠難 子森
琛文童慶昌文童慶全必餘必有文隆萃濤聲和
必如萬登大榮立廉天貴永山慶年瑄明
倫慶餘廷鄉松汝環麟官萬金耀東汝璟
善長長有友律必昇友德有德○均八年陣亡○德
淦 千總王金鼇附傳○武 千總朱金標有傳○汪 安徽潛
春 生金鎔 氏許氏
山營外委達成榮有傳○六品軍功掄英○掄富○彩壽○
逵姓婦女十八人○八年城陷自焚有傳
以上一門殉難
知府銜鎮西廳同知許清貫 同知銜宋浩八年不屈死 訓導唐肇
謨 六品銜文生顧棟八年被戕 議敘八品陳鴻仕 議敘八品洪

立棟八年在樊家集不屈死　議敘八品張利金九年死內應事　八品銜田昌霖
議敘八品李文榮八年陣亡　議敘八品武文華八年不屈死　議敘八
品武君懷　議敘八品林心德　議敘八品汪朝楨　議敘八品
王槐　布政司理問王道生　九品銜方便向八年陣亡　從九品王
玉八年陣亡　從九品張文榜八年陣亡　從九品王承慶　議敘九品龔
寶　從九品俞鑑堂八年陣亡　議敘九品胡桂　從九品吳炳
從九品吳琪　從九品陳慶鯤八年陣亡　議敘九品陳慶秀八年在候家橋
被戕　從九品孫長鑄八年不屈死　從九品鄔肇亨　布政司理問鄔
宗泮　從九品曹慶梓八年被戕　議敘九品張震圃　五品銜張贄
議敘八品周世榮　六品軍功監生金守謙　議敘九品田興
議敘九品嚴國華　從九品唐肇春八年不屈被戕　從九品成茂八年
不屈死　議敘九品馬深八年在四合墩陣亡　九品銜馬嵩　從九品李聘

章十年在馬家集不屈被戕　從九品許達夫　從九品史金堂八年被戕　六品
頂翎夏傳良八年陣亡　從九品夏承慶　六品軍功監生陸洪藻
從九品陳棟　從九品汪錫書　議敘九品汪寶華　從九品鄭
德修　從九品王賓生　六品軍功監生王銘鑑　議敘九品劉
金芳　副將劉得勝　游擊河標中營都司夏定邦有傳　守備張
鳳林　藍翎千總王錦春同治二年太倉州陣亡　千總張景榴　千總田
沅　千總賈文會同治七年陣亡　把總楊寅賓　壽春鎮千總毛國祥
有傳　把總王金鼇　外委吳錚　六品頂翎外委王存禮八年陣亡
外委張景如　外委談錦朝　外委李祥如　外委李國模　外
委夏傳粱　外委萬鶴有　外委厲允齡　外委陸占鼇　外委
陳慶　外委談錦潮

士

舉八葉琳附傳○妻汪氏均八年投水死廩生王兆蘭八年被戕○子達慶子妻徐氏女二姑○同殉廩生張良弼繼妻陸氏均八年被戕贈鹽運司知事增生王璵姪孫永祥子婦陳氏孫女榮姑姪孫女二玉○八年均不屈死贈布政司都事歲貢生戴文泉弟贈鹽運司知事文生文瑜弟文童映辰映辰妻黃氏妻龔氏女二姑映辰母朱氏均八年不屈殉難贈鹽運司知事增生李允恭妻袁氏弟婦劉氏增生劉昌齡文生昌言

武生訓○附傳○應祺　振年　望齡　春齡　浩　永舉
師舉　師德　師曾　師仲　三先　天福　長言　在雲　廣
華　蓁○照福　長合　國　長青　太平　兆堂　永　象山
桂　永德　長富　榛　貴　同官　錫　大有　錫齡　金
山　庭松　丹
完官　桂年

增生王增增生鶴齡○八年不屈死贈鹽運司知事增生陳懋政妻王氏女八姑○附傳○均八年投水死增生屠國祥國梓○八年陣亡廩生唐肇熊有傳○妻熊氏子婦李氏女節婦康唐氏廩生談慶元弟慶愷○八年馬鞍山陣亡○妻徐氏女幼姑○同殉增生王松齡銓妻達氏銓妻常氏增生談春池子肇琪姪肇瑽肇璡弟婦汪氏肇琪妻王氏妻劉氏廩生肇瑩妻劉氏○均八年被戕增生厲會妻謝氏○八年罵賊

死
增生葉萃深妻林氏女上元姑○均八年被戕
增生達淦十年在蘇州被戕○存昌貴
雍彩林彩球掄科石昌榮廷伍久九樽彩
高金桂金保金禮富彩琴彩華彩芹順仔
掄升四標長生六品軍功彩俊步朝成家
宏如彩信長官十官玉林同○均八年陣亡
文生汪登瀛八年被戕○經理寶才天祐順長貴元仔
庚仔達聰榮官步周經履經尊元傳球
傳年遠騮開雙仔福長華
達科奏平達庚遠達經祺愼仔
文生章秉書平書
○八年不屈死
文生黃國珍妻印氏○八年被戕
文生熊桂芬嫂朱氏○八年巷戰陣亡
文生朱家煌子未入流聲仁均八年殉難
文生陳慶和監生樹栐○均八年被戕
文生陳樹槐附傳○弟從九品樹樾文生樹棟監生樹栐文生
樹德文生樹檍文生樹楨本禮虎年○均八年
陣亡○嬸母韓氏弟婦劉氏厲氏
女玉姑姪女寶姑○均八年同殉
文生孫彭八年陣亡○繼母謝氏
妻葉氏女大姑○均同殉
文生孫彭年母周氏子榮升榮復妻吳
氏女龍珠德姑○八年殉
文生孫元濤子文生應魁妻汪氏子婦節婦
邱氏許氏孫女大姑均八年殉
文生袁珠子文
章承桂○均八年被戕○孫文魁
妻朱氏子婦陳氏○投井死
文生姚淮子善祥姪善傑
監生作鈐○

均八年在天長十里營被戕文生王式金八年在虎頭墩被戕○妻貢氏同殉文生王增妻常

氏鵬齡妻常氏永齡聘妻鄭氏鶴齡女荷姑文生張兆瑞母劉氏均八年不屈死文生彭

會安有傳○會英會極會魁德魁德裕德基德修奉祿奉儀奉舉德馨德榮德增奉欽立

美立名奉科立和立鼇立山宗海兆宗彝宗鏞德建德俊文生德潤○均八年陣亡○德潤妻朱氏

監生會川妻翁氏子婦李氏監生西緯妻楊氏監生會田妻王氏志仁妻節婦馬氏德英妻王氏長發妻鍾氏

榮妻曹氏德齊妻馬氏德茂妻王氏文生會清妻張氏文生彭會康附傳○文童會成文童德釗會

豐會同德備大年○均八年陣亡○妻梅氏會成妻方氏德釗妻陸氏會豐妻方氏會同妻秦氏德備妻楊

氏大年妻任氏文生侯紘有傳○子秉鑑八年被戕文生董籌弟策○八年均在練水壩

被戕文生沈蕃實弟蕃錫蕃聯蕃和蕃和蕃禧妻林氏弟婦曹氏周氏林氏○均八年殉難

文生許昌儀母李氏妻沈氏弟婦張氏○均八年不屈死文生夏毓萊有傳○八年陣

亡○姪監生璜琛姪婦曹氏姪孫女二珠姑○均於八年不屈被戕文生夏毓琦妻陸氏子煌壽

子婦紀氏孫延恩孫婦吳氏孫女蘭姑文生戴粱兄桂○八年在瓜埠陣亡文生魏錫光

弟文童錫恩錫蘭〇均八年不屈死

文生賀廷桀有傳弟監生廷棟文童傳煌傳熾傳義爾通爾達家麟妻汪氏佾生廷植妻胡氏文童廷楨妻汪氏優廩生純繼妻裴氏傳煌妻任氏文生熊傳妻黃氏文生傳書妻姜氏文童家奎妻王氏傳義妻林氏桂姑香姑二姑多姑銀姑

文生厲炘監生式珏弟炳燻妻印氏式珏妻周氏女大姑〇於八年在臨橋鋪不屈被戕

文生厲式玫八年東門陣亡〇母節婦汪氏有傳〇妻某氏〇均自縊死

文生貢國鈞國應均八年罵賊死

文生印長清母厲氏

贈鹽運司知事文生陸沅弟文童寶傑母萬氏子宗祥宗康女銀姑珠姑懷姑完姑

文生陳樹檀妻唐氏本仁妻曹氏世大妻許氏松年妻雷氏寶林妻劉氏

文生李占九妻黃氏〇九年在曲澗寺不屈被戕

文生潘鏞得勝文光自昭可餘有才瑤順

〇八年陣亡

監生嚴鴻儒妻毛氏爾康妻鄭氏〇均八年不屈死

監生許春谷弟聖洋聖澤子昌祺嫂曹氏弟婦施氏余氏姪女轉姑二姑外孫女紅姑〇均八年殉

監生蔣連成妻黃氏子婦時氏啟昌妻汪氏子雲妻某氏鳳瀛妻葉氏松山妻陸氏

監生夏毓錦八年陣亡〇妻徐氏子婦朱氏〇同殉

監生夏銘齋女珠姑

監生夏蔚華妻徐氏麗生妻朱氏

監

生魏敬清妻程氏監生繆潮妻曹氏○八年殉子永祥○被戕監生黃澐八年罵賊死○妻吳氏○投水死○姪國泰姪婦周氏○均被戕監生楊懋昭子允成允華允福孫敬忠敬士允功妻章氏允成妻秦氏監生袁仁安有傳孫遐齡妻任氏子婦馬氏女節婦姚袁氏二姑鳳珠鳳英孫女愛荷小荷八年殉監生何國梁弟國香子永福其梁妻黃氏妾顏氏國泰妻金氏○均於八年不屈殉難監生翁玉聲子大鏞○八年被戕監生陳朝源子從九品慶年慶平妻夏氏王氏孫氏子姪男女數十人均九年被戕監生孫大經子文生鴻逵○均被戕監生孫維時女壽姑○八年不屈死監生王慶福妻胡氏○八年均不屈死監生汪浚泉妻張氏○八年被戕監生汪經訓監生經鎔女珠姑監生朱福麟子浩監生沈樹珍孫存煋文生佳監生李賓十一年罵賊死○監生家駉八年均不屈投水死監生王還姪婦吳氏監生胡世忠自能金龍金虎春陽延壽孫女杏姑自能妻何氏金龍妻楊氏春陽妻李氏延壽祖母葛氏金虎妻李氏監生吳宜慶允林允相世才宗懷金和妻夏氏允林妻蔣氏宗懷妻胡氏○女貴姑鳳姑金和妻葉氏佾生茅鈺慶餘慶懷○李氏子婦馮氏○八年

被戕文童孫德魁鶴年 習康崇榮 錢氏 鶴年母湯氏 習康母倪氏 宗榮妻葛氏文童

曹之燕妻楊氏文童王尚義世美 洪川 純○同治元年陣亡○錫齡 星 正偉 德 向清

珠 星 柏 萃華 定 官 潮 瀛 瑾 必球 克忠金鑾 兆林 學芹 兆金 柱 全子 文荃 德護 德修

文杰 文欽 桂林 問渠 修 志雲 永泉 宏 文和永來 洪美 兆確 灝 澄 文炳 淮 學義 嘉謀

洪 二元 嘉言 鏞竺 春華 椿 春陽 朝選 尚才志興 大雲 家標 世恩 明丸 有和 定魁 兆景 兆

雲 岐山 順年 蘭 長清 全 連仔 德林 大覓 登山 其全 文錦 之廣 之連 傑 忠 彭林 承豐 兆

宗 十官 九官 長生 桂生 濱丙 登科 大本 其升學發 有緣 長春 永壽 長林 永福 玉貴 玉林

玉松 玉科 永清 志科 恩仔 祥生 有禮 金洪 子某 慶宗 寬 長森 浦 登崇 慶槐 康 紫儀 廣升

寶賢 又 慶榮 志貞 文丙 志賢 桂生 文邦 成勛 文禮 金林 世道 立和 臨佩 蘭 松 彭 松林

偉 慶生 喏 在修 在有 昌 滿 士惠 三用 嘉讀 必起 桂源 明 松源 順 長壽 銀文童

汪傳經艮必 翠亭 傳經妻魏氏艮必母某氏 翠亭妻朱氏文童林存仁祖母馬氏母張氏 妻

石氏○八年殉文童許兆榮兆昌 聖華 獻廷 兆榮妻談氏獻廷妻時氏 聖華甥女某紅姑文

童曾鴻飛文童兆桂文童兆錫文童兆麟文童兆甲鶴林佩林鴻保 文童戴映台母宋
氏妻黃氏 監生葛朝言母郭氏○八年被戕 文童徐鼎長學森長發二 文童李
廷楨妻陶氏 文童汪達經妻魏氏 武生雷春谷武生慶山 武生謝鵬
弟金標○八年陣亡 武童朱長華妻馬氏嫂金氏長榮
以上一門殉難
廩生許兆祥 歲貢生尹如登九年在樊家集被戕 贈鹽運司知事文生
潘兆鼇八年在葫蘆套殉 廩生周廷榜有傳 歲貢生陳宗鏞八年投塘死○有傳
增生孫崇倫 文生武鳳超 文生夏延禧八年在馬家集陣亡 文生
印國光 文生陸德康八年西鄉陣亡 文生陸燊森附傳○八年罵賊死 文生
葉祥慶附傳○八年不屈死 文生汪珏 文生黃國徽 文生汪芳棠
文生黃國光 文生朱福昌 文生沈桂 文生李澈十一年被戕
文生李允恭 文生李湘南 附貢生陳瀾八年被戕 文生孫彭

文生熊八惠　文生雷春圃八年在雷官集被戕　文生雷慶鑾　文生秦鳴鑣八年西鄉陣亡　文生秦翔鵠　文生鄒煥章　文生姚淮　文生王定八年在瓜埠不屈被戕　文生王澤八年駡賊死　文生張礪金　文生汪傳鑾八年不屈死　文生周炳文九年在程駕橋不屈投塘死　文生林存俊八年駡賊死　文生常廷煥八年在曲澗寺不屈被戕　文生成廣九年被戕　文生戴樑八年不屈死　文生顧紹沅八年不屈被戕　監生李志鶴　監生李永清　監生蘗觀止　監生沈廷傑　監生王生桃　監生葛長紀　監生薛克家附傳　監生陳以敬　監生陳學珠　監生史文燦九年陣亡　監生監生汪芳桐　監生黃廷杰　監生黃曉雲　監生王洙　監生王宏源　監生陳嘉祥八年殉　監生馮美　監生徐鐘三年在龍池陣亡　監生胡慶元九年絕粒死　監生時厚培　監生盛廉槐　監生吳鳳甲　監生吳湘八年不屈死　監生吳慶元　監生程世岱　監生

姚慎言　監生王暹八年在練水壩罵賊不屈被戕　監生程恩岱十年在新安坊殉

監生林世昌八年不屈被戕　監生成湘九年被戕　監生鮑觀瀾八年在東王廟被戕

佾生余杏林八年被戕　佾生謝以麟八年投鹿河死　佾生朱蘭八年在練山下被戕

文童余方元　文童魏錫永　文童顧琪　文童姚鏞　文童薛廉全　文童汪達科附傳　文童萬大椿　文童黃炳　文童黃大儒　文童黃業存　文童唐嘉楨　文童王溥　武舉夏傳謨　武生王建章　武生常國標　武生曾長風　武生夏金鼇

武童崔漢威　武童王名定　北獨山董事阮悅三

兵勇團丁

六品軍功田錦春八年陣亡○啟賢慶隆晴川寶春文燦長仔二仔聚源忠士學妻孫氏　啟賢妻戴氏　晴川妻戚氏　寶春妻黃氏　文燦妻王氏　女大姑　聚源妻李氏　忠妻薛氏　士學妻萬氏　六品軍功李德華弟志華均陣亡　六品軍功李兆標兆森　六品軍功高金

保作壽天玉貴升梓玉林明德○八年殉六品軍功周成俊弟成學子啟昆錡大朋
弟三啟珠士義開泰承淦遐齡鑽錩成俊妻尹氏錡妻侯氏大朋嫂許氏啟珠妻呙氏士儀妻汪
氏開泰妻陳氏承淦妻侯氏錩妻何氏鎔妻某氏○均不屈殉難水勇徐餘福萬會○均四年八卦
洲陣亡團丁吳至揚弟至顯勇目申如發如桂○均八年陣亡團丁柯得
盛弟得福勇目王士得啟交○八年陣亡團丁張金揚弟金山金洲團丁
楊永年懷森銀楫懷妻范氏林岐立大姑立妻黃氏團丁楊學基有才正師
有義有矩有彝○均陣亡勇目周金聲子承松○八年陣亡承柏承松妻陸氏○同殉團丁
湯必達必連士選士近小四容年○均陣亡勇目唐淮妻劉氏○八年陣亡勇目常
桂伍子○均四年九洑洲陣亡團丁顧盼弟盼○均陣亡團丁邵庭列弟庭班團
丁岳崇善崇法○均陣亡團丁林倡先弟倡勇團丁林心義心詩心從懷玉
懷璧懷玩激海濁源○均八年陣亡團丁劉必達必保必誠必證團丁劉必
怡栻楷格春發必澄團丁鄭定邦弟定國團丁夏萬全士萬廷松萬和

二仔森雨周廷茂士萬妻金氏廷松妻楊氏女大姑　團丁周鴻章鑑求科東仔鑑

妻劉氏　民勇李金元德春○均四年在通江集陣亡　勇目李太和子遐　壯勇李

春鵬五年在東溝圩陣亡○母時氏桂氏徐氏○均八年被戕

以上一門殉難

五品軍功夏長善八年陣亡　六品軍功周貞元　六品軍功李德順

水口陣亡　六品軍功鈕昌祺八年山東堡陣亡　六品軍功劉榴五年水口陣亡

五品軍功楊長庚　六品軍功毛式模　六品軍功顧象儀　六

品軍功賀長齡八年陣亡　六品軍功吳從周五年水口陣亡　六品軍功陳

明四年在八卦洲陣亡　六品軍功張富貴同治十三年陣亡　六品軍功張景如

六品頂翎王金禮有傳　六品軍功厲允齡　六品軍功單兆騏三年

新篁巷陣亡　六品軍功汪益詩　八品軍功汪遐秉　勇目徐貞八年

陣亡　民勇朱炳揚四年在通家集陣亡　民勇吳文賢四年在通江集陣亡　水勇盧

廣玉五年在通江集陣亡　勇目陳寶六年陣亡　勇目孫錫謨五年九洑洲陣亡　水
勇孫長發五年在通江集陣亡　勇目韓亭四年九洑洲陣亡　勇目高老水口陣亡
水勇高金華五年水口陣亡　水勇方至和　民勇王加祥四年在通江集陣亡
水勇王順五年在通江集陣亡　民勇張步輝四年在通江集陣亡　勇目張茂純四年
在九洑洲陣亡　民勇楊永四年在通江集陣亡　水勇楊得勝五年在通江集陣亡　勇目
程萬邦八年陣亡　水勇周文五年在通江集陣亡　城守營兵丁周洪八年陣亡
水勇劉寶全五年在通江集陣亡　民勇林東揚四年在通江集陣亡　水勇姜春四年
在八卦洲陣亡　水勇段長福五年在通江集陣亡　水勇石永華五年在通江集陣亡　水
勇陳參　勇目李成八年陣亡　水勇李進來三年浦口陣亡　張聯奎　葉
長齡　許得勝　柏長貴　王得標　孫安邦　柏玉明　楊金
標　徐金桂以上九名均同治元年陣亡　蘇標撫營兵陳有發同治二年常州陣亡
盛軍兵丁許得友同治七年山東德州土橋陣亡　王學昌同治七年山東德州土橋陣亡　勇

丁汪士貴　勇丁高萬廉（以上二名均同治三年無錫陣亡）勇丁郭繼周　汪
沙斗　史開南　顏俊興　汪士貴（以上四名均福山鎮標兵丁）孫嵩山
武長有　戴加成　陳得才　劉學年　范志義　仇文柱　王
永林　郭得才　方金年　李天元　潘雲山　吳廷芳　王文
周　柏啟邦　余錫貴　陸長桂　陶得貴　劉松林　許得興
葛啟發　范名高　周爲臣　李金翔　黃得成　夏永盛
史比富　趙榮發　王加遠　程尚時

民

書吏徐蔚雲（長安二安三安）書吏虞殿擎（士林）書吏強宏猷（宏泰宏義
宏臨宏久）書吏強錫舞（正剛）書吏李慰懷（子效白孫長年子婦王氏女貞女二雲姑字
常艮姑孫女瑞之玉芝僕陳四）書吏趙維淮（妻胡氏）書吏戴詢（弟詰子世勛姪
世泰世傑妾梁氏〇八年投水死）書吏林西園（長年鶴年榮昌）熊運生（九仔妹大姑）

姑二 熊長元 母周氏妻湯氏／長喜母黃氏 熊如珍 文瑞雙／齡士忠 熊日丙

妻汪氏盛林松／林盛林妻饒氏 熊懷 妻某氏女一子一登魁／登奎妻某氏子一女一 童

士來 應相應／興應茂 馮大 二士義懷／壽昌植三 馮曉仁 海 翁大江 大／官

姑二 翁聚 子大陽／二陽 龐萬州 子大官／女大姑 洪志學 志仁志禮／從九品昊繼妻

胡氏從九品立／本妻陳氏榮姑 韋學書 附傳／學海 韋大琨 大／養 韋大德 大／良 龔

德籌 妻林氏德于廷桂林栢存樸德于妻石氏／子一廷妻孟氏桂林妻石氏存妻張氏樸妻王氏

子／一 龔純 妻洪／氏 龔德章 子／廉 江杏 順文進松壽松／壽妻梁氏○八年陣亡 徐

佩珅 子應祥應義應台孫丞福妻／秦氏弟婦范氏子婦顧氏葉氏 徐學彭 姪婦某氏／弟漢卿

姪霍大升○均八年／遇賊被戕○大升妻某氏 徐貢陞 鎮／坤 徐仁和 妻王氏女枝／姑子婦周氏

康氏致／利妻丁氏 徐貞 長仲新世財光明有勛華恒／揚之興之萬宏德之功長川

友揚俊揚右庶起尙達勛年嘉斌世才佑／春昌之忠加明琴狗仔士慶應台長松二彭

國吉元福榮卿自興光元三仔長貴有穩／士喬憲培榮紱森年星魁滙安松岩萬華

潤仔 喜定 長義 印川 榮綬 加蓮 承裕 松鵬 長泰 長椿 應齡 彭仔 普堂 五功 皮匠 家瑞○均

不屈死 **徐楚江** 鏞 澄 子承裕 承兆 長萬 福 嘉穀 子彭宣 楚江妻沈氏 鏞繼妻顧氏 澄妻印

氏 長萬妻孫氏 女格姑 福妻張氏 嘉穀妻蔣氏 弟婦汪氏 慎氏 蘭仙 **徐汝梅** 承兆 印氏 **徐**

仁 殿英 乾 福堂 士連 **徐楚** 妻沈 氏 **徐殿魁** 妻李 氏 **余志顯** 弟志霞 ○八年在

末占橋被戕○子作琴 子 婦王氏○均九年投河死 **余大才** 桂 在東 大才妻楊氏 桂妻陳氏 在東妻吳

氏 宋氏○ 均八年殉 **余大升** 瑞 照麟 松 春瑚 德全○均於八年被戕 **余大倫** 妻王 氏

余芳沅 母張 氏 **余湖** 大和 大生 **余位南** 妻陸氏 子婦吳氏 **朱繼芳** 子文 生炳

章 介眉○均 於八年罵賊死 **朱福全** 妻徐氏 女愛姑 涇 潛 澥 探 淦 **朱煜** 藻 **朱**

瑞林 慶餘 正元 **朱蘭** 八年在練山下罵賊死○正文 德澄 益如 琴 可利 二松 四松 立修 慶芳

汝琦 禹疇 必松 鵬程 紀周 虞彩 正文妻蔣氏 德 澄妻周氏 益如妻林氏 琴妻張氏 可利姪女俊姑 二松

妻林氏仇 氏 四松妻康氏 立修母謝氏 立謝妻李氏 慶芳妻徐氏 汝琦母紀氏 禹疇子婦賈氏 必嵩妻萬氏

鵬程妻蔣氏 紀周妻王氏 虞 彩妻郭氏○均遇賊不屈殉難 **俞忠立** 妻謝氏 弟婦朱氏 ○均八年不屈死

續纂江寧府志 卷十四之五 人物 七

俞大倫 松淞志有明寬○均八年被戕 俞文沅 文澂文潮 胡長明 長悅淦漟建

業燿成照春德在朝十國江耀祖淑發文庚作信奎文奇大成時春必榮玉聯盛

玉 胡叔發 時 胡松 栢楹連學成 胡陽春 榮華式增牛仔 胡永有

永才 吳茂騏 玉仙春文山泰宗泰義宣慶奎繼槐敬修懷鳳東州 吳鳳甲 鳳乙

鳳丙鳳己 吳澂 瑶 吳志華 好威 吳竟明 竟亨竟宣 吳永彬 國基永信永庚

文湘永生狗子連子長泰玉書四子永義永明永壽永惠大宜福廷 吳天四 金

德超天順德隆 胡璋 永齡龍自寬○璋嫂湯氏 盧濂 沅清澂 蘇二 萬楊加純

文忠正業○均八年陣亡 殷會山 妻周氏體仁長齡招象文田氏周氏 殷煥章 妻周

氏 舒必桂 必華 倪志有 金○八年陣亡 陳幼兒 祖母某氏母孫氏○八年自縊死

陳靜函 八年罵賊死○子有福有祿有壽有則有喜母宋氏妻曹氏○均同殉 陳大見 母王

氏孫立基妻余氏弟婦李氏○均八年被戕 陳東陽 八年在盤塘陣亡○廷國治恭妻吳氏○均同殉

秦光元 妻戴氏 秦必有 繼妻侯氏 秦國鴻 子壽坤紹必廣克莊○八年殉 秦

為才　為福　玉春
學熙　學明　為才妻王氏
秦鼎　正學　正　史　正師
孫榮紳　榮　純　榮　繙　榮紋

孫綸章　妻程氏
孫爾康　妻陸氏
孫克敏　女壽　姑
孫習模　東　海
孫浩

妻某氏　子惟清　女一　說
說妻某氏　子一　女一
孫燕　八年罵賊死○子榮春
榮升　榮純　嫂程氏

子婦程氏○
均自縊死
孫元魁　弟元開　元良　元祥　元輝　元輔
姪三子　太平　妻康氏　弟婦蔣氏

汪氏　董氏　女如姑　姪女榮姑
貽寶妻侯氏○均八年自焚死
孫萬保　厚恬　必榮　必
選　長周成　基

喆　玉昌　厚田　憲延　憲祥　憲瑞　元仔
自愚　巨源　四維垣　有本　德仔　貽佑
孫國珍　母柯

氏○家
屬七八
孫秉　妻某氏　玉妻某氏　懷川妻某氏
大　大妻某氏　子一　女一
孫旭　妻袁氏

韓二　世杰　華
韓大全　妻倪氏
袁大生　二生　禰　母吳氏
袁德　大貴　大　明　鴈

墜仔　端
坌　世興
袁永　正發　慶輝
正明　金輔　艾　牟仔　靜輝
正邦　妻陳氏　正發　母鄭氏　金

韓孫女杏姑　靜輝妻饒氏　慶輝妻徐氏　子
長祿　正邦妻姚氏　貞姑　○均八年殉難
袁愛棠　子　魁

屠天明　妻宋氏　女
鳳姑　東官
黎萬周　國榮　文寬　文寬妻某氏
女大姑　均　八年殉難
樊

二保　俊　添福　永實
鳳昌　明德　明道
樊順元　妻朱氏
○九年殉
閻大　有傳○二
○六年均

陣亡冉彭有洪鋭兆璜兆彬兆金得仁○均八年陣亡原永江永德妻蔣氏九齡妻姜氏○
八年殉難時種之佩金劉氏時雨春金殿克寬璞妻王氏鴻紳妻部氏炳文妻董氏
時成聚隊仔邢華母陳氏八年殉莊國立桂齡柯長桂妻某氏懷林兵科
柯世傑母王氏妹二姑柯長貴妻吳氏柯長有秉乾秉乾母梁氏秉乾女柯姑變堂
池有泉存源聞濤母葉氏妻丁氏松濤寬金清聞之好之美德聞心
章心學心齋欒士進妻陳氏強明母陸氏長生錢朝聚喜官紋喜經秉奎
祝三喜錢福弟慶叔母陳氏妻葉氏錢國元國聚妻陳氏國聚妻陳氏錢必高
國寶姚文濤弟文灝子庚年壽昌文童錫年姪文童鏞年○九年陣亡○恒年逢年妻劉氏子婦葛
氏劉氏徐氏弟婦謝氏姪婦吳氏孫氏○均於八年被戕姚原西原茂姚達如忠如均如
姚元吉元錦高文禮母吳氏幼孫○同殉曹樹廷妻周氏子三曹步周妻顧
氏曹有元妻戴氏曹上林有傳妻龐氏○一門二十餘人曹鏡湖妻饒氏子婦鄭氏
曹泗子平官妻崔氏曹德麟趙氏曹三架文舉覲揚步蟾桂卿鏡揚長發長椿長

濤強長福覲揚長福 步楷有田○均不屈殉難
曹世成 妻周氏
曹志泰 妻饒氏 子婦

鄭氏女大雲姑○ 女二雲姑孫永保
陶廷輝 秉遠宏禮士鳳兆南享 兆平兆儁士宏秉遐

饒錫如 妻謝氏女杏姑槐松天錫天錫 妻鄭氏順亨宗文宗文妻王氏桐
饒記 妻孫氏

饒逢智 子小老
何習鴻 習鳳習鸞
何適中 適道
何樹勳 其賢于琪 兆益肇

坤錯國梁 其平于淇
何長松 量舟量坤量成 抑仔量如量勤
何廷信 廷茂廷書

何長生 弟彩
何萬全 妻董氏長林文昭量彩量奎文 才長林妻吳氏量彩妻劉氏量奎妻

高氏文 才妻朱氏
羅球 長佩曹發春玉麟大順 大順妻王氏長如姑長佩妻楊氏
羅春

林 尚林
佘友仁 友禮
佘聲遠 聲遠母曹氏妻嚴氏嫂周氏 妹珍姑女仙姑二姑孫女

一聲遠 妻周氏
佘明元 妻陳氏
方三 得義得貴得榮 千松○均八年殉
方保仔

子 松
王某 陸氏徐氏 時王氏
王朝志 妻汪氏○ 八年同殉
王國元 德元
王士

得 敵交○八年陣亡○ 尚銀○十一年陣亡
王添 妻徐氏
王存甲 妻李氏
王萬全 妻陳

氏女 朋仔
王松柏 妻李氏
王有 從義三元 玉士龍
王峻 雙
王泗 妻袁

本頁原殘闕，現據南京圖書館藏《光緒續纂江寧府志》（光緒六年刻本，光緒七年初印本）補字。

氏 王從甲 咬子 步祥 輔 長壽 溶 潮 承恩 鳳
鳳子一 曙觀 成勛 賓虞 彭 桂香 宏興
朝治 六仔 博 均 文山 湘 文全 妻李氏 女元
姑 步祥妻劉氏 輔妻全氏 長壽妻張氏 鎔妻達氏 潮
妻陳氏 鳳妻時氏 子婦袁氏 戚節婦陳朱氏 曙觀妻陳
氏 賓虞母曹氏 賓虞妻李氏 查氏 桂香母夏氏 宏興
妻張氏 女珠姑 朝治妻汪氏 六仔母達氏 博妹大姑
二姑 均母達氏 文山妻朱氏 子婦陳氏 孫女美姑 湘
女仙 王瑞官 增 妻靡氏 亥 王浦 妻談 王茂南 子廷禎
姑 陸氏 女祺姑 氏 西文
潤干 之淮 玉林 廷模 玉 王榮 妻達 王大寬 子婦
州 祥順 有臣 亨交 庚仔 氏 黃氏
王如皋 如松 王學禮 妻某氏○ 張聰 妻王氏 聯 張慶
母薛氏 子女同殉 琪母李氏
壽 琪 樹 樹 張廷英 小木 祿仔 張大 四 張窎 庶母馬
同 鳳山 世興 五 老 氏妻
王氏 妹 張廷英 妻嚴氏 孫女大 張元富 維藩 金 理
王張氏 姑○八年殉 堂 琥 兆鑌
家煌 明 英 學科 景和 廷芝 廷亓 延十 允全
槐 桂 九 德 四 廣 勞 生 志元 懷春 金揚
其立 金芝 相 金洲 金山 建川 肇鵰 必全 必
福 志奇 曾安 允修 司務 珵 富 朝選 朝忠 一 文
炳 世福 幼 兆初 兆海 金華 志瑞 貴仔 允公
南 永齡 其華 榴 鈞倫 子二 茂春 殿和 孫 珊

學淵會遠

張必高 標立用江紹劉大官二官三官家楨長青順會治錫恭文熊大老貴文琳文福廷章錫九妻郭氏標妻栢氏立用妻史氏江妻葛氏紹劉妻程氏母程氏家楨母汪氏黃氏女秀姑嫂周氏長清女芷姑順母郭氏順妻李氏會妻周氏治姊杏姑錫恭妻時氏大母徐氏文熊妻王氏老妻陳氏貴妻唐氏文琳妻時氏氏文福妻陳氏女杏姑廷章妻汪氏錫九妻時氏

張聖輝 子宏寬妻章氏

張相 妻許氏志仁志仁母某氏妻某氏子一弟一

張同山 妻某氏子一玉山必芳必照必禮必富必中玉山妻某氏必芳母龔氏必照妻汪氏必禮妻陳氏必富妻趙氏某妻吳氏孫婦某氏必中母羅氏玉樹妻嚴氏

張成輝 成爛

張震宇 震坤震亨總信

張榮林 政平天書家璜明家煌

張華 體富

張成 志本志賢宜燮其高懷林必升必盛必發玉清

汪遐昌 遐齡子長華長富姪大保妻薄氏○均八年殉難

汪紹亭 妻王氏子婦厲氏○姪婦金氏○八年殉難

潘雪顏 妻曾氏○八年殉難

潘德高 湧

潘耀芳 孫泳耀芳子婦李氏

潘士宜 士元高

潘聞路 聞道

潘沂 雷有餘朝順仔

楊美文 金文

楊永年 八年在盤塘陣亡○森興如岐銀士珍楫林

楊學林 學禮

學懷　學壽　立高　有寬　允年　振和　興儒　士錚
勝　士榮　庚　東　從周　魁　周　壽全　得林　坤　祝三

壽年　中金　德富　大寬　世金
永福　慶和　在洲　耀光　純
楊懷遠
兆元　承基
奎如　純如

茂昭　永年　盛昭妻陳氏　承基妻曹氏
奎如孫女如姑　姚純妻陳氏　茂昭妻王氏
楊懷
八年在
盤塘陣

亡〇立妻范氏　女
大姑　立妻黃氏
楊永升
文
理
楊月秋
妻駱氏　子二　慶
慶妻某氏　子

一女
楊鳳毛
榮　大新　湖　宗
先　秀華　秀豐
楊學智
二
廣
楊力瑚
弟力
璉

章遐齡
永齡　厚夫　周
氏　失氏　二姑
章兆家
妻周氏子
厚女住姑
梁長順
長寬
何氏

黃孝珠
子昭華　姪昭奎〇均八年被戕〇
妻田氏　弟婦馬氏　均投水死
黃某
母王
氏
黃

鵬兆
龍旋　達　宇華　炳　家棟　彭年　球　家祥　昭光
國楷　琳　煥章　元仔　聲於　昭斗　卓　康　節

認　仔　之和　開林　魁林　寅
騰彩　祥林　大文　自賓　具〇文漢
黃聚五
子騰達
妻某氏
黃

文彬
銘西　大涵　乃文　麗生　仁和　之蓉　國安　文彬
妻張氏　銘西妻沈氏　大涵妻王氏　麗生妻劉氏　仁

和母鄭氏　妻孫氏　之
蓉妻朱氏　國安妻周氏
黃順昌
妻楊
氏
黃永林
姪婦
嚴氏
黃雙

官
母張
氏
彭德俊
慶
豐
程萬邦
漢章　會章　世珍　林　世學
世明　世虎　載福　德年

大瑞慶年○均八年陣亡
程嘉謨 黃氏文溪森施氏坤元坤元妻施氏王氏安仔母周氏林氏羅氏○八年殉
程履吉 妻汪氏
丁福堂 榮祿志乾、
周鴻章 子求姪鑑科族東仔○均八年陣亡○鑑妻劉氏○投水死
周洪 老長庚進啟賢永福啟文貞元正升謨永全金標聘成慶長尊五朝元聘賢窈予復興啟賢士武
周廣華 書吏榮華添福正午國祥
周二 妻徐氏女懷姑
周蕭 妻孫氏
周世坤 妻陳氏子婦徐氏甫連甫貴弟一干干子世成林甫英公敏會世和禮克元壽慶其祥于大喜世富甫連妻楊氏子女同殉甫元妻戴氏子一甫貴妻夏氏干妻鄒氏林妻張氏子一女一甫英妻沈氏子扣子公妻黃氏子婦馬氏敏妻任氏會妻林氏世和妻張氏禮妻鄒氏子一克元妻朱氏子大保二保、壽妻龔氏慶妻李氏其祥妻汪氏子二于妻厲氏華妻孫氏大喜妻周氏世富妻湯氏
周鐏 劉氏李氏馬氏陳氏
周光輝 鴻儒鳳樓士禮大官鵬飛
劉士連 弟士惠○八年在盤塘陣亡○妻梁氏弟婦楊氏○均同殉
劉自金 有亮英
劉文泉 國寶昌法八十花匠
劉錫 母侯氏麻仔母某氏妻張氏
劉彬 母田氏孫女桂仔珠仔弟林
書吏劉珏 茂生
劉鳴潮 兄鳴朗

鳴崗弟鳴松母時氏嫂陳氏唐氏妻時氏○八年均投水死 **劉世本** 德年士明斌附傳浦麻仔

宗連芳宗蓮妻黃氏德年母侯氏士明妻燕氏斌母錢氏斌妻葉氏女珍姑浦妻王氏粱氏宗連妻

萬氏幼姑芳妻余氏宗蓮妻萬氏女一 **劉茂林** 松林鶴林浩林慶林學林師儀師侃師

亘師毓師敏虎年 **劉師貴** 母達氏妻鄭氏 **劉天寶** 妻某氏子一 **劉天保** 妻某氏

劉聚官 伯母泰氏 **林鑑** 弟鐘鈁妻沈氏鐘妻何氏鈁妻徐氏○八年殉 **林五經** 五典志

山長澤宗石茂長國喜海觀翰舉勛 **金道和** 子治定方階平世恩貴殿維○均八

年殉 **金生** 源應康母田氏應康妻田氏○八年殉 **金壽** 妻顧氏 **金楚江** 大鳴岐母

任氏妻田氏鳴岐嫂蕭氏 **金銀** 松年七仔 **甘繼艮** 繼善繼德 **鄒廣業** 永華武大官

端木氏李氏季氏○八年不屈死 **田大巧** 母時氏 **田秦川** 妻戚氏 **田爲寶** 爲國

爲興爲學爲信黃氏 **湯萬學** 蔭亭詁克明 **湯殿** 兄九九妻唐氏嫂陸氏 **湯**

秀元 子慶妻唐氏女珠姑 **湯禹九** 子增妻陸氏殿邦殿邦妻唐氏子婦張氏女大珠姑小珠

姑 **湯退林** 妻某氏 **湯玉椿** 子信弟妻汪氏 **湯自中** 妻侯氏某妻陳氏 **湯自**

龐妻栢氏
嚴培樹南樹堂開興德仔二永大永三永○八年殉
嚴福遠妻周氏弟婦徐氏王氏女香姑姪女格姑○八年殉
嚴爲福姪德
嚴儒鴻春華
邱志強必達○八年殉
邱元一門十九八○天井窪八
唐淮八年陣亡○釗文萬順琪弟雙榮官義成飛鴻喬林兆修○均同殉難
唐肇奎肇森五官六官喜發妻劉氏弟婦李氏子婦何氏陳氏女四姑珍姑如姑○八年均殉
唐嘉和妻李氏
唐萬福母尉遲氏妻張氏嚴氏
常國順妻劉氏
常天海母楊氏妻王氏子二子婦王氏孫女一
常九思二留五仔壽仔
常巨川明大昆淳沛安三雨亭
常德義文進文秀文舉文學
常祥順母鄭氏妻達氏女貞姑珠姑大慶
康學瑞庚周兆賓兆寛桂永年永林來慶兆先雲兆相兆懷樓
談永謨弟永杰○均八年陣亡○永烈妻楊氏永杰妻楊氏慶妻葉氏妻汪氏○同殉
成學禮祥桂步雲○八年陣亡○步雲妻丁氏○同殉
侯有慶八年陣亡○鳳山立子萬春長春有高國治妻戴氏鳳山女巧姑立妻汪氏孫女大姑二姑有高妻仇氏國治妻任氏○均同殉
侯桂和倫興明發長敬萬林長榮有官
侯秉東映青長慶萬祿長庚
任士豪得勝

永發殿之○均不屈死
任載揚　子厚安有傳○媳葉氏孫女大姑
任士貴　妻高氏
任兆椿　嫂馬氏妻王氏何氏劉氏
任壽安　母王氏妻王氏
任兆林　士交妻王氏嫂馬氏
任世功　妻康氏
任長有　長敬
平如茂　妻吳氏
燕殿西　子文生聯芳均三年在順
山集被戕
包堯年　妻馬氏
詹志德　妻吳氏
皇甫福　治兆堂八年陣亡
皇甫志士　志書
毛宗林　宗考含金本發○八年均陣亡
毛松　叔母張氏妻許氏○九年殉
毛毓魁　妻徐氏○九年不屈死
毛永年　妻張氏
毛式法　式矩
巴明善　明亮○八
年陣亡
查必強　文舉聲榮
曾寅　申午
曾文炳　洪連生○八年在盤塘陣亡
曾文福　妻劉氏
曾大　子庚妻夏氏女珠姑
曾桂山　母王氏
曾魁元　其釗
仇保足　保國端保成
平相卿　士隆自福廣忠國端
尤若　妻嚴氏○八年不屈死
沈某　母蕭氏
沈德順　桐傳昇學文桂寶賢東文舉鳳儀樸
沈南賓　妻李氏
沈言志　維周言興慶芳維邦傳紳妻夏氏維周妻夏氏言興妻葉氏慶芳妻趙氏惟邦妻夏氏傳紳妻
王氏
書吏沈賓揚　子學勛妻樸氏子婦林氏
沈長春　弟二妻王氏某妻項氏
沈

賓揚妻樸氏　馬應紹妻孫氏八年殉　馬芠如連　如懷○八年均在盤塘陣亡　馬敬安

敬修　馬啓楢　虎仔　二虎仔○女雲姑　馬二添小黑　書吏馬懷清子中　育孫鑫　妻

朱氏　子婦任氏　孫婦何氏　孫女雲杳○八年殉難　馬海鳳林　榮　羅仔　如青利　廷貴　子大官　標

如川　瀅琪　三仔聰　連生　璜　允成　馬鑑泉士標　振鵬　二　永慶　妻余氏　姪婦任氏　士標妻李

氏　振鵬妻王氏　二妻達氏　永慶妻俟氏　馬元金母陸氏妻夏氏　馬修其妻姚氏　馬漢

超妻某氏　漢郁漢郁妻某氏　馬彭元妻葉氏妹貞姑女二姑　馬必貴必勇　馬連

慶文升　中錄慶　馬永泰貴芳　馬六子壽　李產兒母蔡氏姊大姑○八年投水死

李博妻王氏　李進來長福○三年陣亡○成　文童全輔　萬如天才　英　松符　必順　長元　志和

士彪　文清　獻　士標　原　聲遠　德華　志華　太和遐齡　宏猷　佐廷　修本　曾年　必升　志熊　長林　修

瑚　學勤　長發　志秀　憲　星傳　金壽　金喜　老泰永金　三賓　明良　開重　學金　永成　修文　金蘭　自

餘　貴　大閑　長法　天榮　志富　桂源　大廣　天才學元　星南　兆南　長福　松源　聖誥　鴻元　長子　士

華　長仔　友福榮　士金　士榮　李春鵬坤　和　蘩　德全　尚賓　八　敬修　敬修子開　福　永　德有

永寬　廷楝○均八年陣亡○母時氏　坤和母夏氏　鰲妻陳
氏　德全母余氏　厲氏　潘氏　長生　大姑二姑　尚賓

妻強氏八妻梁氏　敬修妻汪氏　永妻張氏　德有妻陳氏
永寬母朱氏　廷楝妻王氏　廷楝女如姑二姑○均同殉

李連
妻某
氏
李祿
妻葉
氏
李位邦
妻張
氏
李慶餘
大
官
李德全
母
侯

氏妻李氏
女大姑　二姑
李大富
必
富
李銀
盛元　盛
元妻黃氏
李文和
文忠
長庚

長祿　金鍪　國諛　永興　德
順　梁慶　老大　永興　文榮
李廣
鴻元　學源　文
庸　景元　榮
李

遜
妻田氏　弟婦夏
氏　姪婦黃氏
李文富
文華　妻張氏
文華　妻吳氏
李慶
妻陳
氏
李

金山
妻陳氏
弟銀山
李遐林
遐
年
李學堯
學殷　學敏　開猷　之趾
敬堂　士爵　德慶　茲

蠲　賢忠　天吉　承烈
兆同　奉　仁　向虞
管世綿
世
慕
董必才
妻黃氏　弟婦
許氏　女靜姑

孫二虎　龍生　弟必
茂　必勝　姪金　年　堯年
董天珠
子一　有春　嘉言　虎
仔　金　文銘　四保

錫之　曾溪　金
蓮○八年陣亡
董履安
春華　蘊華　妻沈氏　春華妻夏
氏　蘊華妻李氏　了婦雷氏　姪

婦劉氏
劉氏
董義年
小老
縈
董德書
子金
年
孔繼善
繼華
繼柱
孔繼培

母毛
氏
許桂如
妻王
氏
許廷玉
兆琛　元
亮　錫華
賈國寶
國
聘
蔣維榮

增 桂齡 桂林 進 瑞生 正春 石林 坤南 必有 蔣錦華 繼妻劉氏女秀 姑○九年不屈死 蔣

松 妻許氏子漣濤爾 母周氏○九年不屈死 蔣靜山 妻汪 氏 蔣起金 妻吳氏 嫂葉氏

唐氏起 臣妻葉氏 蔣聚 妻時氏 女轉姑 蔣鰲 鱗 蔣寶 妻鄭氏 抓姑 女大 二抓姑 尹

誼吉 魁仔 敬臣 尹廷楓 妻曹 氏 尹廷楨 鴻 史朴 女大姑 ○有傳 武璜 懷 珍

瑤 史桂山 第二十仔 妻朱氏 史廷 茂 冠 全 英華 德和 史牛山 嗣 雲程 必發

簡湘 柏 自林 訓 朝 增猛 ○八年陣亡 閔德聲 妻張氏 德輝 呂在郊 妻鄔氏 必興

呂浩 子長 榮 呂源景 源采 登崇 紀萬仔 祖母朱氏 妹轉姑 彩大江 必升 必升妻

王 氏 彩必寬 自 富 鈕昌祖 昌 祉 阮家奎 家 連 項標 妻翁 氏 項爲先

妻某 氏 夏益 妻紀 氏 夏曙觀 子煌 母汪氏 妻朱氏 弟婦 强氏 王氏○均於八年殉難 姪

夏二官 和 尙 夏益光 允相 宜慶 允林 有財 夏蔭廣 子良球 良珍 姪 良禮 良連 良科

良祿 良壽○八年孫家庄被戕○松 朝棟 長松 必有 步淸 蘭蕤 芳華 萬祿 問渠 藍田 益元 兆元 延

齡 廷和 德明 良珠○均八年殉 夏萬和 八年在盤塘陣亡○子二仔 廷茂 雨周 萬財 森 萬全 廷松

 三

士萬〇均同陣亡〇蔚華全大姑存妻葉氏士萬妻金氏長林楊氏蔚華妻李氏長林妻程氏全母江氏
蔚華岳母李朱氏**夏煌**弟文童存文童濡**夏長齡**妻程氏**宋長智**長增淇遐昌
遐齡**鄭鸞書**茂昭石氏堯文鸞書妻潘氏茂昭妻堯文妻林氏〇均八年被戕**鄭朝綱**延龍
長慶永均年朋年岃度函啟龍彭庚彭禹疇德川連生**鄭德洪**永**鄭堯天**
母談氏妻李氏**鄭宏業**有傳〇母丁氏妻劉氏**鄭富**妻葉氏一高某妻王氏女高子二榮
茂林桂彭年懷年木匠高妻張氏榮妻馬氏茂林妻謝氏桂妻何氏彭年母徐氏懷年母王氏木匠妻
馬氏**鄧在川**任兄〇八年盤塘陣亡**萬錫齡**必有士仁〇八年殉**趙雨山**新田新
和培慶倪九齡國安〇八年不屈死**戴健**恒元宏序炳南煥章宏如洪業春華宏業
戴長發妻鮑氏〇八年殉**戴成昆**純純妻張氏**戴文豹**文虎**謝徵祥**沛仁沛仁
子大榴大鷚國仁〇均八年殉難**謝永全**母王氏〇九年不屈死**謝祥官**母節婦吳氏
謝鴻鳴鴻鳥**謝廷祚**抓子妻姜氏**謝有強**有禮**魏全**齡仔**魏永元**
妻陳氏龔氏**顧杏林**有林啟嘉興春元庚林萬全長官榮興懷志**顧明福**妻某

氏子一顧萬金妻李氏顧必高必嵩顧旭之思明思聰思琪思琨李椿
庭妻朱氏李朝儀妻許氏李餘三妻李氏段大釗○八年陣亡書吏段友
山妻滇氏子婦陸氏賀正方妻馬氏培之星堯繆湘純永慶妻王氏子婦施氏純妻
蔣氏永長妻袁氏子一繆慶綸慶會慶洋繆長庚長酉厲昆有傳○妻金氏○九年不
屈死厲嘉祥妻陳氏○九年不屈死厲志鴻志洋厲綿妻王氏厲經伯有傳
○子錄功錄銘錄賢錄授厲耒元昆厲崑慶謹生允恭印兆祥成鈞妻
戴氏女安姑湛坤文連○八年陣亡邵蘭芳有玉如玉德榮德華連元榮先妻魏氏
邵榮妻葉氏葉氏桂燮發忠抑子文在妻陳氏桂松年妻王氏仲有義有傳
○有德有能均八年陣亡傅善讓廣長林儉起發啟海傅嘉寬妻胡氏傅貴
正妻徐氏杜繼海繼廣二仔四贅可聚○均八年陣亡杜溎妻陳氏嫂王氏杜泌妻戴
氏从粉姑三姑杜浩妻王氏子之苞盛長林國斌○八年不屈死郭有信連錫連惠
文慶連吉連城連辛連芳連茂文寶連錫文山登天瑚天湖鑌南文德柯文枝淇建

文揚 自安 鑑南 **郭球** 傳寶 士科 天立 子一 球妻
猛 文業 琪 丁氏 傳寶妻 傳氏 士科妻 吳氏
孫女大姑 天立母許 **郭萬順** 母湯 **郭三楊** 妻某氏 **郭**
氏 妻陳氏 女穩姑 氏 子福
政 妻談氏 萬華 發 敬 金 萬華妻董 **陸恩光** 妻胡氏
氏 發妻劉氏 敬妻袁氏 金妻吳氏 吳氏
○均八 **陸宗祥** 祖母萬氏 姊懷姑 庚姑 **陸堯齋** 妻程
年殉 妹珠姑 完姑○均八年殉 氏
萬 **陸長年** 順 師 大仔 彭元 廣 林 宗 連 祥
氏 嘉禮 嘉樂 上德 宗儒 汶冲 寶 上元
忠栢 西山 宮 汝林 祥慶 五連 開成 **陸文仲** 景
黃林 家楔 嘉興 長清 嘉佩 士賢 文才 子元
廉全 玉恒 聘儒 妻張氏 樊氏 廉全妻李氏 大
官 二官 女大姑 二姑 景元妻范氏 玉恒妻林氏 妾
張氏 聘儒母馮氏 **陸某** 一門殉難 **陸深賢** 深 **陸詳** 嘉堂
妻許氏 女大姑 達家巷人 傑 妻陳
氏 有華 **陸某** 一門 **陸恩光** 妻胡氏 **陸杰** 嘉祥 慶 **陸**
女禎姑 殉難 並家屬 祥 貴林
昌 承慶 家有 師 **葛清華** 士松 凝輝 大昭 **葛梓** 妻黃
師子一 家正 朝元○均八年陣亡 氏
女喜姑 長紀妻袁氏 長紀妻周氏 監生峻天妻 **葉瑛** 珪
王氏 任氏 張氏 黃氏 長紀弟婦節婦徐氏
光 全 **葉遜** 濤 **葉三** 長 **葉生** 子 **葉保之** 楚淮 妻邵氏
壽 仔 三 女帶姑 二

姑**葉泰**姪朝愷廷理廷瓚廷瑛姪孫福壽彭子嫂周氏女秀姑珠姑廷勛妻王氏朝愷妻何
氏廷理妻徐氏廷柯妻節婦許氏廷瑛妻何氏○均八年殉**葉震勛**鼎森○附傳祥麟球天才春培
長年大元二元祥孚長貴傳綸逃連文芹淇牖文光秀華昌期永康**葉廷愷**勤田
光華濤妻何氏金氏勤田妻朱氏濤妻侯氏**葉璸**瑢瓓光寅瓓妻吳氏**葉祚壽**
妻朱氏子六仔女鳳姑**葉立初**子六仔**葉啟祥**子春長貴小六甥吳永彬婿五品頂
戴吳見堂女吳葉氏吳春陳貴陳廷貴**濮國珍**弟國浚姪家英母孀婦余氏妻汪氏弟婦李氏
○八年被戕**濮長林**弟長清長傑寅長清妻戴氏姪女秀姑貞姑**薛仲揚**必貴兆堂○
○八年陣亡○妻吳氏子婦任氏**達彭壽**子大慶二慶**達榮**子彩恩彩松彩全○均陣亡○孫長
年子婦劉氏孫女秀姑○均八年殉**達永昌**妻穆氏**達霖**家邦延信本立慶元○均八年陣
亡○妻王氏家邦妻李氏延信妻常氏本立妻李氏慶元叔母王氏**達玉琳**子元仔妻王氏子婦王氏
吳氏○均八年殉**達壽彭**母賈氏妻王氏女槐姑均於八年殉**達壽昌**祖母王氏**達**
掄富妻顧氏**達玉林**懷元近衢慶元彩雲佩九玉**祝士虎**必發承林禮○

八年被戕　笪先照妻談氏　聶榮堂長發　卜萬和長松　卜德林廷春廷椿

卞連仔祖母孫氏母孫氏　赫連彭年長漏　樂金元發、貴　貴子長發馬氏　陳氏

谷長山茂公○均罵賊死　單懷仁信　畢璋球　球妻李氏　畢長玉長珍長珠　郁

春濤春海春波春流　歐陽沅弟序東玉姑○八年殉妻魏氏　歐陽元序　歐陽

明如妻某氏子一女一　陳三弟四○妻某氏　陳志海弟志高周陳氏　陳宏道朝幹

本驤本驎戊友德家　木駿祥浩　鴻寶必賢　孝治士元　志和文義　金堂森　辰宏達

陳照祥珠泉鯨浩　陳永齡母孫氏妻許氏女桂珠　陳紹裳致邢義祥萬興大

玉福林福林母王氏　林之政之鐸　林爾康位占妻何氏位占妻朱氏　林泉幹

林大寬大泉如松長齡　林懷貞懷堅　林石廷源心傳泉心學心道心存心喜

濤瀲洋懷珍　汪本夷錡鉢　汪敦元漢璿球粹仁顯祖建侯芳桐遐年芳

淇　黃一鑿妻王氏　黃國榜大炘　黃乾利文治德必鄰　黃國鈞妻沈

氏國協廷枚廷椿國壽國黻妻鄭氏國元妻蔣氏　國協妻王氏女喜姑國榜妻萬氏廷枚妻楊氏廷杰

妻李氏　大涵妻汪氏　廷椿妻項氏　蔡平妻王氏　馬氏　國壽妻楊氏　**黃錦華**妻萬氏女琴姑　**黃大**

第文童大儒大安業清妻郭氏　氏大安妻陳氏業清妻季氏　**黃翹貴**翹年　**黃註堂**一門殉難

黃某一門殉難　**黃孝聞**國鏞廷椿廷柱業榮仲芳崑源有山殿華　**黃鵬飛**文彬

黃廷銘錫瓚錫瑛錫珣新芸經本愛合林朝琴朝珍朝選朝漢家權　**易廷臣**妻馬

氏　**唐汝霖**妻黃氏　**唐培**萬全嘉謀肇椿　**栢國清**妻楊氏大本妻呂氏　**栢**

國金國玉　**徐立芳**母嚴氏姊曹徐氏妹夏徐氏外甥朱元仔　**徐長元**妻許氏長桂長

生天柱長柱妻張氏長生妻侯氏天柱妻王氏○子一　**徐誠志**儒翁　**徐春和**岳母某氏

徐士鶴士鳴　**徐志仁**招賢晉修彩章貴遠錦瑜長富　**徐奎**弟鍾鈞　**書吏徐**

劉妻馬氏弟鈞弟婦袁氏子長安二安三安姪長貴　**徐宏發**宏元宏保　**劉天喜**妻周

氏　**劉天慶**妻某氏子一女一　**劉宏**妻某氏子一女一　**劉永盛**母霍氏

劉廣華族樊氏　**劉兆堂**炳乾妻潘氏　**應謀**妻某氏子一女一求求妻胡氏　**王**

國發妻吳氏松華華子一啟舟啟舟子一加生松妻某氏子一華妻某氏啟舟妻某氏加生妻某

氏某妻張氏某妻王氏 王桂南母某氏松南 王承和承發 王承照弟承佑承講

年承曾承禮承鵬承鑾 承 王位三子有德成德孫蔭翠盛庚安 王廷誥承丰

選應桂學義世有登榮 朝棟明慶仔 王紫儀子廣升 王以林以華士元志貴

談應五仲加連 乜萬如妻王氏 鄭自有母某氏 鄭廷烈廷書成公

鄭國慶妻馬氏弟國安 鄭玉樹妻嚴氏 鄭廷榮碩 鄭德年廷元玉和體

三桂林 朱浩弟醕涼 朱宜論山堂 琴廷必 朱丹桂琢承敘枚連魁立春鑑

年連財長貴清從中從道 王炳煥祥鳳許式金椿齡 連永齡永和永發 沈

光奎弟光瑜光裕光裔光照光奎妻余氏 沈必明必有元齡 孫汝舟汝礪 孫言

子惟量 孫為賢弟昭 袁為鈞弟為瑞長寶 為崟長壽端 為封為端姪妻姚氏大姑

姑徐氏 長傑長棣封妻饒氏 長春端妻子婦黃氏 葉西妻某氏子大楷四二楷女大蓉姑二

蓉姑墖陳秀 葉希宏政 紾大容大包 莫鏡曾煇曾祥曾光 曹之煒之煌

齊高闞芳蘭馥蘭 奚維城維垠 裴大順二 夏長桂長明長發長六林

周士勤兵有保萬林昇揚萬林惠安安朋猛秀雙桂揚長年　曹維兆華　張

舞料　汪翠妻許氏　侯青長奪呂克明東彩○入年在盤塘陳亡○東彩妻張氏　楊

大石二石三石　談肇祥兆鵬世璽　夏商妻張氏　鄭桂妻林氏子一　鄭廷璽

妻王氏子一女一求求妻馬氏　陳鑄銑　陳兆鱗兆龍志仁　陳宏高子團　陳

玉林妻劉氏　陳連魁妻楊氏　胡同春妻陳氏

以上一門殉難

書吏黃大文　書吏黃悅安　書吏劉浡　書吏劉儉堂　書吏

朱士元　書吏沈茂暘　書吏沈炳南　書吏周錫堂　書吏李

兆生　書吏王從桂　書吏達舜年　書吏歐陽維林　書吏汪

試衡　書吏汪永和　書吏李允升　書吏李怡堂　書吏李允

昌　書吏蔣馥秋　書吏趙維溥　書吏馮萬全　書吏袁佩儀

書吏王安仁　書吏常耀廷　書吏李厚菴　書吏顧玉堂

書吏郭錫齡　書吏陸尙齡　書吏陸榮先　書吏薛爲樑　熊
元　熊會　熊長純　熊廷潞　熊寶賢　翁光耀　洪自如
洪運勳　洪志璽　鍾立　龔德倉　龔聚　龔必聚　龔玉林
龔必鏡　江陞　江二　松魁　徐松友　徐國治　徐學長
徐同年　余有仔　余松　余長和　余越先　徐劍　朱浩
八年在頭營陣亡　朱開茂　朱善長　朱士沅　朱佑　朱明　朱德
起　胡國良　胡邇　胡廷標　胡文立　吳宜福　吳五仔
吳海　吳廣泰　吳長泰　盧登元　蘇瑞生　舒萬順　舒秉
衡　殷璧玉　倪秉義　倪正西　祁必有　陳照陽　陳貫
陳珊　陳德　陳永法　陳兆公　陳揸㘨　陳惠　陳玉　陳
朋法　陳象華　陳史嗣　陳祥生　孫習春　孫裕　孫綸
孫有班　孫先生　孫鶴年　韓士茂　袁成　袁三　袁有鴻

宣桂八年陣亡 宣達 支必順八年陣亡 鄔同興 鄔宗汲 鄔國
楹 時國士 時宇春 司五 司其祥 喬名高 喬必才
端 木慎思 顏明治 李允升 錢竹齋 錢詹如 錢錦標
錢萬 蕭兆元 葉殿奎 蕭賴仔 姚岐山 姚福艮 姚
冬 壽仔 姚彬 高作姜 高起龍 高作孚 高賢 高正宗
高桂仔 曹永凱 曹詢 曹長華 姚永保 陶培之 陶
宏 禮 何時澍 何有泉 羅商 佘艮聚 佘聲 方保存
方文元 王學易 王錫成 王安富 王淋 王勝華 王德
燮 王玉九 王勝華 王全 王廣明 王新甫 王增業
王從 王楨 王麗生 王利榮 王樹蟾 王國慶 王長柏
王濮 王穩仔 王同貴 王樸 王朝樸 王順 王渠
王聚五 王財 王錫麟 張德明 張萬榮 張朋法 張聯

瀛　張發　張三桂　張道洋　張宏泰　張四　張國泰　張
文先　張元　張鴻仙　張世楠　張永勝　張玉清　張文柯
張曾鈺　張兆鵬　張允金　張允富　張必高　張文遠在揚
州不屈死　汪傳佶八年陣亡　汪元成　汪祝三　潘士良　潘得勝九年
在浦口陣亡　潘士高　楊秀池　楊萬華　楊天奇　楊昆　楊得
楊文理　楊自寬　楊國慶　楊浩　楊兆標　楊春園　楊
學師　梁謀　梁長生　黃純昌　黃國瑞　黃登瀛　黃必鄰
彭自奇　丁志明　丁世旺　程倬　程厚芝八年在盤塘陣亡　周
錫九　周汶　周肇初　周進文　周叔咏　周文學　劉玉彬
八年殉　劉三匠　劉世杰　林長發　林載陽　林聚　林從九
林仗喜　林會芳　林慎祥　書吏林德榮　金晉榮　金子
元　書吏金朝福　書吏金聿修　金錫鬯　金守遜　田在之

田榮　田惟性　田耀　田朝桂　田存仔　田沅　田蔭荆
田文華　書吏田金鰲　湯嘉惠　湯必達　湯長魁　湯自
賢　湯松林　嚴佑仔　嚴慶　嚴栢齡　嚴源　嚴國恩　邱
啟明　周金　唐肇興　唐國珍　姜成　姜錢贇　姜前瑞
姜順安　姜緝　常雨庭　常恩　常明　常九思　常壽　常
二留　康蘭生　康平　談之軒　談汝南　成瑞其　成聚倉
侯會元　侯長容　侯文顯　侯聚山　侯福　侯永言　侯
雅惠　侯栢年　任聚榮　詹慶年八年陣亡　詹長發　皇甫福
毛錫海　查永祥　婁錦才八年陣亡　婁國祥　曾岐　仇立誠
八年殉　仇方典　沈尚賓　馬義山　馬律和　馬長林　馬步
金　馬利　馬開全　馬開發　李長慶　李勢　李成　李長
庚八年在盤塘陣亡　李必元　李成志　李寶碩　李德源　李其堂

李太　李聚　李孝密　李忠道　李九儼　李有榮　李起
聰　李德純　李崇益　李光裕　李泰　李士標　李全喜
李世臣　李鶴齡　李殿科　李有萬　李洪華　李延壽　李
長福（三年浦口陣亡）　董森　董繼孫　董天球　孔文球（八年陣亡）　許德
隆　許槐　許武　許科　賈明甫　蔣二　蔣爾　蔣發升
蔣龍　耿華龍（三年殉揚州難）　尹鑑　史潮敷　史永暢　史敷潮
史雲程　史有知　浦元（八年殉）　呂致祥　呂仲賡　紀家桃
宋自富　宋長發　阮宏　范二　項東山　項念祖　項禹
項琦　項恬　項爲照　夏宗華　夏萬金　夏毓瑚　夏壽益
夏曰瑚　夏德昭　夏朝樑　夏有光　宋義德　蔡桃洲
蔡松年　蔡德喜　蔡義興　鄭德章　鄭松元　鄭士　鄭惠
鄭信成　鄭茂　鄧郊輝　鄧文煥　鄧嘉位　鄧義和　鄧

若愚 鄧世煥 萬財富八年在盤塘陣亡 萬德 萬國全 萬恩榮
萬自修 趙松栢八年在盤塘陣亡 趙新民 趙天爭 趙長慶
趙家忠 趙如蘭 趙汝楠 趙家鐘 趙侃 趙國安 趙永
彭 趙錫如 趙宇安 趙愷禮 戴嘉魁 戴隱山 戴有才
戴興 謝士 謝炳陽 謝金標 魏德增附傳 魏松山 顧
啟合 顧師顏 顧德廣 顧恪 顧烺 顧志仁 顧連松
季佩銀 季大官 季茂 季德元 季茂林 季文元 賀榮
賀長年 繆之高 厲同元 孟林 邵德 桂長春 傅廣
傅臣五 傅最先 杜耀 愼潤之 盛士發 郭朝幹 郭
鑑 郭天直 陸嘉祥 陸紹成 陸尚齡 陸作斌 陸承緒
陸元 陸智水 葛二仔 葉宏益 葉樸 石兆熊 石承
才 石宗秀 樸春林 薛榮祖 薛士魁 薛忠良 薛大林

薛維周 薛聚山 達掄爔 達成 達樽 達鳴歧 達敘疇 達琴田 達沂 達定邦 達琴 達鴻儒 達長清 達掄魁 達步潮 達掄桂 達連生 達佩九 達二茄子 祝必芳 竺天培 岳士芳八年陣亡 岳懷珠 岳宗法 穆祥雲八年殉難 竺長發八年陣亡 卞得林 畢運 吉映春 吉新愚 郁大芬有傳 郁之銀 歐維琳 陳士溪 陳鏞 陳本仁 陳海霖 陳在祥 陳春榮 陳魁元 陳德林 陳有林 陳德奎 陳國光 陳貫 陳長發 陳必知 陳必連 陳立基 陳朝貴 陳長春 陳朝楷 陳錤芳 陳國楨 陳九如 陳宏量 陳旭明 陳泰 陳四 陳梅霖 陳慶庚 陳學洙 林潤泉 林康壽 林永 林安璧 林華 汪潤 汪炘 汪經華 汪炳生 汪傳新 汪國保 汪敎純 汪世榮 黃鵬彩

黃克恭　黃有年　唐得玉　唐汝霖　唐徵宇　柏應齡　柏
崇賓　柏元吉　栢大本　栢大鵬　徐如棠　徐傳學　徐卓
徐士興　徐長　徐承煦　徐哲　徐桂芳　劉在雲　劉金
元　劉自全　劉均和　劉志先　劉天貴　劉松年　劉天壽
劉德　劉賓　王三田　王桂　王芳慶　王文全　王佐洲
王藻　王渠　王俊升　王熊　王彩庭　王志富　王文學
王福在揚州不屈死　朱必治　朱寶　沈錫動　沈德順　沈學文
沈存煜　孫福子　孫保　孫喜官　孫文聚　孫佩　孫惟
義　孫萬侯　葉琪　葉廷興　葉季隆　葉貴　葉天鳳　葉
石卿　葉廷槐　葉叔元　來宗賢　曹維桐　曹汝喬　曹德
興　曹林　曹墀　齊丙然　齊禮　齊澧　伏喜　郜如栢
狄臨　奚維垣　伍桂　安郁華　安傳保　周寅之　安郁周

周立　笠長發　屈有信　仰乾初　沈長元　許兆昌　戴
琪　葉敦　卞大　樸萬成　郭繼周　王銓　茅式如　郭從
周　郭天華

以上民

倒卓然　隆光

以上方外殉難附

六品軍功楊守恩壽州人〇六合陣亡

以上流寓兵丁附

布政司理問王德種妻李氏從九品昆眉妻何氏　監生惠淸妻
節婦杜氏　三妻節婦鄭氏　元純
妻節婦徐氏　炳妻周氏　漢樸母湛氏　如高妻李氏　錫恩
妻陳氏　庚妻沈氏　必剛妻葛氏　必齡妻桂氏　溥妻談氏
士兆妻陳氏　美姑　錦妻胡氏　登榮妻汪氏　聞三妻朱
氏　樹煇妻夏氏　應秀妻徐氏　慶年女單姑　松年妻吳氏
世聰妻朱氏　四猷妻徐氏　永全妻徐氏　萬全妻陳氏
女彭姑　冠羣妻鄭氏　從義妻孫氏　益妻何氏　兆玉妻余

氏　承發妻佘氏　巧姑　桂山妻周氏　萃川妻袁氏　大姑
二姑　永達妻鄭氏　艮玉妻葉氏　延松妻馮氏　長和妻韓氏
氏　學延妻彭氏　東海妻强氏　永平妻李氏　萬侯妻毛氏
必魁妻尚氏　成保妻伏氏　茂臣妻成氏　玉林妻鄭氏
永年妻
徐氏
內閣中書舉人朱方菼鮑氏
文生森如妻平氏　文生
炳妻袁氏　監生謙友妻
張氏　孫婦陳氏　監生敦仁妻李氏　監生虎安許氏　監生
庚妻許氏　文童辰妻王氏　文童慶昌妻胡氏　文童慶全妻
泰氏　紫妻節婦宋氏　煥章妻陳氏　履之妻謝氏　松山妻
吳氏　晉楊妻厲氏　林妻徐氏　堯階妻汪氏　獻廷妻某氏
之松妻熊氏　泰釣妻陳氏　心如妻許氏　國學祖母樊氏
立典妻徐氏　鑾妻蔡氏　銘妻沈氏　汶妻賈氏　萃華妻
厲氏　熊氏　遐舉妻陳氏　爾康妻夏氏　經治妻王
氏　侶妻謝氏　弟婦吳氏　呂妻謝氏　朱吳氏
縣丞
姚善庠妻任氏
麇生作鏞妻紀氏　子婦任氏　天和
妻戈氏　文貞妻李氏　秀山妻嚴氏
州同董
淮妻黃氏
文生長清妻張氏　監生肇祥妻節婦李氏　福榮妻
節婦劉氏　必源妻許氏　進姑　二妻孫氏　發山妻
妻佘氏　必元妻許氏　文和
主簿張維翰妻佘氏
監生珤妻
陳氏　家
妻任氏　劍亭妻蔣氏　玉珍
楨母汪氏　嫂節婦周氏　廷桂妻節婦吳氏　翊棟妻節婦李
氏　廷獻妻節婦羅氏　廣財妻董氏　女大姑　春妻夏氏
長春妻汪氏　炳南妻侯氏　女大姑　禹謨妻嚴氏　維新妻
吳氏　劍威妻夏氏　榮妻節婦陳氏　女義姑　榮妻汪氏

琪妻謝氏　文福妻陳氏　以昇妻平氏　燮妻郭氏　昆妻陳
氏　維賓妻李氏　慶年妻陳氏　毓芝妻汪氏　佈妻周氏
允治妻王氏　華妻節婦戴氏　瑞符妻節婦嚴氏　位妻夏氏
懷恩妻錢氏　漢源妻夏氏　雲林妻徐氏　必高妻郭氏
從九品唐堦女二如姑字汪文童兆蘭妻夏氏　義妻湯氏
女玉貞　彩珍妻許氏　世林妻
呂氏　俊妻宋氏　琢章　**從九品談元惠妻李氏**監生慶元女
女榴姑　兆祥妻鄭氏　英姑　監生
玉書妻　**從九品任士珏妻汪氏**耀堂妻孫氏　丹書妻陳氏
史氏　士強妻徐氏　告功妻康氏
職員李安妻孀婦田氏○允成妻節婦吳氏
均八年不屈死　**從九品李植妻汪氏**
從九品修誠妻節婦强氏　監生虞廷妻節婦施氏　文生斗南
女貞姑　文童瓚玉妻節婦陳氏　文童廷儀妻節婦陳氏　文
童全輔妻　陶氏　士杜妻　節婦佘氏　修瑚妻節婦錢氏　安妻
節婦田氏　貴昌妻佘氏　蘊山妻胡氏　大成妻侯氏　孫女
二仔　永聚母佘氏　祝三妻蕭氏　茂堂妻駱氏　有富妻季
氏　志昇妻張氏　治平妻姚氏　星田妻龔氏　茂生妻孫氏
明妻鄒氏　士瑚妻姚氏　大成妻時氏　愛姑　長興妻韓
氏　大彪妻謝氏　子婦胡氏　德才妻許氏　魁妻許氏　子
婦周氏　孫女貞姑　文英妻鄒氏　鳳妻張氏　浩妻劉氏
玉纖妻劉氏　炳南妻葉氏　冠妻季氏　安女蓮姑　自發妻
張氏　士芳妻劉氏　四妻　**從九品鄭德修妻石氏**德章妻林
原氏　潘雪顏女李潘氏　氏　福生

妾朱氏**從九品葉棣妻周氏**覲餘妻張氏子婦嚴氏珠妻石氏玉妻吳氏慶祥妻陳氏介眉妻朱氏廷桂妻袁氏殷華妻王氏長源妻楊氏旗妻史氏埜妻袁氏**從九品濮世培妻李氏**文生師成妻節婦饒氏宜堂妻節婦陸氏**從九品林啟先妻張氏**監生鈞妾節婦朱氏文童文淵妻葛氏序東妻何氏劉占妻周氏竹銘妻黃氏鈞妻王氏錫連妻陳氏善章妻李氏文海妻汪氏燮和妾夏氏女蘭姑繼文妻陸氏繼汶妻陸氏德純母某氏德純妻鄭氏姊某氏善章女雙姑文波妻鄭氏如母孫氏見之妻沈氏茂餘妻金氏文生中馥妻陳氏**布政司經歷汪世連妾陳氏**補用府同知世源妾吳氏增生芳霖妻莊氏恩貢生方壽妾王氏子婦屠氏從九品芳泉妻陳氏文生經正妻濮氏子婦蕭氏文生傳恩妻蕭氏樸氏文童芳儀妻節婦董氏傳經妻魏氏文童傳桂妻田氏彥林妻節婦曹氏毓文妻節婦鄭氏貴南妻俟氏炳南繼妻賀氏傳蔭妻賀氏妾熊氏達莊妻陳氏達儒妻談氏遠來妻黃氏傳順妻石氏證妻曹氏文生釗妻丁氏有傳懷仁妻黃氏婢女某杏仔雨模妻卜氏傳翰妻鈕氏魁妻錢氏秀山妻龔氏永清子婦丁氏邦松妾任氏蘭姑辰雲妻季氏映華妻戴氏傳緒妻節婦陸氏傳潵妻夏氏傳禮妻戴氏珍姑**守備陳璋妻周氏**監生履元妻節婦李氏文生朝傑妻汪氏監生朝轅女秀姑監生朝棟妻葉氏子婦

葉氏　文童世揚妻節婦婁氏　文童庶和繼妻節婦周氏　文
童世延妻節婦洪氏　文童肇魁妻節婦王氏有傳　文童世連
妻節婦李氏　文童壽昌妻林氏　嘉和妻節婦李氏　嗣妻節
婦部氏　樸元妻節婦張氏　涯川女貞女三姑｜炳揚妻節婦
李氏　松妻雷氏　福隆妻宋氏　朝笏妻余氏　女大姑　二
姑　宏妻江氏　鈁妻孫氏　慶周妻胡氏　相臣女雲姑　章
妻周氏　玉鳴妻薛氏　友周妻李氏　女珠姑　秀如母郭氏
萬妻馬氏｜士元妻蕭氏｜桂華妻史氏｜世華妻張氏　女
珠姑文姑｜士長妻姚氏｜必科妻王氏｜步卿妻徐氏　嘉
禮妻節婦王氏　五妻辛氏　寬妻張氏　溶妻楊氏　永標妻
倪氏　永祥妻徐氏　斌妻成氏　女大姑　二姑　自　**八品**
福妻常氏　子婦徐氏　正廣妻王氏　朝聚妻楊氏
銜熊桂芳妻宋氏桂馨妻郭氏○均八年不屈死**從九品徐韶九妻許氏**監生泰凝
妻虞氏　女茳姑　監生健明妻葉氏　文童承恩妻朱氏　文
童英妻厲氏　濰妻鄭氏　茂如母張氏　茂如妻許氏　女杏
姑　承煦妻陳氏　家華母王氏　世全妻張氏｜耀廷妻周氏
應龍妻樊氏　鍾妻節婦袁氏　尚隆妻胡氏｜仁妻許氏
老妻韓氏　鍾妻康氏　英華妻許氏　女月英｜應傑妻葉氏
長進女英姑　聚如母張氏　世綱妻余氏　嘉如妻錢氏
長忠妻印氏　嘉仁妻余氏
茂如母朱氏　文生寶妻林氏
從九品鄔榮元妻節婦汪氏文童
彭祿妻節婦魏氏　慎思妻張氏　元
秋妻周氏　鴻妻唐氏　浩龍女小姑
從九品田濤妻馬氏偑之

妻王氏**廩生王文照妻陳氏**錫淸妻林氏鋐妻吳氏克榮妻成氏**廩生汪經球**

女八姑二姑**廩生汪敎溥繼妻王氏**敎治繼妻朱氏敎潤妻葉氏敎澤繼妻節婦程氏

敎澤女翠姑明姑鳳姑**增生夏延祥妻陸氏**女鳳姑文生虢奇妻陸氏文生延世妻方氏金聲

妻節婦黃氏培妻徐氏遴選妻黃氏濟舟妻曹氏錫妻張氏玉妻張氏鳳女珠姑蘭妻張氏西妻張氏廉芳

妻林氏楻妻曾氏棟妻曹氏蔚華母朱氏蔚華妻徐氏子婦朱氏楠妻程氏培妻欒氏樸妻袁氏棕妻錢氏

趙妻張氏洪妻李氏女珠姑**增生孫讓妻程氏**榮祿妻陸氏孫女蘭姑紅姑**文生**

朱家泰妻沈氏監生光第妾張氏**文生何其榮妻汪氏**妹仙姑監生秀章妻李氏

子婦李氏其廉妻節婦周氏萬全妻張氏母孫氏**文生王文燦妻曹氏**子婦李氏查氏

投水死**文生周廷藻繼妻朱氏**昌宏妻胡氏錫妻陳氏啟愷妻史氏啟道妻王氏可明妻

鄭氏世瑚妻胡氏元勳妻劉氏寶祿妻章氏廷森妻節婦劉氏文湘妻丁氏崇妻秦氏承裕妻徐氏衡妻項氏

正妻金氏陳氏**文生劉國華妻潘氏**監生懷淸妻王氏監生錦妻汪氏熙亭妻唐氏兆春

妻戴氏燮堂妻平氏國勤妻陳氏定夫母李氏家全妻息氏永發妻徐氏冠南妻張氏履成妻徐氏子婦張氏

姪孫女二仔月妻席氏永林妻常氏春華妻王氏家佑妻節婦秦氏二妻梁氏永安母徐氏永安妻王氏嫂
張氏元模妻節婦袁氏董福榮岳母劉吳氏**文生唐世爵妻王氏**肇琪妻汪氏孫女秀珍姑
三榮姑**文生許兆桐妻施氏**監生兆鳳妻曹氏弟婦施氏善元妻節婦李氏希曾妻節婦陳氏
復初妻李氏少增妻陳氏英妻黃氏渭川妻陳氏增元妻王氏松妻張氏存義妻程氏**文生曾志**
槐妻劉氏監生以來妻段氏監生志松妻田氏**文生汪芳梨妻節婦朱氏**子婦陳氏
文生夏鈞坡妻方氏子婦葉氏**監生吳泰妻董氏**文童華堦妻節婦陳氏學聚妻劉
氏銓士妻盧氏景元妻汪氏慶生妻徐氏見堂妻葉氏振遠妻黃氏維渦妻葛氏家成妻丁氏錦元妻汪氏
桂才妻劉氏家聚妻王氏陸氏克齡妻節婦袁氏堯齡妻節婦袁氏**監生邵錦堂女珠姑字**
陸琴姑字朱**監生朱福齡妻孀婦李氏**子婦周氏○八年不屈死**監生孫貽德**
妻陳氏子婦姚氏薛氏○孫女帶姑均八年罵賊死**監生袁楚江繼妻節婦施氏**
孫女蘭貞文生爲桂妻沈氏母吳氏汪氏大姑二姑亮疇妻李氏文滄妻沈氏東山妻周氏承翼妻何氏
如桂妻夏氏經治妻王氏**監生田湘妻節婦汪氏**儀妻余氏五呆妻孫氏永妻孫氏正綱

妻吳氏監生姜士藻妻陳氏姦金氏子八品銜山輈孫柳十子婦孫氏幼孫監生
毛春淏妻汪氏廣發妻汪氏贇濤妻葉氏監生王洙妻唐氏藻妻熊氏滑妻張氏翰妻
林氏承恩妻陳氏招姑蓉姑大紅姑二紅姑寶珠姑監生戴謨妻阮氏承義妻陳氏倬雲
妻萬氏仁松妻沈氏奇妻胡氏文童佘瑞齡母孀婦魏氏妻節婦吳氏○均投水死武
生逵安邦母王氏聘妻節婦馬氏守節三十三年熊盛林妻姚氏女二姑熊如
海妻鄭氏德剛妻李氏文瑞妻秦氏翁聚妻蔣氏女大姑翁漢西妻沈氏
子一翁湘妻馬氏鴻妻李氏洪模妻顧氏翼廷妻陳氏立書妻徐氏洪義廷
妻陳氏子女同殉洪本妻張氏彪繼妻李氏江邑妻節婦夏氏建妻田氏
施延同妻强氏子婦馬氏錫康妻李氏濟江妻孫氏徐和妻丁氏女吳徐氏黃徐氏外
孫女黃珠姑徐渭孚妻王氏老巴妻朱氏有妻范氏徐福妻陳氏女大姑二姑
徐福堂妻陳氏文生光昌妻葉氏需妻某氏厚麟妻金氏承祁妻王氏仇氏戴氏廷恩母王氏廷
恩妻馬氏長發妻林氏女適陶佘大瀛母張氏春森母趙氏桂馨妻林氏傳金母池氏通知妻成

氏發妻陳氏桂妻陳氏余殿光母丁氏子婦朱氏余佐蘭妻陸氏子婦吳氏吳
氏余起山妻汪氏瑞林妻吳氏在東妻宋氏朱立名妻吳氏弟婦徐氏珍妻周氏
琳妻沈氏琛女鮑朱氏孫女鳳姑朱廣興母王氏義疇妻李氏朱金芝妻汪氏
金蘭妻許氏王山妻某氏鎮元弟婦徐氏李氏徐氏朱濂妻周氏長華妻馬氏保昌妻張氏久昌
妻劉氏朱其旺妻田氏其年妻倪氏雲湘妻顏氏胡大志妻李氏子婦陳氏志
聘妻王氏必興妻彭氏桐妻鄭氏登選妻黃氏必有妻董氏自諒妻羅氏自長妻李氏自宏妻孫氏金虎妻李
氏胡文增妻彭氏懷妻永張氏吳文治妻康氏女紅姑文瀾妻徐氏文浩妻黃氏
女存姑文湘妻潘氏永慶妻陳氏永庚妻林氏吳開寅妻董氏某妻陳氏吳永義妻
陳氏體元妻張氏堯妻袁氏陸氏康氏胡氏陳氏袁氏黃氏吳宗泰女貴姑鳳姑
盧五妻陳氏常泰妻眉氏懷母張氏明母栢氏任東妻仇氏蘇桂林妻湛氏文盛妻陳
氏蘇文傳妻林氏正南妻袁氏龍淵妻陶氏文周妹大姑邰大姑二姑邰郁
昆妻陸氏國槐妻陸氏陳懋勳妻節婦談氏桂芬妻節婦吳氏〇守節三十五年〇均八年

不屈死 孫笠如妻程氏孫女蘭仙紅姑 孫虎妻蔣氏任氏 孫長春妻
余氏八姑十四姑 孫貽妻陳氏子婦姚氏藍氏 孫學儒妻王氏學濤妻林氏
衡初妻葉氏鴻著妻方氏鴻業妻汪氏克寬妻柯氏冠尋妻李氏鴻賓妻葉氏泉妻胡氏玉林妻卞氏松山妻
趙氏國勤妻胡氏有得妻吳氏東陽妻臧氏榮妻吳氏女桂姑福妻周氏萃華妻厲氏學淵妻葉氏子婦任
氏 韓謙妻毛氏長松妻倪氏 袁羽達妻節婦陳氏如灝妻節婦劉氏○均八年不
屈死 袁大如妻黃氏子隊子○養媳何氏 袁惟桂妻沈氏惟桐妻王氏王氏惟梓妻
張氏 袁長元妻倪氏成模妻劉氏 袁佩隨母時氏妻孫氏弟婦汪氏 樊起
仝妻蔡氏文雄妻許氏相廷弟婦韓氏 咼序妻王氏洪本妻張氏洪彪妻李氏兆聰妻王氏
兆東妻王氏 鄔榮妻節婦汪氏節婦謝氏 強鳳妻董氏海妻節婦陳氏 錢永
林妻李氏長齡妻駱氏國寶妻朱氏位妻夏氏國宣妻節婦孫氏 高錦棟妻節婦李氏
必和妻謝氏 高桂祖母陳氏母王氏 高王氏陳氏 曹羽吉妻徐氏賀氏
徐氏徐氏周氏 曹延福妻水氏東妻周氏萬青妻周氏三妻毛氏奉璋妻陳氏錫之妻王

氏世成伯母王氏文業妻李氏有旺妻陳氏增妻劉氏女香姑懷妻平氏曹慶祥妻唐氏立元

妻沈氏吉雲妻張氏曹東上妻劉氏子婦水氏毛氏孫女時曹氏何世華妻詹

氏女小姑何耀堂妻節婦某氏兆妻節婦李氏方巨東妻馬氏振遠妻黃氏

如妻李氏王定妻趙氏彭年妻常氏王學成妻任氏華女大姑國恩妻常氏明安母

陳氏傑元妻鄭氏世祿妻葉氏王銀妻曾氏方遠母朱氏有富妻葉氏王東陽妻强

氏啟祥妻某氏長栢妻李氏位三妻達氏從甲妻李氏女元姑有德妻常氏成德妻常氏徐氏周氏鄭氏

王玉川妻常氏上龍妻劉氏王宏興妻陸氏王妻常氏王會詹妻節

婦周氏大成妻唐氏鈞母秦氏張繼侯妻侯氏有才妻鄭氏張恒元妻節婦

劉氏肇鼇妻節婦李氏○均八年不屈死張文柯妻柯氏女汪張氏張滙川妻周氏

王氏獻妻吳氏世榮妻徐氏六母汪氏有康母藏氏張汪氏張贇妻史氏林氏張啟妻

蔡氏戚田蔡氏蔡尊艮繼妻葉氏蔡尚連妻桿氏養勒妻王氏蔡尚林妻謝氏汪彩華妻節婦

唐氏八年撫民鋪被戕○星五妻張氏守節二十一年○姿節婦郭氏○均縊死汪經培妻節婦王

氏有傳妹小姑○八年均投水死　潘林妻節婦李氏守節五十二年○玉華妻厲氏琨妻柏氏森妻張氏漢章妻張氏榮慶妻葉氏勤女聰姑寅妻夏氏五福妻王氏　潘某妻劉氏某妻張氏　楊國泰妻李氏子大順二順　楊彭年妻節婦常氏求妻王氏永安妻葉氏周如妻黃氏　立元妻吳氏其福妻黃氏女桂姑必富妻薛氏其孚妻董氏士元妻丁氏士美妻樊氏長庚妻李氏　章近夫妻汪氏敬夫妻汪氏女大琴姑二琴姑　梁啟源妻孫氏長發妻余氏大妻何氏女貞姑玉姑二姑　黃恒玉妻節婦汪氏傑妻節婦王氏嘉齡妻印氏○均八年不屈死　黃俞林妻臧氏子一　黃理詮妻馬氏女金姑　程履中妻汪氏春林妻汪氏　周光貴妻節婦談氏大繿妻節婦陳氏均八年不屈死　周錫妻邵氏女紅姑　周建章妻徐氏子孫同殉　周士義妻汪氏鑑妻劉氏　周某妻陳氏某妻袁氏　萬興妻王氏　周承田妻劉氏世榮妻王氏承煜妻徐氏長恩伯母徐氏光慶妻李氏昌宏妻胡氏　光詔妻葉氏文彬妻徐氏錫妻陳氏葉氏　周廷貴妻節婦夏氏景福妻節婦馬氏廷槐妻節婦夏氏鴻妻節婦某氏　劉遐昌母孀婦林氏妻汪氏　劉凌雲母汪氏習敏叔母

沈氏　劉世妻王氏　克家妻胡氏　永錫妻孫氏　劉松喬妻王氏　子婦朱氏　弟婦沈氏

劉文舉妻馬氏　子婦蔡氏火氏史氏　文和妻常氏子五孫四　劉侶成妻徐氏　張氏

姪孫　女二姑　劉春和妻王氏　春融繼妻陸氏　劉元楷妻愼氏　子二學詩　母某氏子

婦程氏　吳氏　梁氏　巴氏　子姪孫男女同殉○　吳氏　昇南妻時氏　世榮妻王氏　桂林妻李氏　金履南

妻樸氏　堯母黃氏　兆彭妻吳氏　獻廷妻蕭氏　錫齡母史氏　佩堂妻徐氏　書妻樸氏　金九妻薛

氏　貴妻　某氏　鄒心源妻孫氏　廣和妻翁氏　廣和女二姑　田文燦妻王氏　女大　姑○

殉江　南難　田學妻萬氏　沅妻　彭氏　湯士倫妻談氏　遐林妻　某氏　嚴鳴和妻

某氏　子百齡開平妻陳　氏潤章妻紀氏　唐肇禮妻節婦王氏　女美　姑　康兆愷

妻沈氏　兆安妻嚴氏　學正妻袁氏　兆師妻嚴氏　鎖妻唐氏　本妻陳氏　兆勤妻周氏　兆淇女大姑　華山妻吳

氏　侯連春妻柴氏　雅稱祖母倪氏　義長妻張氏　旺妻欒氏　有壽妻李氏　任又安妻

節婦江氏　星如妻孀　婦田氏　江兆春媳馬氏　妻汪　氏　詹敬之妻節婦許

氏　子婦吳氏女三姑四姑女何世華妻詹　氏外甥女何小姑○均八年投紅山窰河死　曾祺母梁氏

傑妻梁氏
留和母汪氏其三母梁氏妻馮氏長祿老妻梁氏
楊三妻鮑氏女八齡投水死

丁福妻陳氏女大姑○八年罵賊死
劉早妻節婦薛氏守節四十年○老妻節婦周氏

○守節三十五年○均八年不屈死
唐淇母某氏妻節婦戴氏
沈月江妻戴氏女雲姑

沈根聘妻貞女周氏萬有妻節婦達氏耀廷繼妻余氏長泉妻袁氏榮姑弟婦石氏田妻包

氏沛然母徐氏子元妻蔣氏鑑成妻朱氏義廷妻趙氏
雲峯妻許氏光煦妻陳氏芥妻林氏周氏鶴楨妻周氏

氏鶴林妻顧氏步雲妻節婦蔣氏○守節三十六年
沈光祖妻石氏女玉姑
沈金聲妻

兪氏子雲妻蔣氏朝元妻姚氏
沈月江妻節婦湯氏義姑雲姑
馬峻山妻高

氏香母徐氏志有妻張氏
馬元慶妻節婦徐氏五妻節婦湯氏汪氏介夫妻朱氏大妻節

老妻沈氏瑞符妻黃氏雲妻陸氏祝泉
妻夏氏大女杏仔文妻孫氏女杏仔
馬雲龕妻孫氏

彭貴母時氏彭貴妻談氏雲程
妻王氏象年妻徐氏某妻呂氏
馬廷龍聘妻貞女董氏有傳

○守節四十二年○子嵩同殉
馬德周妻徐氏幼子一投井死
李殿英妻蔡氏子二女

一八年投水死
李松林母印氏彩明妻常氏
李必之母王氏恆昌妻孫氏
李

慶餘母胡氏讓泉母楊氏○附傳　李德二妻節婦孫氏國才母汪氏　李政海
妻熊氏文玉妻葉氏　李進妻范氏子婦吳氏章氏　李東陽妻陸氏子婦吳氏
戚吳陸氏印吳氏朱吳氏　李博妻王氏贊玉妻許氏王氏夏氏胡氏朱氏長祿妻葉氏
保妻田氏連姑　李朝廣妻彭氏金山妻陳氏　李自有母某氏某妻許氏　李
潮濱妻丁氏濟川妻林氏　許清渠妻田氏晉賢妻吳氏　許轉女大姑七女
大姑　蔣必有妻史氏桂南妻吳氏　蔣起榮妻談氏連溪妻黃氏鶴齡妻周氏松妻
陸氏　史桂山妻朱氏如山妻朱氏其瑞祖母王氏　史登林妻黃氏受妻胡氏　呂
松山妻楊氏宗儒妻李氏彰善妻張氏列信妻林氏　彩貴妻蔡氏祥妻毛氏　夏寶
齋妻曹氏蔚中妻陸氏康妻江氏黃氏蔣氏曹氏陳氏　宋志公妻葛氏台儒妻阮氏
鄭玉沅妻節婦錢氏樹耆妻孝婦曹氏昭明女姚鄭氏慶元妻馮氏德榮妻王氏世瀛妻王氏
建黃妻王氏紹禮妻強氏岫妻錢氏子一女四仔志高妻陳氏弟婦陸氏邵氏　鄭耳義母某
氏妻張氏玉林妻竺氏　鄭玉沅子婦錢氏孫女四仔　鄭在中妻林氏超元妻馮

氏王氏　萬大興妻葛氏其昌妻林氏其承妻馬氏　趙東陽妻李氏鑒泉妻史氏

娶林母葉氏孚安嫂張氏　心田妻何氏星明妻林氏　升陽妻張氏女珍姑　趙尚春妻李氏余氏

德成繼妻竺氏　戴瑞珍妻邱氏子婦節婦何氏　謝昌廷妻徐氏雙和女九姑

魏鴻儒妻時氏紹鴻妻張氏登庸妻石氏　魏長佑妻節婦戴氏長年妻節婦龔氏

登瀛妻節婦成氏　顧琨妻吳氏必嵩妻黃氏　顧義妻節婦葉氏東采妻李氏如姑

鶴全妻李氏九品銜書妻趙氏　長齡妻達氏○守節三十年　從　季德山妻許氏政海妻熊氏子婦

吳氏氏　東洋妻陸長瀛妻沈氏　繆永長母袁氏幼子同殉　厲之長妻馬氏之艮妻朱

氏　印永桂妻節婦劉氏林妻節婦王氏○八年不屈死　邵國槐妻陸氏郁昆妻陸

氏　傅純妻平氏賢成妻季氏有才妻倪氏　嘉生妻孫氏燮母余氏　啟春妻李氏燮妻楊氏

傅得元繼妻許氏女杳姑　杜汶母節婦孫氏妻胡氏瑰妻孫氏　女九仔子婦胡

氏氏　洛妻戴二官　杜威妻姜氏楨妻慎氏　慎長福妻陸氏孫女珍姑　賀從

直叔母陳氏葛氏　郭士田妻節婦周氏長氏　庚妻蔣氏接人妻汪氏　允龍妻湯文忠

妻劉氏　文法妻董氏　連科妻劉氏　連强妻潘氏　長生妻任氏　文傑妻張氏　文舉妻咼氏　長興妻王氏　泰鈞妻唐氏　天台妻王氏　天章妻李氏　錫田妻節婦錢氏　宏清妻陳氏　天炎妻陳氏

陸咸泰妻高氏　洪母葉氏　林甫妻蕭氏

陸秀之妻王氏　作斌妻何氏

陸湘南妻沈氏　文奎妻許氏　連奎妻許氏　經畬妻夏氏

陸文魁妻許氏　純一妻韓氏　文女貞女某姑　松妻巴氏　文玉妻萬氏　大妻李氏　玉和妻樊氏　岡妻李氏　茂祺妻朱氏　孫女愛姑　家棠妻陳氏　有華女貞姑　茂祺子婦節婦朱氏　子一女一

葛鳴鑾妻節婦李氏　大燮妻周氏

葉明照妻趙氏　慶勛妻倪氏　和姐

葉兆玉妻吳氏　兆順妻劉氏

葉球母張氏　妻嚴氏

葉學起妻節婦李氏　春濤妻節婦潘氏　守節四十餘年

葉璞如妻吳氏　律初子婦朱氏　鳳姑　光華妻朱氏　杭之妻徐氏　吳氏

石得義妻許氏　得功妻黃氏

達玉淋妻王氏　子婦吳氏

達廣妻馬氏　鳴岐妻沙氏　訓女彩鸞

達萬源妻王氏　乾妻王氏

達家慈婦女　十八人○有傳

郁之明妻楊氏　大貴女翠姑

陳鶴生妻馬氏　戚馬文升子秋官○殉浙江難

陳殿科妻王氏　仲妻尹氏　咧妻卞氏

陳三采妻范氏　茂林妻劉氏　大本妻章氏

陳朝

揩妻節婦余氏女玉英姑鸞姑素姑完英陳春妻林氏克明妾達氏陳治
衙妻曹氏大元妻谷氏一陳友德妻張氏女接姑文義妻錢氏陳樹勛妻姚
氏徐氏氏鄭氏樹樟庶母韓氏慶昭妻胡氏樹棜繼妻章氏慶濤妻周林景章妻孫氏一門
十五口林懋虞妻金氏女招姑致元妻汪氏珍姑林大成妻陸氏孫女幼姑林
有標妻葉氏文童存恩妻曾氏子一祥符妻李氏林德純妻鄭氏姑某氏林
瀚妻徐氏竹妻某氏黃氏葉氏志穌女美姑金妻周氏渤妻楊氏林榮長妻胡氏思恩
妻程氏○殉常州難汪漢儒妻節婦曹氏遐秉妻姚氏汪成公妻李氏女杏姑
汪瑚妻節婦程氏紹妻節婦曹氏譬如妻節婦夏氏節婦葉氏汪珍北妻夏氏
夏氏汪笙堂妻康氏步周妻金氏良弼母王氏大林母時氏澄妻曹氏經華妻曾氏職員桂南妻
孫氏許氏妾侯氏球妻朱氏萃仁妻顯祖汪士符妻曹氏瑚妻程氏黃榜妻節婦
周氏業明妻鄭氏香妻田氏森妻彭氏大球妻王氏傳文妻張氏玉林妻余氏樾妻田氏樹妻沈氏子世
廷妻余氏氏士妻劉氏建中妻毛氏德華妻汪氏榮華妻朱氏文炳妻張玉林妻佘氏黃秉鈞妻

徐氏英妻葛氏　黃文爵妻鮑氏文貴妻余氏　黃文炳妻張氏文童大文妻王氏
恆春子婦王氏李氏榮紳妻張氏　黃靜山妻彭氏弟婦某氏天保妻郜氏　黃修五母
某氏之蓉妻夏氏士鈺妻余氏奈氏方氏程氏朱氏嚴氏　黃萬凝妻程氏有山妻夏氏
黃聚五姪婦節婦周氏守節三十九年○姪女大姑○同殉　黃孝珍妻節婦馬
氏守節二十年○一門殉難　朱長貴妻張氏姪婦沈氏蔡氏　子十仔女勤姑　王華女
大姑某女大姑　王儉妻李氏秉周妻常氏陸氏女一　王振彩妻陸氏子婦徐氏孫
一　王芳榮妻節婦袁氏芳鏡妻節婦袁氏益宏妻節婦陸氏　方漣妻節婦袁氏履妻節婦孫氏
節婦程氏節婦徐氏節婦周氏　項標妻翁氏爲先妻某氏　劉懷清妻王氏克諧
妻胡氏家華妻樊氏黃氏　劉許氏女月姑秀姑　劉錫林母節婦侯氏守節五十
四年○麻仔嫂節婦某氏　劉國肇妻節婦陳氏有傳○國經妻節婦平氏　徐老妻朱氏
有芝妻范氏　徐尚鋐妻節婦王氏文生維典妻節婦劉氏　唐國華妻徐氏國麗
妻沈氏大宗妻夏氏業明妻吳氏　唐肇祥妻鄭氏厲氏　唐肇敬妻嚴氏岳母嚴紀

氏　戚嚴陳氏　陳姚氏

以上一門殉難

縣丞孫琯妹某姑　八品銜王學賢母節婦逢氏　從九品孫貽模聘妻袁氏　從九品王孚吉妻陳氏　從九品林秬香妻節婦張氏八年馬家集投水死　從九品姜士黼子婦陳氏　從九品林國香繼妻劉氏在馬家集殉　舉人鄭德昌妻節婦某氏　貢生王家蕙母鍾氏　增生黃國佐妻節婦朱氏　副貢生朱學詩妻紀氏　增廣生劉國駿繼妻丁氏　廩生談肇熊妻饒氏　文生朱佩聲妻節婦余氏十年不屈死　文生曹慶社妻陳氏　文生張維翰妻余氏　文生程炳文妻節婦李氏　文生談錫齡妻汪氏　文生唐肇雲妻節婦鮑氏　文生李春霆妻節婦余氏　文生許善舉女某姑　文生賀景運妻節婦劉氏　文生印國煦妻節婦黃氏　文生

慎朝詮繼妻姚氏（殉山陽車橋難） 文生林世增繼妻陸氏 文生孫鴻翥妹大姑 監生吳南珍妻葉氏 監生彭峻天妻王氏 監生談禹妻史氏 監生李虞亭妻節婦施氏 監生李寶妻節婦田氏 監生爵懷遠妻段氏 監生薛之緒妻强氏 佾生汪芳芝妻黃氏 文童熊爾壽僕婦林氏 文童曹垣妻節婦陳氏 文童王永齡妻貞女鄭氏（有傳○八年投城河死） 文童林正學妻張氏 文童趙成章母崔氏 趙某妻王氏 馮世椿妻石氏 翁俱揚妻林氏 洪立謨妻節婦顧氏（守節三十八年） 龔有義妻厲氏 施李氏

徐厚妻余氏 徐必有妻平氏 余家彰妻林氏 余兆選妻楊氏 余啟源妻汪氏 朱正才妻沈氏 朱純妻劉氏 朱雲程子婦戴氏 朱璧妻陳氏 朱桂芳妻嚴氏 朱合年妻沈氏 朱炳妻陳氏 朱陳氏 涂大妻陳氏 俞星奎妻節婦吳氏

胡鳳祥妻王氏　胡達金妻李氏　胡宗源繼母葛氏　胡學五妻張氏　胡象三妻余氏　吳登妻潘氏　袁金輔女吳袁氏　葉啟祥女吳葉氏　吳佩珩妻節婦施氏　吳文濤妻節婦陳氏　吳袁氏女某姑　吳合年女二姑　吳王氏　吳某妻方氏　虞慶于母李氏　舒元妻林氏　舒里忠妻李氏　倪李氏　倪丹五妻李氏　倪丹成妻節婦李氏　倪聚貴妻李氏　陳璞妻節婦張氏八年罵賊死　秦為禮妻邱氏　秦廣元妻顧氏　秦周氏　秦維策妻周氏投塘死　孫大山女壽姑八年不屈死　孫成熊女鳳姑八年被戕　孫延照妻節婦張氏八年在青絲墩投水死　孫慶儀女月姑　孫日鐸妻徐氏　孫大林女壽姑　張廷英女適孫　袁承惠妻節婦李氏　汪芳瀛妻袁氏　節婦某毛氏　袁士德妻張氏　袁任氏　黎元妻張氏　時福明妻潘氏　時曹氏　王文全

姊戈王氏　姚序妻節婦葉氏　姚佩三妻節婦袁氏　姚鑑妻吳氏　高錦標妻節婦李氏　曹建中妻節婦張氏八年在七所廟投水死　曹步瀛妻節婦賀氏　佘鳴玉妻節婦紀氏八年在練水壩不屈死　方維越妻許氏　方學曾妻潘氏　王鋐儀妻吳氏八年練水壩投塘死　王元宏妻節婦陸氏八年不屈死　王芳鏡妻孀婦袁氏八年在青絲墩七所廟投水死　王栢女文姑有傳○八年代母被戕　王律和妻林氏　王立本妻黃氏　王有福妻靳氏　王錦清妻李氏　王克榮妻徐氏　王映奎妻厲氏　王佘氏　王斌妻吳氏　王煥妻葉氏　王連妻夏氏　張廷貴妻貞女吳氏八年不屈死　張世官妻桂氏　張文煥妹林張氏　張震亨妻汪氏　張志齡嫂節婦李氏守節五十餘年　張兆鰲妻李氏　汪雨幾妻節婦程氏八年不屈死　汪熙元妻節婦卓氏九年投水死　汪景成妻節婦馬氏八年不屈死　汪大林妻時氏　潘士成

妻王氏　潘文元妻韓氏　潘家珍妻湯氏　潘相卿妻金氏
潘王氏　潘士海妻孫氏　汪永清子婦丁氏八年罵賊死　楊宗壽
妻節婦葛氏九年在樊家集投水死　楊湞妻栢氏　楊茂如妻王氏　楊
士夫妻謝氏　楊發母葛氏　節婦楊陸氏守節五十年　楊成永妻
張氏　章厚安妻某氏　章瑗妻節婦淩氏八年不屈死　章襄妻節
婦林氏守節三十七年　梁大捷母趙氏　黃玉昆妻嚴氏八年不屈死　黃
溥女某姑　彭奉倫妻胡氏　程春林妻陸氏　程厚芝妻林氏
丁濟川妻傅氏　丁萬年母陳氏　丁祿妻李氏　周萬興妻
王氏　周連科妻謝氏　周士中妻李氏　周發祥妻葉氏　周
家映聘妻陳氏　周某妻節婦英氏　劉紱妻柳氏　劉茂昭妻
節婦王氏　劉連之妻黃氏　劉起元妻節婦張氏八年不屈死　劉
鳴崗妻談氏　林長榮妻王氏　林象茹妻陳氏　金自全妻節

婦潘氏八年不屈死 金肇梁妻貞女張氏守貞十年 金光和妻孀婦戴
氏 甘元妻張氏 鄒長康妻楊氏 田祥生母張氏 田啟寶
妻戴氏 湯彭年聘妻常氏 湯其三妻某氏 湯士倫妻范氏
湯某妻節婦金氏 嚴霖妻劉氏守節四十餘年 唐淮繼妻節婦張
氏八年不屈死 唐培妻節婦潘氏八年投塘死 唐泌妻節婦厲氏九年被戕
唐澧泉妻印氏 唐余氏 姜金氏八年殉 貞女常李氏八年自縊
死○有傳 康端妻黃氏 康易堂妻夏氏 康士錡妻節婦唐氏
談德順妻湯氏 茅閏田妻節婦李氏 成在周妻沈氏 成瑞
琦妻沈氏 成郃氏 侯東賢妻張氏 侯聚山妻張氏 侯健
妻蔣氏 侯從繼妻張氏 任兆蘭妻節婦馬氏有傳 平國泰妻
張氏 曾正妻汪氏 沈榮和妻厲氏 沈煥章妻節婦汪氏有傳
沈學妻節婦林氏 沈朝聯妻姚氏 沈觀邦妻蕭氏 沈維

佃妻節婦朱氏　沈德純妻黃氏　沈萬妻節婦李氏　馬啟妻達氏　馬起妻達氏　馬汪氏　節婦馬湯氏　馬蘭馨妻節婦陳氏　馬留姑　馬應韶妹珍姑　李惠洪母金氏　李世美妻陸氏　李清漣妻節婦厲氏　李成妻陳氏　李德山妻許氏　節婦李詹氏　李三女鳳姑　李賢忠妻許氏　李允中妻節婦劉氏　李聲明妻簡氏　李兆同妻陸氏　李士妻王氏　李必妻史氏　董萬毓妻毛氏　孔繼奎妻徐氏有傳　孔大用母董氏　孔傳發妻毛氏　許元龍妻張氏　許鎭廷妻孀婦王氏　許錦章妻厲氏　許善妻節婦李氏　節婦蔣時氏　蔣起雄妻節婦唐氏　蔣湘妻張氏　尹如妻汪氏　尹廷樞妻汪氏　尹曹氏　尹某妻吳氏　曾家善妻吳氏　武文采妻沈氏　史大妻葉氏　史施氏　史某氏　簡長榮妻王氏　呂長興妻張氏

呂長妻張氏　紀振鏞妻唐氏　紀金氏觸柱死　鈕允元女玉香　阮竹鈞妻黃氏　范長有祖母宋氏　夏梅妻曹氏　夏林妻馮氏殉儀徵難　夏鳳珠姑　夏蔭洲妻丁氏　鄭國華妻馬氏　鄭昭明妻節婦談氏守節五十年〇八年不屈死　鄭慶妻朱氏　鄧有德妻楊氏　萬世貴妻沈氏　萬燮元母郭氏　萬大興妻葛氏殉汊港難　萬某女金姑　戴玉喬妻劉氏　戴陳氏　戴訓妻節婦李氏　謝大姑　謝國樑妻金氏　謝光裕妻陳氏　謝永安母王氏　謝昭妻張氏　魏長年妻節婦田氏　顧佩金嫂王氏　顧鯉母李氏　顧德選妻王氏　賀永祥妻劉氏　賀馬氏　繆永安妻節婦施氏八年不屈死　厲森妻節婦靳氏　厲志和妻王氏　厲長齡妻節婦陳氏八年在竹鎮集投水死　節婦厲夏氏守節十八年　貢萬凝妻程氏　鮑茂林妻劉氏　鮑觀澄妻朱氏　印吳氏　印永妻節

婦劉氏　湛德妻節婦李氏守節五十二年　邵王氏　邵某妻洪氏
邵可鑑母胡氏　邵買仔妻金氏　仲錫珍繼妻毛氏　傅炳妻
邵氏　傅炳妻邵氏　杜劉氏　郭企泉聘妻舒氏守貞數十年　郭
連母倪氏　郭湯氏　陸石氏　陸元妻朱氏　陸某女貞女大
姑　陸文女珍姑　陸鸞妻節婦曹氏　陸文進妻節婦胡氏
陸文祥妻劉氏　葛任氏女某姑　葉廷桂聘妻劉氏守節數十年
葉卓妻史氏　葉天鳳祖母張氏　葉春妻節婦佘氏八年在新興鋪不屈
死　葉廷三妻時氏　葉紹之妻戴氏　石鴻妻節婦朱氏八年不屈
死　薛正科妻何氏　達顧氏　達本妻顧氏　卜春芳妻毛氏
赫連自寬妻王氏　吉映台妻節婦張氏　樸著京繼妻佘氏
郁萬周妻王氏　郁春濤妻靳氏　陳永林妻何氏　陳勤女
榮姑　節婦陳朱氏　陳炳南妻節婦黃氏　陳雲川弟婦朱氏

（守節二十年○不屈被戕）陳湖南妻夏氏　陳鳳妻張氏　陳耀堂妻汪氏

陳紹堂母繆氏　陳森妻林氏　林儼妻葉氏　林珍妻夏氏

（守節二十餘年）林煥文妹張林氏　林金氏　林某妻王氏　林九姑

節婦林石氏（守節三十一年○被戕）汪傳鏞妻節婦愼氏　汪祿妻董

氏　汪遠程母王氏　汪錦明妻張氏　汪芸齋妻黃氏　汪鉢

妻王氏　汪立中妻王氏　汪某妻節婦黃氏　汪芳鑫女德珍

姑　汪裕旃聘妻王氏　黃桂妻朱氏　黃金氏　董某妻節婦

陳氏　節婦黃陳氏　黃士如繼妻節婦劉氏　黃浦女大姑

黃孝珮妻汪氏　黃有成妻謝氏（守節二十年）唐榴姑字沈　唐惠

生妻節婦田氏（守節三十年）唐兆祥妻劉氏　唐胡氏　田朝棟妻

黃氏　徐康氏女文姑　劉永德女小姑　劉增妻李氏（殉蘇州難）

王儉勤妻葉氏　王鳳書妻楊氏（殉徽難）王國恩妻常氏（殉江南難）

王傑元妻鄭氏〔殉丹徒難〕　王某女止姑　王天祥聘妻貞女蓮氏〔守節四十八年〕　王某聘妻鄭氏〔在陳鴐橋殉難〕　王嘉才聘妻袁氏　王從義妻孫氏〔守節十二年〕　王鎮邦聘妻貞女火氏〔守節二十二年〕　朱理妻節婦鄭氏　朱正文妻蔣氏〔殉儀徵方山難〕　朱凌霄女大姑　節婦朱湛氏　朱蓉妻戴氏〔守節三十餘年〕　朱樹疇妻節婦李氏〔守節十餘年〕　朱秀峰妻熊氏　綠衣女〔有傳○城陷投水死〕　沈銘妻吳氏　孫元祥母節婦萬氏　孫泰妻節婦胡氏〔守節四十三年〕　袁某妻節婦毛氏　王錠妻趙氏　張金吾妻王氏　楊士選妻雷氏

續纂江甯府志卷十四之十三下　上元秦際唐分纂

人物忠義貞烈

高淳

官

高淳縣典史徐邦彦順天大興人○妻吳氏○均十年殉高淳難　旗官德麟滿洲人○四年陣亡

旗官福慶四年東壩陣亡　副將曾廷璵四年陣亡　都司匡興仁十年東壩陣亡

守備銜千總方是元四年東壩陣亡　千總侯啟秀十年高淳陣亡　五品

銜外委易過祥十年高淳陣亡　營官柳鳴鵡四年東壩陣亡　廣東提標營官

姚子陵四年東壩陣亡　營官芮大茂四年陣亡

紳

理問銜王福文生序東監生敘端　文生執中監生首之　文生作舟令貴令年　監生承愷令炳令

柏令淦令楨令棟令艮令震令義令材令文

令悠令國令才全興全金全化全高全喜

全廣　全華　全譜　全報　全根　全楨　承宰　承裒　承
經　承暹　承紘　承玉　承儀　承俸　承楷　承儉　宏載
宏祥　宏添　宏佳　宏道　宏先　宏智　宏徵　宏蘭
宏榮　宏士　宏埋　宏森　宏湘　宏璠　宏勤　宏鈞　宏
才　攸典　攸遠　攸惠　攸鶴　攸林　攸木　攸行　攸蘭
攸悅　全維　濟仁　濟川　濟善　濟煥　濟歡　濟歡
濟淸　濟河　濟在　濟財　濟大　濟愷　濟富　毓乾　毓
興　毓喜　毓靈　毓樹　統玉　統寶　統森　統木　統登
統勤　統任　統吉　統亨　宏寵　攸浩　榮彰　榮耀
榮桓　榮宙　榮彩　承豐　長桐　長錫　長金　長枝　長
清　永仁　永智　永信　永江　永發　宜招　宜桃　宜尚
宜秀　宜昌　宜榮　宜銓　宜勤　宜義　宜華　宜讓
義楷　光茂　光興　光賢　光森　光蓮　紹銓　紹品　紹
連　紹桂　紹協　恩兆　恩詩　恩書　恩樂　恩祥　鉅壽
鉅丙　宇艮　宇才　宇冰　延芳　延珍　爲彥　爲崢
正楷　正文　敦玉　敦道　培根　培家　承坤　賜元　炳
根　鍾寶　根源　根喜　奇衡　傳照　世煜　功生　大卯
二卯　企林　西海　材剛　樹旺　德起　維勛　希鉅
名耀　添寶　師溶　傳廣　占元　師玉　文
師道　能元　漢翔　懷賢　敘祥　敘泉　生
八品銜吳文炤
文鑣○有傳○監生從周　監生兆魁　必和　必海　必璽
必瓔　必富　必貴　懋善　懋祥　懋旌　懋棠　懋欽　懋
堂　傳橙　傳生　德佐　德旺　德旺　廣河　廣清　廣福
廣聚　延興　延照　延易　延晉　壽印　壽蔚　繼雙

繼滿毓恭維和其洽允發斯輔名標昭起純宗起福愈信士起從九品卞天貴監生
起尉監生登芳武生自相自祥自元自秀自允自富自明自美自久自亨自長自和自運自
護自青自寅自元自安自坤自申自海自玉自瑞自礽自健自祿天心天鋕天祥天華
天炎天倫天明天恩天財天海天和天淦天富天生天庚天全天福天敬天福天賜天坤
天變天柏天金天衢、宗滿宗滿宗楠宗銀宗許宗邦宗永宗一昌麟昌山昌高昌槐昌
喜木芳晨芳俊芳閭芳坤芳鼎芳財芳寶芳顯芳武芳舉芳友芳德喜德寵德功德沛
欽加欽偉紹栢紹新雙元佑元元全欽彩上祥安頭四頭彬何金何五福春佑和根天敬
宗柟六品軍功從九品曹廷良妻李氏○十一年殉從九品曹廷惠監生章成
○十年駡賊死從九品王令大妻陳氏從九品卞自源兄自洛自根自根自貞
自祥自合自信自琥自法自環自宏自法子二自豪子一自裕子一自根妻宋氏自洛妻陳氏自
合妻婁氏妻挪氏自豪妻王氏自裕妻陳氏自貞妻王氏自信妻夏氏自祥妻陳氏自琥妻王氏自環妻王氏
自法妻俞氏自宏妻孫氏自貞子婦孫氏自勤養媳小娭自豪女大姑自根女大姑自信女摭娭自祥女帶頭

自裕女大姑

從九品蔣酺妻張氏　從九品沈達妻孫氏十一年力戰陣亾子富生　都司王維成附傳○五年陣亾○子守城備定國○十年陣亾

以上一門殉難

從九品陶作瑜　從九品陳加璠　從九品陳運昌　從九品陳璠　從九品馬其有　職員蔣純　職員馬勛　職員唐霖　都司曹獻鵬十年在江西景德鎮陣亾　城守外委世襲恩騎尉徐綸庚八年力戰陣亾　五品藍翎黃廷桂　五品藍翎楊章順　六品藍翎楊六纛六年鎮江陣亾　武副榜五品軍功卞長清　武生五品軍功卞長春

士

副貢生趙孟庚文生鴻○有傳○文生大鵬　文生文溶　元泰　元壽　元高　元灝　元譜　元復　宗廷　宗瑤　宗焯　宗燊　長根　長松　允蘭　允仕　仲喜　美林　同泰○均不屈死　歲貢生史褒有傳○佾

生允庭 文生邦彥 愈歆 愈水 愈起 愈釗 愈立 愈
焜 愈信 愈桃 愈錫 愈均 愈濱 巾譔 中侶 中材
中財 中桐 中淮 中海 中泉 中才 中寶 允荄
允年 允漳 允鐸 允煥 允喜 允強 允高 允勤 允
王 允儉 允湖 允渠 維信 維明 維英 維何 維和
日昇 日仁 日皎 日鐸 日塗 日濆 日榮 克孝
克海 克銘 華立 華合 昭涇 昭槐 仍興 仍常 仍
海 德榮 德榮 得賢 選賢 立賢 相賢 正賢 長賢
遺賢 印賢 旺賢 發賢 金賢 順賢 楷賢 溥賢
期浩 煥喜 小根 起榮 任祿 來根 必福 盛和 憲
桂 于洄 **庠生史傳經**有傳〇家 **庠生魏敬之**文生煜 監
維濆 屬八人 生登榮 忠
南 忠金 忠湖 忠新 忠財 紹春 紹恆 紹年 紹蘭
紹本 文壽 有年 金章 宗憲 泰林 孝源 大裕
增 **庠生洗登魁**有傳〇妻徐氏子維 **庠生韓鳳鳴**監生繼
智 淑十一年不屈投水死 昌 正
根 邁先 敬森 學坤 **歲貢生邢上森**有傳〇庠生鳳章
喜先 敬祥 倫先 助魁 增生雍鐸 文
生上林 監生襄廷 監生泰發 大海 大起 宜書 宜元
宜富 宜吉 宜冬 宜召 宜福 宜恭 宜水 居勤
居瑞 居浩 育發 育全 育興 育椿 哲恭 哲元 哲
元 哲安 東啟 東升 東籬 毓南 毓發 東旭 延連
廷彩 廷耀 國志 國喜 向壽 向茂 向富 開鳳
開祺 開先 思福 思華 思孝 其創 其玖 金良 金

續纂江寧府志　卷十四之三下　人物　三

好金例憲模憲茂繼魯繼富梧四維滿方美
傳本大起正迎慈應乾元顯曾本富林賢
玉賢啟佳雙一兆木五元年喜四喜時坤海
賢天賢旭賢寶賢鶴賢富艮高艮春揚壽根
壽艮
維魯

貢生諸人祖

人麟人理○附
傳○開啟開華

文生陳國祥

文生光
儀文文

生兆魁監生應春監生嘉鳳監生玉嵩名才名雙
名喜名高名五名榮名世名根名炳名榮名
壽加榜加庭加賜加經加寶加煥加化加光
加山加信加啟加珍加醇加財毓根毓好
高毓車毓方毓春毓光毓森毓高岱福岱
鍔岱松岱添國起國旺國亨國志前潮前美
前國正恆正舉正位詩愛詩金四例喜例
戴例魁例詩榮前福際怡際春際華克勤克
儉克岐克恭克連克馨傳正傳榮士安明禮
懋鵬業大中渭學興鍾行艮禮嘉會尚悠
修業業嘉廣杞世榮世標昌隆振祥先前嘉
松定壽嘉壽致新名輅正道錫禮嘉何淑金
代立先財
傳聲加彬

文生曹文敏

子木麟麟趾小春孫長庚
妻楊氏子婦潘氏十年均不屈
破戕

文生陶斯詠

附傳○監生俊偉士全士泰士潮
本喜啟榮紹銘九林三何木根

文生王彩

鉅豐廷祿敦浩賜海正庸妻丁氏敦浩
母俞氏宣金子一統裕子一廷祿妻葛氏鉅

豐妻夏氏 統裕妻朱氏 宣金母芮氏 文生張德鳳 文生
宣金妻卞氏 正庸妻劉氏 宣賜海妻魏氏 式金
監生文茂 武生洪綱 文生溶 日桂 日細 日停 日
煥 日玨 日佑 日中 錫珍 錫崢 錫嶸 錫根 錫枝
錫江 紹鄉 紹鳳 紹谷 顯桂 顯廷 顯勇 顯淮
顯海 顯書 顯華 淇陸 淇連 淇根 淇璵 天財 天
爲 天壽 開榮 開旺 宜明 宜剛 貞起 在榮 業池
啟祥 學文 來賓 旺根 大鵬 要生 唐生 和尚
慶枝 慶
寶○有傳
文生楊茂林
文生延燕 延則 延孝 延財 延
太 延謙 廣正 廣南 廣楨 廣
棉 廣財 廣玨 廣春 廣培 毓祿 毓賓 毓達 毓福
毓連 毓遂 毓榮 起茂 起信 起勝 起撈 士德
士法 士元 士贊 春壽 春華 會沛 積祥 維志 正
鐸 日智 章性 承銓 四生 方旺 芳木 芳鳳 名根
三喜
傳高
文生葛學發
監生學姚 監生昌岩 合譽 昌志
昌應 昌志 昌貲 昌科 昌起 昌
木 昌海 昌恭 昌富 昌安 昌運 昌信 昌安 昌喜
昌岱 昌盈 昌朋 昌曙 昌金 昌蘆 昌祚 昌儒
昌居 昌生 昌新 昌坤 昌培 昌發 昌樹 昌順 本
元 學銀 學蘇 學恭 學煐 學季 學東 學金 學淑
學湘 學壽 學燦 學琱 學鳳 學海 學立 學棻
學順 學儉 學梓 學餘 學哲 學鳳 學本 學偉 學
滙 學懋 學田 學熙 學炳 學典 學季 學坤 學桃
學孝 學起 學智 學神 學瑜 明喜 明貴 明祿

明沛明祚明圓明根明愷明全明樹明榮正昌正隨正年正書正星正仁正貴正渠正興

正旺正春正梁正義日金日福英鶴英忠英貴英本英悅于運于德于祥于清于竺開

過開晨開祥開貴開禮尚美尚清○均力戰陣亾文生陳邦藩妻唐氏附貢生

芮坤文生步清文生蕃文生維昌思義思浩鍾祿鍾選朝欽採松應和貞旺佩蘭漢琳漢

林文生芮步青附傳○母李氏文生魏福附傳○妻司徒氏○均不屈死文生許

殿華監生天敘妻陳氏文生孔雲鵬妻田氏文生李馥文生春暉監生錦文監生

宣浩監生延甲監生上珍監生昭范宣名宣泒宣江宣濤宣銓宣禮宣慶宣射宣篪宣全宣木

宣穎宣斗宣政宣洪宣恆宣楚宣鐸宣家宣好傳同傳振傳秬傳科傳萬傳起傳家傳

浩傳綵傳皇傳矜傳向傳福傳榮傳隲傳桐傳閭傳深傳龍傳美傳美傳海昭會昭蓉

昭鄰昭元昭星昭林昭忠昭孝昭淪昭福昭玉昭旺昭辰昭美昭暄昭榮合秀合榮合棟

合彬合松合行合萼合儉合效合煒合寅合棋合明志才志玉志本志南志嶸志霖宏

先宏孝宏潤宏林宏仁敦五敦勤錫俊錫熯宏同泒同炳同榮廣耕廣智廣海在高在

根 在志 屮祿 中清 果仁 天滋 廣金 明壽 宜財
正靈 智椿 國淦 達漳 達根 錫禮 學壽 孝福
興祥 鍾言 監生而長 監生克杞 監生照
鍾綱 慶祝 **文生沈殿榮** 文童士令 士根 士先 士華
士儕 士海 士寶 維根 維本 維檀 維榜 維杏 維
慶 惟性 克熙 克仁 克信 廷銓 廷福 攸財 攸勝
上煥 上有 上烈 玉 **文生唐登庸** 立松 立本 立雙
金 年根 名吉 如錦 立慶 立範 立
道 立德 立嶸 立茂 顯豫 顯漢 顯玉 顯桂 顯棟
顯惠 顯貴 顯金 顯親 顯芝 允根 允忠 允讓
允順 建泉 建智 建信 建楹 建林 建
木 建旄 建春 明亮 中義 大何 正和 **文生周大封**
文生瀛 文生上林 監生竟成 承棟 承乾 承裔 承綏
文 傳喜 傳經 傳根 傳薪 傳生 傳文 傳旺
傳義 傳謨 傳枝 傳化 傳慶 承嚴 承春 承海 承
漢 承信 承霈 承雙 承德 惟材 惟祥 惟桐 惟桂
惟郁 惟經 惟栗 惟甲 惟江 惟淪 惟淯 惟材
惟梓 惟适 惟粱 惟選 廣譽 廣淦 廣譜 顯然 顯
王 顯榮 顯謨 顯根 志長 志信 志洛 良元 良雙
良全 毓塤 毓曲 毓介 財勝 財金 必紀 自榮
鍾益 維福 謨盛 元 文生賓賢 監生啟賢
贊 方增 中貴 繼貞 **文生劉向榮** 在炳 在揚 在典
在興 在全 在鑌 在位 在巽 在銈 在灝 在友
在松 在喜 在守 自新 自寶 自標 自炳 自法 自

勝名緒名祿名發名忠名孝名根名棟志銘志銓志魁志清志厚忠喜增瑜增瑛增全

有漢有鄕大松大元大作秉達秉印秉林方功方政方合紹楚紹魯紹檇毓安毓旺其松

其耀高祥高進傳裕傳祿本配本讓金火金林昌期昌梅祚祿于秀能讓長春大海宣

旺向興承炎觀興春風德文思萬三元文喜天喜啟奎慶仿本貴有勝紹香名法監

生劉贇名揚志欽承悌其香秉大毓大德茂得意有祿有封有焞方崙子一德茂祖母卞氏

得意母周氏有祿母孫氏有祿妻邢氏妻史氏名揚妻袁氏志欽妻吳氏承悌妻丁氏其香妻許氏秉大妻

李氏毓大妻葛氏有封妻王氏有焞妻何氏方崙妻兪氏方崙女大姑方崙妹某劉氏秉大孫女大姑監

生劉瑛母唐氏弟超貢超鉉妻卞氏二弟婦孫氏監生陳鶴雲妻卞氏監生陳

懷清文生懷珍監生良超尋附傳○志根志金志森志櫟純善純貴純山敬清敬明

敬槐國賢德賢師賢維賢培愷生根來根毓起志貴培摯克楨傳寶傳和監生孔昭

珏監生昭桂監生昭庚昭寅昭慶昭壽昭良昭科昭元昭海昭墀昭廑昭淦昭鳳昭和昭沛

昭聲昭澍昭浩昭典昭鶴昭仁昭康憲松憲鉞憲煥憲淦憲財憲根憲詩憲春憲祥憲

祥 憲臣 憲錦 憲楨 憲錠 憲法 憲壽 憲謙 憲明 憲章 憲木 憲和 憲荻 憲華 廣盛 廣貴 廣恆

廣炎 廣殿 廣居 廣榮 廣順 廣宣 慶彥 慶志 慶 壽 慶深 慶論 慶諱 慶銓 慶振 長根 長生 柏根

秀岩 帶伢 厚 泰 應起 次生 **監生俞欽** 光松 光達 光坤 光柏 光江 光炳 光亨 光皐

光鏡 上金 上興 盛林 元金 雲春 財喜 觀敦 **監生孫象賢** 長慶 宜覺 允雙 忠榮 忠建 忠

寅 忠柏 修能 宜發 大聘 能治 承貴 承麒 廣賓 廣福 廣炳 傳發 傳旺 傳桃 正義 正齊 恩起

恩 絅 本林 昌泰 毓茂 有 榮 昭沛 農漢 英木 均照 **監生曹本倬**武生濬源○同治元年罵賊死

文童劉秉茂陣亾○母吳氏女大姑○同殉 **文童湯正選**文童正沐 **文童李宏**

彩 文童昭潤 昭濤 昭林 昭善 昭澄 昭浩 合浦 合 相 合儒 傳楠 振興 宏材 榮生 之良 志良 文

林 宣緩 傳栒 **文童卞自玉**昌湖 德壽 昌金 德標 **武生陳兆魁**兄前生嫂張氏

姪代五 小五 三五 業鈺 業珏 子在 祖 在武 兄前發 發妻趙氏 妻楊氏 **武生陳金鯉**母劉

氏 **武生李恆新**昭炎 雙元 賓元 陶氏 女翠音 **武生蔣定邦**十一年陣亾○妻孔

氏○同殉 **武生劉金瀛**有傳○十一年陣亾妻王氏○同殉

以上一門殉難

舉人田萬青有傳○相國圩陣亡　廩生陳鏞十一年力戰陣亡　副貢孫源　歲貢生史丹書附傳○十一年陣亡　增貢生邢文藻　貢生諸仁例　貢生楊作舟　貢生楊升聞　文生吳蜚亨四年殉　文生孫祉福同治二年力戰被戕　文生孫珏　文生曹鳳鳴十年罵賊被戕　文生曹鳳占十一年不屈被戕　文生陶銓　文生何金門　文生王彬　文生陳耀德　文生陳丞貞　文生陳金源　文生陳進　文生芮泰來　文生芮八彥　文生魏晉臣　文生趙芝蘭　文生史彥醕十年陣亡　文生史嘉彝　文生呂偉　附貢生孔憲銓　文生孔廣棟罵賊被戕　文生孔慶宸　文生孔廣大　文生唐貞　文生湯克齊　文生湯肇修　文生周逢辰　文生楊自超　監生趙城　監生趙席珍　監生孔昭淦　監生韓愷　監生蕭瑱　監生何斌　監生汪

治昇　監生潘俊　監生楊成園　監生楊青　監生楊懷邦　監生黃奇儔　監生陳奎　監生陳席珍　監生周緒型　監生周文禮　監生周榮章　監生卞瀚　監生芮國俊　監生謝元坤十一年不屈死　監生史傳銘十一年力戰陣亡　監生阮在邦　監生孔昭義　監生孔憲操　監生李廷芳　監生李根　監生李疇　監生李上林　監生田荆榮　監生甘彭　監生甘毓福　監生周瑞祿　監生劉邦榮十一年帶團被戕　文童徐懷謨　文童吳正棟　文童黃召印　文童黃奇衡　文童劉啟祥　文童陳宗燕　文童陳如鶴　文童陳殿誥　文童魏運修　文童史德鏞　文童孔憲相　文童孔憲淇　武生楊蔭南有傳○四年駡賊被戕　武生李長新　武生周重英十一年陣亡　武生周鼇　武生趙必球有傳　武生趙彥賓　武生孔廣球　武生葛學求　武生陳正志　武生李

長庚　武童胡修信被戕　武童胡昌霖

兵勇團丁

六品軍功杭一清六年陣亡○有傳維振○不屈殉難

以上一門殉難

六品軍功武生吳起財　六品軍功錢大財　六品軍功吳智銀

六年溧水陣亡　兵丁王長林六年江浦力戰陣亡　團丁王仁保　勇丁王光林

四年東壩陣亡　勇丁陳正長　勇丁陳士斌　團丁趙仲文　團丁趙

仲旺　團丁唐顯根十年陣亡

民

鍾昌浩允信蘊吉○均陣亡　時文鈞文優開禮妻王氏文優妻徐氏開禮妻周氏　時

開璠妻周氏　時文學文瑛文甲天信天牲天貴天錫開安開雲三喜尚灝燈喜庚

水榮章春喜嶶州興順三喜大牲　章積遠積近積鈴柏海士鱷　施忠起忠祐天

財保志開進○遇賊不屈死
徐啟財啟聚啟海啟孝啟棠紹周紹滿瑞月承林啟棠子一
妻卞氏啟聚妻邢氏啟海妻蔣氏啟孝妻史氏啟棠妻許氏紹周妻王氏紹滿妻吳氏瑞月妻王氏承林妻
趙氏王楷末婚妻帶娣
徐啟琅啟瑞位昌位慶宜通紹榮瑞全一義鬼兒○均陣亾
徐紹印紹官十一年不屈被戕
徐啟芳啟榮啟祿啟焜啟棟啟塗啟德啟玉啟崑紹祥紹
鑾紹鴿紹富紹祖紹木紹官紹相瑞芝瑞兵瑞龍瑞增承根得財先勝育根懷德思發
應久起旺名先之財瑞景奮子玉根
徐得明妻李氏弟婦孫氏洪氏李氏孫氏子婦毛氏
強氏
徐傳模傳獻毓豪傳敬禮復廣和肇良廣根傳華廣根宣和
徐廣俊廣發
昭海廣典毓佳小狗啟能啟楓瑞旺位根啟華恆雙位才廣茂廣樂毓和承相金水啟
金啟嶸紹彬瑞山位中毓旺毓連肇根起榮繼周保根廣賓恆餘恆根恆進思根水根
懷詰懷能恆銓懷福懷英懷興懷創經倫紹雲紹鎗紹鏡國寶
徐恆炳國忠
俞光翰光明上榮子一上榮子婦萬氏光明妻李氏節婦李氏○青年守節
朱萬根子一天祥妻史氏
天祥妻葛氏萬隆母王氏萬隆妻陳氏永浩姪女小媄
朱開忠開林天道水伢○均陣亾
朱開

富
開奎 開塾
開增 世金
胡修泰
修梧 修文 修地 正谷 齊龍
妻劉氏 修梧妻史氏 修文妻劉氏

修地妻劉氏 正谷
妻吳氏 齊龍母時氏
胡修仁
修金 修元 修棟 修恕
修念 正吉 正茂 金壽

大起 正義 正達 正觀 正
大 齊崢 齊英 齊美 兆占
胡修沅
齊
利
胡修高
修根
修木

鴻森 修元 存純 修
炳 正達 正大 正義
吳功文
十一年在相國圩陣亾○子
水根 水海妻陳氏姪女

金姑 銀
姑○同殉
吳廣常
根文 根安 開木 開巽 兆貴 期武
德雄 期巽 杞育 延讓 延祉 ○均

力戰
陣亾
吳其隆
其先 其敵 于松 于儀 錢楨 大
喜 智海 師福○均 十年不屈被戕
吳智

金
于金 于春 于暉 師全 師寶
水生 其富○ 六年均不屈被戕
吳金元
師訓 師愷
于龍 智楨

廷忠○四
年陣亾
吳子立
其敬
其興
吳其盛
四年陣亾○其應○
四年在南壚山陣亾
吳智

召
師解○四
年被戕
吳其玉
師恩 于侃○
四年罵賊被戕
吳昭衍
妻張氏
子一
吳如

本
昭夏 艮根 昌利 昭嘉 毓喜 延宦 全林 昭浩
其順 昭標 世元 詩盈 昭棟 昭德 世彬 茲根

期南 昭均 延傳 期應 期洪 昭武 世熾 世昱 傳
億 壽歡 斯寬 廣玉 斯敏 廣元 必和 廣發 德旌

吳昌如
斯謹 世根 斯
元 廣祥 大虎
倪祖元
祖富 世浩 世和
德應 允玉 大柏
梅

文義妻李氏梅行學受元〇均陣亡陳治圖前鏈治興邦瑞庚生業耕正林士才
維昌正松克孝崙元懋桃正模正茂陳前良母孫氏妻馬氏子業根陳書鳳
妻李氏陳加化妻萬氏子小了女大媄小媄陳前啟母李氏妻劉氏子業財陳
懋印妻劉氏子前東陳前伸母劉氏子業金陳前財妻宗氏子業泰陳前鋐母劉氏
妻胡氏陳毓球妻唐氏均被戕陳至達正祥業仁毓美毓詩名言加臧名金名富
詩富名煥毓宏加金國根名立元根加松加送名富光本步高玉潤玉景加印根狗前祖
陳春生子令貴母吳氏十一年均投水死陳世海陣亡〇母唐氏〇自縊死陳加根陣亡
〇妻卞氏〇同殉陳毓秀陣亡〇妻李氏〇同殉陳正興陣亡〇妻李氏〇同殉陳加
順兄加壽加壽弟加喜加泉加興妻包氏加壽妻錢氏加泉妻唐氏加喜妻甘氏加興妻卞氏陳
某母節婦周氏陳前才懋修妻鍾氏十一年不屈被戕陳正恆母節婦周氏〇附傳〇均投水
死陳光源之和際福士榮毓榮毓應名全運昌子一文彬子一妻葛氏子婧陶氏運昌妻
徐氏之和母吳氏之和妻某氏文童文彬妻吳氏際福妻姚氏士榮妻時氏名全妻史氏毓榮妻張氏毓應妻

王氏　**陳克順**　克儀　克衍　克玉　名銀　名炳　名根　名懷　名忠　繼眞　繼興　元老　志璟　世祥　嘉

經　方元　士選　學年　傳起　岱祥　前炘　尚敝　**陳深琨**　正華　正交　正恆　正　德　深禮　金壽〇四年

罵賊不屈被戕　**陳茂珍**　妻子女媳五人　**陳必和**　必盛　必貴　爲松　名旺　名才　名彩　名喜　妻

趙氏　松妻徐氏　雨人妻許氏　雨人媳田氏　**陳茂榮**　妻子女四人　**陳前起**　母妻子四人

孫廣海　陣亡〇妻卞氏　子婦劉氏　孫女大姑〇均同殉　**孫文金**　有祥　南章妻徐氏　有祥妻丁氏

南章妻楊氏　**孫元韻**　元本　南森　廣福　祥好　忠向　承代　允六　文起〇均力戰陣亡　**孫承麒**

妻李氏　**孫振該**　子紹幹　**孫正旺**　正營　**孫恩中**　恩元　南銀　承瀛　育華　愷仁　壽

星　南海　財福　萬福　**孫承凝**　妻徐氏　孫宜發　孫婦夏氏　吳氏　**諸人和**　人楫　人達　一茂　妻許

氏　淼妻黃氏　舉人鑑妻王氏　**諸開華**　大柱　**苟祥某**　祥茂　瑞木　英　趙　金海　發財　**般得**

發　其湖　明旺　錫　茂　明年妻王氏　**袁天炳**　天順　紹炳　紹喜　紹高　紹　德　紹隆　允昌　允起　允富

允貴　允寶　存廣　旺根　四喜　全根　向問　其發　**袁其堅**　妻張氏　子允木　允　桂　子婦周氏　趙氏

張氏　**袁允福**　妻劉氏　子茂賢　**袁其春**　其發　其年　**袁立根**　立坤　立　揚　立本　**柴允**

林妻果氏　聞仁興妻倪氏子金祥　虞開根開本　錢爲琦子婦呂氏子愛娶　錢
邦銀妻唐氏子花芝　錢爲綱爲鋕爲林爲藝爲汶大根大造大富大解大周兆育開祥
元科大栅大聰大湖大楠大柏學淦學滿學壽邦智邦燮觀生日東　姚某應元子一
逢吉母卞氏逢勝母卞氏逢進妻陳氏逢孝妻陳氏元應妻毛氏元應女大姑　高廷喜懷冬　高
懷炳太儉　曹國恆弟國立子獻松姪獻麟妻程氏弟婦劉氏○同治元年不屈殉　曹廷市
子南山海林十年被戕　曹獻通獻庚德義長庚獻慎本貴本榮本珍源榮廷佐廷勛
廷重廷源廷佑廷餘宜承均陣亾　姚元海方友　曹本仁本汝本偉獻賦獻瑜獻炎獻
模鳳來源淦祿壽○均十年罵賊被戕　陶士潮妻金氏　陶祥根陣亾○母匡氏嫂卞氏妻
黃氏○同殉　陶作賓妻谷氏　陶作坤作榮　陶作琪作瑤　何某母茂松妻魏氏
方總妻芮氏　何茂森母楊氏妻徐氏子秉瑩子婦張氏　何士根秉全茂昭秉椿方領
茂珠祖保秉彝方瑚茂義　陶祖本廷貴　方國黎老傷○均陣亾　方承新妻徐氏
子錦培　王宏詩弟宏儉宏坤宏海宏金宏音宏音母邢氏宏海母袁氏妻唐氏宏儉妻葛氏

宏海妻魏氏宏坤妻卞氏宏金妻沈氏　王全元妻沈氏　王令久妻馬氏　王令官妻張氏　王宜槐弟宜福子一宜根妻周氏子二妻周氏宜福妻葛氏　王濟輝弟濟斌濟復妻唐氏濟復妻趙氏濟斌妻趙氏　王承諒弟承木承楷孫一妻胡氏承楷妻陳氏承木妻劉氏　王令博弟令週姪一姪孫一妻陳氏令政妻劉氏令週妻苪氏　王攸根弟攸才妻周氏攸才妻劉氏　王光照弟光盛光仕母劉氏光盛妻李氏光仕妻卞氏　王長騐長明子一妻沈氏長明妻胡氏　王榮舉母唐氏中淮女何媄三媄　王毓廣妻楊氏○均不屈死　王令粱令達令琢○同治元年被戕○妻袁氏女帶保○同治二年被戕○令達女俊媄○同殉　王智茂十年格鬥死○子信林○同治二年被戕○節婦李氏○同治二年投水死　王承旺朝根令貴令賢令幹光達光畢統金統珊攸海攸金濟炳能連冥聰爲林宇浜南海全擁正旺宏智正營○均陣亡　張錫貴錫標錫槱顯槐顯勝學本大桂錫桂母唐氏錫貴妻王氏子一錫義母吳氏錫義妻許氏子一錫槱妻王氏錫標妻王氏顯貴妻葛氏子一顯槐妻吳氏子一顯勝妻王氏學本妻葛氏大桂母林氏淇漳妻陳氏子一淇立妻卞氏子三錫義女大姑錫槱女王媄謨勝女要媄開家女佳媄淇友女福媄

張顯榛陣亡○母唐氏同殉 一 張謨海子代生火生母王氏妻王氏○十一年投水死 張淇
琢子小子妻葛氏○十一年被戕○祖母節婦章氏母馮氏○投水死 張德連同治元年被戕○妻陶氏文
林妻李氏○十一年投水死 張顯定顯海顯株顯玉顯源文起宜銓淇慎淇忠謨嘉謨全○
均陣亡 張宣金順源海源 張長松光濟華覺俊懋百喜昌年昌旺昌浩升忠升剛
張其炳妻朱氏 張天籍其任顯本顯榜顯林元怨 張錫炳紹祖錫高開孝
紹詩錫爀開週紹英錫煜明萬顯梓顯根顯林開熖淇立紹應開樂錫祥開順紹桂顯
順錫燦天財在順淇連日春泰元起貴兆名大橋大垣大榛可仁日仁啟祥 王維
華維譜禮泰○十年被戕 王禮泰子婦董氏 汪克順克盛治榮治彝宏燮昌乾邦有
勝彬才生 汪朝森子廷喜 汪應椿妻唐氏子朝選朝金朝壽 汪勝鳳妻曹氏
汪時龍時虬 楊起槐陣亡○芳起傳旺其祿以槐其福毓榮廣培廣南廣蘭廷擢
廣珏正鐸廷禮正璠毓達廷禮廷財廷泰廣正仁書正璠於保廣春廣楨廷謙廣財廷
孝廣棉延佳 楊起才陣亡○母蔣氏○同殉難 楊毓道毓秀起旺會盼良才母葛氏

毓秀妻朱氏起旺母趙氏起旺妻卞氏會勝妻甘氏會勝子婦劉氏良才妻孫氏以柏妻劉氏子二

楊

廷綸弟廷緝母孔氏○均十年殉宣城金寶圩難

楊廣智弟廣鈞子毓基毓莽姪毓菁毓莪妻魏

氏弟婦吳氏毓甚妻曾氏○同治元年殉難

楊廣松弟廣柏祖母王氏○同治元年殉

楊廣志

弟廣泉廣勇子育美姪玉保○均同治元年被戕○妻孔氏廣泉妻趙氏廣泉女玉英○均絕粒死

楊廣

金母吳氏○同治元年投水死○弟廣檜廣樹○被戕○妻黃氏子德榮○均絕粒死

楊廣森有傳母濮陽氏

○四年罵賊死

楊廷淦子德喜榮福四年罵賊死

楊根福紹雄○十年均被戕

楊廷有

廷遇廷用廷芳廷儼廷浩廷柏廷茂廷彥廣楷廣興廣生廣作廣順廣和廣永文瑤毓棟

○均四年勸號陣亡

章九淮玉賛

梁學綬正明正順正立名同

黃居旺居壽居春

居祿居興居開居振居貞居才居玉居奇正南敬貳德寶正亨正旺正祥應彭應智應象

學午學熤誠順奇仙心象勤和

程熙發中興

程子才于能

丁傳源母江氏

子婦沈氏○均不屈死

丁某母紹枚妻夏氏○不屈死

丁傳澺妻史氏

丁紹湖紹厚紹

浦紹楚紹塏紹梗紹際世春傳滌家駒育昌瑞偘紹補

丁紹根紹楠紹處傳清紹

熾 常滿 周惟銓十一年被戕○子大妹妻 袁氏 女大媄○均投水死 周承浩十一年被 戕○子珠
妻陳氏 寶氏 女媄姑○均赴水死 周惟昆十一年被戕○子小昆妻 王氏 女大媄○均投水死 周
承煌妻沈氏○ 均不屈死 周承湧母侯氏妻侯 氏○均不屈死 周承金妻王氏○ 均不屈死
周承鳳妻章氏○ 均不屈死 周承珩妻馬氏○ 均不屈死 周承訓母何氏○ 均不屈死 周
傳祿妻葛 氏 周惟愷妻劉 氏 周惟崧妻孔 氏 周惟勛妻沈 氏 周惟
根母葛 氏 周惟森妻謝 氏 周廣林妻王 氏 周顯義子一 妻王氏 周顯
經妻劉 氏 周毓嵩妻王 氏 周自富母高 氏 周某弟一母承 麟妻王氏 周
某弟三祖母傅浩 妻李氏母陳氏 周承壽承 爵 周承福子一妻王 氏史氏 周履
海憲淦惟蘭○均陳亾○ 妻葛氏憲淦祖母傅氏 周承華承彤承悌承昰承 信承彰廣榮廣生
廣村顯金顯枝才吉顯淦 元金繼彤傳萃勝根小何 周某弟一母維富 妻田氏妹大姑
周承芬妻謝 氏 周良煥妻楊 氏 周惟遷妻丁 氏 周在榮子鍾 根
周傳清惟仁承恩廣林廣學顯義顯春承 汪承有謨茂承彰承介承彰中崙 周良

元才鈴 劉在進兄在林 在林 弟在煜 在錦 在浩 在
才勝 邦 在榜 在邦母胡氏 在浩母王氏 在
林妻馬氏 妻徐氏 在煜妻唐氏 在 劉自富弟自桂 自
錦妻何氏 在榜妻袁氏 在榜妻何氏 鳴子一
自武子一 自椿 子一 自桂母錢氏 自武母葛氏 自
武妻吳氏 妻張氏 自鳴妻王氏 自武女大姑 自椿母朱
氏 自椿妻某氏 劉增語弟增學 增起 增慶 增起母陳
自鳴孫女大姑 氏 增慶母李氏 妻孫氏 增學
妻陳氏 增學妻葛氏 增 劉名祿在銓 增義 在誥 志
起妻卞氏 增慶妻吳氏 青 德合 月華 宣湖
在坎 慶齡 延庚 金火 高起 超隆 赤六 能詩 位
勝 大祥 超義 在華 尚解 名貴 名地 名南 在金
甘昌達 弟昌壽 昌煜○均陣㠯） 昌煜 甘毓政 毓模 毓起
妻方氏 昌壽妻孟氏○同殉 毓勝 毓長
毓江 衍仁 毓湖 柑 甘昌進 昌旌 昌業 昌騂 在
妹 衍富 衍貴○均陣㠯 田 毓海 瑞年 憲剛
求 甘憲景 衍 甘衍宗 毓南 川 毓鎮 憲嶺 毓喜
珍 景 昌發 衍 昌漢 毓與 衍秋 衍
財 毓烈 田增高 錫梁 方 田立兆 立旺 錫慎 立 湯
衍希 明 錫梧 珍 方和 錫堋
榮春 方儀 正鰲 方蓮 唐立佑 立業 立常 立磬 顯福
達泰 正春 成珏 顯業 母雷氏 立業妻
夏氏 顯福 叔丹時 氏 立 維女大姑 建 松 立榮 子一
女一 立維子一 女一 立常妻王氏 立馨妻孫氏 立榮

妻葛氏立維妻卞氏顯業妻徐氏建松妻周氏 **唐立喜** 立春 **唐允忠** 建康建彬建進建

瑞建造顯祥立桃立廷立森立新中興中富中財立幹朝奉立音立春顯勤建椿建高

顯林立洪立焜建勛士佰建義建模建庭建炳立書王水立泉建德建猷立洲立治立德

姜大武 妻孔氏 **邢育雨** 陣亾○母劉氏○同殉 **邢著七** 繼貴育道廷爵子一

妻劉氏繼貴妻葛氏育道妻馬氏廷爵妻周氏 **邢春根** 戴狗戴林戴仕求益炳生大喜恆友

憲元慶昌自跨餘佰開春鳴章育合哲進旺根東來廷九九佰廷高宜旺七佰興進居

旺璧元泗頭居發相明璧春維旺○均陣亾 **邢華廷** 妻田氏 **譚維貢** 皆久○陣亾○

妻金氏紹福妻葛氏 **藍昌育** 蘊壽元林 **藍宗賢** 妻某氏子一 **邢志福** 傳森戴揚

居發居常居木向貫居高廷九三頭東才向先圖喜正芳鳴富東森東起居瑞居發勝起

廷聘廷秋廷耀向隆茲應承發憲福宜邵向茂九佰七佰學斗功發相明學財東祥有

浩國榮哲俊秀林承福承壽學財東旺 **沈士柯** 志恩士壽士全妻王氏士恩妻周氏士

壽妻吳氏士梓女大姑士全妻王氏士化妻陳氏子一士梓妻張氏子一士化女柏媄增媄 **沈如**

節
廷颸名發水根上佑上佐克
悌水金上賢如節士斂士煥
馬以壽
被戕○妻
劉氏十一
年投
水死
馬廷言
以照以楷以春以富修勝修坤
修福定浩顯梅元起象佐必寬
馬

定宏
定昱定愛
其有廷炎
馬定顯
定金
定喜
李宣偉
傳年昭喜昭暢
錫盛宣淇子一

宣根子一昭俊子一宣淇妻沈氏宣根妻周氏昭俊
妻沈氏昭喜妻張氏傳年妻孔氏宣偉妻周氏昭暢妻

俞氏盛
錫妻唐氏
李同詩
同樂○十
一年陣亾
李繼森
子合來
孫勝仞
李傳譜
宣派
宣

烈合言照悌
傳吉志春
李宣遴
昭坤傳雨昭舉傳金昭慶
昭茂傳杰宜盛宣謨宣時

序瑛傳侑宣錢宣芝宣高宣湘傳棟傳幅昭
連宣鏡序炳昭平昭發昭燿宜芬昭彰序宏

昭荊宣晴宣盈宣琮傳榆昭經昭璜昭璪
宣均昭墉傳根宣禃宣聚宣利昭訓宣本昭

金昭旺傳當宣啟傳科昭勛宣揚傳崇宣晟
傳申昭球宣木傳稭昭倫宣化傳金宣友

宣化傳岫克春合聽宣宗同得合質志財合
世同炳興寬四生志進六順合根志昺合道

唐顯孟
妻邢
氏
孔昭墳
憲旺憲金廣喜慶福繼松
妻李氏憲旺妻孫氏憲金妻韓氏

廣喜妻王氏慶福妻芮氏
繼松妻施氏繼松女媄頭
孔昭發
母劉氏○
均不屈死
孔可成
憲
楷

昭怡 憲樟 昭城

孔慶銓 憲輪 昭浩 昭沛 昭沛 昭聯 繼華 廣進 昭洧 憲鳳 昭堅 廣先 廣興 廣宣 憲榮 廣正 昭佑 廣榮 昭溹 慶餘 繼昇 昭恆 昭聯 昭宋 廣勤 憲婺 慶榮 昭儉 昭海 廣生 廣根 憲河 憲深 憲煥 昭興 憲芳 憲洋 憲惠 慶銀 慶方 慶芬 昭均 慶南 慶深 慶孝 廣煥 昭樹 昭廓 慶有 憲衡 昭楷 憲海 昭福 昭龍 昭沛 憲律 慶蘭 金保 廣辰 昭祥 昭雲 憲吉 憲錢 廣益 繼城 憲華 憲華 憲鑾 昭满 憲英 繼法 昭遇 昭立 憲鏄 昭壇 昭璋 繼沛 廣和 憲金 憲玉 慶志 廣印 廣填 憲國 憲錠 繼睞 廣富 昭壽 昭笙 繼法 廣貴 昭聚 昭鈴 昭慎 昭遇 昭慶 昭根 憲河 憲玉 繼儉 廣承 憲錦 廣禮 憲南 廣壽 廣模 慶雨 憲立 慶根 繼坤 昭鴻 慶英 慶連 慶泗 繼愷 憲驥 慶春 昭文 昭生 繼進 憲銓 慶鈹 廣全 昭厚 廣立 昭本 慶鉉 廣順 繁中 憲周 慶愷 慶旺 憲能 慶林 憲淵 憲庚 廣居 憲根 憲椿 昭深

許廣玉 妻汪氏

許繼坤 繼麒 繼貫 繼順 樹松 樹珍 廣道

許樹根 樹松○十一年陣亾

許允柏 允海○十一年均陣亾

許繼紅 廣浩

許廣根 繼旺 廣銀 繼旺 承旺 友好 友生 友能

蔣傳謨 延麒 延豐

呂傳椿 傳祥 傳德 法震 福歹 妻李氏 傳祥妻李氏 如閣妻周氏

呂祥松 祥柏

禹廷綍 茂璋 咎氏 茂齊育榮妻 茂倫妻背氏 **柳序瑛** 序田筆 貞茂滄 **柳序邦**

曉文 閏章 **耿廷棌** 廷 楷 **武至元** 至方 至山 教誠 教記 教平 玉寅 **魯萬春** 正 名

史華銀 十一年陣亾○妻趙氏子 婦劉氏女長媄同祓戕 **史中榮** 陣亾○妻王 氏○同殉 **史**

必雙 陣亾○妻陳 氏○同殉 **史中學** 弟中發 中貴 中仁 中孝 其 立 根福 中孝子一 中鶴子一

中椿子二 中鶴母周氏 中鶴妻王氏 中學妻周氏 中 發妻何氏 中仁妻馮氏 中貴妻王氏 中孝妻錢氏 中椿

妻陳氏 其立妻李氏根 福妻李氏 中發子婦虞氏 **史允烜** 弟允愷 允順 允廣 允軾 允勝 允仁 隆

慶 餘時 允勝妻王氏 子一妻周氏 允愷妻俞氏 允 順妻陳氏 允廣妻王氏 允軾妻李氏 允仁妻謝氏 隆慶

妻邢氏 餘 時妻李氏 **史中林** 中志 中枝 繼福 繼銀 繼美 隆 章 隆聖 南金 毓連 寶元 祥聘

史法雨 妻陳 氏 **史中崑** 允震 中旺 允英 允瑞 允蔚 中起 允孝 中朋 傳庚 傳簡

中立 能鐸 修兆 中麟 中根 傳嘉 中家 中 歡 允其 中海 傳純 允賀 修雲 義文 起寶 **史中**

炳 中枋 允學 福元 允長 允雙 中幹 允粱 允祥 允聘 傳榮 允笙 中喜 允本 中榆 傳亮 允修

傳字 傳華 允江 中寶 中孚 允莪 允盈 允泗 允 第 日財 中輝 中玉 中彬 名和 允和 中模 允鑑

和根中鼎允發允煌允濟中易中本中寶
允仙中雙允位中友中懷允祚允蓄日炳允
財允濠允偉允修中根允明允邦中旺允根
允恆允桂中麒允昇允敦傳壽傳道允嘉
日舉允燔傳金中興允勝中易傳禮日奇允
株中堂中燦日明允金中倫中庠日才中譜
傳炳允順允桂中武應壽能柴聿生德喜
應坤繼和克喜祥福金美家泗家林家庚家
國修和東[illegible]能枋祥貴能德能錪能忠能根
、能淯能玉能棋聿先克粱克時昌根期萬
用時金時秤時祥貴德榮廣順
訓時家霖昌松德興滿時德元

夏毓民

陳以○母
徐氏○同

殉

夏志進

純朝敬華妻孫氏
朝母唐氏敬華妻王氏

純

夏毓章

純貞有全
龍章招

安○均力
仗陳以

夏宜貴

妻朱氏
子元粱

夏維彥

宏泰懷芹迺瓚爲
松連章毓能傳和

志法鈞章純
恩昭頒志福

夏敬華

敬松敬淸敬明志森志
進敬槐志貴志桃敬良

宋繼桃

妻馬氏
女銀媄

宋繼模

其諮其桂其進其岳其應
其水方陞方諧方安浚

芳官應
毓剛

夏志粱

母張氏
妻李氏

鄭元

榮發毓旺
毓南毓明

萬大孫

二孫
曾

祖母杭氏祖母吳氏永明妻
吳氏○均十一年不屈投水死

萬紹祥

紹珩全運全福
元根元祚貴

續纂江寧府志 卷十四之[illegible]下 人物 [illegible]

祥
餘根
萬永根
全
銓
萬全柏
全海　萬錕　萬
松　全仁　全濱
戴繼慶
繼振
鳴長
廣信　之元妻闞
氏　得祥妻馬氏
謝於召
道達　道祿　道
茂　于喜　有德
趙仲榮
十一年
相國圩
陣亡○妻劉氏予
婦梅氏○均投水死
趙允江
允海○十一年陣亡○妻王
氏　允海妻蔡氏○同殉
趙
元春
允發　允進　允槐　仲根　長生　宗有　妻孫氏
發妻周氏　允進妻陳氏　允槐妻楊氏　仲根妻周氏
允
宗有妻陳氏
允槐孫女媄姑
趙宗瑤
宗根　宗長　宗隆　宗福　宗炳
宗燦　允照　允起　允清　允浩
允順　允和　允全　仲文　仲旺　仲
德　仲庚　仲明　仲賢○均力戰陣亡
趙上庚
暇媄　頭　同
斌　仲富
子芳　宗霖
宗琪　大茜
趙仲壽
宗湄　允全　添根　允科　允泗　宗
輔　元潮　允玉　宗祥　元曬　宗鐸
元義　仲茂　宗應　允和　仲旺　宗國　宗楹　元梅
允志　元杭　元興　元鍇　允旺　元榮　允玉　同登　允
源　允海　宗美　元登　元江　允順　宗傑　允宋　元尚
自蔚　宗勝　宗清　元志　元佳　允有　宗相　宗沐
允林　宗根　仲禮　季興　宗貴　允鐸　宗彭　仲愷　順
侢　仲海　宗才　允正　元湖　允楷　宗代　元全　元進
允鎰　宗喜　宗璽　元愷　元鎮　仲福　允進　仲銘
元訓　宗敏　允游　允玉　允日　宗福　宗明　宗旺　元
譜　元炳　允順　宗玉　允高　允濟　允栢　元泰　宗榹
順根　同斌　宗德　允禮　宗應　宗虩　宗興　仲珍

宗淸 宗見 士耀 允保 宗連 仲露 宗瑚 宗瑞 仲
欽 仲椿 允福 宗耀 順壽 仲瑩 元桃 宗儼 仲旭
宗本 **魏武朝** 熟 **魏運郢** 運準 運球 運諒 運宣 運
宗侃 金 堂 昌寶 忠愷 忠耀 紹金
紹莊 忠輝 忠根 紹年 運海 運淸 增禮 泰眀
昌玉 運柱 忠彩 光恩 忠興 運滿 運鯨 運大 忠
應 增恆 昌寶 運順 泰榮 運慶 運能 泰督 運雙
運宦 增濤 運久 和佐 運浩 林夫 運翰 忠泰
運棟 忠厚 運堂 運魁 運啟 和駓 運錦 運瓊 運
繼 運先 運勤 運福 增才 增孝 運興 增選 運銀
增龍 泰陀 運榮 增銳 泰中 運昌 增柏 泰秋
運寬 增鳳 泰松 運連 愋先 忠啟 運鶴 運釗 運
蓮 忠科 運濤 運旺 **卞自淸** 子順元 桂元 根元 妻
運財 增能 增琦 梅氏 妾芮氏 妻陳氏 ○
十一年 **卞明浩** 十年被戕○妻王氏 昌榮 **卞天元** 天林
均被戕 妻劉氏○十一年投水死 天喜
天垦 天聰 天价 天喜妻張氏 子一 天价妻徐氏 子
二 天發妻錫氏 子一 妻姜氏 天垦妻史氏 天林妻倪
氏 天聰妻王氏 天茂 **卞慶芳** 弟根芳 深芳 源芳 勤
養媳 玉娕 天發女大姑 芳 昌盛 德許 昌棟 妻
趙氏 子一 德海妻劉氏 子一 妻邢氏 根芳妻萬氏
深芳妻楊氏 源芳妻陳氏 勤芳妻葛氏 昌盛妻葉氏 根
芳子婦某氏 德許妻 **卞世源** 昌懷 德炳 德宏 天華
朱氏 德海子婦陳氏 昌財 德呈 德祥 根芳

自培 愷芳 自誨 模芳 自堂 起超 自亮 自茂 天
財 增芳 滿芳 自榜 永芳 天久 天湖 松芳 自升
天變 天元 天監 天元 紹卿 紹根 滿芳 梓芳
自平 祥佑 天武 天駟 天茂 天義 珍佑 自銘
芮士懷
陣巳○母葛
氏○同殉
計平江
平滿 平喜
平榮 太金
傳用積
用
儀
傳用
銀
妻張
氏
桂永倫
永盛 永浩 妻鄭氏 永
浩妻王氏 永浩姪女小媄
繆翼桂
翼財妻
諸氏
賢鳳妻
馬氏
杜南根
母孫氏 第
為名 為正
芮家煥
一門十
八人
葉明菌
明
順
谷世祥
世海 世愛 裕先 裕朝 裕恢
代伯 振軑 宜兆○ 均不屈死
葛學喜
兄學坎
學懷 學
坎 學懷 學龍 學朝 學鳴 學林 學紀 學倫 學穗
學翠 學浩 學富 學泉 學友 學福妻魏氏 子二
學修妻李氏 子一 學仁子一 學進妻袁氏 子一 學浩
妻魏氏 學穗妻劉氏 學林妻劉氏 學泉妻王氏 學坎妻
卞氏 子一 學倫妻陳氏 學翠妻吳氏 學朝妻唐氏 學
友妻李氏 學懷妻邢氏 學龍妻唐氏 學鳴妻李氏 學富
妻李氏 學紀妻張氏
葛昌根
兄昌貴 昌貴 昌榮 昌泰
妻王氏 妻周氏 昌兆 昌芹 昌森 昌炎
昌榮 昌森妻李氏 子二 昌崢妻邢氏 子一 昌侯妻
李氏 子一 昌誌妻王氏 子一 昌鶴妻呂氏 子二 昌
畢妻孫氏 子二 昌貴妻李氏 昌榮妻田氏 毋楊氏 妻
卞氏 昌兆妻李氏 昌泰妻周氏 昌芹妻噢氏 昌榮妻周

氏昌炎
葛明綵
明倫 明倫母楊氏 明倫妻周氏 明耀
妻史氏 妻周氏 子一 明林妻時氏 子一 女
一妻周氏 正家 日根 正家妻吳氏 正家妻
明林女大姑
葛正求
周氏 子一 妻邢氏 日根妻陳氏
葛昌炳
昌平 姪一○均陣亾○妻
葛學仁
陣亾○子一 妻
楊氏 昌平妻劉氏○同殉 路氏 女好嫖○
同
葛明海
陣亾○子一
葛學柏
妻章
葛昌祚
昌銅 昌榜
殉 妻王氏 氏 昌應 昌
元 昌儀 昌倫 昌美 學高 學選 學修 學成 學松
學譜 學安 學品 明松 明全 明子 明文 開達○
均力戰
葛某
母日仁妻張氏
葛昌歡
母孫氏 弟昌應 昌
陣亾 妹大姑 二姑 好 隆才 子明中
明和
葛學屋
妻司空氏 子一
葛昌詩
妾陳氏○均
葛昌
隆菌 ○均十一年殉 十一年被戕
愷 妻王
葛強何
竺林 昌全 明愷 明雲 英福 昌虎
氏 明孝 明彩 學全 昌楨 昌崟 學安
明梁 昌柯 正貴 學富 學琨 昌封 明讓 昌悌 昌
全 正勝 思恩 昌牛 學梁 正鋒 昌饌 正海 昌枝
明松 昌永 學槐 正煥 明林 尚襄 木春 學喜
昌峻 學安 昌文 正義 學提 昌金 學林 昌木 明
金 明炳 昌金 尚麟 昌饋 昌墳 學顏 學校 昌雲
昌洪 學來 昌松 寶生 根玉 英莢 昌漢 學江
昌翰 明爛 昌曦 昌全 昌春 明奇 學旺 昌春 學
祿 學仲 學桃 明桂 昌楊 昌呂 昌德 英全 學笏

名揚學楨學孚昌金英根昌起學震大根
學和學根明倫學雲明揚英亮學裕學謙昌
城昌來學桐延齡學雲于福正譜昌孚昌財
明新學种明耀學朱昌金學厚昌化學祥
炎祚學洪明爲昌富尚浩正程昌題江生昌
智炳頭學銀昌美明國明大昌愷學棠學柳
于高正敬學起學坎瑞林炎祚學起昌根
明愾昌進學詩學禮正模英菲正良昌陸憲
才

劉大海

妻陳氏　子炳根

劉傳陛

妻王氏　子在忠

劉有統

名協　在鋥　在霞　在梓

傳崢春湖宣有昌榮有綺萬福傳經高福能
源能熾春棟在渭萬壽昌濱高琳德椿昌朋
茂根昌渭春瑞春琪在譜在柏昌遇春裕
昌財春林萬有昌根在珍在樂于美于章昌
聯官彩在煜紹王在江春宜傳本紹祖在林
官金在瑞德財在餘昌全高品在蘊德源
能定運坤能龍昌源昌順在綸德和傳松在
頇在金運發承順祚祿傳炳昌淦春耕宣濱
承亮春恩高有在鎮承廣德宋能泰紹
毅春益在悌承沅大金高榭海根有本

周

承生

維錦維海維盛惟明顯清廣浩承林承節
傳泉承廂傳炎維銀毓大毓水傳道傳
年顯壽維松承序維南承標在寅承謨惟政
承暘傳彤承度承忠惟厚顯介顯清惟榆

惟仕 惟繼 必仕 惟峥 惟峒 惟邵 惟生 顯邦 作梁 顯桂 承號 承佶 惟典 承价 承虎 惟旺 昌銓 傳 惟仁 承俌 承伯 廣林 廣譽 傳錫 惟孝 顯行珏 廣孝 承鉟 廣廪 廣浩 廣育 承明 承文 惟 忠 惟基 傳祖 傳祖 繼芹 惟漢 光宗 志根 傳浩 惟森 傳旺 維綱 惟榮 志漢 承泉 顯悌 承謨 顯儒 鳳樓 傳桂 毓芳 承根 傳熙 傳祿 傳 廣 承壽 鳳來 世春 繼金 承信 承悌 忠起

王于恩 應財 錫玖 維芳 傳桂 德祿 錫餘 希浩 希達 傳雙 德壽 振瑚 知書 傳盛 維明 添榜 德雙 火根 添富 松柏 懷賢 松起 松春 世德 世鍾 世達 正啟 德盛 承旺 能清

王良根 育慕 長科 仁玉 仁智

王林 承治

王宏宣 一門殉難

劉承合 昭蔚 昭勛 高勝 運福 在宣 玉何 在雲 茂隆 在貴 立祥 昌陽 復瑞 昌隆 高炳 發通 福揚

劉定有 妻孫氏 子小伢

劉昌參 妻陳氏 子一

劉復瑞 妻汪氏○均投水死

劉在樂 被戕○妻呂氏○子如金○均十一年投水死

劉昌隆 被戕○妻許氏○投水死

劉在發 子能語 孫吉根

陳志達 世溶 志繼 加部 毓鈴 文仲 書林 前昌 名炆 前昌 名論 毓長 加永 名 粒 毓有 毓高 毓涞 正瓏 正理 正射 正明 名華 克蓮 加泉 加木 克芸 毓松 秉盛 名華 忠文 興義 前月 前春 前定 前鳳 前廣 懋陞 前達 前

順　前根　前海　前鵠　前悅　承銳　正松　長發　爲敬

正行　前潤　際海　正鑒　名義　廣富　至新　中烈

功恩正　相業勤

以上一門殉難

周乃曦　熊學愼　童秉中　洪裕新不屈殉難　洪聯生　鍾緼祿

江良福不屈殉難　江巨智　施年義　徐傳坤　徐時定　徐思

昆　徐啟沛　徐得成　徐某　徐毓銀　徐傳有　俞雲寶

俞上同　俞雲高　朱世賓　朱萬珣　朱萬和　朱萬柏　朱

萬玉　朱萬璋　朱世起　朱開揚　胡立洪　胡珍重　胡珍

忠　胡珍典　胡珍鵬　胡立華　胡珍洪　胡珍榮　胡存年

胡正恂　胡正泗　胡兆典　胡治邦　胡齊珍　胡齊定

吳齊達　胡齊餘　吳德馨　吳名利　吳壽香　吳壽春　吳

壽泰　吳德夆　吳壽應　吳壽祿　吳斯律　吳壽鴻　吳名

旺　吳德祥　吳德麒　吳德虎　吳德喜　吳繼陵　吳正德
吳必原　吳世賓　吳昌滿　吳昭亮　吳昭長　吳世恭
吳昭松　吳世燈　吳昌金　吳春根　吳繼美　吳繼康　蘇
朝奉　茹中喜陣亡　倪祖培同治元年不屈被戕　倪學和　倪春雷　倪
德金　倪德福　倪錫福　梅壽金　梅象佐　陳燃印十一年陣亡
秦六喜　孫勛萬十一年陣亡　孫勛尊十一年被戕　孫允忠　孫允
安　孫廷道　孫允俊　孫育賢　孫繼炳　孫廷科　孫廷福
孫知定　孫知四　孫祥松　孫祥榮　孫祥雲　孫祥庚
孫均書　孫均炳　孫均彬　孫均啟　孫和茂　孫志富　孫
志全　孫志煥　孫志有　孫志忠　孫紹標　孫志望　孫允
金　孫智厚　孫祥吉　孫允厚　孫知茂　孫高元　孫旺林
孫斯雙　孫文錦　孫學柏　孫高財　孫漳朝　孫宣富

本頁原殘闕，現據南京圖書館藏《光緒續纂江寧府志》（光緒六年刻本，光緒七年初印本）補字。

孫忠鑑　孫森　韓敬雄　韓敬堂　諸一玉　諸人共　諸本仙　諸人俊　諸初財　諸開旺　諸人柏　諸本根　諸一祥　諸一球　諸一瑞　蔡世貞十一年陣亡　荀瑞年　荀宏年　荀玉林　荀英金　荀發福　荀發江　荀育財　陳從明　陳學炳　陳學象　陳學勤　陳學天　陳學儉　陳國源　陳名柏　陳學平　陳秉義　陳文浩　陳玉豐　陳恩良　陳光順　陳鍾富　陳志祥　陳其盛　陳學芳　陳士新　陳中淇　陳坤元　陳正金　陳起元　陳際順　陳金海　陳文伸　陳加渭　陳學正　陳士雙　陳秉瀛　陳耀曾　陳正福　陳學發　陳詩富　陳正謨　陳士好　陳大長　陳前庸　陳永坤　陳詩瑚　陳會鳳　陳懋春　陳象新　陳岱晉　陳定振　陳前炘　陳重發　陳克邦　陳文亨　陳名鐸　陳士友　陳前

慶　陳至合　陳正長　陳岱銘　陳大柏　陳名吉　陳元根
陳承根　陳秉受　陳業興　陳書登　陳象麟　陳振祖　陳
陳聚柏　陳赦保　陳士順　陳景春　陳岱鏗　陳岱宗　陳
世興　陳前雙　陳際應　陳文詩　陳光本　袁仁廣四年陣亡　袁
袁心勢　袁心寬　袁士本　袁其堅　袁其年　袁永福　袁
永木　袁本道　袁三何　柴允森　虞時根　虞一德　錢觀
頤、錢觀榜　錢觀法　錢觀榮　錢邦榮　錢大棟　錢大惠
錢江海　錢觀林　蕭宣超　蕭宣彩　蕭世恭　姚仁域
焦福生陣亡　高善榜　高扣先　高宏學　曹加起　曹獻慶同治
元年投水死　曹獻柏　曹廷杞　陶光恩　陶光楠　陶傳興　陶
名緒　陶名球　陶名剛　陶光文　陶光美　陶光陞　陶光
明　陶明琨　陶名統　陶名栢　陶光炘　陶錫賢　查光和

查宣興同治元年不屈被戕　何秉福　何鳴皋　何茂昭　何茂培　何茂書　何方柱　何方蕙　何秉正　何秉心　何育順　何育貴　何壽根　何秉全　何秉春　何秉德　何茂根　方應起　王濟樹　王令轂十年被戕　王禮全六年被戕　王春興　王通玉　王皮匠　王正根　王順生　王光華　王濟銓　王光裘　王光耀　王昌年　王大炳　王德維　王建章　王正元　王宏辛　王恩悅　王全梧　王全松　王全益　王宜謙　王宏林　王儲楹　王宜楷　張學敏　張承賦　張大培　張泰昇　張大春　張大士　張昌源　張大財　張大忠　張大廉　張宗吉　張顯恭　張顯易　張謨根　張天譜　張顯定　張開爵　張開易　張顯麟　張開勤　張開封　張謨印　張顯本　張明萬　張顯順　張啟達　張泰元　張泰根　張大文

張業生　汪昌德　汪昌福　汪治霖　汪治鏓　汪勝德
汪勝麟　汪治榮　汪勝盛　汪瑞源　楊廣耕十年任建平縣被戕　楊
廣皐六年被戕　楊爲松十年投水死　楊毓有同治元年被戕　楊起信　楊自
旺　楊宜金　楊齊和　楊起燽　楊起炘　楊肇麟　楊起發
楊起潤　楊自貴　楊裕吉　楊必山　楊以柏　楊以潮
楊以芳　楊傳富　楊傳康　楊起行　楊起文　楊起安　楊
傳良　楊傳興　楊傳耀　楊傳濱　楊起壽　楊會歡　楊大
情　楊廣善　楊正國　楊正惠　楊廣宣　楊庭海　楊昌茂
楊文祿　楊章愷　楊毓中　楊廣茂　楊毓富　楊毓秋
楊毓春　楊廣輔　楊昌雲　楊以敬　楊作解　章九勅　章
昌坎　章我燦　章長福　彭能立　黃以茂　黃以松　黃以
廣　黃誠陞　黃心地　黃居昌　黃衣根　黃應來　黃能寶

黃應平 黃鍾滜 黃鍾裕 黃鍾寶 黃鍾禮 黃有瓏
黃奇仙 黃銀海 黃齊根 程萬順 丁存桂四年罵賊死 丁家
猷 丁家文 丁殿華 丁傳渭 丁傳配 丁紹憲 丁家錕
丁學模 丁傳梓 丁傳淸 丁長立 周承進十一年被戕 周有
立 周才淋 周方林 周惟峒 周祖元 周方源 周志義
周承媛 劉在崢同治元年被戕 劉在全十一年陣亡 甘昌霖 甘昌
海 甘國珍 甘昌煜 甘昌宗 甘憲榮 甘昌榮 甘昌琴
甘毓浩 甘昌現 甘昌信 甘毓轉 田錫麟 湯中坤
杭廣富 杭廣貴 杭聲寶 杭維松 杭一玉 杭一喜 杭
一科 杭鳴亮 侯鳳達 侯汝虎 侯汝江 侯汝本 唐國
水十一年陣亡 唐建發 唐立學 唐建龍 唐中賢 唐中琦
唐立淋 唐立勤 唐顯榮 唐立純 唐建壽 唐建能 唐

立長　唐建保　唐建榜　唐有相　唐有梓　唐順領　唐立
桐　唐建澄　唐立衢　唐昌鄉　姜國楨　姜璋三　姜國用
姜永喜　姜國歡　姜國田　姜天根　姜廷意　平秀科
邢戴先陣亾　邢國柱　邢璧壽　邢宜泰　邢有盛　邢國智
邢有名　邢秀滌　邢有祥　邢哲財　邢傳驄　邢居灝　邢
履禮　邢慶昌　邢自福　邢開鳳　邢開春　邢開業　邢國
富　邢毓貴　邢開訓　邢開長　邢開全　邢國仁　邢開喜
邢開玉　邢育訓　邢開正　邢育燕　邢東晃　邢秀富
邢吉良　邢育仔　邢元根　邢育仕　邢金林　邢秀森　邢
乾良　王廷謨　王穹平　邢本祥　邢秀發　邢秀儀　邢木
良　邢憲謨　邢春良　邢憲猷　邢心林　邢學益　邢明林
邢育鳳　邢兆盛　邢維旺　邢啟佳　邢維讓　邢傳濤

藍光勝　藍元貞　藍元太　藍宗起　深恩喜　商仁榮　沈士恩　沈助超　沈士廣　馬身金　馬必趣　馬是興　馬是信　馬以年　馬修煜　馬竝年　馬廷炎　李志福　李昭演十一年陣亡　李同炳十年被戕　李傳柏十一年被戕　李傳海　李合譜　李傳廣　李克根　李興象　李合桃　李世靄　李典明　李則睦　李典愛　李則送　李憲財　李昭敦　李孝忱　李學賢　李昭濤　李正芳　李疇　李濼生　李合浦　李敦泉　孔鉄匠　孔昭鶴　孔慶漢　孔憲楷　孔憲坤　孔憲考　孔慶海　孔廣發　孔昭增　孔憲祿　孔昭節　孔慶淦　孔憲楷　孔昭燕　孔昭信　孔廣煥　孔昭瓛　孔昭菁　孔憲福

孔昭鑫　孔廣松　孔昭泰　孔廣鍔　孔傳楨　孔昭金

孔憲秋　孔憲美　孔憲長　孔昭森　孔昭大　孔慶運　孔

憲滄　孔慶言　孔憲恕　許傳根　蔣啟純　蔣傳壽　蔣傳
森　蔣延金　蔣延庚　蔣延進　蔣延祥　蔣緒金　蔣傳位
蔣傳亮　蔣延柏　蔣延松　蔣傳華　蔣延美　許立根十一
年陣亡　呂能幹　呂傳得　呂朝奉　柳監文　柳肇貞　耿光
創　耿大財　芮言富　芮漢高　芮慶倬　芮承聚　芮傳李
芮漢根　芮佩枏　芮漢連　芮學進　芮鍾煥　傅八興
路瞎子　陸振貴　陸振寶　陸誠培　笪正松　笪萬云　笪
萬元　笪萬盛　葉毓中　葉育桂　谷振起　谷宜祖　谷裕
豐　柏其善　畢允壽　薛傳太同治元年不屈被戕　濮加泰陣亡　濮陽
觀　濮陽國南　葛學明　葛隆瑞　葛昌學　葛昌智　葛昌
謗　葛昌柏　葛學勤　葛昌桐　葛明松　葛謙吉　劉德美
劉毓源　劉共一　劉毓新　劉心二　劉啟雙　劉浦一

劉尚生　劉尚合　劉毓寶　劉尚立　劉啟謨　劉超貢　劉尚歡　劉超鉉　劉圃七　劉超根　劉成逢　劉超海　劉超祖　劉時和　劉廷楚　劉成允　劉樹四　劉觀喜　劉啟球　劉任南　劉德銓　劉昌模　劉在淇　劉在訓　劉能語　劉能綱　劉能平　劉春芝　劉長周　劉在儉　劉昌來　劉方興　劉順狗　劉能化　劉高壽　劉方順　劉高歡　劉宣渲　劉方榮　劉際喜　劉昌金　劉方柏　劉傳科　劉春金　劉雙精　劉紹綱　劉喜林　劉超育　劉尚解　劉松年　劉春豐　劉承輔　劉連根　劉春俊　夏傳富　夏蓮　宋生芳　宋中庠　趙元金　趙元祥　趙元宏　趙元朝　戴光起　謝四美　趙允櫃十一年不屈被戕　趙孝任　趙元田　趙允祿　趙允枝　魏忠泰　魏其恩　魏永保　魏運鳳　魏大福　魏

元僊　趙允泰　魏月夫　顧其義　卞明誠十一年相國圩陣亡　卞明泮同治元年被戕　卞天吉　卞建佑　卞天勝　卞天杞　卞自進　卞自唱　卞墉　卞天貞　尹正禮　史允木　史愈英　史愈鍾　史愈繼　史能賢　史銓賢　史愈朝　史愈嚴　史開元　史邦泰　史允治　史中瑞　史中良　史中祥　史金元　范正理　夏宜旺　夏純元　夏季貴　夏喜和　夏文榮　夏季達　夏智淋　夏昭芳　夏維詩　夏滋恩　夏文松　夏迺元　夏將超　夏將科　夏毓梁　夏用彥　夏昭純　夏素亨　夏恆有　夏兆恩　夏智信　夏存琛　夏懷隆　夏宜發　夏甸賓　夏宜和　夏純兆　夏元興　夏毓揚　夏宜健　夏用基　夏純林　夏余順　夏余正　夏三根　夏毓江　夏毓海　夏萬榮　萬傳富　虞時謨　顧其典

以上民

聶國福陣亡當塗人 ○殉高淳難

以上流寓

職員張純妻孔氏子 二 貢生王席珍妻朱氏孫婦張氏 悌妻周氏 監生承 文生淇

妻呂氏 樹儉妻節婦魏氏 武生承桐妻沈氏 光炳妻葛氏

光浩母張氏 光浩妻孫氏 宏興妻張氏 女大姑 二姑

光福母張氏 光福妻章氏 宏譜母余氏 承選妻楊氏

鉅榮妻陳氏 承須妻吳氏 鉅發妻唐氏 宏庠叔母楊氏

鉅強妻梅氏 宏禮妻侯氏 鉅炳妻趙氏 鉅鳳妻張氏 希

勝妻劉氏 子 一 長喜妻劉氏 令炎妻鄭氏 長和妻徐氏

令廣妻章氏 長勝妻葛氏 令端妻施氏 長海妻陳氏

令根妻許氏 維明妻楊氏 令惠妻謝氏 令良妻李氏 直

家妻孫氏 令學妻周氏 濟福妻趙氏 榮烜妻趙氏 榮選

母趙氏 昭興母何氏 昭興妻唐氏 宣雙妻周氏 中信母

唐氏 金意妻周氏 中維妻張氏 全浩妻周氏 錫玖妻周

氏 全珍妻張氏 應泒妻李氏 毓便妻李氏 承弟妻李氏

攸芝母趙氏 維妻陳氏 傳金妻袁氏 允山母卞氏 德

福妻劉氏 嘉會妻孫氏 統餘妻錢氏 繼善妻史氏 爲燦

妻孫氏 召富妻李氏 恩佑妻雲氏 超

起妻譚氏 才剛妻趙氏 材剛妻劉氏

文生孔憲杰妻陳

氏　憲平妻王氏　憲玉妻朱氏　憲源妻王氏　憲紅女大姑
監生昭康妻陳氏　昭新妻趙氏　昭興妻趙氏　昭滋妻王
昭恆妻湯氏　昭春妻朱氏　昭亨女大姑　慶棠妻丁氏
氏　慶旺妻王氏　廣海妻劉氏　慶祿女大姑　繁喜妻王氏
炳榮女多媄
必顯女好媄
文生史搢笏妻節婦卞氏
武生金標妻孫氏　金
標子婦李氏　金標女
道媄　日化妻節婦葛氏　日喜妻節婦王氏　中杞妻節婦李
氏　中玉妻胡氏　中恆妻李氏　中恆子婦劉氏　中立母薛
氏　中逢妻葛氏　中雙妻周氏　中昜妻張氏　中聖妻劉氏
中魁妻黃氏　允漢妻周氏　允嘉母袁氏　允鑑母劉氏
允邦妻梁氏　允邦女大姑　允濠妻李氏　允霞妻陶氏　允
本妻趙氏　允仙母張氏　允仙妻陸氏　允梂妻李氏　允桐
妻李氏　日喜子婦周氏　日舉妻李氏　日梓妻劉氏　日銳
妻俞氏　日銳子婦陳氏　傳紹母李氏　傳簡母卞氏　傳青
妻李氏　傳青女大姑　紹祥妻唐氏　紹經妻趙氏　良全妻
陶氏　于時妻劉氏　子一　女一　憲貴妻劉氏　華發妻吳
氏　中杞母
節婦王氏
貢生李鴻子某聘妻邢氏女瑞香
節婦楊氏
文生成德妻呂氏　忠相妻唐氏　史鰲妻霍氏　爲
學妻芮氏　爲金妻呂氏　方玉妻谷氏　運元妻黃
氏　寵生妻陳氏　貼能妻汪氏
起榮妻王氏　名揚女領媄
文生芮淇清妻司徒氏孝彬妻李
氏　言潮妻王氏　謙益
妻張氏　恩明妻傅氏
文生周著銘妻節婦王氏子一方俞妻節婦

李氏 承貴妻王氏 承衍妻芮氏 承衍妻魏氏 承定妻節
婦何氏 承旦妻蔣氏 承寅妻王氏 承榮妻邵氏 承祿妻
節婦王氏 承賢妻丁氏 承炘妻李氏 承令妻王氏 承相
妻李氏 承呵妻王氏 承財妻俞氏 承立母徐氏 承慶妻
劉氏 承松母卡氏 承松妻夏氏 惟樂妻王氏 惟明妻劉
氏 惟佳妻潘氏 惟大妻葛氏 惟雙妻王氏 惟屺妻王氏
惟淦妻劉氏 傳球妻葛氏 惟華妻俞氏 惟都妻葛氏
惟鄒妻葛氏 傳翰妻王氏 傳江妻江氏 傳榆妻朱氏 傳
升妻劉氏 傳烈妻王氏 廣基妻梁氏 廣福妻葛氏 廣尉
妻王氏 廣祚妻王氏 顯元妻劉氏 顯本妻孫氏 顯春妻
唐氏 顯和妻許氏 大昌妻陳氏 謨俊妻王氏 志恆妻俞
氏 三泰妻劉氏 三泰孫婦唐氏 必盛妻楊氏 有文妻田
氏 才沙妻蘇氏 文榮妻劉氏 才金妻陳氏 其淦妻陳氏
員贊妻胡氏 吉榮母徐氏 元思妻孫氏 元思女大姑
方漢妻王氏 **監生陳加歡妻卡氏** 加寶子婦趙氏 **監生陳治隆妻孔氏**有傳
監生培妻唐氏 培子婦史氏 監生清華妻傅氏 毓正妻邢
氏 毓順妻劉氏 毓瓚妻金氏 毓樑妻徐氏 毓樑母吳氏
毓金妻卡氏 毓坤妻卡氏 毓蘭妻吳氏 加譽妻許氏
加名妻朱氏 加麟妻楊氏 加連妻孫氏 加德妻邢氏 加
幹妻卡氏 加源母畢氏 加春妻唐氏 加海母葛氏 名華
妻錢氏 名浩妻丁氏 名大妻王氏 名福妻許氏 名爵母
徐氏 士坤母唐氏 士順妻丁氏 士貴妻趙氏 朝亨妻吳
氏 朝利妻胡氏 朝貞妻孫氏 岱瓚妻卡氏 勝祿妻趙氏

崇起妻鄧氏　正謨妻夏氏　廣浩女長媄　尚悠妻張氏
東生妻吳氏　俊坤妻荀氏　期太妻趙氏　國英妻濮陽氏
王潤妻魏氏　艮瑜妻史氏　文明妻許氏　學明母張氏
典文妻趙氏　前穀妻甘氏　復根妻吳氏　明雲妻田氏

陳懋榮妻李氏

玉林妻孫氏○十
一年不屈投水死

監生陶光杞妻朱氏

附傳　名
統母節婦

周氏　得
才妻邢氏

監生楊瓊林妻陳氏

日書妻節婦呂氏　日杭妻節
婦張氏　毓佑妻唐氏　毓武
妻劉氏　毓遂母王氏　傳經妻趙氏　傳興妻卞氏　傳桐子
婦葛氏　王氏　傳康妻孫氏　傳富妻卞氏　維綱妻孔氏
廷珍妻章氏　懋湖妻李氏　位勝妻甘氏
其壽妻姜氏　言財妻陳氏　吉春妻張氏

監生劉邦泰妻吳氏

茂根母節婦錢氏　在勤妻節婦趙氏　在肇母周氏　在華
妻孫氏　在楨母周氏　在朝妻周氏　在濠妻俞氏　在福
母萬氏　在福妻丁氏　在金母高氏　自舉妻徐氏　自松母
周氏　自松妻邢氏　自燦妻許氏　自根母唐氏　自柏妻葛
氏　自林妻李氏　其興妻李氏　其恩妻姚氏　其旺妻李氏
其桃妻王氏　其耀妻楊氏　其炳母徐氏　其炳女大姑
二姑　三姑　四姑　五姑　方發妻周氏　方林妻周氏　方
順妻沈氏　方正妻孫氏　傳祿母魏氏　傳淦母徐氏　傳淦
妻陳氏　能源祖母趙氏　志佑祖母范氏　志佑母陳氏　志
棠妻楊氏　本讓妻邢氏　本讓妻李氏　超義妻張氏　超許
妻卞氏　超貢妻孫氏　尚峯妻陳氏　尚燦妻唐氏　名林母
王氏　名福妻王氏　高楠祖母孫氏　高楠母王氏　啟榮母

趙　氏　啟華妻吳氏　德源妻王氏　昌榮母史氏　毓棋妻王氏
氏　文太妻夏氏　睹一妻張氏　善一妻徐氏　敷三妻祖氏

文燦
妻吳氏

監生杭兆奎妻邢氏

八浩妻
朱氏

監生李上達妻節婦陳氏

達旺妻節婦陳氏　文生一松妻邢氏　監生鍾教妻許氏
宣菼妻楊氏　宣芝妻劉氏　宗琮妻王氏　宣渭妻唐氏

宣桃妻陶氏　宣彩妻錢氏　宣祥妻馮氏　宣和妻路氏　昭
汸妻楊氏　昭承妻唐氏　昭詩妻唐氏　昭茂妻唐氏　昭持

妻何氏　昭達妻楊氏　傳覺妻周氏　傳祧妻陳氏　傳銳妻
葛氏　傳銘妻陳氏　傳雙妻徐氏　傳相妻史氏　傳英妻葛

氏　傳盧妻趙氏　傳壽妻葛氏　傳慶妻吳氏　傳積妻唐氏
傳楊妻章氏　傳煌妻陳氏　傳連妻劉氏　傳春妻徐氏

傳秋妻鍾氏　合輅妻陳氏　合育妻周氏　合興祖母兪氏
合保妻劉氏　合桂妻劉氏　合錕妻孔氏　志正母劉氏　志

俊母徐氏　志財妻吳氏　志喜妻徐氏　志達女大妹　錫浩
妻劉氏　本興妻兪氏　方昇妻陳氏　宏海妻馮氏　忠桂妻

王氏　鍾宏妻趙氏　鍾邦妻施氏　江順妻劉氏　同宇祖母
丁氏　中欽妻王氏　傳菼妻錢氏　禎祥子婦孫氏　鍾陞妻

何
氏

時天春妻周氏

天儉妻周氏　天倫妻周氏　天義妻王氏
文煋妻葛氏　文丰妻唐氏　文俊妻袁

氏　尚貞妻吳氏　尚亨妻何氏
開明妻周氏　大勝妻王氏

韋士鳳妻節婦呂氏

積名妻
查氏

宏鈞妻
芮氏

施鍾朗妻許氏

忠朝妻許氏
○均不屈死

徐紹祥女印媄

起福女
才媄○

十一年不屈投水死

徐紹賓妻田氏紹鴻妻司徒氏紹聖妻王氏紹勝妻丁氏啟山妻萬氏啟壽妻陶居氏啟金妻陳氏啟根妻陳氏正發妻楊氏啟縣妻陶氏中貴妻陳氏立忠妻陳氏大富女才嫫瑞秀妻杜氏瑞祥妻李氏家忠妻唐氏順生女印嫫水何妻王氏

徐家元妻劉氏經縈妻夏氏懷英妻諸氏昭務妻陶氏紹縠妻吳氏紹銀妻楊氏紹相妻陳氏啟元妻時氏啟德妻李氏啟棠妻時氏繼昌妻陳氏毓和妻王氏紹本妻李氏

俞光憲妻井氏長鑑母姚氏長坤妻葛氏光梓妻王氏雲青妻陶氏觀淇妻周氏

朱開全妻孔氏子婦孔氏

朱開墉妻王氏開芳妻施氏萬鎰妻孔氏

吳錫智妻楊氏嫂夏氏

胡修和妻張氏修高妻周氏正瑞妻傅氏正武妻吳氏齊駿妻唐氏

胡修因妻張氏修忠妻時氏

胡齊龍妻李氏正瑞妻傅氏

吳金壽妻節婦楊氏延祜妻俞氏德發母徐氏延祉妻陶氏啟昌妻周氏德貴母陳氏朝文妻葉氏其立祖母藍氏士湣妻張氏

吳於烈妻楊氏其勝妻湯氏十年不屈死

孫廣棟妻吳氏廣森妻祁氏廣南妻卞氏有根母卞氏有根妻高氏宣發妻夏氏宣旺妻吳氏文根母徐氏南壽妻丁氏忠福妻水氏忠百妻陳氏之壽妻劉氏之明妻徐氏振盛妻邢氏芝秀妻陳氏增福妻汪氏

孫愷仁妻唐氏世海

妻陳氏　南寶妻劉氏　南揚妻陳氏

諸人楨母孔氏　妻孔氏　人錦妻孔氏　人怡妻夏氏　人鎮妻張氏　其榮妻趙氏　人壽妻章氏　人泰妻夏氏　必貴妻濮陽氏○不屈死

諸化盛妻李氏　人興妻李氏　開榮母夏氏

諸化善妻孔氏　子一○均投水死

荀發穎妻節婦楊氏　祥鳳妻濮陽氏　祥集妻童氏　祥鏡妻楊氏　祥周妻陳氏　瑞年妻楊氏　英謨妻傅氏

袁本榮妻李氏　子婦黃氏　姪女少姑　帶娣　紹連妻宋氏　其雙母徐氏　紹銘妻王氏　天茂妻吳氏　允桂母李氏

袁心榮妻朱氏　木忠妻葛氏　本旺妻徐氏

高繼鳳妻孫氏　繼松女春鶯　懷武妻孔氏　同發妻趙氏　春華女小娣

曹廷時妻朱氏　監生廷烈妻陳氏

何茂枝妻王氏　孫女根娣　秉信女天壽

何秉儉妻田氏　秉棟妻李氏　國海妻李氏　茂根妻孔氏　茂科妻劉氏　茂全妻王氏

王宏珍妻孫氏　全恩妻謝氏　令森妻李氏　爲爔妻史氏　允慶妻唐氏　朝德母李氏　允山妻施氏　光儀母劉氏　師木妻周氏　允茂妻李氏　統才妻張氏　恩祿妻卞氏　敦化妻何氏　敦根妻許氏　統信妻張氏　恩泮妻周氏　統漢妻韓氏　宜甲妻史氏　全桷妻張氏　宏章母周氏　希勝母史氏　德喜母楊氏　令本妻萬氏　宏增妻袁氏　承瑞妻李氏

王敘佐妻唐氏　掄元妻劉氏　宏位妻周氏　宏亮妻陳氏　統富妻史氏　承榮妻葛氏　承祿母吳氏　令昌母葛

氏　令顯母殷氏　全意妻張氏　宣起妻周氏　全杞妻李氏

王宣福妻李氏 統榮妻謝氏　宏忠妻劉氏　宜男妻周氏　歲元妻谷氏　宏玉妻周氏○同治元年被戕

王中淮女何娭 三妹

張顯才母節婦葛氏 顯敬母節婦卞氏　顯椿母俞氏　顯秋母時氏　顯智母陳氏　顯彬母陳氏　顯枝母劉氏　錫順母劉氏　淇圭母丁氏　淇仁祖母蔣氏　淇聖母楊氏　開孝母倪氏　開智母萬氏　開祿母陳氏　紹喜母俞氏　謨陳母李氏　謨楨母葛氏　天譜母邵氏　錫崐妻李氏　錫崐女大姑　錫煜妻葛氏　錫敏妻王氏　開萬妻劉氏　開樂妻王氏　開南妻謝氏　開家妻史氏　紹湖妻徐氏　淇友妻徐氏　大敬妻陳氏　紹武妻王氏　紹芬妻史氏　謨勝妻胡氏　天業妻葛氏　紹應妻陳氏　天潮妻王氏　宜金妻鄭氏　宜聘妻李氏　上憲妻胡氏　陞旺妻節婦那氏　日久妻陳氏　貞福妻王氏　景福妻王氏　元派妻李氏　德鳳子婦許氏　懋根子婦李氏　顯爵母何氏

張天儉妻韓氏 元缸妻趙氏　天光母袁氏　淇村妻李氏

汪其昌妻孔氏 允陸妻孔氏

楊廷永妻孔氏 大美妻湯氏○四年遇賊不屈死

楊毓武妻李氏 中炳妻史氏○十一年投水死

楊芳生祖母吳氏 母吳氏○均十年被戕

章某女字昌本 自盡○姑某氏○被戕

梁學壽妻俞氏 學謙妻袁氏　正勝妻王氏　正雙妻芮氏　明貴妻荀氏　邦隆妻趙氏

黃奇柏妻孔氏

定魁妻李氏　必泰妻趙氏　能明妻魏氏　**周紹元妻劉氏**承化妻孫氏○十一年投水死　**劉正告妻孫氏**德祿母王氏　在肇妻王氏　高茂妻周氏　傳本母張氏　傳本妻王氏　承宏母諸氏　高來妻張氏　高林母倪氏　能太母丁氏　能煥妻史氏　昌虎妻傅氏　昌模妻倪氏　春炳母趙氏　春雨母王氏　春信妻濮氏　樹珩妻胡氏○十一年投水死　**劉慶齡母時氏**紹江母王氏　昌太母王氏　昌金妻唐氏　**甘昌根妻唐氏**昌炳妻楊氏　昌興妻劉氏　昌金妻孔氏　昌興妻朱氏　憲祥妻陳氏　憲善妻史氏　憲進妻劉氏　憲榮妻丁氏　毓興妻丁氏　毓興妻劉氏　昌蘭妻趙氏　衍仁妻王氏　衍亨妻王氏　衍華妻王氏　**田立繼妻殷氏**增聞妻邢氏　方和妻鄧氏　增壽妻何氏　**唐立福妻節婦陳氏**立根母節婦陳氏　立根妻李氏　立福子婦李氏　立春妻時氏　立書妻馬氏　立忠妻陳氏　立旺妻劉氏　立權母史氏　立能妻倪氏　建榮妻陳氏　建亨妻卞氏　建楨母周氏　建楨妻節婦陳氏　建年母葛氏　建國母王氏　建瀅妻沈氏　顯榮妻李氏　中旺母陳氏　**唐允蒔妻畢氏**顯彬妻李氏　顯祥妻卞氏　建林妻史氏　顯孟妻邢氏　**唐建勛妻陳氏**女鳳媄、**妻憲金妻楊氏**女一○十一年投水死　**邢偉十妻葛氏**兆盛妻陳氏　富章妻孫氏　昭貴妻徐氏　廣禮妻耿氏　廣四妻秦氏　秀賢妻王氏　根四妻曹氏　**邢毓發妻王氏**一子

沈上映母節婦張氏 士儁妻吳氏 士柟妻周氏 士偉母王氏 士濤妻劉氏 士濤女大姑 士賓母王氏 士書母袁氏 士勛祖母孫氏 克家妻王氏 克剛妻葛氏 克聲妻丁氏 維杏女元媄 維樹母張氏 名財妻陳氏 上全母劉氏

沈維屋妻陶氏 名珍女換媄

沈維本女榮媄 弟老丫○十一年均投水死

沈廷颺妻宋氏 士儁妻王氏 維淑妻葛氏 士强母謝氏 士豐妻管氏 克熙妻孫氏 名署女生弟 士煥母周氏

馬以才母李氏 必才母錢氏 以林母袁氏○均十一年投水死

李學茂妻孫氏 合生妻王氏 宣鏞妻唐氏 傳金妻馬氏 傳禕妻王氏 昭寬妻劉氏 志煥妻王氏 傳桃妻吳氏 傳申妻許氏 昭瑞妻馮氏 宣椿妻劉氏 傳蘧妻孫氏 傳榛妻唐氏 宣根妻周氏 能壽妻孔氏 傳皆妻王氏 忠根妻王氏 昭金妻孔氏 傳根妻劉氏 昭俊妻唐氏 應龍妻何氏 克家妻唐氏

李宣譽妻許氏 昭起妻許氏 昭沛妻陳氏 合照母劉氏 合照妻王氏 合志妻張氏 宣根妻艮氏 合雙妻施氏 中正妻王氏 傳狐妻劉氏 元海母甘氏 于氏 于氏 宣才母劉氏○十一年投水死

孔憲鶴妻諸氏 昭榮妻馬氏 憲德妻朱氏 昭三妻馬氏 慶仁妻甘氏 憲平妻繆氏 廣漢妻馬氏 昭熾妻邢氏 憲美妾邵氏 廣春妻趙氏 憲生妻倪氏 憲椿妻朱氏 慶瑞妻高氏 慶椿妻王氏 昭堅妻高氏 昭進妻强氏 廣棟妻李氏 繁林妻吳氏 憲國妻呂氏 廣慶妻

任氏廣耀妻馬氏廣雲妻王氏憲華妻王氏廣炳妻陳氏廣羽妻王氏

孔憲城妻李氏子根喜○均投水死

孔憲章妻吳氏一子

許立中妻節婦陳氏繼榮妻藍氏繼珏妻周氏繼珏女大姑二姑○均被戕

許樹善妻孔氏十一年投水死○殿楨妻卞氏立宗妻陳氏○均被戕

武經昌妻潘氏玉鳳妻唐氏玉廣妻孔氏傳邦妻張氏玉琳妻卜氏敎平妻柳氏玉庠妻李氏

史于強妻趙氏女英媄

史家玉妻楊氏德才妻許氏華書妻張氏證時妻戴氏德起妻邢氏

氏家順女陞美日鈿妻李氏允和妻陶氏允倫妻周氏
日富妻邢氏日輻妻路氏允朱妻陳氏日鋒妻王氏
允福妻陳氏中模妻侯氏中近妻劉氏日昭妻劉氏允
良妻張氏名龍妻劉氏允佳妻李氏日丁妻孔氏中寶
妻孫氏中立妻孫氏中本妻邢氏中枋妻謝氏中堂妻
王氏允苞妻李氏中巽妻謝氏中易妻唐氏允香妻王
氏中武妻李氏允笙妻周氏允瑞妻孫氏中壽妻陶氏
中銈妻時氏傳華妻周氏允金妻王氏傳銘妻王氏
允學妻王氏允桐妻李氏允修妻唐氏允泗妻周氏中
寶妻楊氏允濟妻王氏允明妻葛氏日喜妻張氏允祥
妻兪氏允煌妻李氏日喜妻楊氏允昇妻周氏日化妻
王氏允恆妻王氏邦彥妻陸氏日喜妻陳氏允位妻楊
氏允第妻孫氏中材妻李氏允喜妻陳氏傳統妻李氏
允高妻王氏中學妻周氏允戾妻唐氏允祥妻陶氏

允定妻周氏 中興妻卞氏 日恩妻李氏 允迪妻周氏 中
孚妻吳氏 能銓妻吳氏 應賢妻傅氏 德鏡妻許氏 克榮
妻孔 **夏敬華妻王氏** 志進妻 **夏毓陽妻丁氏** 毓章妻錢氏
氏 孫氏 毓舉妻朱氏
毓旺母卞氏 毓朋妻陳氏 傳保母趙氏 傳保妻趙氏 仁
根母卞氏 仁根妻陸氏 傳根妻馮氏 文元母陳氏 謙章
妻張氏 廷英妻卞氏 昭玉妻錢 **宋才根未婚妻楊氏** 承連
氏 興元妻陳氏 志財母趙氏 妻謝
氏 承正妻孫氏 繼璸妻陳氏 其鯉妻王氏 其進妻袁氏
其茂妻蔣氏 應滿妻魏氏 胥芳妻劉氏 方壽妻陳氏
鄧仕松妻夏氏 子定 **趙允陞妻董氏** 允輔妻汪氏 允照妻
佴 陳氏 允照女大姑
宗玉妻蔡氏 宗吉妻楊氏 宗福妻劉氏 宗浩妻錢氏 宗
玉妻唐氏 同順妻高氏 同福妻許氏 同壽妻吳氏 元賢
妻沈氏 應允妻何氏 應久女小娸 仲行妻周氏 仲
文妻卞氏 艮興妻芮氏 永清妻陳氏 起鰲妻張氏 **謝**
有明妻陶氏 光全妻劉氏○均 **謝于全妻孫氏** 道定妻劉氏○
十一年投水死 十一年不屈被
殁 **魏忠榮妻孔氏** 以財妻戴氏 運瑤妻張氏 運鸞妻劉氏
運科妻夏侯氏 運月妻韓氏 和春妻
楊氏 增恆妻張氏 增生妻諸氏 增鳳妻柳氏 運興妻張
氏 運柱妻諸氏 泰科妻孔氏 運甯妻陳氏 泰飛妻黃氏
忠興妻王氏 運五妻黃氏 忠應妻王氏 **監生卞自敏妻**
忠格妻李氏 忠勝妻李氏 一森妻朱氏

本頁原殘闕，現據南京圖書館藏《光緒續纂江寧府志》（光緒六年刻本，光緒七年初印本）補字。

丁氏

女大姑 二姑 自雲妻節婦周氏 自珀妻節婦馮氏
天祿妻曾氏 天茂妻陳氏 天禮妻吳氏 天縱妻王氏
天森妻楊氏 天弟妻周氏 天工妻孫氏 天工女大姑
自行妻陳氏 自旺妻吳氏 自勤妻傅氏 天良妻那氏 天
良女大姑 天祿母何氏 天一妻劉氏 天香母李氏 天香
妻沈氏 天機妻那氏 天光妻趙氏 天暢妻楊氏 天祉妻
吳氏 自岱妻史氏 自光妻陳氏 自誠妻吳氏 自順妻葛
氏 自爲妻吳氏 自康妻趙氏 自瑤妻王氏 自瑗妻葛氏
自淑妻夏氏 自淑女大姑 自湖妻劉氏 自庸妻吳氏
自庸女大姑 二姑 自琪妻徐氏 自珀女慶娸 自玲妻王
氏 自燦妻張氏 自燦子婦某氏 自敏妻葛氏 德炳妻吳
氏 德松妻王氏 德合妻錢氏 德栗妻楊氏 宗孝妻葉氏
宗孝女大姑 宗義妻李氏 宗西妻劉氏 宗廣妻劉氏
宗泒妻趙氏 昌廉妻史氏 昌信妻葉氏 昌仁妻和氏 忠
炳妻李氏 忠內妻奚氏 連芳妻那氏 明楷妻周氏 明陽
妻蔣氏 聽芳妻芮氏 潤芳妻劉氏 悅芳妻孔氏 楷芳妻
陳氏 登芳妻陳氏 杏芳妻陳氏 杏芳子婦趙氏 琦芳妻
陳氏 幽芳妻宗氏 蘭芳妻陳氏 永佑妻王氏 永佑女大
姑 詩祐妻許氏
紹亮妻陳氏

卞欽僅妻劉氏

德能妻楊氏 天霖妻李氏
良芳妻倪氏 府芳妻吳
氏 自杞妻孫氏 昌金妻張氏 明鑑妻許氏 宗邦妻陳氏
昌財妻孔氏 昌和妻吳氏 昌高妻李氏 天嵥妻吳氏
天桃妻李氏 天縱妻李氏 桂芳妻丁氏 修芳妻李氏 自
榜妻劉氏 自才妻劉氏 昌槐妻胡氏 昌禮妻芮氏 宗銀

妻唐氏德祥妻何氏德南妻張氏自前妻趙氏昌鑾妻陳氏**傅周浩妻史氏**八淦妻水氏同海

妻徐氏**路天祿妻何氏**子添水**葉長華妻沈氏**子一〇十一年均投水死**葛**

學休妻李氏子一**葛昌崟妻卞氏**昌南母史氏昌南妻周氏昌豫妻趙氏昌霈妻周氏

昌烟妻李氏昌孚妻陳氏昌乾妻沈氏昌浩妻林氏昌悔妻吳氏昌敎妻劉氏昌和母芮氏昌吉妻節婦馮氏

子一昌道妻郝氏昌會妻楊氏昌鑑妻徐氏昌執妻吳氏昌執女大媄學顏妻徐氏學洪妻陳氏學仕妻張氏

學瑞妻邢氏學恩妻時氏學璠妻秦氏學鸞妻呂氏學科妻沈氏學棣妻馬氏學瑛妻邢氏學淋母王氏學

姚妻張氏學根妻楊氏學陞妻節婦周氏學全妻王氏學名妻劉氏正麟妻李氏學仕女小媄學博妻徐氏學

淦妻唐氏止根妻沈氏明吉妻孔氏英瀚妻邢氏開祥妻王氏學柏妻諸氏正朝妻吳氏明紘妻王氏英錦母

李氏日忠母兪氏正恩妻張氏正彭妻徐氏明恪妻王氏英樑妻史氏正昭妻李氏明輝妻王氏明全妻李氏

英敬妻兪氏**陳名印妻李氏**如松子婦許氏加有妻王氏**陳加祿妻蔡氏**世銓妻錢

氏名玉妻吳氏**陳懋隆妻劉氏**加勝妻周氏懋雲妻史氏加部妻唐氏加山妻周氏名五妻周

氏加才妻蕭氏加木妻潘氏玉英妻李氏加寶妻葛氏**陳業魁妻李氏**名餘妻孫氏世海妻馬

氏　正柏妻夏氏　前國妻甘氏　名根妻荀氏　加科妻魏氏　加文妻吳氏　邦椿妻唐氏　毓本妻徐氏　毓聰妻李氏　名玉母魏氏　加財妻夏氏　毓好妻丁氏　毓本妻徐氏　加根妻吳氏　毓詩妻王氏　加德女起姝　加濱妻卞氏　加惠妻劉氏　玉潤妻沈氏　延松妻葛氏　加化妻魏氏　其仁妻時氏　毓根妻吳氏　毓鈴妻徐氏　加昇妻張氏　加經女平姝　步高妻孫氏　前富妻周氏　加法妻張氏

楊廣珍妻張氏

方旺妻史氏　毓佑妻唐氏　明富妻陳氏　正明妻胡氏

周惟幹妻劉氏

惟峒妻王氏

周惟選妻葛氏

承彥妻夏氏　傳詠妻葛氏　顯仁妻王氏　毓彤妻李氏　傳彤妻詹氏　傳美妻陳氏　惟倫妻孫氏　開旺妻鍾氏　惟梁妻丁氏

周鳳樓妻李氏

承休妻徐氏　承忠妻王氏　承爵妻田氏　傳義妻李氏　廣智妻何氏　承貴妻唐氏　承業妻馬氏　源治妻笪氏

周錫庚妻王氏

監生榮章妻胡氏　毓琳妻王氏　傳義妻沈氏　承忠妻李氏　繼峯妻王氏　承恩妻葛氏　傳模妻楊氏

周顯念妻劉氏

承金妻王氏　惟根妻史氏

周惟銀妻錢氏

顯柏女傾姝　志洛妻沈氏　承立女福姝　顯椿妻芮氏　惟忠妻陳氏　惟漢妻唐氏　承有妻許氏　承壽妻劉氏

周傳田妻朱氏

傳道妻吳氏　傳年妻王氏　承英妻劉氏　承勅妻楊氏　承起妻楊氏　承俠妻王氏　承然妻孔氏　承佶妻楊氏　承价妻王氏　承超妻李氏　承伯妻吳氏　承儼妻胡氏　毓森妻劉氏　傳錫妻王氏

傳財妻胡氏毓芳妻王氏傳琇妻劉氏惟信妻葛氏廣育妻甘氏承貞妻陳氏惟奇妻鍾氏惟南妻許氏傳祖妻劉氏承海妻李氏惟根妻唐氏方增妻袁氏在年妻李氏惟基妻陶氏承歡妻施氏承起妻魏氏傳進妻謝氏監生竟成妻馬氏顯賢妻倪氏承貴妻田氏志根妻劉氏惟近妻馬氏承繼妻李氏顯柏妻王氏承明妻王氏

陳加渭子婦徐氏孫一〇十一年均投水死

陳如金妻吳氏子一〇十一年均投水死

陳正發妻楊氏子一〇均焚死

陳正燮妻陶氏子一〇不屈投水死

吳延聽妻趙氏子婦孔氏延根妻逸氏

吳于信妻趙氏允倫妻程氏昭起妻張氏昭起女金榮世賓妻時氏昭衍妻張氏

王敬仕妻馬氏希浩妻張氏

劉睹一妻張氏敷之妻邢氏善一妻王氏尚峯妻陳氏尚峯子婦孫氏軒三妻唐氏有綵妻節婦吳氏傳慶妻葛氏在瑞妻唐氏毓暹妻邱氏春湖妻李氏高瑞妻陶氏昌期妻趙氏高軒妻張氏毓悳妻葛氏能典妻汪氏德文女根妹在茂女春媄承銳妻王氏在肇女掉媄春林妻張氏傳經妻史氏在喜妻謝氏昌泰妻李氏在宣妻孫氏懷柏妻王氏毓桂妻王氏有尚母徐氏傳愈妻芮氏在虎妻吳氏增福妻周氏春炳妻錢氏傳啟妻葉氏傳炳妻馮氏昌順妻趙氏傳欽妻唐氏春炳女翠英承一妻楊氏紹岳妻李氏

周開洛妻王氏傳浩妻李氏顯玉妻劉

氏　作粱妻馬氏　承顏妻錢氏　承暘妻王氏　廣建妻陶氏
承桂妻史氏　惟發妻葛氏　毓連妻王氏　惟魯妻陳氏　承
傳林妻王氏　繼芹妻劉氏　繼貞妻王氏　承樹妻丁氏　承
俌妻劉氏　承膠妻李氏　方知妻劉氏　承漢妻王氏　傳驥
妻王氏　顯棟妻劉氏　廣浩妻劉氏　廣　孫
慶妻何氏　在鎔妻劉氏　毓鞏妻賀氏　一
葛學楨妻楊氏
○十一年　妻汪氏　學根妻何氏　正財妻粱
均投水死　氏　學茂妻王氏　明孝妻孔氏
葛昌理母吳氏
昌泰妻許氏　學泉妻唐氏　昌顏妻何氏　昌峙女娣媄　正
逢妻徐氏　昌理子婦卞氏　明海妻袁氏　連生妻何氏　正
潮妻楊氏　學仕妻劉氏　紅根妻錢氏　學櫰妻刁氏　學康
女忠媄　學燦妻陳氏　昌孝妻王氏　學超妻司空氏　昌呂
妻陳氏　學禮妻李氏　學朝妻唐氏　昌財母張氏　昌浩妻
陸氏　明珠妻周氏　正同妻宋氏　明奇妻李氏　昌金母唐
氏　昌漢妻周氏　學淦妻何氏　明新妻汪氏　學順妻周氏
正溏妻周氏　昌咠妻李氏　學品女抱媄　昌運祖母時氏
昌召妻何氏　于周妻唐氏　昌進妻張氏　學祥女勝媄
昌蓷妻王氏　學根妻何氏　正佐妻周氏　昌歡妻劉氏　學
道妻鈕氏　學明妻趙氏　昌雲妻陳氏　昌坤妻王氏　學祥
妻何氏　正常妻劉氏　昌茂妻王氏　明雲妻唐氏　昌崢妻
邢氏　昌文妻李氏　學地妻何氏　昌奎妻張氏　學粱女孝
媄　昌平母劉氏　學寶妻周氏　學貿妻周氏　學詩妻張氏
學詩妻章氏　學宋妻芮氏　正勝妻李氏　正瓏妻
魏氏　學起母芮氏　學宋叔母仇氏　學柴妻胡氏
趙允

鏞妻張氏允平妻蔣氏　劉在瀛妻陳氏孫官華　劉高茂女全媄子四仍五仍十一年投水死　劉德喜妻王氏子一○投水死　劉傳旺妻王氏子一○均十一年被戕　卞紹卿妻趙氏子養海女柏媄○均十年投水死　魏宗祿妻劉氏家賢妻葛氏塾聖妻王氏　夏學應妻邢氏子二

以上一門殉難

從九品唐廷瑞妻吳氏　從九品唐上雲妻吳氏　從九品唐岱雲女小媄　從九品胡鑑清妻陶氏　文生唐貞妻汪氏　文生夏光亨妻楊氏　文生葛榮妻石氏　監生杭兆奎妻邢氏　監生陳悅新妻孔氏　監生陳青雲妻吳氏　監生陳大裕妻孫氏　監生陳鎰堂妻劉氏　監生李陽妻許氏　監生許濤妻孫氏　監生孔昭桂妻韓氏　監生韓楨妻孔氏　武生李什柳妻史氏　武生史允愷妻節婦丁氏同治元年殉　文童陳復根妻節婦吳

氏同治元年殉 史印賢妻孔氏 史愈嚴妻許氏 史愈旺妻趙氏 史仍燈妻李氏 史中杞妻節婦李氏同治元年殉 史傳紀妻李氏 史日演妻朱氏 史中發妻劉氏十一年被戕 史長壽妻唐氏十一年投水死 呂法預妻李氏十一年投水死 史昌謨妻吳氏 劉能易妻王氏 劉昌本妻章氏 劉在雙妻趙氏 劉承根妻陳氏 劉傳俠妻孫氏 劉紹兵妻李氏 劉超梅妻王氏 劉紹林妻李氏 劉在發妻陶氏 劉能泰妻王氏 劉在邦妻李氏 劉春俊妻章氏 劉文彬妻唐氏 劉昌賓妻唐氏 劉時名妻施氏 劉尚峰女某姑 劉春有妻葛氏 劉餘六妻李氏 劉瑛妻卞氏 劉啟寶妻夏氏 劉風三妻卞氏 陳世福妻侯氏 陳尚棟妻施氏 陳鍾昂妻吳氏 陳鍾鶴妻沈氏 陳嘉焉妻葛氏 陳前發妻趙氏 陳至福妻芮氏 陳序勝妻呂氏 陳學

畲妻夏氏　陳克闓妻鄭氏　陳鍾凱妻葛氏　陳嘉瑜妻張氏
陳漢富妻王氏　陳永保妻虞氏　陳毓容妻張氏　陳其盛
妻時氏　陳國珍妻張氏　陳宗仁妻唐氏　陳名發妻馮氏
陳前達妻施氏　陳聚柏妻胡氏　陳秉玉妻楊氏　陳名財妻
某氏　陳紹璋妻葛氏　陳學垕妻唐氏　陳宗晉妻馬氏　陳
泰祿妻吳氏　陳中榮妻吳氏　陳業廣妻谷氏　陳業魁妻李
氏　陳德富女財保　陳名爵妻王氏　陳嘉榜妻徐氏　陳正
炳妻唐氏　陳本琮子婦呂氏　周承譜母陳氏　周惟根母夏
氏　周承金母劉氏　周惟進母田氏　周傳福母劉氏　周惟
梁妻葛氏　周惟僑妻陳氏　周承彰妻王氏　周顯玉妻劉氏
周端來妻趙氏　谷宜昌妻邢氏　谷宜瑲妻呂氏　谷裕財
妻李氏　卜于勝妻韓氏　傅用浩妻史氏　邵天星妻孫氏

計平浩母齊氏十一年被戕　芮允棟妻吳氏十一年投水死　卞天典妻徐氏　卞自璋妻王氏　卞天法妻葛氏　卞斆佑妻上官氏　卞天穀母葛氏　卞天吉妻陳氏　卞天經妻徐氏　卞昌山妻姜氏　卞自允妻徐氏　童良椿妻魏氏　鍾昭財妻許氏　時文佳妻周氏　韋慶江妻王氏　徐瑞孝妻陳氏十一年不屈被戕　徐玉根未婚妻帶娣　徐毓高妻陳氏　徐傳書妻唐氏　俞光浩妻劉氏　胡正和妻李氏　胡齊珍妻王氏　胡齊玉妻吳氏　吳元發妻江氏十一年不屈死　吳祥普妻錢氏　吳才合妻趙氏　吳才榮母張氏　吳允發妻某氏　吳毓恭妻陳氏　吳起瑞妻夏氏　吳正德妻張氏　吳世燈妻魏氏　吳功財妻王氏　吳宗保妻袁氏　吳德信妻張氏　吳斯鐙妻劉氏　吳懋譜妻徐氏　吳傳炳妻徐氏　吳壽和妻陳氏　吳名惠妻節婦周氏　盧應

祥女天喜　蘇起華妻張氏　蘇國勝妻夏氏　倪祖德妻王氏
陳文順妻董氏四年不屈死　孫傳根妻汪氏　孫有定妻劉氏
孫觀象妻唐氏　孫忠柏妻張氏　韓恭先妻孔氏　諸可業妻
施氏十年不屈死　諸本善妻孔氏　諸化邦妻某氏　諸人宏妻孔
氏　諸一起妻谷氏　諸開福妻黃氏　諸本禮妻羅氏　諸本
安妻馬氏　諸一進妻邢氏　諸開芳妻施氏　諸八根妻張氏
諸一根妻節婦居氏　荀英行妻禹氏　荀英仁妻趙氏　荀
洪謂妻朱氏　袁允廣妻李氏十一年投水死　袁其堅妻陳氏　袁承
福妻劉氏　袁其全妻劉氏　袁其發母葛氏　袁承木妻周氏
袁其雙母徐氏　袁增福妻周氏　袁彬珍妻夏氏　袁彬泰
妻史氏　開仁本妻方氏　虞時模妻李氏　虞大誌妻何氏
錢開桂妻孫氏十一年投水死　錢元浩妻周氏十一年投水死　錢觀華妻陳

氏　錢觀象妻唐氏　錢在歡妻徐氏　錢邦珍妻孫氏　高太喜妻田氏　高進先妻沈氏　高勝妻倪氏　曹本海母呂氏十年不屈死　陶名縉妻李氏　陶名緒妻薛氏　陶名球妻王氏　陶光恩妻王氏　陶光文妻傅氏　陶心良妻周氏　陶光陞妻王氏　陶名琨妻袁氏　陶子芳妻施氏　陶子鴻妻王氏　陶作裕妻王氏　陶以寶女秋桂　陶光瀚妻孫氏　何茂森妻徐氏　何方繼妻楊氏　何秉海妻李氏　何秉燭妻史氏　何茂海妻孔氏　王信茂妻孔氏十年殉　劉傳漢岳母王張氏　王祚福妻李氏　王智金妻楊氏　王濟大妻趙氏　王師清妻丁氏　王大海妻朱氏　王榮桓妻趙氏　王榮顯母趙氏　張貞雲妻芮氏　張開榮妻王氏　張顯有妻譚氏　張顯勇妻王氏　張纘南妻俞氏　張宜俞妻史氏　張大揞妻吳氏　張兆廣女大

姑　張泰和妻徐氏　張貞耀妻邢氏　張開勤妻邢氏　汪昌進妻邱氏十一年投水死　汪昌志妻孔氏　汪昌垣妻穆氏　汪治倫妻章氏　汪治漢妻芮氏　汪勝翹妻芮氏　汪治銓妻孔氏　汪勝耀妻逸氏　楊毓貴妻何氏　楊正善妻鄧氏　楊以松妻諸氏　楊以根妻諸氏　楊以化妻芮氏　楊明松妻陳氏　黃鍾信妻夏侯氏　黃心誠妻孔氏　黃心水妻魏氏　黃奇相妻孔氏　丁傳瀚妻劉氏　丁家濱妻葛氏　丁傳渭妻李氏　丁家淵妻陳氏　丁傳富妻吳氏　丁傳憲妻周氏　丁吳熙妻李氏十一年不屈被戕　葛昌順妻節婦楊氏十一年殉　劉在玉妻鄭氏　王全益妻張氏　王氏被戕　陳名大妻節婦王氏十一年殉　吳斯號女秀音　吳廣仁妻耿氏　吳壽燊妻周氏　吳必養妻劉氏　吳傳富妻袁氏　吳于忠妻張氏被戕　吳名仁妻節婦周氏十年不屈被戕

楊起壽妻卞氏　楊傳典妻劉氏　楊傳富女停娭　楊廣玉
妻孔氏　楊應用妻袁氏　楊作楷妻周氏　楊存顯妻陳氏　葛學
陽尚啟妻陳氏　楊章發妻甘氏　劉傳喜媚母葛魏氏　李允海
仁女水娭十一年投水死　葛學煥妻邢氏　葛學名妻李氏　李允職妻
毋孫氏十一年被戕　李允鋭妻張氏　李一冬妻邢氏　李允職妻
王氏　李克肯妻史氏　李克孟妻王氏　李孝賢妻陶氏　李
合超妻唐氏　李則觀妻劉氏　李典本妻周氏　李正祥子婦
孫氏　李則茂妻孫氏　李中遺母陳氏　馬以正母何氏　馬
必昇妻孔氏　馬元玉妻朱氏　馬並年妻孔氏　邢維浴妻金
氏　邢毓松妻徐氏　邢育深妻唐氏　邢育仕妻陳氏　邢庚
四妻秦氏　邢廷甲妻周氏　邢廣禮妻耿氏　邢宜綸妻胡氏
邢聖階妻張氏　平秀芳妻吳氏　平毓江妻楊氏　姜昌濱

妻吳氏　姜國祿妻李氏　杭宗銀妻趙氏　杭毓珍妻楊氏
杭一海妻楊氏　杭廣濱妻胡氏　杭廣茂妻徐氏　杭一春妻
吳氏　唐念貴妻李氏　唐念興妻曹氏　唐顯楨妻節婦陳氏
唐應謙妻方氏　唐立廷妻葛氏　湯正鰲妻童氏　田茂隆
妻馬氏　甘毓烈妻沈氏　甘衍芝妻朱氏　甘衍通妻孫氏　周
古憲有妻楊氏　周承香母蔣氏十一年破賊　周元義妻馬氏
增志妻卞氏　卞名揚妻蔣氏　卞天清妻陳氏　孔昭明妻朱
氏　孔照松妻楊氏　孔憲清妻胡氏　孔慶基妻劉氏　孔憲
章妻吳氏　孔昭琦妻李氏　孔昭羆妻王氏　孔廣謨妻吳氏
孔傳歷妻汪氏　孔昭洽女進安　孔繁業妻劉氏　孔允琪
妻吳氏　孔廣增妻孫氏　孔昭墳妻李氏　孔昭發母劉氏
孔廣海妻劉氏　孔昭滋女保平　孔昭源妻趙氏　孔憲濤妻

柳氏　李世俊妻湯氏　李中爵母陳氏　李允鋭妻節婦張氏
四年被戕　呂隆根妻虞氏　劉廷成妻蔣氏　蔣傳繪妻胥氏　蔣
延炳妻張氏　蔣正吉妻萬氏　蔣延丙妻孔氏　蔣傳泉妻姚
氏　職員胡思文妻陶氏　文童卞立芳妻節婦唐氏守節三十一年十一
年殉　許立和妻周氏　許樹孝妻孫氏　邢美仁妻吳氏　萬全
楷弟婦陳氏　萬全慶母沈氏　夏毓增妻節婦唐氏同治元年投水死
夏志桃母張氏十一年投水死　夏元進妻孔氏　夏良臣妻杭氏
夏化階妻李氏　夏相元妻黃氏　夏宜貴妻朱氏　夏智標妻
陳氏　夏純元妻陳氏　夏建邑女大姑　夏朝玉女大姑　夏
宜健妻張氏　夏紹純妻徐氏　夏發元妻王氏　夏中義妻趙
氏　夏宜和妻宋氏　夏毓俱妻卞氏　夏方盛妻朱氏　夏全
茂妻史氏　夏近禮妻祖氏　夏光亨女大姑　夏名錫女三妹

夏文繼妻陳氏 夏毓春妻李氏 夏全長妻趙氏 夏文星妻谷氏 夏智金母趙氏 夏復宗妻陳氏 夏之熏女大姑 夏之學女大姑 夏學瑞妻徐氏 夏延昌妻管氏 夏叔翰女大姑 葛昌金妻王氏 葛學炕妻孫氏 葛正元妻李氏 葛正龍妻芮氏 葛正明妻陳氏 葛昌崢妻邢氏 葛希賢母史氏 顧其元妻節婦邢氏 顧世玉妻邢氏 顧旭貴妻孔氏 魏貽賬妻趙氏 魏忠復妻呂氏 魏爲淦妻時氏 戴繼慶妻馬氏 謝道進妻唐氏 謝志淋妻魏氏同治元年不屈死 趙永升妻張氏十一年不屈投水死 趙同高妻孔氏 趙允炳妻陶氏 趙元善妻陶氏 趙元化妻孔氏 趙允歡妻章氏 趙允河妻夏氏 趙宗代妻楊氏 趙允相妻諸氏 趙元浩妻錢氏 趙仲林妻王氏 吳名仁妻周氏 監生王懷珍妻魏氏 史承祿妻芮氏

胡修忠妻王氏　葛昌佶妻馮氏　甘憲善妻史氏　洪戶村王

烈女　李志達女長娱　王氏　劉氏五烈女　章某女　汪昌

洪妻王氏　丁存模妻胡氏　王欽孝妻楊氏　王銘江妻馮氏

陳序林妻魏氏　魏書麟妻芮氏

駐防忠義貞烈補遺

正白旗何二善妻常氏　鑲白旗郝貞女

上元縣忠義貞烈補遺

六品頂戴候選府經歷徐國棟城陷力戰手刃數賊陣亡○候選敎諭統緯妻楊氏○工詩臨危賦絕命詩以殉妻○游擊舜臣妻費氏子婦守貞金氏印姐安姐平姐妻張氏從弟國琛國琛子永祿永祥孫鼐臣僕婦張氏○均三十年殉○弟監生國寶○在三河陣亡○姪五品頂戴把總占鼇○十年常州陣亡○姪五品外委守章○光緒五年在湖北勦捻陣亡○姪壻五品藍翎千總鄧萬春○十年在營陣亡

從九品陶孟紳黃墅邨人十年遇賊以身代父不屈死○妻林氏弟婦某○女二姑○均於十年在吳江投水死

從九品朱蕙妻張氏

從九品董桂楨安楨母程氏○三年絕粒死○錢氏郭氏錢金氏錢張氏○均十年在英巷投水死○以上紳闔門

贈太僕寺卿署貴州平越直隸州候補知府馬樹德雲南昆明人上元籍○同治七年在越平陣亡

提舉銜補用縣山東即補縣丞許文濤

鹽大使朱桂楷三年殉

守備潘貴標同治七年在河南滑縣陣亡○以上紳

監生王增三年陣亡

文童汪楫城陷罵賊被戕

文童陳夏三年自焚死○以上士

勇目孫明德三年陣亡

盛軍兵丁孫有富同治五年在柘城安平集力戰陣亡

盛軍兵丁

虞保康同治七年在直隸尚樂縣陶堡陣亾　盛軍兵丁吳光全　盛軍兵丁陳興旺　萬忠源　阮太寶　梅興壽以上三名均福山鎮標兵丁　盛軍兵丁戴永餘同治七年在山東德州土橋陣亾　勇目彭啟陶　左聯發　管立勝　李榮要　朱其貴　練勇百長王長華　勇目王恩　王奎　王玖　張虎　張三　王全　孫大寅　魏相　魏長發　魏長年　傅盛興　傅順興以上十三名均三年力戰陣亾　馮大選　吳金福　陳延寬　吳自高　李大德　劉天林　陳安林　楊正元　姚長榮　張富榮　李得林　陳思偉　郭金全　楊得勝　秦立福　嚴文芳　傅用齡　李福保　張世寶　劉長龍○以上兵勇團丁　王禧堂妻朱氏○以上民闔門　李在楨十年在吳江投水死　張星如　吳燕　吳德魁　吳德明　潘玉成　劉紹庭　劉繩曾　陳寶深　朱玉　謝廷蘭　李長生　李仲保　王之松　侯大松　高濟章同治七年直隸

陳人○李光耀　李道生　沈金鰲　王光喜以上民　陳紹聞妻許氏女銀姐○均投甕死　江捷三妻武氏女大姑　監生陳瀛妻徐氏妾金氏僕婦張氏一門八人　五昂封典魏春妻王氏一門八人　李心詠妻王氏妾臧氏○均不屈死○景和妻季氏○被戕○子婦朱氏○自焚死　彭健含母張氏孫女美姑　葉慶勛妻趙氏倪氏和姐地山妻金氏　管渭堂妻吳氏爕堂妻卞氏　李嘉祥妻馮氏子婦楊氏　黃永申妻張氏賢妻○以上貞張氏烈闔門　王陳氏　胡承科妻劉氏

上元縣書吏林厚崇妻孀婦商氏城陷自縊死　劉天興妻張氏

王慶曾妻於氏　袁善明妻周氏　盧蔣氏　王錦源妻節婦陳氏　劉純曾妻金氏　施大女大姑　吳文瀾妻王氏　席之標妻丁氏　葉邦吉女爾桂　陶順發未婚妻魏氏投水死　陶延順妻張氏投水死　葛陶氏龍都郵人○投水死　鄭孝恩妻節婦陳氏　李宗愛妻節婦戴氏　賈錫番妻節婦王氏　陶啟發妻節婦梅氏

周秉均妻貞女唐氏　李實明聘妻貞女汪氏　流寓六品藍翎候選從九品陳元易四川人寓上元利濟巷咸豐六年陣亾○母胡氏妾周氏戚李某氏○以上均于咸豐三年二月殉江甯難　金匯川六年在插花廟被戕○弟心齋○三年投漢西門河死　王起山十年閏三月在丹陽橋投水死　劉錦妻郭氏　劉升卿妻節婦丁氏均殉懷甯難　藍翎都司高得林　六品軍功吳雙喜　正勇侯發春　正勇朱長發

什長林成龍　長夫朱長壽　正勇王月福　親兵黃永福　正勇陳桂啟

伙夫劉保元　正勇徐興勝　正勇孟瑞庭　長夫朱阿榮　伙夫朱宗恆

親兵王永春　正勇葉永元　什長周慶保　正勇榮宗來　正勇李錦春

親兵蔡家福　正勇王懷仁　正勇陶順其　親兵李心鏡　正勇江得林

正勇萬事明　正勇趙得高　伙夫金來保　正勇朱有和　正勇馮正恆

正勇蔣得榮　伙夫計得榮　官夫張得勝　護勇陳得彩　正勇楊順成

伙夫陳正榮　伙夫汪右彩　親兵張元發　正勇孫長福　什長余長勳

親兵張大發　正勇林春貴　什長李大元　長夫吳尤高　什長宋長春
親兵吳錦萬　護勇薛慶和　正勇謝長生　正勇李國全　正勇張盛發
什長吳金富　正勇衡炳壽　什長劉天休　正勇楊得祿　正勇李得發
正勇張得林　正勇羅長金　正勇朱阿喜　正勇李得勝　正勇李榮華
正勇李承志　正勇吳得才　正勇鍾萬年　正勇劉長發　正勇陳長桂
正勇郭金全　正勇陳恩偉　幫辦秦立福自高得林以下均係淮軍附祀廬州譚劉二公祠○以上
弁勇續補遺
候補都司陳元慶在杭州內應被戕

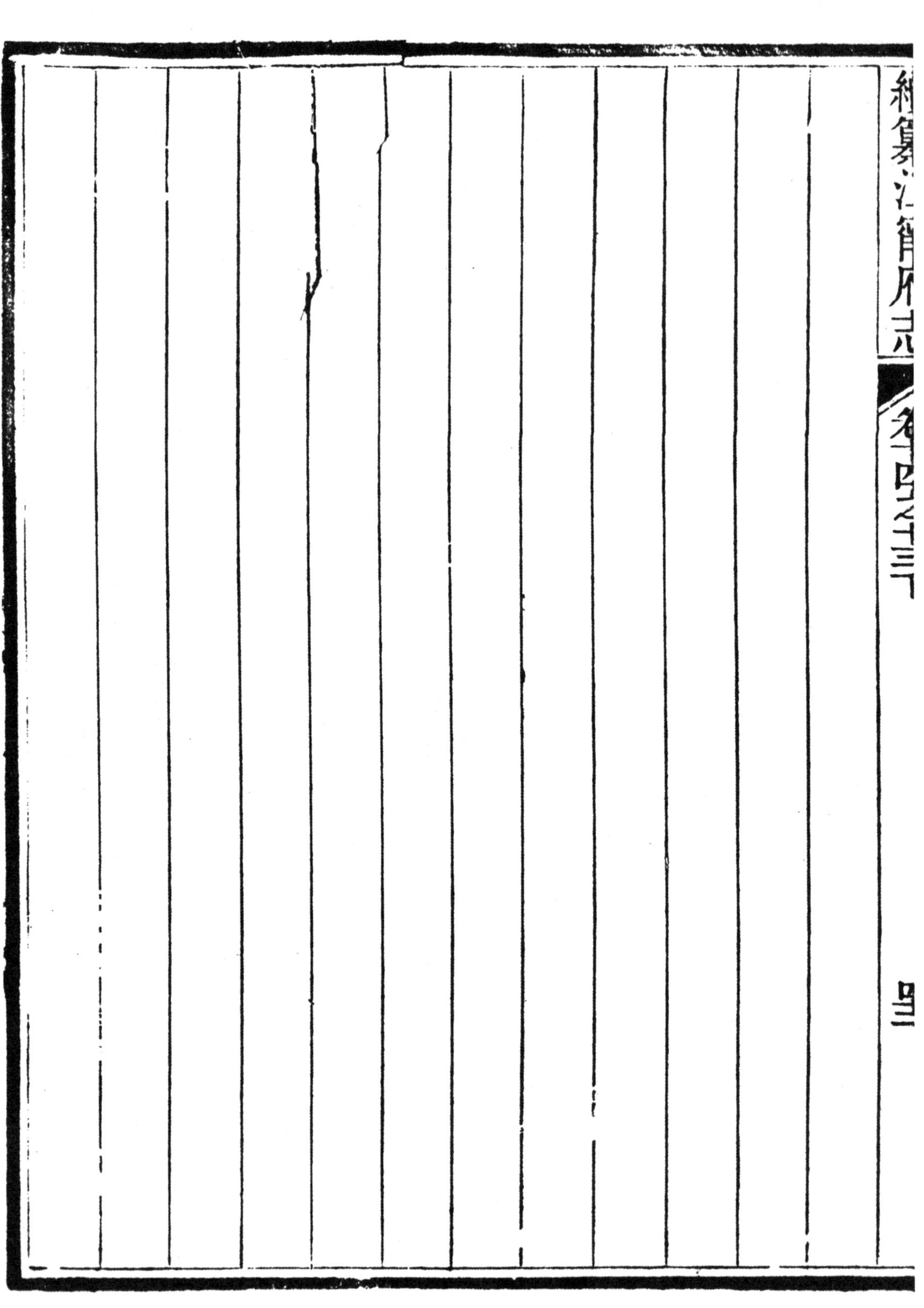

江甯縣忠義貞烈補遺

六品銜候選知縣吳嘉祥九年陣亾○弟嘉榮○三年投水死五品軍功張椿齡弟永齡子嘉達孫登元登科妻陳氏子婦潘氏女三姑○均淯化鎮死○以上紳闔門五品軍功候選從九品張全年十年南郡力戰陣亾五品藍翎候選從九品胡幹卿同治二年在常州陣亾○弟一從九品毛志濂十年在蘇州不屈死從九品徐金鑑十年在蘇州投水死副將顧得勝廣東嘉應州陣亾○有傳外委葉成美同治七年在山東海豐縣陣亾花翎游擊沙洪順五品軍功把總曾榮炳以上紳監生朱桂馨妻羅氏三年殉○以上士闔門文生吳履中監生錢允聰在蕭山殉○以上士盛六品軍功余熙載十年在常州被戕○弟熙昌○母朱氏○均三年絕粒死○以上兵勇團丁闔門盛軍兵丁黃玉梅同治六年在海州阿湖鎮陣亾盛軍兵丁張大發同治七年在山東德州土橋陣亡李大來嚴兆玉馬長明陶春發曾興旺陶士信嚴得發以上兵勇團丁嚴家祿母某氏妻蔣氏○均三年殉難方保齡保貴

吳振炳妻壽氏　周承猷妻張氏　藩司書吏夏承炘母孀婦許氏庶母孀婦張氏

嬸母孀婦王氏　鄭某住銅坊苑○一門十二口○均自縊死　汪大雙二雙　陳榮一門十八

人○以上民闔門　汪本銘十年在甯國殉　馬蘭英　張郁芳　趙大發自縊死

方長燮　馬長福　郭蓉生　徐秉鐸罵賊被戕　藩司書吏夏奇

峰投上新河死　藩司書吏陳其祥十年殉常州難　藩司書吏龔世鼎十年在蘇

州不屈被戕　陳長榮　雷洪喜遇賊不屈被賊刺心死○以上民　藩司吏夏潤田

妻孀婦劉氏孫女二姑禮姑　陶世忠妻節婦周氏昝巷都人○守節四十年○子婦吳

氏○均十年投水死　韋發春妻金氏女二姑三姑四姑五姑住金粟庵○均投羊市橋河死　秦

德慶妻于氏子一女一均三年殉　馬秀山妻王氏女蘭姑　邱國光妻楊

氏女懶珍○以上貞烈闔門　王士英妻江氏有傳　彭蔭德妻張氏住老府橋自縊死

賀朝壽妻袁氏　王廣華妻端木氏　詹松筠妻倪氏　張萬

金妻李氏　金昌文妻王氏　王三槐妻某氏　上官某妻王氏

陶世忠妻周氏　李仁妻林氏　陶應洪女大姑　王兆全妻徐氏　陳蔭千妻吳氏子克明子婦王氏○三年閉戶自焚死　藍翎千總督隊富占先　五品軍功徐得勝　正勇江月起　什長劉庚才　伙夫胡玉貴

正勇黃春發　正勇彭起勝　土司張耀庭　正勇王同興　正勇張順德

正勇孫得寶　正勇張萬和　正勇顧長林　正勇周大發　正勇郭榮新

什長張永富　正勇李長松　親兵張金發　伙夫臧得成　正勇孫富才

正勇姚竹昌　正勇張玉貴　正勇葛長順　親兵徐裕芳　親兵趙得才

親兵沈壽祥　親兵趙勝彩　幫辦翁起發　正勇李廣財　什長程開友

什長王萬發　正勇張得友　正勇黃元德　正勇孔大發　正勇趙長發

正勇錢得盛　護勇陳萬順　正勇郭宗得　正勇侯士乾　正勇汪得勝

正勇馬正聰　旗牌陳源發自富占先以下均係淮軍附祀廬州譚劉二公祠○以上弁勇續補遺

雲南彌勒縣知縣郭長華咸豐五年在彌勒殉難事見人物

句容縣忠義貞烈補遺

五品軍功巫玉鵬　五品軍功陳有壬以上紳　文生巫良珠良雅監生孫明章八年力戰死○妻趙氏○十一年被戕　武生朱兆祥妻陳氏

董事徐顯廷子漢臣孫竹林○以上士闔門　文生陳俊　文生羅金榜　監生吳選紺　監生馮湘江　監生吳選

文童朱葆貞　文童陳其均　武生朱相中　武生蘇德彰被戕　武生蔡永定同治二年被戕　董事王正芳六年被戕　董事譚盛隆六年被戕　董事袁學廣六年被戕　董事胡恆玉六年被戕　董事王德和被戕　董事任世珍被戕　武生仇安元　武生巫臺元以上士　李聖超世超　呂咸富咸隆良明　徐崇鳳妻某氏均六年殉　僕三　王昌壽子加坤七年殉　孫均承妻徐氏　許順善妻耿氏○以上民闔門

巫有恆　李鶴林　陳世旺

蔡光頭　倪朝福十二年被戕　倪國華　朱

榮升　蔡景祥同治二年被戕　許世馨六年被戕　楊子元六年被戕　朝定起

譚德功子某被戕　蔡明望被戕　吳廷珍同治元年陣亾　徐春和十年被戕

楊方祿　楊國孝　楊家烈同治元年力戰死　孔廣渾三年殉江甯難　陳

得發　張榆邨　劉本韶　俞士永　李光鳳　王大德　許發

高　許升安　張得玉　陳倫信　楊得貴　周章如　周魁勝

方正位　陶玉和　戴禮仁　高應鍾　孫新紅　孫金貴

季仁富　柳明卿　羅楚興　趙志本　王鴻儒　陳祖灝以上民

夏興美子萬安妻楊氏○均六年殉○以上兵勇團丁鬬門

孔兆高　趙升朝　王坦

蔡亮安　柯二

五年被戕　呂萬和六年被戕　呂廣達　呂仁溥　王廷瓚　蔡耀廷

蔡明華　倪朝隆　朱宜方　張桂林　柳壽卿○以上兵勇團丁　僧智成　開寶以上方外　龔有壽妻劉氏女三姑○卅○以上從八○在句容投井死流寓　塔墓邨李氏一門三八　監生張寶田妻楊氏女大姑　陳步階妻徐氏一子○以上貞烈闔門　魯寶廷聘妻王氏　曹於秭妻貢氏　王玉堂妻徐氏　呂茂和妻某氏　呂朝聘妻王氏　呂元愷妻蘇氏　王矜式妻張氏　蔡光顯妻周氏八年被戕　呂象初妻姜氏　朱寶妻鍾氏　張英年繼妻駱氏　王永祚女字石　吳明愷妻傅氏　曹黃氏　王善萬妻駱氏　陳義順繼妻張氏　王景燦妻節婦華氏　王邦貞妻曹氏　倪志鑑妻王氏　從九品許大昌母黃氏　談經妻節婦駱氏　經某妻張氏　吳士鰲妻經氏　巫立堂妻陳氏　駱崇普女字王　馮應權妻鄭氏　胡劉氏　趙堯賢妻紀氏　趙永　氏　張金桂妻駱氏　樊翰香妻徐氏

胡劉氏　監生吳大田女大姑十年不屈被戕　唐承恕妻周氏以上婦女

把總杜盛洪　伙夫曹福成　正勇侯興林　正勇李家貴　正勇王朝進

伙夫萬大發　親兵李家樂　正勇余東海　正勇戴力富　正勇楊義禮

伙夫戴友名　長夫曹大全　長夫夏延泰　正勇蔡學林　正勇戴成聚

正勇陳得容　親兵周得貴　什長劉興科　什長周占魁　正勇唐宏

親兵什長芮長發　正勇巫永勝　正勇毛仁成　正勇張金發　伙夫魏大有

正勇沈得寶　正勇張萃和　正勇趙志中　什長陳倫信　正勇季仁富

什長陳得玉　正勇李光鳳　什長孫新洪　正勇許發高　什長戴禮仁

正勇王大發　正勇許升安　正勇雍楚興　什長楊得貴　什長張錫禮

正勇錢玉庚　正勇汪學初　正勇孫金貴　正勇柳壽卿　正勇周魁勝

什長方正位以上均係淮軍附祀廬州譚劉二公祠〇以上弁勇續補遺

溧水縣忠義貞烈補遺

文生楊華以上士 盛軍兵丁楊合元同治七年在山東德州屬下楊郵力戰陣亾○以上兵勇

闔丁 胡振萶 程先進 韋恆興 韋恆才以上民 文生孫蔚母

俞氏 監生梅學增叔母倪氏 陳禮和妻王氏 吳大招聘妻

王氏 武思縉妻徐氏 徐善桂妻黃氏 薛友齡妻張氏 薛

友樹妻王氏 顏盛松妻徐氏 張正容妻毛氏 薛傳瓚妻王

氏 武立仁妻楊氏 謝宗義妻張氏 章安猗妻張氏 傅家

欽妻楊氏 傅昌盛妻胡氏 張政舉妻于氏以上婦女 正勇張春榮

正勇劉正全 正勇魏元富 正勇陳再明 正勇范仁林 正勇張長衛

正勇榮正元 正勇施正有以上均係淮軍附祀廬州譚劉二公祠○以上弁勇續補遺

本頁原殘闕，現據南京圖書館藏《光緒續纂江寧府志》（光緒六年刻本，光緒七年初印本）補字。

江浦縣忠義貞烈補遺

布政司理問陳圻妻胡氏　從九品艾文濱妻陳氏○以上紳閫門　江西郎補知縣陳渟然　六品銜巡檢葛廷烈　六品藍翎何加仁　從九品夏朝瑞　從九品胡雲章　從九品張揚善　從九品謝佩琦　從九品謝合裕　從九品謝維綱　都司王長浩　藍翎千總周光玉同治六年在山東膠州小南溝力戰陣亡　外委武生賈慶華　五品軍功外委金啟昌　額外唐魁元　額外黃得全　額外呂增元　五品藍翎尹聯祿以上紳　增生李允恭妻袁氏劉氏　弟婦吳氏　女劉李氏　增生張永清叔母曹氏繼妻劉氏　文生李鍾俊妻夏氏　監生郭兆駋　監生恆德　兆驊　滑川　恆溶　瀛川　恆沅妻陳氏　恆舉　恆沅　恆溶妻尹氏　恆興　武生金煊子武生士彬　武生王長瀛武生學臣學海文童永清○以上士閫門　文生張永清在六合新集投水死　文生梁城　文生於捷　文生夏慧生　文生李會熙　文生滕亦才

文生熊懋　文生左宏　文生葛廷謨　文生王昌德　文生葉學彬　文生林昌基　文生林邦基　文生郭守慶　文生湯建中　監生翁模佩　監生陸宗祥　監生王綱　監生謝合林　監生張義配　監生仰智光　文童朱鰲　文童翁大璋　文童林瑞基　文童夏錫純　文童張鳳鳴　文童文溥　佾生桂馨　佾生車鳴春　武舉唐國慶　武生馬金彪　武生王長林　武生金啟祥　武童葛長開以上士　六品軍功謝佩蘭　陳益興　沈蔥全　孫安邦　沈正洪　胡占魁　陳占鰲　方成才以上均同治元年陣亡　陳錦江　盛軍兵丁劉學周同治六年在海州阿湖力戰陣亡

林得和　殷克明　朱如玉　易長富　游洪士　鈕鳳林　李宗元　拱福林　康學文　毛維清　康克文　張壽元　劉得勝　周長榮　張有本　陳松山　陳筠第　陳永茂　陳家周

陳天理 陳天艮 陳天桂 施桂楨 李宗彝 李元錦 葉李元福 李光玉 李光有 李樹模 王昌榮 王起順 徐學桂 馮哲 蔡世包 蔡世揚 蔡國富 蔡正全 徐承勝 徐文煥 徐文質 胡文孝 婁啟祥 袁正川 袁清和 顏耀九 馬中會 劉熊標 侯法乾 熊廷翥 熊岐山 嚴大貴 嚴有銘 嚴中益 嚴世鈞 嚴世炳 謝懷義 謝佩文 謝佩瑜 吳天壽 顧德淵 顧德勤 周鳴皋 周遜之 周明貴 周浡之 周家芝 鄭廷貴 趙錫純 趙步廉 趙坦 戴有龍 戴必貴 林懷升 林德脩 錢玉升 余海籌 余老五 黎世珍 張文基 張文學 張文魁 喻世壽 黃加全 葛長興 葛長育 葛長膺 葛廷煥 鍾琭 楊德成 查德生 毛興榮 金啟海 金啟江 葉金聲 葉金

華　葉繼春　葉茂　張文標　張彭年　張兆祥　王炳祥
王朝選　王世炘　劉承業　劉華　王增榮　崔合元　錢長
元　翟恩林　余國華　郭萬全以上兵勇團丁　嚴中玉玉振　中玉　妻倪氏　玉
振妻趙氏　中怡女秀姑　馬秀章存章　平章　憲章　槐官　母李氏　女珍姑　僕李廣　胡克昌克　俊
克讓　璵、廷棟　廷櫟　廷發　璵妻楊氏　女和姑　勾大有大生　大來　虎官　二　官　虎一　虎二　虎三
學高　學發　學三　學四　繼妻部氏　子婦陳氏　大生　女如姑　孫女愛姑　大生妻高氏　學義妻吳氏　戚許嘉禾
妻節婦　勾氏　吳廷瑞廷駒　成官　女二姑　廷駒妻　俞氏　堯濱妻鄧氏　女華姑　王士交世　禮
世榮　世學　世　周　世愷○妻邵氏　晉芝惠芝九　有必　有才　有堂　有　福　有壽　有發　有學　長興
有學妻匡氏　芝惠妻李氏　九叔母劉氏　瑞　妻陳氏　芝富妻杜氏　子婦張氏　芝華妻樊氏　嚴啟恭女　二
姐　伯　母趙氏　王履吉成章　四　妻董　氏　成章妻佚氏　余國猷榮炳　工人蔣二　妻熊氏　榮炳
妻趙氏　女冬姑　黃加秀加　才　曾全齡全　發　吳聲富聲熺○以　上民閭門　陳崇
桂　張桂林　嚴啟賓　金啟琿　仰登進　陳雲生　張五

張子明　汪春　毛茺子　竇俊升　胡酒店　趙業儒　趙爲
飛　汪機匠　汪和尚　鄒紹義　鄒三麻　朱兆祥　金華官
金德輝　金步鰲　金學廣　王世和　張文光　王昌泰
王二　楊官保　楊相　夏朝漢　夏錫齡　夏錫綬　夏汝時
夏炳南　葉珽　葉得珽　業學文　葉小園　吳亮邦　吳
焜　吳楚材　吳慶輝　吳大年　翁騮　翁慶堂　張吉暉
張匯源　張錫齡　郭駿一　郭恆秀　郭鼇官　劉長合　劉
長祿　劉春林　鄭鄉粟　鄭鐸　左兆祺　左德餘　拱鉞
拱釗　拱珏　汪宗源　馬過　陳四源　黃長麟　董永年
方亦貴　葉國光　葉國棟　郭長浩　高鳳麟　劉必安　劉
海　賈金全　唐鍾秀　唐仁恩　唐大猷　唐九子　李永錫
李永華　李希旺　秦舜民　秦大紛　秦仁杰　胡雲從

本頁原殘闕，現據南京圖書館藏《光緒續纂江寧府志》（光緒六年刻本，光緒七年初印本）補字。

周朝宗　楊馥馨　陳金榜　王老甲　江坐子　平紹元　屠
明揚　蔣元璋○以上民　嚴兆元妻王氏大全妻鄧氏　普全齡妻高氏
全發妻鄧氏　干總趙澐叔母尹氏吳氏　姑母常趙氏　戚蔡韓氏　嫂許氏　弟婦林氏　杜氏
吳氏　姪女蔻雲　蔻玉　蔻珠　文生馬化龍妻王氏孫二　孫女二　文生湯孝鯉
妻孫氏子婦孫氏　監生張義配妻某氏子婦嚴氏　女紅孜　王學純妻節婦
翁氏學尊妻節婦郭氏　仕興母錢氏　張永齡妻陳氏永秀妻吳氏　張吉暉妻姚
氏匯源妻馬氏　浩妻吳氏　文煥妻高氏　文學妻徐氏　楊錦昌妻汪氏女美姑　舒姑　魯傳妻湯氏
臻傳妻湯氏　石書妻張氏　金步階妻劉氏德鈞妻夏氏　許懋芝妻陳氏廷揚妻謝
氏　馬遇妻張氏遠妻勾氏　周家齡母湯氏悖之妻張氏○以上貞烈闔門　嚴有
全叔母曹氏　文生藍玉田妻節婦張氏　文生王昌德妻金氏
廩生湯照妻丁氏　文生陳鍾棻舅母胡劉氏　文生汪宗福
妻湯氏　文生金鍏祖母侯氏　文生葛學熙妻團氏　文生陳

鑑妻莫氏　文生陳鴻猷妻傅氏　廩生葛學全妻吳氏　監生
葛廷烈妻毛氏　監生拱介福妻車氏　文童吳傑妻節婦夏氏
監生李維垣妻楊氏　監生陳起魁妻葛氏　文童陸宗彝妻
朱氏　文童陸宗才妻夏氏　莊實德妻節婦曹氏　藍呈瑤妻
節婦孫氏　吳天爵妻萬氏　馮鑑妻郭氏　夏汝時妻吳氏
夏學和妻湯氏　郭鑨官妻吳氏　尚發源母胡氏　左兆麒妻
方氏　唐西園妻湯氏　翁慶堂妻陳氏　周鳴皋妻嚴氏　陳
啟東妻丁氏　武生平靜妻董氏　劉有才妻王氏　鄧嘉富妻
劉氏　徐屏周妻嚴氏　胡秉田妻劉氏　高榮華妻劉氏　江
西廬陵縣知縣馬芝田母王氏　監生唐肇元女大姑　廩生夏
錫九妻金氏　監生劉允華妻金氏　監生馬金波妻馮氏　武
生馬鑾妻高氏　黃元慶妻節婦孫氏　劉海母魏氏　劉長齡

妻姜氏　劉允恭妻郭氏　葉金聲妻佚氏　葉國柱妻周氏
周天齡妻魏氏　黄加秀妻劉氏　嚴有文妻曾氏　孔思恩妻
馬氏　陳雨三妻葉氏　李永華妻陳氏　陳春圃妻周氏　方
安妻某氏　葉之春妻張氏　花翎參將哨官李國楨　藍翎把
總滕繼賢　正勇施高望　正勇鄭得金　守兵吴有萬　水兵呂榮發
正勇陳萬林　正勇范長懷　正勇劉得元　正勇田蘭生　正勇余得貴
護勇張有發　親兵夏魚清　正勇王林　正勇何得有　護勇何家林　正勇
黄寅　正勇張有本　正勇陳得貴　正勇馬成興　正勇陳世滕　正勇毛
維新　什長周長榮　自李國楨以下均係淮軍附祀廬州譚劉二公祠○以上弁勇續補遺

六合縣忠義貞烈補遺

貢生陳慶榮妻徐氏　治浦橋吳烈婦　王三聘妻貞女鄭氏
節婦毛氏　都司哨官戴松林　藍翎千總戈起林　藍翎把總
葛正心　外委書識葉傳綾　正勇姜九成　正勇王得貴　伙夫陳得
才　長夫周梗梅　護勇李仁和　正勇林萬春　伙夫李成山　正勇宗萬
福　長夫李洪　護勇史得勝　正勇王得富　正勇常有發　正勇姜有德
正勇劉啟發　正勇李有林　正勇王泰和　正勇嚴得勝　正勇楊長貴
長夫何永安　長夫夏日正　正勇潘光明　正勇王得勝　正勇張萬琪
正勇蒯定裕　長夫吳有成　長夫胡秉金　正勇李光祿　正勇鄭永三
正勇郝士高　正勇周士義　正勇郭宏生　正勇袁龍標　正勇唐長興
正勇陳復勝　正勇董長發　正勇竇成發　正勇熊長發　伙夫陶照科
正勇劉得貴　正勇李紅彩　正勇陶自明　親兵曹建章　正勇胡有勝

伙夫陳義　護勇葉長勝　伙夫陳宗琪　正勇王友貴　伙夫周玉松　正勇
方林才　正勇吳長興　正勇蘇桂林　正勇洪得勝　正勇劉文學　正勇
謝鳴盛　正勇葉金標　正勇汪有子　正勇李吉祥　正勇張如玉　親兵
王永標　正勇孫禮玉　正勇石得勝　正勇陳有才　正勇熊懷年　正勇
傅天容　正勇朱懷德　什長項長富　什長管必萬　什長劉學連　正勇
陳得才　什長葉長勝　正勇范志義　正勇仇文桂　正勇王永林　正勇
郭得才　正勇方金年　正勇李天元　正勇潘雲山　什長柏啟邦　正勇
王文田　什長吳芳廷　正勇李金翔　正勇黃得成　什長夏永勝　正勇
史比富　正勇趙榮發　正勇程尚時　正勇王加遠　什長戴加成　正勇
朱忍珊　正勇許寶慶　正勇宋丁南　正勇陳玉隆　正勇林正順　正勇
徐得貴　正勇宋彩章　什長王金才　什長馮能宣　正勇卞有和　正勇
余錫貴　正勇劉松林　正勇陶得貴　正勇周爲臣　正勇范名高　正勇

葛啟發　正勇許得興　正勇陳萬德自戴松林以下均係淮軍附祀廬州譚劉二公祠

高淳忠義貞烈補遺

監生吳毓潤　監生吳智盛十年罵賊被戕　監生吳家歡十一年陣亡　伙夫

陳家勤　正勇楊運生附祀廬州淮軍譚劉二公祠

七縣忠義貞烈補遺

佘玉崑　佘樹恆（均上元人）　劉勝（江甯人）　夏萬安　蔡永定（均句容人）　楊世來

孫守蕃　孫守芝（均溧水人）　楊吉萬（陞字營勇新倉陣亡）　姚德林（敏字營勇嘉興陣亡）　張

金標　侯彪　李長華　趙承榮　張榮勝（並撫威勇張堰陣亡）　龔文（雲勁勇紀

王廟陣亡）　劉狗（捷勇松江西門外大橋陣亡○以上均江浦人）　董錫和（陞字營勇新倉陣亡）　陳元明　高

榮　何正喜　劉鳳山　鄒士信（續勇華漕營陣亡）　常國法（雲勁勇咸豐十一年陣亡）

楊金標　王德標　張運奎　葉長齡（均惠勇洋涇鎮陣亡）　羅隆泰（勝勇南橋陣亡）

張勝（捷勇松江西門外大橋陣亡）　陳有才　丁長明　周西發　周次瑜（捷勇）　鄭

得勝　張標　張得標　汪福金　許得春　杜長勝（並撫威勇張堰陣亡）

（○以上均六合人）　陶鎔（千總）　趙永起（湘勇金山衛陣亡）　曹有標（安勇金山衛陣亡）　虞時謨（以上

均高湻人）　潘榮恩女（上元人咸豐三年賊婆逼入女館不從被殺墓在漢西門內嶻眉嶺父潘榮恩立碑表之）　程大

姑（江甯人住望鶴岡年十七咸豐三年二月初十日自縊）　曹宜櫸妻徐氏　曹友權妻戴氏

均句容
人殉難

續纂江甯府志卷十四之十四上

江甯 方培容 甘 𤦺 同纂

人物 列女

夫三才分位坤道乃彰二姓合好閫德斯貴是邦家嫺史箴女習姆教抽刃出門道韞則才節竝擅閨變洒涕妙錦則忠孝兼至髧髧巾幗爲邦之光志乘所載由來舊矣自時厥後孝烈貞節才淑之倫揚芬推德里巷相望軌轍猶昔而紀載尚疏爰采遺聞付之撰錄庶幾伯姬守志咸推秉禮之邦靜女流徽無失城隅之義其有生稟陰訓没植人紀死粵寇之難者別詳貞烈表茲亦著於編次蓋難之也

上 孝婦 孝女 烈婦 烈女 貞女

孝婦

上元

續曰李興妻孫氏年十九夫亾無子依母居舅遊幕在外病歸孫侍湯藥不怠典奩營喪葬畢仍依母守節十二年卒陳圻妻卜氏母楊氏無子以節著卜歸陳三日請於舅姑迎母就養母病割股愈之夫體羸屢遭危疾割股者數肌膚如刻畫夫亾守節以終温鉞妻梁氏年十九夫亾無子事姑孝歷三十餘年姑歿慨然曰吾事畢矣七日不食死吳澄源妻萬氏夫客死皖城萬質珥扶櫬歸孝事舅姑常冬衣敗絮日不再食不合堂上知子成立稍有餘則令清滷逋卒年六十八臨終謂子孫曰昔汝祖父病篤時泛述古貞孝婦若自念家貧親老欲以家事付託而不忍質言者其時已天日矢之令庶幾歸報地下矣含笑而逝丁椿妻錢氏年二十九夫亾姑老而瞽錢盡力扶持夜則侍寢姑歿喪葬盡禮撫孤守節三十三年李光揚妻劉氏年二十四夫亾無子家貧鍼黹奉姑姑亾喪葬盡禮王起鳴妻李氏年二十四夫亾孀姑李病篤刲股進之極盡孝道守節三十三年江之揖妻黎氏舅年老病篤醫治不效黎禱於神夢竈神以刀授之次早刲臂和藥以進遂愈王允紱妻秦氏年二十一夫亾姑因慟子旋歿舅目又瞽秦力疾代供子職二十餘年不懈舅歿喪葬畢以勞瘁卒守節三十年周永齡妻陳氏年二十四守節三十五年事舅姑孝應祖顯妻鄒氏無子守節數十年事舅以孝聞胥松妻屈氏年二十五守節事衰姑稱孝陳自泰妻史氏年二十九守節三十三年事姑孝

顧廷恩妻李氏年二十七守節孝姑撫子王國泰妻張氏年二十七守節五十餘年事姑孝

庠生周端書妻朱氏年二十一夫亡家貧事孀姑孝苦節三十五年吳桐山妻季氏年二十四夫亡無子舅姑在堂季勤鍼黹供甘旨舅晚年納妾生子甫數歲氏教之成立鄉里以賢孝稱王某妻黃氏

王國臣妻陳氏黃氏子婦黃年二十二守節事舅姑孝撫二歲孤僅有田三畝屋一間子婦陳歸王三年生孫子又亡姑婦相依守節三十一年史爲善妻施氏姑疾篤割股療之姑歿哀毀幾殆楊洪泰妻周氏夫病割股療之年二十四夫亡家貧無子藉鍼黹奉舅姑守節三十年徐學海妻李氏年二十四守節三十年事孀姑以孝聞楊玉秀妻馬氏年十九歸楊時姑病篤馬以新婦侍湯藥晝夜不懈年二十三夫亡家貧勉事舅姑撫子守節三十年監生龔棠妻江氏年二十六守節二十年卒事舅姑以孝著

汪燾繼妻戴氏年二十四夫亡孝事舅姑苦節三十七年監生陳寶繼妻王氏龍游知縣王鉞女夫家貧甚嘗乞助于父母以養姑已食不敢飽父母賜之衣必獻于姑天寒衣無絮常束數帶于身姑慰之對曰婦不知寒如是者踰十年姑暴病體僵冷如石王抱姑於懷不令臥姑遂甦時里中以是疾卒者十數人惟姑獨全歲饑王日減食奉姑母病禱于神乞減己算母夢神降于室病遂痊張長焜妻劉氏嘗割股療姑疾年二十一守節二十年卒

○以上見上元武志**翰林院侍讀戴瀚母林氏**翁病齒食遇砂稗觸輔車則廢餐林進食必擇其粒子瀚視學閩中林戒之曰無忝父訓在官勿愛錢也任滿垂橐而歸**戴衍祜妻陳氏**恪謹事姑至老不怠以賢孝稱**吳縣教諭梅法妻楊氏**姑耿病篤楊刲股和藥以進立愈○以上見金陵待徵錄道光◯年旌**陳廷燮繼妻劉氏**年二十五守節三十八年事舅姑孝撫子寶廉成立○見上元武志同治◯年旌**監生林維允繼妻姚氏**年二十三夫亡姑疾輾轉牀褥者三年侍奉未嘗少懈舅疾篤姚刲股籲天願以身代守節二十九年**李維松妻孫氏**年十九守節五十年姑病割股以進衣不解帶者年餘與娣孫氏侍奉稱孝姑卒喪葬盡禮立姪崇瀾為嗣娶婦生孫子又亡卒孀婦撫孫備嘗艱苦**劉世璠妻張氏**幼嫻母訓割股療母疾年二十歸劉五十日夫亡奉姑如母撫遺孤守節六十一年○以上見金陵節孝備考**彭正屋妻李氏**泉水鄉人年二十四夫亡遺腹生子家極貧姑病割股以進姑卒母家勸改適氏堅志不可苦節四十六年**許烈妻孫氏**年三十守節孀姑臥病十餘年孫日則侍湯藥夜則同寢人以節孝稱○以上見同治上江縣志◯續旌**候選通判湯裕昭妻趙氏**姑孫疾篤趙刲股和藥愈之道光二十九年卒○見采訪

江甯

續目談禮妻程氏談如玉子婦孀姑張病篤程禱於神夜夢神授以藥晨試之立愈年三十七卒有司旌之日節孝一門○見江甯袁志郭正芳妻翁氏定淮門翁氏女刲股愈姑疾○見金陵待徵錄高前基妻郭氏年十六歸高一夕而夫疾作遂巽寢十日卒郭守節奉姑以孝聞○見施愚山集庠生陳寶廉妻王氏事孀姑孝嘉慶己巳年二十一夫病疑怯證王刲股和藥進之愈姑見左股常屈而不信詢之乃知刲股事敷藥姑合創口其孝敬足風焉○見采訪○道光年旌武生任繼元叔母某氏佚夫名年十九守節六十餘年事姑孝姑病不興沸吐皆以口受姑歿哀毀骨立聞者敬之○見金陵節孝備考○光緒年旌許鎮妻章氏年二十歸許夫貧病上有孀姑章紡績以備甘旨藥餌勞苦備至無怨色越七年夫卒事姑尤孝姑多病章嘗終夜不眠奉侍惟謹姑嘗歎曰雖孝女不若也守節二十八年卒○見同治上江縣志鄧爾咸妻廖氏江南鹽巡道廖均女四川鄰水人在室刲臂愈母疾道光三十年夫亾家人慮其性烈咸戒備廖曰如徒殉也亦易為名今子女長者甫成童幼者乃晬既死無所託余豈不知撫孤之難辭難就易不可自是終身不服紈綺歲時生日不受家人稱慶庶姑應遇之厚遂事如毋庶姑欲為諸孫製一衣嘗辭曰若輩不知自厲令無凍餒足矣鮮華損福且慮隳其氣也避亂在滇時有濟南毛君殉難妻子流落無依罄所蓄以周之後又攜毛氏孀孤至蜀投所親處其濟困扶危類如此守節三十年縣丞楊

蔭留妻劉氏割臂療姑疾安徽候補直隸州楊克勤繼妻劉氏姑旲疾篤劉割臂愈之○見公牘戶部主事端木煜妻倪氏居蘇州閶門外家世業紙母以不善是拂王母意乃勤觀而陰肄之代母執業母以是得姑歡家中落育於戚鄭鄭固博徒也年二十鄭適迫歲暮以倪歸端木事嫡盧婉娩聽命數年後煜與盧繼歿教子嚴常訓子曰汝勿慕富家兒翩翩嫩衣服廢耕讀終日閒閒非賤骨即死徵耳道光丙午子埰試得優貢而倪孀居合旌例子以是請乃卻之曰守節慘事豈以爲名咸豐四年避亂蘇州其子訪倪氏無人隨倪尋邱壟展拜淒然歷述前事爲終身恨子埰得祁文端薦擢內閣中書倪命之曰汝侍師久薦舉自師出或以爲私但敦行勤職得公論饋之即與汝師俱無愧卒於同治十一年六月年八十一○文生端木錫鑫妻謝氏咸豐三年姑病篤謝刲股和藥以進未幾姑亾以哀毀卒年二十三○以上見同治上江縣志陞學和子婦芮氏舅學和病癱鄰舍火起芮急扶舅姑奔避姑張氏因火已延及舅病不能興不忍舍決意同殉芮號泣戀舅姑誓死不出時督標新兵營官赴援見芮立火中懸賞呼救有健勇冒火入挾芮出得不死人以爲誠孝所感云光緒六年十二月事○見采訪

句容

續曰孔枲妻孝婦文生孔傳駼母嘗割股愈姑疾文生裴正紀妻王氏守節事舅姑以

孝著曹宜敬妻某氏刲股愈姑疾張演春妻茅氏年二十二歸張甫至門而演春卒矢志守節舅疾割臂和藥進舅歿喪葬盡禮以苦節終張天聲妻管氏年二十七守節事姑孝乾隆年旌○以上見采訪○續旌經某妻雍氏年二十四守節事姑孝咸豐十年姑以適粵寇至雍守姑柩不去絕粒死仇安治妻陳氏年二十四守節三十八年事姑姚以孝著監生曾希周繼妻毛氏年二十八守節二十八年事姑孝文生朱潞妻王氏王國元長女年二十四守節三十三年潞事母孝嘗刲股愈母疾潞以王事孀姑亦以孝著張明薇妻王氏文生王紹先女年二十三守節六十二年事姑以孝聞王淯秉妻席氏年二十二守節二十七年家貧事孀姑孝人咸稱之朱達士妻謝氏年二十七守節四十年事孀姑孝經恆溶妻俞氏在室事親孝歸經事舅姑孝夫以針黹奉舅姑守節數十年許善珊妻胡氏年二十八守節二十七年事姑孝○以上見采訪

溧水

續曰蕭枝祿妻趙氏守節鬻子養姑○見溧水舊志李君匯妻周氏思鶴鄉李在鳳村人家貧事孀姑王曲盡孝道姑病焚香籲天願以身代姑歿哭之慟絕粒誓以身殉祖姑蔣力勸之始進食自是每食必泣以哀

毀死時年三十二道光十八年八月二十日事鄉里以賢孝稱死之日聞者皆涕下**湯立中妻柏氏**贊賢鄉人事姑孝姑病篤封股以進後夫病亦如之守節終身**郜正舉妻裴氏**貢生裴雲章女夫亾守節事舅姑極孝里黨稱之**徐永泰妻陶氏**守節二十年嘗兩封股愈舅姑疾**傅某妻朱氏**廩生傳濟川母嘗封股愈舅疾**傅某妻蔣氏**貢生蔣天中女以孝著姑病篤封臂進之愈**陳嘉祿妻薛氏**孀姑毛病篤封股進之愈年六十餘先姑卒**監生夏書妻王氏**封股愈姑疾**章啟財妻俞氏**姑病篤禱神封股療之愈**監生端木朝珍繼妻胡氏**總兵胡珍女前室子樂順年七歲患疽頗殆胡撫愛周至親吮其疽獲痊姑病篤封股愈之夫亾終身無笑容**楊崇通妻林氏**年十七歸楊事孀姑孝夫與兄崇凝嘗客於外凝妻俞夙患羸疾積年不治林調飪供餌躬任其勞無怨色姑年老臥病林侍湯藥衣不解帶者三月**章啟家妻某氏**年二十守節二十三年事姑孝姑殁哀毀死○以上見采訪○道光年旌**馮盛淞妻葛氏**年二十九守節五十年封股愈舅疾舅殁以哀毀兩目失明○見同治上江縣志**任昕繼妻朱氏**以孝聞○見采訪○**王啟賓妻吳氏**年三十守節二十九年家貧事姑孝姑病五六年侍奉惟謹**張必元妻周氏**年三十守節五十七年事姑孝**監生孫濬妻葉氏**守節五十三年事姑孝**孫守**

旼妻李氏年二十六守節三十九年事姑孝　王世榮妻章氏年二十二守節二十九年事孀姑孝　于士聖妻姜氏年十九守節五十一年事孀姑孝　章安坊妻魏氏守節事姑孝以勞瘁卒　楊廷泰妻夏侯氏年二十四守節四十二年奉舅姑孝　楊中瑞妻曹氏年二十二守節三十六年姑衰病孝敬不怠　楊維梁妻陳氏年二十六守節三十七年姑患足疾艱步履陳質衣物市藥餌扶持奉養十餘年如一日叔翁廷範老而無子陳奉之孝敬不渝　顧增參妻吳氏年十八守節四十一年舅年老孝養備至　楊天昇妻劉氏年二十九守節四十年嘗刲股療舅疾　張修長妻趙氏年二十九守節三十三年事姑以孝著　趙承松妻李氏守節事姑孝　許昌潮妻陳氏守節事姑孝○以上見采訪

江浦

續曰董某妻湯氏姑病篤湯刲股和藥進之愈人以賢孝稱○見節孝備考○嘉慶年旌　翁培妻林氏　翁鈞妻湯氏林年三十湯年十九夫亾同守節親喪在寢鄰舍火起將延及救者不克舁棺林湯對天誓曰棺若不出吾二人當與之俱須臾反風滅火○續旌　解春榮妻丁氏年二十七夫亾事舅姑曲盡孝

道舅姑歿喪葬盡禮皆出自鍼黹之餘守節二十六年卒**武舉吳魁元妻徐氏**事舅姑孝年三十夫亾供甘旨倍篤于平時守節四十二年卒**王學純妻翁氏王學尊妻郭氏**翁年二十四郭年二十三俱夫亾守節事孀姑以孝稱翁于咸豐八年殉粵寇難郭于咸豐十年四月侍姑避亂蘇州城陷負姑投河死**江元雙妻林氏**年二十七守節四十二年值水災林獨吞糠負薪易米以養姑**四川知縣陳榛妻郝氏**夫由大挑知縣分發四川郝不願隨任在家事舅姑極孝舅姑老病郝醫藥調護無閒晨昏者十二年鄉里以孝婦稱○以上見采訪

六合

續曰文生張學炎妻杜氏年二十七守節二十六年事姑至孝**邱廷爵妻葉氏**年二十七夫歿於外衙匍匐奔喪孝孀姑苦節四十二年○見江甯節孝備考**陳懋修妻孫氏**刲股愈夫以賢孝著後孫亾懋修終身不再娶**葉先聲妻季氏**在室事親孝歸葉夫亾季哀毀病不能興會父允光亦病歿家人諱不以告季見父夜來寢室曰吾死矣季悲慟而卒**陸殷彝妻袁氏**年二十五守節五十八年舅姑年老袁事之以孝聞**文生孫照妻葉氏**葉煌女父與夫病均刲股以進在室事親以孝聞年二十九守節十四年卒

汪德遠妻黃氏年十八夫亾守節咸豐八年粵寇犯六合黃隨衰姑避難中途散失遇生母李氏攜訪夫家半皆殉難欲自縊與母相對泣母欲與之俱死氏遂忍死奉母艱苦備至六合克復後奉母歸鍼黹度日曲盡孝道母歿氏絕粒七日不死族人勸之少進食邑人爲之請旌交下之日整衣向北叩頭曰吾大事畢矣仍絕粒死　鄭樹耆妻曾氏夫家世居江浦曾年十一在室刲股療母疾年十八適鄭以賢孝稱咸豐六年避亂居六合粵寇陷城殉難　林德純妻鄭氏事姑孝六合城陷賊欲殺其姑鄭願以身代賊不許竝殺之　周發祥妻葉氏六合城陷以護姑遇害時年三十二　文生孫近宸妻陳氏以賢孝著嘗刲股愈夫疾　張兆鰲妻李氏李志鵬妹在室事親孝歸張奉姑惟謹戚里賢之年二十九守節四十八年死粵寇難　貢生陳慶榮妻徐氏粵寇犯六合氏奉姑出城避難姑染疾慶榮兄弟隨母入城就醫徐日姑病媳當侍奉吾甯死不願離姑遠遁遂偕入城城陷與姑同殉難光緒（　）年旌　趙灼妻丁氏年二十九守節四十年孝事舅姑時伯姑郭亦苦節氏事之謹躬操井臼焉○以上見采訪

高淳

續曰同治年旌　文生吳肇岐妻陳氏年二十八守節四十年姑疾篤刲股愈之　孫知球妻

陳氏夫病氏刲股以進年二十八夫亾守節三十三年嘗刲股愈舅疾夏景襄妻鄭氏年二十一守節四十六年事舅姑以孝聞邢茲德妻張氏嘗割股療舅疾年二十六守節二十五年邢其彿妻楊氏年二十四守節五十五年姑病目每晨起以舌舐其眵遂愈夏毓和妻吳氏年二十四守節二十九年刲股療姑疾邢昭馥妻胡氏年二十九守節終身嘗兩刲股療舅姑疾孫興益妻楊氏年二十二守節侍姑疾十八年不倦姑歿氏絕粒死邢廷齡妻杭氏年二十一守節二十二年兩刲股愈舅疾吳宗莊妻許氏刲股愈姑疾年二十四守節十七年卒孔衍惠妻趙氏刲臂愈姑疾孔毓瑕妻劉氏兩刲股愈舅姑疾年八十一卒孔興讓妻李氏刲股愈舅疾孔傳蓮妻呂氏刲股愈舅疾李志根妻徐氏年二十五守節四十年嘗刲股愈舅姑疾文生陳德棻妻孔氏年二十八守節三十九年嘗刲股愈祖姑疾孫興益妻楊氏年二十二守節姑病刲股進之立愈後姑歿日夜哭泣人勸之楊曰未亾人不遽從夫死者因姑在也今已矣吾願事姑於地下不踰月哀毀卒胡應虹妻夏氏事姑孝謹嘗紡績供甘旨姑患痢以手承糞晝夜數十次逾月姑歿痛哭幾死姑在日喜食菱芰氏每見菱芰卽以供祭且嗚咽不忍食陳本廣妻芮氏事舅姑凡飲食皆芮紡績以供之舅歿夫復亾姑病偏枯者十五年

氏爲衛沐扶持不辭勞瘁姑歿喪葬盡禮撫孤敬典成名劉鵬照妻李氏事姑極孝嘗割股愈姑疾後夫病篤氏亦割股療之李大僑妻童氏事舅姑孝姑患異疾不能眠起氏侍奉湯藥不解帶者數月終無怨言陳毓松妻孫氏知縣孫敬銘孫女嘗割股愈姑疾後孫病篤子婦孫氏亦割股愈之史愈愷妻許氏史位三子婦夫亡守節撫孤事舅姑孝家務叢集許以婦代子職旌德呂文節公爲之傳有云以此爲孝洵稱奇孝以此爲節亦云苦節道光年旌邢玉蕃妻王氏素以孝稱嘗封股愈舅疾◯續旌孫學烈妻芮氏年二十四守節封股愈姑疾姜開武妻夏氏夫亡守節姑病篤封股愈之夏燈妻楊氏事姑以孝聞周廷均妻吳氏嘗封股療姑疾年二十四守節以終趙季松妻夏氏年二十六時封股療孀姑疾◯以上見采訪

孝女

上元

續曰周某聘妻李氏女 李道元女父早卒孀母臥病三十餘年女侍奉極孝幼許字太原總兵周復興曾孫夫嫁壻卒守貞終身**汪氏女**孝事父母矢志不字父母卒依兄桂芳以終○以上見上元武志**李氏女**李文蔚女以貞孝著○見金陵節孝備考**鄭氏女**以節孝著○見同治上江縣志**蕭禩興女四姑**父歿女在室事母至孝終身不字**夏純如女大姑**在室事親終身不字父疾篤割臂和藥以進○見安徽通志○嘉慶年旋**沈越聘妻李氏女**其先閩人父文蔚始遷金陵女性慧通文義後許字沈壻自閩來就婚舟至上海全家覆沒女時年十六聞信誓欲歸沈守貞父至閩徧訪無迹不忍遽以實告迄父母老病膝下一子尚幼一病革囑之曰壻族實無一人汝無所歸今以弱弟託汝延李氏一脈女泣諾喪葬盡禮而家貧常饔飱不繼其戚傳懋齋嘉其志時周卹之女賴以撫弟成立弟娶婦華氏年餘弟歿弟婦舉遺腹子不逾年亦歿女撫姪如子劬勞盡瘁上元伍光瑜張德鳳溫肇江皆有詩紀其事**李氏女**李南吉女幼字易姓年及笄未嫁乾隆五十年兄嫂相繼歿女念母老姪幼泣請辭婚誓終母養延兄後未幾幼姪夭復繼從兄子爲兄嗣將授室而嗣姪又亾家貧女欲復繼姪嗣族人推諉至訟於官知縣朱景昌襃其

貞孝憑女愛立年五十餘猶勤紡績焉○以上見上元武志◯道光年旌

陸氏女監生陸又賈第三女幼喪母守貞不字孝事老父撫幼弟守貞以終

呂氏女呂德明女太平門外人父老而無子女及笄聞有議婚者泣曰父母老無人侍養願終身不字及親歿經營喪葬立志愈堅年八十餘卒○以上見金陵節孝備考

丁氏女丁學餘女孀母病篤女刲股和藥以進遂愈女長適夫甫一載病卒○以上見同治上江縣志◯同治年旌

李瑞九聘妻祁氏女祁天聚次女幼字李壻自幼外出久無音信壻之父母屢欲絕婚令改字女誓死守貞父無子立姪爲嗣又殤女侍父終身爲人縫紉得值爲孝養貧父殁喪葬盡禮邀族人議立父嗣年五十餘卒

汪氏女汪鐸女一作汪澤女孝養二親矢志不字年六十二卒○以上見金陵節孝備考

戴氏女副貢生戴家仁女孝養雙親矢志不字卒年六十

鄭氏女進士鄭兆杞女自幼矢志不字在室事母四十餘年極孝母病刲股和藥以進母殁後奉木主如事生以哀毀構疾年五十二卒臨終笑曰今可以侍吾母矣言罷而絕○以上見同治上江縣志◯光緒年旌

方孝女方鴻元女在室事親矢志不字親疾刲股療之

陳兆蕃聘妻朱氏女浙江同知朱緒曾次女未嫁壻亾歸陳守貞事姑孝姑病割臂愈之

紀祥興聘妻趙氏女未嫁壻亾守貞在室割臂療母疾○以上見府署公牘◯續旌

楊貞孝女焦狀元巷居人在室養親矢志不字今年四十有六○見采訪

江甯

續曰陳孝女南城外人父無賴以私鑄罹法女堅自承坐大辟父以不知情論鄉人哀之葬馴象門○見金陵待徵錄

丁錫福女大姑以孝聞

丁承祿長女淑姑割股愈父疾

葉世根女小姑父多病女矢志不字在室事父母繼沒募貲安葬事畢絕粒死○以上見安徽通志○同治年旌

張五姑歲貢生張鑄女年十五母死粵寇難女赴水殉焉並見貞烈表○見同治上江縣志

楊啟西女貞姑年十歲父疾篤割左臂和藥以進母病復割右臂進之俱愈在室孝事雙親終身不字○見安徽通志

李子蘭繼妻程氏監生程紹基女在室兩封股愈父母疾歸李姑譚氏病篤亦封臂和藥進之○見采訪○續旌

王大姑名秋字少君倓選縣丞王文鈞長女在室事親矢志不字父卒彙所著詩泣曰此先人一生心血不可失也珍藏之有勸之字者泫然曰父在猶不忍離母今父亾敢易初志哉光緒五年八月卒年三十七○見采訪

句容

續曰楊履謙女在室養親終身不字

黃儒霖女

許漢倓女○以上見總坊○續旌

甘某妻孔氏女孔昭秉女名媚姑事舅姑孝母郭氏年老臥病侍奉極盡孝道

郭三姑許世詁女幼字

溧水某姓未嫁壻亡守貞事母至孝**經氏女**經應鸞女名林姑幼喪父無昆弟事母陳氏至孝終身不嫁母歿女哀毀死○以上見采訪

溧水

續曰尹氏女名香姑性至孝年二十母猝得胃疾女矢志不字侍母終身○道光年旌**張氏女**張濬川三女事親孝守貞不字母病六載侍湯藥無間寒暑封股和藥以進母病尋愈○續旌**卞氏女**卞以德三女名素貞封股愈母疾**徐氏女**徐國林女未嫁壻亡矢志守貞在室侍養父母極孝卒年七十○以上見采訪

江浦

續曰金孝女知州金嶒女適恩貢生尹嘉言嘗封臂愈母疾已旌○續旌**李鵠聘妻張氏女**未嫁壻亡誓不改字在室事親孝守貞以終**王長元聘妻楊氏女**未嫁壻亡女歸王守貞家貧織屨以養舅姑人稱爲賢孝後死粤寇難○以上見待徵錄

六合

續曰曹氏女玉枝曹廷鐸女幼失恃年十八父病亟女禱神請代自經死道光十七年事○見六合朱方詩

李斌女玉姑父無子矢志不字在室事親同治十二年父許字諏吉行聘女偵知自經死時年二十五

史樸女大姑居孟絲塘咸豐八年八月粵寇犯六合賊殺其父館於其家女曰賊殺吾父不報讎非孝也殺賊復讎不死難非烈也是夜舉火女與賊俱焚死

王柏女文姑胭脂塘人咸豐八年八月遇賊賊欲殺其母女曰甯殺我勿殺我母賊殺之毋遁○續○旌

監生汪芳桐女鳳珠父母年老胞兄早亾女矢志不字事親孝親歿隨嫂戴氏以鍼黹爲衣食資撫幼弟成立現年六十

廩生張艮弼女詠蘭幼聰慧通文義父中年目失明女矢志不字曲盡孝道現年五十○以上見采訪

高淳

續曰徐選文女年二十未字母病癱弟方幼矢志不字日侍母疾迨父母歿葬畢女曰吾五十年來辛苦事畢矣未幾卒于家

邢振暘三女字金陵姜姓年十三未嫁壻亾女矢志不字在室事親孝守貞以終○以上見采訪

補遺

唐孝女太常寺卿唐鑑女湖南善化人事親孝母氏楊患病投藥不效女與其妹袖翦刲左腕肉以進妹亦如之次年母復病女仍持翦欲刲腕妹以其創且病也彊奪翦自刲和藥進母尋愈逾月女病熱甚昏囈中時呼婢媪侍母歆啜藥餌不

輟口卒年二十二時道光十四年七月三日也
葬於江甯聚寶門外三里店○見甦孝女墓碑

烈婦

上元

續曰詹某妻周氏 墓在上新河有石碣二

曹輔仁妻郜氏 宜昌洲人夫爲病郜年十八歸後晝夜侍奉家貧典嫁衣供醫藥衣不解帶者三年年二十一夫亡無舅姑亦無子叔翁某鄉愚也郜恐奪其志俟夫含殮後自縊死村人來觀見衣褌皆縫結蓋蓄志久矣時嘉慶十三年事

顧烈婦 母舅劉春沂幕遊於皖嘉慶二十年婦隨弟就食於舅至鹹魚嘴舟覆榜人掉小舟握其髮將拯焉婦止之曰衣服飄泊無以蔽體可死不可出遂溺死

駐防正紅旗三甲披甲順昌妻白佳氏 夫亡守節有戚慕其色力拒不從被斧砍死將軍某公置戚某於法而旌婦於朝

營卒戴某妻陳氏 戴素行無賴一日將鬻之陳聞信遂投河死○以上見上元武志

張某妻郭氏 文生張金元母以烈著○見同治上江縣志

呂裕全妻楊氏 夫亡以身殉○見乾隆安徽通志○年旌

呂邦彥妻曹氏 邦彥殉節遼陽曹聞信自縊死○見上元武志○同治年旌

戴有功妻陳氏 夫充營卒嗜賭屢負將以陳償陳知之投河死時年二十三事在嘉慶七年

楊忠立妻王氏 年二十二夫亡欲以身殉家人勸之曰若殉夫如舅姑老子幼何王慨然曰有未了事姑待之迨舅

姑卒子又娶婦至道光六年十一月哭奠夫前夕自經死守節二十二年

監生解吉庵妻某氏氏爲尹相國繼善家婢相國延吉庵爲子師以乏嗣贈之從解後侍奉惟謹既吉庵憐其幼令他適氏憤投宅後小池死瘞清涼山下

宋德安妻張氏年二十四夫亡絕食兩日成服後投井死事在道光十八年

董宏斌妻王氏年二十九夫亡殮事畢自鴆死

優廩生馬棨妻陶氏夫卒於金陵陶時寓居通州聞信不哭徧拜家人曰吾將從夫於地下中夜仰藥死事在同治癸酉九月二十四日

把總談鈺麟妻馮氏妾曾氏夫亡同以身殉○以上見同治上江縣志

○光緒年旌

秦學□妻章氏監生朝進子婦以賢淑稱夫性暴章事之無怨言道光十八年夫亡章不哭亦不言家人異之中夜聞章碎磁聲止而復作次日午祭奠畢鍵戶自經死始知先吞碎磁而後縊欲速死也距夫亡七日從孫秦際唐傳其事

旌德劉文瑤妻淩氏名志珍上元淩霄女夫卒誓以身殉父責之曰有姑當養未可死也守節五年叔覬家產逼之嫁不從嘔血絕粒矢死靡他家人防之嚴不使通音問於其父淩乃畫白雁題詩託鄰人寄之父聞信往淩病將殆迺之歸旋卒年二十六事在道光三年其詩曰孤雁哀鳴望彼蒼寒風凜冽稻田荒明知斷送衡陽路留取全身潔似霜○以上見同治上江縣志

廩生李某妻吳氏夫亡以身殉

李寶軒妻胡氏夫亡以身殉時年二十三○見府署公牘

巡檢王毓岱妻李氏主事王儻

仁子婦夫亡以身殉李時年二十三○見邸報○續旌監生李澐妻魯氏同治十二年澐疾卒魯年十八飲鴆以殉事在閏七月十八日朱兆奎妻周氏年二十四夫亡欲以身殉家人勸之爲立嗣次年乘家人防閑懈吞金死同治元年七月二十八日事馮仁裕妻蔣氏夫客死湖南蔣扶柩歸江行舟遭風瀕於危蔣禱神獲安營葬畢苦節躬操作咸豐十年遇賊被刃死○見采訪

江甯

續日金濬五妻趙氏趙庶先女居雞籠山下夫客死趙聞殉焉孫某妻張氏以烈聞夏世芳妻方氏丹陽鄉人夫客死方倚櫬歸自縊死岑某妻周氏丹陽鄉人夫亡家人欲奪其志自經死秦某妻章氏章椿如女夫亡以翦刺喉復自經死○以上見金陵待徵錄文生梁增修妻胡氏增修著作甚富將死以所輯讀史釋疑屬之胡曰嗣子長則授之胡藏之謹夫亡後嗣子又卒胡悲慟啟篋曰此夫子一生心血也既未通顯又無傳人秀才家言誰復知而采乎是其饋不食寢不瞑之所營營也是天所以重困之者也付之火且焚且泣書燼而殞○見金陵文徵于湖沈某妻方氏妾汪氏鮑氏沈某坐海上事順治已亥三月死於江甯方慟哭絕復甦前諸姬而誓曰臣妾義皆從一夫子既獲死所矣未亡人且殉諸姬奈何皆泣曰主死何

生爲謹惟命方遂不食七日臥不能起時有司奉檄監以媒媪汪鮑二人給以好語共媒媪食飲夜半闔戶自經死旦啟視之汪繫頸于牀手自曳帛爪陷入其掌鮑頸環血痕無組蓋汪代鮑拉絕而後自經云是時方氏不食十日矣聞之曰是可報夫子於地下矣吾死無恨遂瞑尸逾數日面如生○見施愚山文集

劉某妻焦氏劉好博焦諫不聽家已罄乃以焦注三百金與赫某博負書券付赫娶有日矣焦聞作絕命詩十首投繯死事聞於官赫抵罪爲焦建祠褫劉衿使奉香火焉乾隆二十年事○見詩匯

鄭公正妻張氏夫亾自經死○見安嶽通志

常復妻劉氏居安德門以死殉夫○見朱道新詩

郘某妻王氏江甯小戶女也年甫笄適里人郘某郘家貧爲人織姑老而瞽氏殊孝敬郘無行日與博徒遊諸無賴豔之知其不可犯未幾夫亾姑亦死七日遂葬之既虞之明日王易麻以葛自修飾無戚容人頗異之明旦戶不啟排闥而入王已自經於牀大書於衣曰勿請官驗且留詩於几斂諸不得已部分身後甚悉也惜旌未之及道光五年事○見采訪

○

李松年妻郘氏氏兄府役耳有叔翁老且病夫病瘵臨終囑郘奉養夫亾郘以女紅供甘旨十二年叔翁死郘葬祭畢詣夫墓哭奠歸以夫遺腰帶自經死郘能詩有絕命詞六章遺筆二百二十一言哭夫詩一冊其殯殮諸具皆氏預治之○見金陵待徵錄

郘士溥妻高氏年二十四夫亾誓以身殉家人防之嚴撫姪爲嗣親戚稱賢一日乘家人不防自經死以遂初志道光九年事時年三十二○見金陵節孝備考

周煌

妻衞氏　**常生妻劉氏**以上見兩花臺總坊〇咸豐年旌**林之琨妻張氏**名瑞卿歲貢生張鑄長女嘗刲股療姑疾咸豐六年隨夫居京師八年夫疾篤張刲股療之卒不起張卽絕粒舅姑以有遺腹勸之稍進食及產一女遂從容投繯死時九月十二日也其遺書云石甫旣亾遺腹又女古者未亾人或爲事親或爲撫孤今翁姑尚有二三郎婦又無子何用生爲不如早死隨石甫於地下翁姑未報之恩當來生報之祈翁姑珍重又與其父書云石甫去冬謂女云燕子樓何人女告以妓者石甫初得病時謂女云何滿子何人是何出典女告以孟才人石甫默然彼時女雖未言心許之矣今引決女之分也讀者凜然石甫者之琨字也給諫鳳寶以事聞〇見同治上江縣志〇同治年旌**白光科妻王氏**年十八夫亾氏絕粒求殉家人防之稍懈自經死道光十九年事**張在東妻李氏**年二十二夫亾氏痛不欲生舅以家無多人不能防送往母家期年葬夫李衰絰送殯歸泣拜舅前曰婦盡節不能盡孝矣絕粒死**高正南妻鄒氏**句容鄒玉成女夫爲漆工卒於晉省鄒在毋家聞信乞父送歸衰絰入室自縊姑覺救之甦乃自嚼舌而死時年十八道光二十七年事**陳明歷妻潘氏**年二十五夫亾潘絕粒不食舅姑勸之日進勺水而已距夫亾十日以餓死〇以上見節孝備考**薛鴻來妻孫氏**年二十七夫在淮城病故孫聞信由高郵寓所詣淮祭奠飲鴆死時咸豐十年六月事**丁萬成妻魏氏**年二十九夫亾魏哀毀絕粒死〇以上見同治上江縣志

○光緒年旌楊文海妻王氏夫亡絕粒以殉光緒三年十一月事○見公牘○續旌安徽侯補從九品周晉昌繼妻張氏年二十二夫亡旋飲鴆殉夫光緒三年事吳廷楣妻王氏夫廷楣病篤時遺言以家貧無子令不必苦守夫亡王仰藥以殉時年二十一事在光緒六年三月十二日距夫亡五日平時奉姑以孝稱顧長炘妻徐氏咸豐癸丑遭粵寇亂夫被擄病卒徐覓夫尸葬畢絕粒死時年二十四李某妾魯氏幼爲李氏婢同治十一年李遘疾以室無大婦遂納魯爲侍疾計氏侍奉惟謹明年四月李知病不起謂之曰我死爾可嫁無自苦也魯矢以必死李亡魯無戚容飲鴆死時同治十三年四月事高某妻樂氏年二十六病聾住顧樓夏日沐浴鄰有不肖者潛窺樂驚覺語其夫訶責之鄰某反以曖昧語誣樂遂憤極仰藥死同治九年事陸學和妻張氏夫病癱鄰舍火起張驚覺出門呼人負夫出及返火延其廬負者不敢入張哭泣救夫冒火奔入同被焚死時年六十光緒六年十二月事胡光照妻陳氏年二十七夫亡投水以殉○以上見采訪

句容

續曰俞繼兆妻唐氏夫客死唐守節撫孤次年子墮水死唐轉哭爲笑延至夫忌日自縊死王生善妻潘氏夫亡守節舅姑令其改適潘痛哭典衣祭夫墓觸冢上樹死戴可陞妻王氏夫爲典商

司會計多債負得疾無子王勸以田宅家具乘生前擘畫償所負夫欲留之爲王養贍王力辭夫亾營葬畢飲鴆死〇以上見金陵待徵錄王應中妻徐氏李日秀妻韓氏戴儒庚妻羅氏張承基妻端木氏史明麒妻夏氏陳國楠妻嚴氏文生王若桂繼妻吳氏〇以上見總坊向世鈴妻王氏夫亾絕粒以殉文生曹施岐妻張氏年二十二夫亾自經以殉監生顧昌言妻楊氏楊啟葆女年二十一夫亾誓以身殉因家人防之未幾哀毀死張餘芳妻李氏年二十九夫亾營殮畢自經死光緒六年事〇以上見采訪

溧水

續曰文生武天名妻孔氏年二十七夫亾孔誓以身殉家人防之絕粒十餘日死監生茆時欽妻郜氏夫幕游浙江卒郜聞計星夜至浙撫棺一慟忍淚扶柩歸里葬畢自經死尹國成妻呂氏夫亾守節有鄰人逼之不從以翦自刺死王紹先妻易氏年二十二夫亾撫孤守節子因痘殤易痛哭自經死〇以上見采訪

江浦

續曰葉孔修妻盧氏年二十五夫亡殮葬畢飲鴆以殉萬世培妻鄭氏年二十九夫亡守節咸豐三年聞粵寇將至自經死王昌貴妻董氏年二十七夫亡飲鴆以殉姚二美妻許氏年二十八夫亡誓以身殉未幾絕粒死張某妻湯氏夫亡自經死呂毓章妻吳氏年二十八夫亡以哀毀死文生莫炳妻趙氏年二十八夫亡嘔血死張邦基妻滕氏年二十五夫被賊擄絕粒死○光緒年旌把總姚尚義妻楊氏嘗刲臂愈孀姑疾姑亡夫奔喪回里病篤復割股療夫後月餘夫病歿葬事畢氏飲鴆以殉時年二十九江某妻曾氏浦口曾香店女爲全椒江某童養婦甫成婚即避粵寇亂舅姑及夫相繼亡氏皆棺殮稾葬之欲以身殉念三喪未歸非計也依諸姑居女紅自給亂平胥節屢年衣食所餘扶三喪歸里葬畢具酒脯酬戚屬謂諸姑曰未亡人苟活以兩世骸骨未歸耳今願畢無所待矣諸姑喻其意嚴防之求死不得乃絕粒死同治十二年事○以上見采訪

六合

續曰汪德盛妻陸氏夫亡十日以身殉汪大鵾妻呂氏年二十夫亡哀毀死汪紋繼妻余氏年二十一夫亡欲殉不得守節事孀姑數年姑歿立從子爲嗣曰吾事畢矣一日忽無疾而逝汪登

瀛妻李氏夫亡哭泣而卒汪志濆妻田氏夫亡悲號二十六日死汪教盛妻劉氏夫亡哀毀卒汪如松妻夏氏夫亡痛不欲生哀毀卒汪講妻陸氏夫疾篤封股進之不愈及歿朝夕必祭如事生禮服闋日哀毀卒汪六訓妻董氏夫亡自經死以上見采訪○文生林世增繼妻陸氏夫亡氏絕粒舅姑撫懷抱中女泣曰爾夫一生只此一女爾死將焉置時女生甫逾月乃復食越一年斷其乳哺持酒漿奠于靈前歸而縊死時道光壬辰四月五日也○見耒灰齋集監生夏傳元妻厲氏年三十夫疾篤厲禱于神封臂和藥進之不愈夫亡以哀毀死○道光年旌朱蕙妻田氏性婉淑年十九夫亡田撫尸一慟後忽不哭家人疑之越夕家人見田立井旁欲投井以救免田自是不言不食亦不泣僵臥不起後乘間自經死○續旌吳烈婦冶浦橋人咸豐間遇兵以計逼之氏呼夫歸告以故從容自鴆死陸恩光妻胡氏咸豐八年恩光在竹鎮陣亡胡避亂于外家人匿不以聞越數年胡得耗遂飲鴆殉于寶應寓所朱京海妻單氏胡盧套人年十七夫亡守節族有不肖者謀嫁之單謂孀姑曰甯死不改適姑諾之未幾族人陰謀擇期遣嫁單聞而自經死時年十九光緒六年事○以上見采訪

高淳

續日同治年旌孔傳歷妻汪氏年二十一夫亡葬畢投河死乾隆十八年事○續旌徐得明妻李氏秉性貞淑兼明大義粵寇亂避居溧陽聞賊入境李謂娣姒二孫氏李氏洪氏與子婦毛氏强氏曰男子當奔避以延宗祀吾儕女子偕行則貽累於男惟有死而已城陷日七人均自經死葛昌吉妻馮氏年二十三守節咸豐辛酉抱孤子投水死卞自珀妻陳氏夫亡守節咸豐辛酉遇賊攜女投雙橋水死某妻王氏或云史家婦年二十餘遇賊不屈被殺面色不變者三日夏可行妻邢氏夫亡泣血而死甘憲善妻史氏守節遇賊不屈被戕死黃以義妻孫氏年二十八守節里中有惡少逼之再醮不從自經死○以上見采訪

補遺

江甯佾生顧長炘妻徐氏咸豐三年夫亡氏營葬畢絕粒死時年二十四○見采訪

烈女

上元

續曰陳氏女以烈著○見同治上江縣志○道光年旌劉福聘妻田氏女未嫁壻運糧艘至泰安夾馬營落水死女聞信慟不欲生家人勸之次年女舟過此望見壻墓自縊死道光元年事○見上元武志○同治年旌端木蕊珠姑鄒坊村端木樂謙女年十六守貞粵寇之亂遇賊不屈被殺○見同治上江縣志○光緒年旌駱繼元聘妻張氏女女家故微幼字駱繼元年十二待年於駱能得姑歡平居與繼元無私語繼元貿遷錢刀之數女爲別籍記注算較無少差居北門橋近麈市女以禮自防經其門者不聞笑聲光緒三年二月繼元以瘵疾卒女哭之慟其母來弔斥女曰未成婦而哭夫恥也女曰女子許人有賓無二成婦焉何有哭奚恥乎母阻其成服女觸柱絕而蘇母駭走自是與姑相依爲命察母意遂絕歸甯母終欲奪其志八月某日屬女之從母邀女歸日未晡即返越數旬從母又將挾以歸女曰母仍不諒乎偵姑他出拒戶自經死十月初十日也距繼元之亾凡六閱月年甫十六葬於陰陽營儀徵劉壽曾有傳○見公牘○黃淑華金筲姑兩烈女淑華字婉梨上元人咸豐三年粵寇陷金陵淑華方五歲從兩兄學聰潁能詩同治三年官軍克江甯有寶慶勇申姓掠淑華去母與弟嫂俱被殺淑華憤詈求速死申笑曰吾不

殺爾也遂繫於其居尋遷諸舟泝長江而上屢欲犯之淑華以死拒徧紉上下衣同舟女伴有金眉壽者淑華舊識也一卒欲污之眉姑弗從乘閒躍江死申由是不敢相逼舟抵長沙申知其不從己將以屬媒氏未果亾何遇一扶姓者與申偕行道出湘鄉之潭市淑華題十絕句於逆旅自序被掠情狀甚苦越日關王橋客舍有男子二一中毒死一絕吭死一女子自縊於其旁周身衣服皆縫紉無隙訊之主人曰昨兩男子偕一女過此夜半猶飲酒歌笑喧甚既聞格拒聲未幾寂然旦視之皆死矣而女懸於梁詳察情形淑華以酒醉二卒因而鴆之其死後加刃者必申也○見采訪

江甯

續曰朱來福聘妻蔡氏女 女名采采甯夏人幼字同里朱來福役江甯秦中丞承恩第而采采亦歸他姓爲養女時皆八九歲耳後稍長流至陝省父母欲嫁之采采曰吾幼字朱氏不可後訪知來福在中丞第轉數人傳語會秦氏夫人疾舉室驚亂莫能達而傳語者又譌其辭答之采采自以爲其壻絕之也拊膺悲號墮井死○見金陵節孝備考

雨華山貞烈女 佚姓氏雨華山下人居朱楊忠襄公剖心處坊下爲某氏待年婦家賣煙有僧豔女欲之壻與姑皆利其餌女堅志不從自鴆死事在咸豐二年八月邑人端木埰有詩紀其事

傅有德聘妻吳氏女 而吳樂山女隨母辟兵徧遷其母死鄰嫗郝憫而育之以字其傭傅有德無何傅病亾女越

二日自鴆死○以上見同治上江縣志◯道光年旌**何長發聘妻高氏女**父文華爲縣役何之父亦茶傭女小字玉蓮年十五未嫁壻病疫死義不再適投繯以殉兩家合葬耆虎巷邑人金鼇爲作墓誌竝製玉蓮華傳奇以表章之按江寧縣署二門右小屋數閒爲高女殉烈處○見金陵待徵錄◯同治年旌**周壽徵聘妻殷氏女**幼歸周爲待年婦未婚壻亾家貧苦志守貞次年夫家有欲奪其志者女窺其議將成往祭壻墓自經死年二十二道光三年事**褚紹理聘妻王定姑**萬善鄉王學志次女幼字褚家貧母楊氏早孀兩兄以織爲業鄰有陸某與兄善族叔母張氏與楊氏有隙誣女與陸私女聞之泣張復揚言謂其母縱之時女在場打麥欲辯而礙於詞張益侵之女趨歸宅謂母曰叔母逼兒兒惟有死耳入室自經以救免張謂女以死恐之益肆口詆女泣曰兒受污衊非死無以白且無以爲母白也伺隙投水死年二十母與兄訟於官時邑宰范仕義歎爲貞烈爲罪張殮女道光二十四年事○以上見金陵節孝備考◯續旌**陸長松聘妻張氏女**年十八未嫁壻亾誓不改字閱三月絕粒死光緒二年二月初十日事○見采訪

句容

續曰張坤占聘妻馬氏女　劉明龍聘妻趙氏女　楊時芝聘

妻韓氏女　周章諧聘妻欒氏女○以上○續武生丁步階聘妻余氏女余開生長女年十五未嫁咸豐十年粵寇至父被戕女詈擊之不敵投水死○見采訪

溧水

續曰尹鳴臯聘妻吳氏女年二十未嫁壻亾女欲歸尹守貞父母力阻之乃自經死粱正舉聘妻李氏女未嫁壻亾女自經死潘華聘妻楊氏女文生楊紱麐女名翠英年十九未嫁壻亾女欲殉兄嫂力勸止之日夜哭泣月餘死○以上見采訪

江浦

續曰尚某聘妻粱氏女江浦太平橋人未嫁聞壻訃以翦刃斷頸死○見金陵待徵錄○道光年旌

饒敏惠聘妻王氏女王履祥女居烏江年十七壻亾女欲往弔母不許女乘閒自經死○見采訪

六合

續曰道光年旌周烈女幼字吳某年十八無父隨母居河泊所鍼黹度日時母往舅家未歸夜閒鄰婦莊氏使無賴子羅二李長生逼之女曰吾甯死決不受辱俟母歸遂自縊死時道光十六年事○見采訪

高淳

續曰許大女二烈女長壽媄字漆橋孔氏次歟媄字駝頭李氏乾隆甲子家被火災長女年十八恥露體逃出復回次女年十六亦隨之遂同燼焉里人哀之有二烈女墓詩

洪戶村王烈女或云王氏婦保勝圩洪戶村人咸豐辛酉遇賊矢志不屈賊以刃厲其頸氏延頸就戮尸暴露三日面目如生

李志達女長媄年十九未字咸豐辛酉遇賊不屈見路旁石碑以首撞之腦裂死

劉氏五烈女劉德文女根媄在茂女春媄在肇女掉媄春炳女翠英高茂女全妹均遇賊不屈投水死

章某女年十四歸壻家未婚遇賊姑被戕賊拽女去女曰爾能收我姑尸即從爾賊信其言遂收其姑尸女乘閒奪刃自刎死

禹育祿聘妻荀氏女年十七未嫁壻亾誓欲歸禹父母許其往省墓女欲殉家人掖之歸痛哭數月死

楊中進聘妻胡氏女胡潮女未嫁壻亾父母欲令改字女不從自經死時年十六○見采訪

貞女

上元

續曰李文儒聘妻張氏女　駐防正黃旗驍騎校倭仁額聘妻張氏女　周某聘妻張氏女　朱上卿（一作上清）聘妻彭氏女　于圖南家婢桂蘭（圖南妻朱氏守節婢感其志守貞終身不字）　顧恩鈺聘妻王氏女（名淑貞王蘊書女）　陳國棟聘妻蘇氏女（蘇漢章女）　馬氏女　顧氏女　楊某聘妻陸氏女（陸易成女）　盛某聘妻王氏女　姚福林繼聘妻梁氏女（梁大受孫女）　劉某聘妻汪氏女（汪又新女）　王氏女　李渭川聘妻常氏女（六合人未嫁守貞嘗讓產紓難素通文義著有茹荼草本性篇數卷）　江氏女　馮某聘妻陳氏女（毋柏氏守節無子女幼字馮未嫁壻卒家貧奉母守貞終身）　丁求達聘妻陳氏女（未嫁壻亾歸丁守貞事舅姑孝〇以上見上元武志）　梁貞女（〇見戴瀚詩）　李某聘妻吳氏女　李半江聘妻管氏女　李汝霖聘妻邢氏女　句容某聘妻陳氏女　朱淮

聘妻劉氏女　趙錫昌聘妻薄氏女　吳某聘妻汪氏女汪錦懷妹
沈如松聘妻李氏女如松客閩來金陵迎娶舟覆溺死女守貞終身○以上見同治上江縣志◯乾隆
年旗朱振紘聘妻何氏女○見上元武志◯嘉慶年旗江熙聘妻周氏女○見上元
武志◯道光年旗孫最賢一作勛賢聘妻李氏女○見滄化鎮總坊　王景韶聘妻毛
氏女○見節孝備考蔡潔聘妻陳氏女　吳某聘妻鄭氏女　徐長齡
聘妻彭氏女　謝有相聘妻李氏女○以上見雨花山總坊◯咸豐年旗駐防
廂白旗郝氏女許字某年十四未嫁壻亾守貞往弔奉姑盡孝咸豐三年粵寇之亂年五十矣自經死○見采
訪◯同治年旗程兆椿聘妻汪氏女　韓利綱繼聘妻王氏女王宗元女
席元懷聘妻王氏女　魏某聘妻王氏女　林友咸聘妻陶氏
女陶潤第三女應士棟聘妻孫氏女　武生葉元祿聘妻李氏女
金杓聘妻孫氏女　張問渠聘妻盧氏女　徐某聘妻黃氏女
黃貢求次女陳國恩聘妻左氏女左蘊亭次女○以上見節孝備考　田大年聘妻徐

氏女徐上榮女張銘聘妻方氏女方友仁女劉長慶聘妻王氏女王泰臨女方居聘妻宋氏女　馮華連聘妻朱氏女朱聯貴女戴增庭聘妻孫氏女孫錫華長女　王長元聘妻皮氏女皮士相女監生任祥和聘妻王氏女王添祥長女　張某聘妻葉氏女　魏某聘妻王氏女　從九品王世燾聘妻張氏女死粵寇難俞廷相聘妻汪氏女　王芝山聘妻李氏女李鏡江次女孝陵衛人朱恭武聘妻任氏女死粵寇難韓誠齋聘妻王氏女○以上見同治上江縣志○光緒年旌蘇寶鑾聘妻賈氏女木蘆村人陳某聘妻徐氏女徐煒三女王家梓聘妻顧氏女舅年已八旬病篤女三次割股愈之張某聘妻戴氏女名鸞貞戴德恩次女姜長榮聘妻梅氏女　方兆元聘妻梁氏女梁德昌女○以上見同治上江縣志許崇基聘妻唐氏女名文儀唐永齡長女周秉均一名才保聘妻唐氏女名著儀唐九如次女死粵寇難邵鐸聘妻周氏女周純熙女文生吳懋修聘妻唐氏女　張某聘妻鄭氏女　端木某聘妻程氏女程兆熊女湯

宣杭聘妻唐氏女江蘇知府唐際昌女年十六未嫁壻亡歸湯守貞聞其事者題詠甚多稿存待梓○以上見公牘
袁國庸聘妻顧貞女名雲凡麐貢生顧雲姊未嫁値粵寇亂袁氏無耗有族母諷之女截髮自誓在室守貞光緒二年卒年三十有五○見采訪○續旌
孫華堂聘妻張氏女孫家邊人年二十未嫁壻亡歸孫守貞至今二十一年○見同治上江縣志
李實明聘妻汪貞女年二十未嫁壻亡在室守貞二十四年於咸豐三年殉粵寇難
吳某聘妻周氏女周實義女年二十未嫁壻死粵寇難女矢志守貞至今二十四年
吳某聘妻楊氏女年二十未嫁壻亡守貞三十四年
陸景富聘妻周氏女周變女年二十五未嫁壻亡女矢志不改字在室守貞現年四十八
何某聘妻趙氏女年二十三未嫁壻亡女在室守貞現年四十五
徐寶軒聘妻董氏女年二十一歲未嫁壻亡歸徐守貞四十年
周貞女貢生周國熙姪女守貞二十年○以上見采訪○待旌
趙宗沅聘妻徐氏女廣東巡檢徐鈞燦長女名珍年二十六未嫁壻亡歸趙守貞至今十四年
舉人蔡懋鏞聘妻某氏女未嫁壻亡歸蔡守貞至今十一年○以上見同治上江縣志
朱傳衡聘妻王氏女浙江候補知縣王衡女年二十三未嫁壻亡守貞時光緒元年
任某聘妻侯氏女進士侯甲瀛女未嫁壻亡矢志守貞時光緒六年
文生周

嘉楫聘妻顧氏女增生顧九韶女在室事親孝年二十未嫁壻亡歸周守貞時光緒六年徐保譽聘妻姚氏女未嫁壻亡歸徐守貞時光緒元年陸景鼇聘妻周氏女年二十九未嫁壻亡守貞至今二十二年文生陳士元未婚妻甘氏女年十九壻病篤歸陳侍湯藥兩月壻亡守貞

江甯

續曰鄭氏女住奇望街幼字某生游楚不知存亡女未嫁守貞二十餘年卒王本粹一作文粹聘妻朱氏女未嫁壻亡歸王事姑守貞女幼時與家人同種鳳仙子皆紅色及開花女所種獨變白女歿金鰲輓之曰髮盤總角俄成白手種時花不忍紅冷恩照縣志作蘷言誤聘妻歐陽氏女未嫁壻亡歸冷守貞童某聘妻裘氏女未嫁壻亡父母勸改字女以翦刺喉家人救之乃歸童守貞沈如宗聘妻李氏女守貞終身戴某聘妻孫氏女未嫁壻亡父爲改字訂婚之日女號泣誓以身殉伯父延青爲之鳴官歸戴守貞○以上見金陵待徵錄某聘妻陳氏女待御陳幼木女俞某聘妻鄧氏女檢討鄧元昭女孫○以上見退谷文集王某聘妻李氏女李鏡江女未嫁壻亡歸王守貞○以上見同治上江縣志全椒吳姓聘妻梁氏女江甯梁金鍔女年十七未嫁壻亡歸吳立嗣守貞○見安徽通志○同治

年旌

韓在道聘妻俞氏女年十九未嫁壻亡歸韓守貞四十年

張澤培聘妻朱氏女署高郵訓導朱起瑞次女性賢淑讀書通文義未嫁壻亡歸張守貞立姪爲嗣同治九年以瘵疾卒臨終執姑手曰負姑負姑反哺姑戚鳴咽而逝聞者涕下

鄭生聘妻柳氏女柳漢徵女年二十未嫁壻亡壻家翁姑早歿無依在室守貞五十四年卒

吳永祿聘妻陳氏女年二十未嫁壻亡歸吳守貞二十四年卒

段某聘妻郭氏女郭有全女未嫁壻亡矢志不字在室事親守貞三十七年

王繼鐸聘妻謝氏女文生謝鼐長女年十八未嫁壻亡守貞三十三年卒

費松聘妻吳氏女年二十一未嫁壻亡歸費守貞四十五年

毛兆源聘妻吳氏女年十七未嫁壻亡歸毛守貞三十四年

張文金聘妻朱氏女年二十歲未嫁壻亡守貞四十一年

林榮耀聘妻毛氏女年二十四未嫁壻亡守貞三十一年卒

陳匯聘妻張氏女江甯人寄籍懷甯年二十六未嫁壻亡歸陳守貞十六年死粵寇難

繆嘉禾聘妻楊氏女年十八未嫁壻亡歸繆守貞三十三年

黃廷相聘妻吳氏女休甯監生吳國寬女未嫁壻亡歸黃守貞

范得源聘妻周氏女周鎔升女年十六未嫁壻亡歸范守貞事舅姑孝中年舅姑歿有族人無賴者逼其改適女吞金欲死母家聞信往救甦遂致訟時知縣鄭其忠贈以額曰冰霜是操

王某聘妻張氏女

張兆熊長女未嫁壻貧不能娶以漂泊終女矢志守貞

葉氏女 翰林葉聲揚姊幼字張姓後張爲僧女矢志不嫁在室孝親守貞終身

胡某聘妻封氏女 年十三未嫁壻亾矢志守貞胡姓宦游在外毋家無可依女姊適趙灝亦中年守節女往依焉○以上見金陵節孝備考

康長洲聘妻陳氏女 陳啓崑女年十四未嫁壻亾歸康守貞○見同治上江縣志

◯ 光緒年旌

笪某聘妻吳氏女 吳之鐘三女未嫁壻亾守貞終身○見府署公牘

施長生聘妻李氏女 李心言女年二十一未嫁壻亾歸施守貞四十七年

何石渠聘妻姚氏女 年二十一未嫁聞壻亾矢志不字壻家無可依在室守貞三十九年

崔氏女 吳陳氏義婢也性誠愨陳氏愛之崔亦視主母如母陳氏之孫玫生三歲失怙恃崔撫育周至陳氏命玫呼之曰老姐及笄將遣嫁崔矢志守貞不字曰婢子受恩深義不可去毋生則事之死則奉此孺子以報陳氏感泣陳既歿家就衰玫衣食之資東脩之奉皆取給於鍼黹親鄰高其義多樂助之已而吳氏族人有謀嫁之者崔憤陳大義撫玫至於成立道光十年崔卒時年七十三守貞終身玫後感其義爲立木主於家祀之

姜若濤聘妻宋氏女 監生宋致懷三女年十八未嫁壻亾歸姜守貞事舅姑孝舅病篤醫藥無效女潛封股以進旋愈同治十年舅歿姑性嚴女曲意承順操作如僕婢里黨欽其貞孝今守貞二十一年

焦子拔聘妻駱氏女 年十五未嫁壻亾矢志不字守貞二十八年咸豐六年殉粵寇難

李鳳

山聘妻陳氏女年十七未嫁壻殉粵寇難歸李守貞謝學成聘妻李氏女未嫁壻亡歸李守貞吳都聘妻姚氏女年十九未嫁壻亡矢志不再字在室守貞三十年卒山西候補典史陳元豫聘妻賴氏女年十八未嫁壻亡歸陳守貞山西巡撫旌文生江肇城聘妻蔡氏女蔡恩錫女未嫁壻亡歸江守貞○以上見同治上江縣志周鐸聘妻邵氏女年十七未嫁壻亡歸周守貞二十九年○見公牘

◯續旌張某聘妻朱氏女監生朱起義女幼聘張某年十四壻亡矢志守貞在室事親孝迄今歷二十六年張叔玉聘妻田氏女田慶豐女年二十未嫁壻亡女聞信誓不再字壻家舅姑俱歿在室守貞至今二十一年顧燮元聘妻王氏女未嫁歸顧守貞至今十年○以上見同治上江縣志魏家瑚聘妻馬氏女年十七未嫁壻亡歸魏守貞七年光緒六年正月卒易某聘妻劉氏女年二十未嫁壻亡守貞至今三十年余湘聘妻熊氏女文生熊季海次女年十九未嫁壻亡歸余守貞至今二十四年徐保祥聘妻董氏女年二十三未嫁壻亡歸徐守貞至今三十八年

句容

續曰王某聘妻張氏女　朱邦傑聘妻曹氏女　楊正鏸聘妻

戴氏女 謝德洪聘妻王氏女○以上見總坊 笪某聘妻吳氏女江寧吳某第三女未嫁壻亡守貞終身○見同治上江縣志 王貞義女句容人幼字同邑顧氏咸豐六年粵寇之亂壻家避亂蘇州繼被擄時女隨父母避居江北壻家久無音信或勸其改字女曰自虜中出者甚眾安見其不返乎閱數年壻寄書至云屢訪岳家無耗已聘某氏女完娶矣令女他適父母持書示女女曰向因其被擄猶待之今既在乃背之乎誓不改字期以死 王恂聘妻葛氏女未嫁壻亡歸王守貞 王某聘妻劉氏女劉達秀女年十七未嫁壻亡在室守貞後歸王事姑以孝聞○道光年旌 楊某聘妻戴氏女戴于飛女龔學院獎以完貞篤義匾額○以上見采訪○同治年旌 陶淑瀚聘妻經氏女經星瞻女○見同治上江縣志○續旌 焦某聘妻駱氏女貢生駱重恆女年十四未嫁壻亡守貞三十三年殉粵寇難 文生李實聘妻賈氏女上元貢生賈森妹年二十一未嫁壻家一門十二口殉粵寇難女矢志守貞同治三年省城克復歸李收檢遺骸合葬一冢立從堂姪功甫之子楷爲嗣守貞至今二十八年 王貞女王永祚女幼字倉頭某姓年十七未嫁壻亡守貞六年死粵寇難 李某聘妻許氏女許世誥女未嫁壻亡守貞

溧水

本頁原殘闕，現據南京圖書館藏《光緒續纂江寧府志》（光緒六年刻本，光緒七年初印本）補字。

續曰毛德福聘妻尹貞女洪藍埠人未嫁壻亡守貞終身芮大鏞聘妻楊氏女未嫁壻亡歸芮守貞三十餘年○道光年旌經氏女以貞著○續旌王繼久聘妻謝氏女文生謝蕃妹年十七未嫁壻亡在室守貞誓不改字死粵寇難欒某聘妻陶氏女陶仁玖女年十七未嫁壻亡在室守貞四十年卒監生湯長達繼聘妻許氏女年二十未嫁壻亡守貞二十餘年劉某聘妻後氏女後成科女名金姑年十五未嫁壻亡守貞二十四年卒史某聘妻甘氏女甘永鸞女名玉姑年十六未嫁壻亡守貞二十一年卒楊學青聘妻張氏女張義隆女年十九未嫁壻亡守貞以終○待旌庠生王傳後聘妻卓氏女未嫁壻亡歸王守貞安徽旌德任文淦聘妻徐氏女溧水徐鑑章長女年十九未嫁壻亡歸任守貞至今七年○以上見采訪

江浦

續曰張廷實聘妻陳氏女武生陳國祥妹年十九歸張合巹之夕廷實已病不起越三日卒奉姑撫嗣子守貞五十一年卒萬某聘妻顧氏女名仲冬文生顧宜敬女未嫁壻亡在室守貞死粵寇難○同治年旌張邇茹聘妻劉氏女江甯文生劉大紳長女年二十三未嫁壻從軍浦口遇害女矢志守貞咸

豐十一年卒葬於如皋南門外三捷橋南○續旌吳大彬聘妻李氏女未嫁壻亾歸吳守貞咸豐八年殉粵寇難吳量寬聘妻王氏女名香姑年十七未嫁壻亾歸吳守貞事祖姑孝死粵寇難郭行五聘妻陳氏女年十九未嫁壻亾守貞五十四年卒劉永德聘妻姚氏女年十七未嫁賊至自經

六合

續曰全椒吳霆榮聘妻李氏女女六合人未嫁壻亾歸吳守貞立從子爲嗣○見安徽通志

○道光年旌王桂林聘妻吳氏女年十九未嫁守貞終身○同治年旌馬廷龍聘妻董氏女事親孝通文義父母歿後教弟成名年十九未嫁壻亾歸馬守貞四十二年死粵寇難○續旌張朝幹聘妻鄧氏女年十八未嫁壻亾守貞三十七年曹培聘妻邵氏女年十二未嫁壻亾守貞三十八年王鎮邦聘妻火氏女女盱眙人年十九未嫁壻亾守貞二十二年死粵寇難劉文溶聘妻陳氏女年二十未嫁壻亾守貞五十年金萬全聘妻汪氏女年十八未嫁壻亾守貞四十一年黃業成聘妻余氏女年十八未嫁壻亾守貞三十三年何毓英聘妻李氏女年十九未嫁壻亾守貞六年卒楊松宇聘妻程氏女年十九未嫁壻亾守貞六十二年韓

玉姑韓如有女幼字某年十七未嫁壻亾守貞五十三年
曹煌聘妻茅氏女年十七未嫁壻亾守貞三十四年
周家映聘妻陳氏女年十六未嫁壻亾守貞終身死粵寇難
李克壯聘妻黃氏女監生黃增女名惠貞年二十三未嫁壻亾守貞四十年
金肇梁聘妻張氏女年十七未嫁壻亾歸張守貞十一年死粵寇難
王天祥聘妻達氏女年十八未嫁壻亾歸王守貞四十九年死粵寇難
武生達安邦聘妻馬氏女年十九未嫁壻亾歸達守貞三十四年死粵寇難
葉廷桂聘妻劉氏女年二十一未嫁壻亾歸葉守貞十年死粵寇難
郭企泉聘妻舒氏女未嫁壻亾守貞終身年六十三死粵寇難
李慰懷女二雲姑幼字常某未嫁壻亾在室守貞死粵寇難
王永齡聘妻鄭氏女年十九未嫁壻亾歸王守貞事舅姑孝舅姑歎曰有婦如此吾兒不死矣咸豐八年死粵寇難
張廷桂聘妻吳氏女年十六未嫁壻亾守貞
沈根聘妻周氏女年二十二未嫁壻亾守貞
楊彭年聘妻常氏女年十九未嫁壻亾守貞
王三聘妻鄭氏女年二十一未嫁壻亾守貞
陳匯川女三姑龍池人許字某姓年十八未嫁壻亾守貞
汪裕旃聘妻王氏女未嫁壻亾守貞
王嘉才聘妻袁氏女年十七未嫁壻亾守貞
陸氏女字某未嫁壻亾守貞八年
陸文

女珍姑未嫁壻亡守貞以上均死粵寇難楊氏女幼字黃年十五跌傷右足矢志不嫁家貧沒齒無怨言卒年六十一○見采訪

高淳

續曰趙志樸聘妻周氏女年十八未嫁壻亡歸趙送葬後引刀斷指誓不再適守貞終身卒年九十一吳模鼇聘妻楊氏女楊其忠女未嫁壻亡歸吳守貞終身孫位朝聘妻邢氏女未嫁壻亡歸孫守貞三十餘年馮寬八聘妻劉氏女劉延彥女未嫁壻亡歸馮守貞終身謝志魁聘妻王氏女年十九未嫁壻亡歸謝守貞有謀嫁之者女截髮自誓守貞四十一年○嘉慶年旌陳世懋聘妻蔣氏女年十六未嫁壻亡守貞○同治年旌孔毓試女貞媄幼字邢幹年十九未嫁壻亡矢志不字守貞終身○續旌黃舜隆聘妻楊氏女年十六未嫁壻病篤女歸黃侍湯藥刲股進之不愈矢志守貞六十八年路祥忠聘妻何氏女年十八未嫁壻亡守貞五十九年夏德明女未嫁壻亡守貞終身劉士佐聘妻張氏女未嫁壻亡守貞丁傳濬未婚妻史氏女史允悰女幼字丁氏未嫁壻得瘋疾女矢志不再字年二十八壻瘋如故女歸丁侍夫疾無怨色咸豐辛酉壻爲賊害女

本頁原殘闕，現據南京圖書館藏《光緒續纂江寧府志》（光緒六年刻本，光緒七年初印本）補字。

罵賊赴水死〇

以上見采訪

補遺

上元郎中梅曾亮次女字同里江氏子將嫁壻亡女歸江守貞甫入室，引翦刀自裁，幸家人急救，未斷其喉。曾亮往視在室外諭之曰汝於生平未覿面之夫欲以身殉烈則烈矣然生汝撫汝倘有六旬老父在獨不念乎言畢含淚而去女自是遂止上元陳鬯嘗述是事女幼淑慧隨侍在京十餘年未嘗赴女讌觀劇其節烈固天性使然抑禮教有素也〇見甘熙白下雜錄

吳漢文聘妻張氏女年十八未嫁壻亡守貞至今十九年〇見采訪

江甯郎貞女郎開業五女幼字朱氏子年十三未嫁壻亡矢志不字在室守貞至今四十八年

陳宗潮聘妻孫氏女孫懋安女未嫁壻亡歸陳守貞三十年〇見采訪

馬洵未婚妻李氏女李光昱女年十九壻病篤歸馬未婚壻亡守貞十年卒〇見采訪

溧水陳序洲妻卞氏年二十七守節五十六年

陳洪選妻趙氏年三十守節五十年

本頁原殘闕，現據南京圖書館藏《光緒續纂江寧府志》（光緒六年刻本，光緒七年初印本）補字。

續纂江甯府志卷十四之十四下

江甯　方培谷　甘塏　同纂

人物　列女

下　節婦　才淑

節婦

上元

續曰廩生鮑連妻李氏　易振宗妻方氏　邢道悌妻袁氏　吳任庚妻劉氏　陳某妻某氏　周恒妻萬氏　張某妻馬氏　王釗妻張氏　監生李長青妻劉氏　陳崑妻胡氏　季際昌妻唐氏　季仰均妻曹氏　何訒亭妻馮氏　王士元妻馬氏　方經奎妻黄氏　王聖言妻陳氏　仇載陽妻武氏　陳廷椿妻邢氏　曹錦瑞妻周氏　吉際昌妻石氏　丁德昭妻曹氏　朱永昭繼妻張氏　陸經繼妻劉氏　金大椿妻龔氏

金大觀妻張氏　朱以熙妻吳氏　琴嘉會妻吳氏　李芳
來妻于氏　庠生李遵亭妻汪氏　陳鉅望妻鄭氏　程兆泰
妻夏氏　趙宣妻孫氏　徐正域妻朱氏　宣化監生袁以新
妻汪氏　王松妻談氏　庠生方玉成妻翁氏　項思宗妻李
氏　杜金衡妻莊氏　孫兆鵬妻管氏　王琮璜妻馬氏　謝
恩元妻馮氏　甘必榮妻周氏　庠生王楝妻蘭氏　葉紹庭
妻謝氏　方斯培妻金氏　朱國樑妻金氏　王嗣隆妻穆氏
朱燦庭妻王氏　武生黃國楝妻遲氏　黃瑞芝妻葛氏
劉泌妻余氏　張景鑑妻何氏　周全妻詹氏　程瑜妻李氏
章玉亭妻周氏　葉起鑾妻陳氏　曹擎一妻潘氏　庠生
林光炳妻吳氏　黎旭東妻陳氏　王大經妻伍氏　周汝南
妻金氏　葉鶴齡妻趙氏　夏良明妻常氏　庠生方其鑑妻

曹氏　胡國楨妻趙氏　李德聞妻劉氏　庠生黃某妻方氏
張黃楨妻朱氏　王元福妻徐氏　王以仁妻李氏　金階
鳴妻陳氏　侯雲卿妻柳氏　汪潤妻王氏　庠生汪雲森妻
秦氏　庠生汪雲階妻阮氏　汪若焜妻韓氏　汪煌妻劉氏
汪紹櫞妻陸氏　謝宏烈妻馮氏　謝某妻戴氏　謝朝絢
繼妻陳氏　謝宏德妻孫氏　謝春臺妻王氏　張永泰妻王
氏　張永川繼妻蕭氏　張本妻李氏　辛光祚妻楊氏　辛
德喬妻韋氏　劉與參妾鮑氏　龔世俊妻劉氏　周榮祖妻
阮氏　陳之祿妻劉氏　漆祺美妻蕭氏　陸熉妻錢氏　談
某妻張氏　徐炳章妻周氏　丁本妻謝氏　監生楊睿照妻
李氏　邱某妻管氏　監生戴衍範妻吳氏　徐富潤妻彭氏
侯聖宣妻朱氏　袁澤彭妻鄭氏　監生伍瑛妻馬氏　高

繼允妾周氏　汪珠妻湯氏　劉永椿妻湯氏　劉汝恆妻呂氏　龔聖如妻姚氏　汪尹耕妻劉氏　伍思永妾金氏　陳維寅妻張氏祖姑胡氏年九十七五世同堂旌　馬奇三妻張氏　許長烝妻李氏　張全祿妻胡氏　夏曙妻楊氏　楊柏年妻湯氏　蔣某妻吳氏　孫某妻龔氏　孫瀓妻陸氏　孫邦枚妻孔氏　汪達妻文氏　葛殿颺妻汪氏　監生劉心芸妻高氏　吳正洲繼妻高氏　吳某妻王氏　張宏經妻蔣氏　阮坤妻傅氏　劉文林妻孫氏家貧守節有姊再醮者招之不往日甯餓死不依失節婦數日不舉火欲自縊鄰人接其母伴之　陶正名妻郭氏　王潤光妻許氏　錢松源妻馬氏　桂壽民妻徐氏嘗割股療夫夫亡守節　陳堯典妾喬氏　庠生胡乾妾童氏　監生吳文溪繼妻王氏　李師妻賈氏　孫士彔妻趙氏　張之鉌妻許氏　李鶴來妻孫氏　監生周岐相妻王氏　庠生

方煜妻王氏　方捷元妻陶氏夫病篤陶割股和藥以進後氏病子永年亦刲臂愈母　馬
宣裕妻金氏　程芳來妻章氏　張淮妻吳氏　湯聯奎妻王
氏　李元山妻趙氏　王端嚴妻李氏　監生王西凱繼妻林
節孝備考作陳氏守節立從子爲嗣從子飲博敗產林忿嗣子不肖願以死完其節越二年咯血死　孫生秀妻
王氏　監生孫介模妻楊氏　王茂泗妻許氏　蔡尚義妻張
氏　趙義和妻郭氏　吳尊周妻葛氏　佘大梓妻張氏　陳
毓喬妻顧氏　張相成妻王氏　陳名齊妻馮氏　孫某妻張
氏　陶德松妻王氏　江桂元妻陳氏　高德斌江甯節孝備考作德彬
妻徐氏　周本豳妻李氏　吳澤遠妻陳氏　監生馬掄全妻
金氏　盧元妻王氏　汪蔭亭妻蔣氏　辛德煊繼妻鄧氏
辛德燦妻王氏　黃恬齋妻程氏　吳某妻夏氏　李士興妻
余氏　吳正福妻王氏　謝志瀛妾盧氏　汪炳發妻姚氏

李文衢妻朱氏　李元泰妻王氏　庠生李逢春妻王氏　州
同李昌期妻涂氏　李燮妻紀氏　高文鼎繼妻葉氏　裴長
庚妻程氏　職員周燽妻談氏　穆均妻周氏　王彝器妻周
氏　詹捷三妻戎氏　庠生駱抱蓀妻徐氏　程國樑妻金氏
　楊義民妻汪氏　周鵬雲妻胡氏　湯宏顯妻濮氏　庠生
湯誥妻吳氏　何佩黃妻趙氏　蘇大椿妻林氏　江某妻張
氏　王清源妻周氏　袁凌仙妻劉氏　洪朝宗妻趙氏　吳
鈐妻端木氏　張鉞妻吳氏　曹永清妻張氏　王魁士妻彭
氏　程孟龍妻張氏　何某妻吳氏　倪鏞妻葛氏　馬承睿
妻張氏　張文錦妻王氏　孫爾宜妻楊氏　李宏泰妻王氏
　黃天申妻朱氏　唐廷佐妻徐氏　涂濤妻陸氏　朱某妻
汪氏　葉某妻王氏　張起祥妻莊氏　胡國福妻吳氏　歐

陽某妻姚氏　王文鶴妻楊氏　城守千總劉鵬程妻楊氏
劉某妻龔氏鵬程子婦　張某妻姜氏　王申五妻芮氏　金耀龍妻
程氏　陳昭妻卜氏　吳某妻查氏　邵大任妻王氏　汪永
濤妻王氏　吳某妻劉氏　程某妻史氏　尹某妻張氏　魏
某妻陳氏　劉某妻姚氏　王學源妻江氏　蘇錦春妻王氏
胡元昇妻羅氏　萬永燦妻何氏　秦從之妻陸氏　孫聯
芳妻戴氏　衛千總尹洪妻李氏　劉瀛妻尉遲氏　袁季和
妻伍氏　王振安妻杜氏　王某妻端木氏　凌兆亭妻劉氏
劉典三妻李氏　生員李謙光妻汪氏　厲錦妻朱氏　王
容妻厲氏　王鳴玉妻徐氏　王又涵妻吳氏　朱良弼妻周
氏　陳楨妻高氏　張某妻王氏　馬繼高妻沙氏　謝景崗
妻龔氏　李長年妻謝氏　王庭玉妻楊氏　王楷平妻陳氏

陳慶長妻戴氏　陳其祥妻王氏　潘某妻陸氏　陳有容妻黄氏　孫某妻林氏　賈某妻張氏　林淮妻王氏　王維周妻陳氏　張起修妻李氏　王際雲妻沈氏　崔型堂妻安氏　王松林妻胡氏　劉廷玉妻吳氏　徐萬九妻汪氏　潘淮妻楊氏　楊克純妻汪氏　談掄元妻王氏　程逈妻王氏

蔡德漳妻章氏　朱懷玉妻林氏　貝從貴妻愼氏　楊煥章妻吳氏　生員黄長庚妻吳氏　陶燦明妻王氏　陳啟亨妻羅氏　金榮光妻王氏　庠生陸玉華妻汪氏　陳青華妻吳氏　朱寅妻楊氏　許鎭妻張氏　朱源妻陶氏　陸某妻張氏　生員盛文瀾妻姚氏　鄧宗山妻孟氏　朱錦川妻李氏　劉錫昌妻韓氏　桐城姚宏義妻沈氏　孫鍾妻涂氏

歲貢生管鵬飛妻陳氏　王謨妻邱氏　高成章妻王氏　糜

生王耀雲妻張氏　潘鳴玉妻趙氏　方根發妻萬氏　歐陽
某妻黄氏　達金聲妻劉氏　丁德明妻張氏　生員曹炳文
妻胡氏　賈確妻姚氏　吳紹保妻鄺氏　文童葉儒妻劉氏
惲潮源妻王氏　陳景南妻郭氏　張克明妻朱氏　王士
龍妻莫氏　王和妾李氏　龐修齡妻宋氏　顧泰妻邵氏
陳世榮妻柳氏　徐萬鎰妻李氏　朱修亭妻席氏　王榮先
妻田氏　楊潤亭妻陳氏　林大川妻陳氏　王國瑞妻曹氏
李德興妻陳氏　顧泗楷妻萬氏　葉國珍妻劉氏　沈廷
逵妻陳氏　李清吉妻朱氏　周廷槐妻黄氏　浙江稅課大
使程鑒妻胡氏　錢士衡妻蕭氏　王某妻葉氏　顧萬順妻
李氏　龔龍元妻甘氏　馮濟川妻葛氏　姚曾敭妻王氏
宋文蔚妻汪氏　王浩妻田氏　王某妻張氏　楊銓妻劉氏

張廷傒妻戴氏　王懷容妻余氏　封德明妻孫氏　石詳妻程氏　徐長榮妻陳氏　生員黃立楷妻趙氏　佘廉妻張氏　陳長春妻劉氏　朱某妻陳氏　沈春林妻丁氏　張右濤妻施氏　葉某妻張氏　王大年妻項氏　馬景曾妻金氏　陳長安妻李氏　孫應祥妻李氏　湯增（節孝備考作璔）妻石氏　陳嘉漣妻趙氏　李恕平妻陳氏　馬樹勳妻常氏　姚興仁妻文氏　鄭希忠妻伍氏　從九品胡曾妻劉氏　楊士貴妻趙氏　張錦枝妻馮氏　李雲江妻王氏　甯嗣溶妻張氏　田淮洲妻金氏　陶蘊山妻文氏　宰耀宗妻吳氏　王之桂妻朱氏　朱文瀾妻吳氏　沈國元妻程氏　李寶林妻丁氏　周炳南妻朱氏　張東傒妻王氏　王謨妻湯氏　胡某妻管氏　陳啟堂妻魏氏　聶某妻劉氏　傒雲臺妻周氏　張

某妻郭氏　生員汪炘妻劉氏　鄭某妻馬氏　朱匯文妻吳氏　林某妻錢氏　龔來熙妻趙氏　李熙妻王氏　于某妻劉氏　汪貞一妻葉氏　高某妻傅氏　任玉德妻葉氏　高懋德妻胡氏　劉世鳳妻翁氏　車問山妻史氏　顧玉書妻余氏　沈露平妻胡氏　程慶蘭妻王氏　彭某妻金氏　洪遵堯妻戴氏　阮國銘妻楊氏　彭春陽妻王氏　王爾禧妻段氏　溧水生員王德容妻江氏　監生王光增妻何氏　陳有榮妻黃氏　黃某妻李氏　楊景言妻王氏　盧世珍妻彭氏　華耀廷妻王氏　楊啟楨妻魏氏　張某妻汪氏　生員顧模妻周氏　韓某妻安氏　司佩華妻陳氏　彭崑發妻孫氏　薛某妻盛氏　陳淵涵妻彭氏　王松山妻張氏　姚某妻王氏　黃宗源妻錢氏　施某妻陳氏　蔣濤妻趙氏　朱

某妻傅氏　王某妻周氏　柏浩妻宋氏　俞某妻顧氏　舒
介年妻李氏　劉鎮東妻趙氏　王某妻安氏　張盛林妻姚
氏　江五妻王氏　監生金延慶妻劉氏　張相妻傅氏　江
某妻汪氏　楊某妻魏氏　陳某妻張氏　楊克省妻王氏
哈上林妻梁氏　王銘之妻徐氏　張肇履妻馮氏　查鴻儒
妻王氏　王世華妻黄氏　劉鏞妻仲氏　萬某妻于氏　蘇
士造妻王氏　葛震興妻朱氏　吳崑潮妻孫氏　陳載雲妻
程氏　吳光輝妻孫氏　張某妻黄氏　田恭謙妻金氏　王
琪妻李氏　童飛泉妻車氏　顧蒼延妻胡氏　蘇大桂妻朱
氏　朱長發妻王氏　周森山妻劉氏　楊廷輝妻馬氏　汪
德漣妻趙氏　王載聲妻胡氏　丁文會妻貝氏　石麟妻程
氏　丁大椿妻高氏　王錦源妻陳氏　黄紹祖妻姚氏　彭

如川妻金氏　朱紹祖妻吳氏　趙連璧妻楊氏　張泗洙妻
汪氏　馬友仁妻劉氏　金北堂妻李氏　顧宏元妻陳氏
監生王淮妻郭氏　生員王德桂妻謝氏　生員王德潤妻趙
氏　周有仁妻潘氏　賀光祖妻王氏　于汝森妻韓氏　汪
某妻李氏　湯建安妻陳氏　潘某妻霍氏　西萬勳妻李氏
　陶元福妻楊氏　袁成孝妻賀氏　袁洪妻范氏　武生胡
德基妻孫氏　蔣勝甫妻史氏　賴大永妻郭氏　張應科妻
金氏　朱某妻周氏　裴某妻趙氏　徐銘妻范氏　徐文鑑
妻紀氏　鄧淞妻王氏　鄧溱妻方氏　吳某繼妻方氏　喻
某妻侯氏　順天東安縣丞況纘緒妻呂氏　生員劉衍義妻
陳氏　熊雲翼妻包氏　庠生周恩妻魏氏　甘源妻隨氏
張純熙妻金氏　闞君美妻王氏　貢生隨念祖繼妻周氏

廩生隨錕妻張氏　庠生龔元禄妻王氏　監生婁枚妻周氏
王球妻汪氏　盧朝桂妻紀氏　莊學詩繼妻張氏　陸律
妻涂氏　婁錫福妻李氏　汪濤妻王氏　何成洲妻徐氏
翁學楷妻李氏　白應甲妻陳氏守節事繼姑孝二子夢鼎夢鼒以直得罪繫獄陳曰吾子
范滂流也吾何難爲滂母乎無慍色後俱成名王某妻白氏應甲女　前明諸生陳子高妻
金氏　李順妻林氏家貧義不再適餓死距夫亡三年　楊瑞吾妻吳氏石門人年十七
守節撫子立布業至今金陵所著石門布吳基之也庠生李長安妻陳氏鄴人陳淼文女邢國經
妻朱氏　陶德容妻陳氏　林淦妻陳氏○以上見上元武志馮佐妻吳
氏○見藍志王宏基妻張氏子正國未娶卒聘婦鄒氏過門守貞許長楚妻翁氏與姒李同
守節○以上見節孝備考郜梓妻張氏○見胡第詩莒州杜某妻紀氏字阿男上元人以節
孝旌○見詩匯楊嘉貴妻秦氏　丁某妻周氏丁步蟾母張百川妻田氏
郝志洪妻羅氏　郝志源妻陳氏　郝長貴妻朱氏　郝潤芝

妻李氏　郝長恩妻俞氏　郝永成妻趙氏　監生王鑑妻商氏　梅廷模妻劉氏　董席如妻張氏　駐防正藍旗尚阿納妻關氏年十九夫亡關絕粒四日死復甦或勉之曰孤幼須撫不可死也時子錫齡甫生九月氏毀容自矢教之嚴後官參領孫炳元幼讀書至夜分氏年已五十篝燈紡績猶教誨不少懈文生李文鳳妻蔡氏　李起玉妻陳氏　李起祥妻宋氏　謝璜妻朱氏　夏之賓妻李氏　況紹周妻呂氏　陸長春妻劉氏　陶某妻某氏守節教子湘讀書後市古籍碑版藏書甲一郡○以上見同治上江縣志韓維楨妻劉氏　蕭萬祿妻朱氏　葉世松妻聶氏　周承懋妻殷氏　周公熊妻張氏　何元啟妻朱氏　殷道生妻胡氏　韓萬輝妻朱氏　韓德純妻呂氏　王式鐸妻孫氏　張恩洪妻顧氏　張文煥妻王氏○以上見安徽通志駐防鑲白旗馬某妻關氏結縭半載夫亡無子撫從子銘鼐教之成立　駐防正白旗何二善妻常氏年二十一守節撫遺腹子含哀茹苦咸豐三年城陷抱子投水死○以上見采訪

○乾隆年旌張錫妻何氏　王正清妻汪氏○以上見上元武志○嘉慶年旌方承曾繼妻黃氏妾王氏夫病篤黃割股以進夫亾與妾王同撫子明峻成立後明峻續輯節孝備考遵母命也　夏獻奇繼妻賈氏　朱秀妻張氏　端木成瑞妻徐氏　田士洪妻張氏　庠生陳汝筠繼妻方氏　劉㝬妻周氏　周希楷妻朱氏　洪位三繼妻孫氏　宋文義妻龔氏　劉寶南妻謝氏　黃肇周妻顧氏　林孝劭妻孫氏　黃渭侯妻鄧氏　韓某妻劉氏○以上見上元武志○道光年旌聶繼志妻周氏　許正富妻朱氏　陳德裕妻劉氏　武舉張澄妻龔氏　宗承年妻尉遲氏　監生朱道塏妻劉氏　胡惠林妻杜氏　繆松林妻鄭氏　庠生朱車瞰妻劉氏　洪鶴譽妻張氏　監生金楫妻董氏　庠生朱華妻李氏事舅姑孝○以上見上元武志　汪嵩嶽妻張氏　王正煌妻侯氏　陳正誼妻吳氏　陳大元妻施氏　監生周茂增繼妻費氏

增生陳鶴齡妻張氏死粵寇難並見貞烈表　董耀昆妻朱氏　董斯昭妻彭氏　董斯銘妻常氏　紀國樑妻王氏　王世球妻宮氏　王維章妻陳氏　吳大坤妻賀氏　吳忠學妻高氏　張廷祿妻高氏○以上見同治上江縣志　直隸清河道朱灝妻郝氏　朱綬曾妻陸氏　朱維曾妻陳氏　文生王廷楨妻沈氏　周鏕妻王氏　黃修齡妻王氏　詹濮妻許氏　陶淑宣妻郭氏　李玉藻妻吳氏　黃樂山妻徐氏　葛高爵繼妻曹氏　葛顯揚繼妻王氏　左文林妻管氏　趙秉衡妻朱氏　庠生王元妻顧氏　金萬山妻鄭氏　庠生張遇春妻趙氏　朱兆麟妻李氏　庠生陸成繼妻許氏　廩生時湘繼妻李氏　戴忻繼妻王氏　戴明楨妻李氏　戴明發妻石氏　夏大櫶妻張氏　夏正錄妻郭氏　章紹基妻孟氏　石兆妻於氏　吳安寶妻袁氏

王有知妻黃氏子國臣妻陳亦撫孤守節　尹德潤妻朱氏　邰之蕙妻耿氏
賈興瑤妻朱氏　孔繼洪妻龐氏　徐承曾妻戴氏　馬雲
登繼妻賈氏　許耀廷妻孫氏　王士秀妻孫氏　夏正沛妻
許氏　孫錫墳妻謝氏　戴忠妻李氏　解漢文繼妻謝氏
王天岳妻談氏　孫學紹妻李氏　祁天根妻李氏　耿世柏
妻張氏　耿世松繼妻殷氏　劉錡妻范氏家貧事舅姑以孝聞　監生楊
大基妻范氏苦節事舅姑孝　鄭運周妻邱氏　田寶茂妻葉氏　楊公
榮妻王氏　武永發妻謝氏　鞠康熾妻牛氏　鞠從先妻吳
氏　李世榮妻朱氏　文生王世鑑繼妻程氏　文生孫兆奎
妻吳氏　朱堯年妻祝氏　季聖揚妻俞氏　許培妻朱氏
丁學餘妻賈氏無子撫女守節三十年賈病女刲股愈之　王臨妻楊氏　陳廷桂妻
邢氏　劉維瀋妻遲氏　監生李長春繼妻周氏　錢源妻李

氏　楊堯臣妻方氏　許森繼妻張氏　許長標一作長漂妻彭氏
李彩文妻時氏　耿世梅妻孫氏　張順齡妻馮氏　呂錦
涵妻紀氏　呂思遠繼妻許氏　呂耀蒼妻戴氏　夏正沂妻
張氏嗣子大櫓妻張氏亦青年守節監生王念祖妻汪氏　祁心啟妻李氏
王瀛洲妻孫氏　李成恭妻孫氏　孫應陞妻祁氏　陳學虎
妻李氏　陳祖壽妻李氏　陳繼聰妻王氏　李維桂繼妻孫
氏　孫蔚廷妻湯氏　孫肇和妻耿氏　孫祖玖妻王氏　夏
昆仁繼妻孫氏　孫邦祿妻李氏　孫應麟繼妻談氏　李成
仁妻孫氏　夏含初妻劉氏　孫覲廷妻劉氏　李維楷繼妻
孫氏　夏襄文妻孫氏　刑部郎中孫溶妻魏氏　馮正品妻
張氏　徐世智妻許氏　徐怡士妻蔣氏　呂光遠妻王氏
監生張宗澥妻耿氏　祁天岳妻孫氏　邱秦妻管氏　隨錡

祖妻李氏　隨銈妻陳氏　錢萬鍾妻陶氏　廩生王岑妻許氏刲股療夫顧景峰妻王氏　王階平妻朱氏　高瑞妻武氏　龔世濔妻湯氏　張松朝妻鄭氏　監生徐兆震妻胡氏　王永妻閆氏　陳士龍妻李氏　張述曾妻楊氏　陸士標妻蔣氏　文生丁兆蘭妻趙氏　李廷琪妻胡氏　賈某妻王氏舉人賈星垣母　陶德銘妻王氏　陶淑寅妻張氏　陸經妻劉氏　汪濟川妻楊氏　監生王宏道一作洪道妻劉氏　陶澤廣妻王氏○以上見金陵節孝備考　馮克正妻呂氏　楊惠滄妻王氏　孫繼貞妾汪氏　宮廷揚妻紀氏　孫肇元妾陳氏　焦正錦妻孫氏　王邦憲妻貝氏　王本淵繼妻朱氏　王本瑩妻孫氏　夏大淇妻張氏　趙國梁妻張氏　祁心富妻李氏　楊瑞南妻李氏　李智榮妻王氏　邢繼楠妻戴氏　紀正田一作玉田妻蔣氏　楊銅妻

范氏　楊煦妻李氏　楊邦彥妻李氏　楊焯妻徐氏　張錫林（一作錫齡）妻孫氏　紀允標（一作元標）妻許氏　龐至中妻高氏　龐德華妻許氏（一作謝氏）　周啟壽妻龐氏　孫應煜妻朱氏　郭世韶（一作世錫）妻劉氏　張以閶（一作以閭）妻夏氏　賈德輝妻蘇氏　朱裕國妻侯氏　王元冀（一作元驥）妻張氏　朱裕華妻羿氏　楊世昌妻潘氏　李俊聲（一作浚聲）妻馮氏　孫錫璜繼妻李氏　焦本澍妻劉氏　楊大章妻李氏　時家儒（一作宗儒）妻朱氏　李天垣妻焦氏　李大鑑妻汪氏　夏效波妻王氏　夏敬五妻陳氏　李大全妻江氏　孟繼祿妻楊氏　王有懷妻劉氏　楊錨（一作鏆）妻孫氏　楊錕妻王氏　楊蓬盛妻馬氏　沈有臣妻王氏　李大暲（一作大璋）妻許氏　孫應熊妻謝氏　孫應鸞妻李氏　文生夏寅妻許氏　夏大璋妻李氏　孫國祥妻萬氏　焦從

銘妻楊氏　李繼中妻孫氏　董彭禮妻王氏　張璉友一作連友
妾彭氏　蘇孔昭妻王氏　李繼强妻孫氏　張濬明妻孫氏
易加培妻陸氏　匡源佑妻許氏　趙瑞廷妻楊氏　汪心
堂妻高氏　楊燚妻馮氏　蘇體元妻李氏　蘇聖扶妻郗氏
姚承泰妻楊氏　羿本存妻蔣氏　陳健陽妻許氏　張位
林妻章氏　張德川妻宮氏　李天聚妻陳氏　李程萬妻王
氏　李國介妻陶氏　易培周妻謝氏　魏禮棠妻陸氏　陳
知章妻徐氏　王鴻志妻陶氏　戴國隆妻楊氏　王履嘉妻
楊氏　陶澤廣妻李氏　潘邦孚妻陶氏　孫介濤繼妻郁氏
時國初妻趙氏　潘榮昭妻呂氏　張應聘妻石氏　彭士
亨妻馬氏　孫念源妻馮氏　許敬渠繼妻張氏　張德正妻
李氏　謝崇儒妻朱氏　徐元春妻吳氏　張大綱妻蔡氏

羅正衍妻李氏　李墤滈妻馮氏　張德裘妻李氏　時錫華妻薛氏　楊逢地妻賈氏　彭士瑾妻許氏　王大衡妻焦氏　王景賢妻侯氏　楊玉春妻高氏　徐延勳妻周氏　陶元超妻丁氏　孫應瑜妻馮氏　馮正錦妻孫氏　邵繼楠妻戴氏　夏大滇妻張氏　張大鋼妻吳氏　賈德源妻孫氏　應某妻余氏　監生任宇光妾王氏〇以上見滈化鎮總坊〇咸豐年旌　文童易爾昌妻孫氏守節死粵寇難並見貞烈表〇見同治上江縣志〇同治年旌　章榕妻葉氏　湖南按察使龔鯤妾黃氏　龔玉堂妻朱氏　監生吳春林妾閻氏　文生金之豐妻陳氏　錢百齡妻黃氏　廩生張進妾仲氏　王永齡妻葉氏　監生戴家儀妻張氏　劉濤妻張氏　馬廷毓妻曹氏　秦繼榮妻嚴氏　廩生田咸豐妻吳氏　黃恩濤繼妻白氏　李建勳妻謝氏　王延遠妻祁氏　謝某

妻劉氏　監生朱煒妻曹氏　文生許光徽妻朱氏　席鎮容
妻楊氏　陳春芳妻沈氏　范長松妻陳氏　監生張松暘繼
妻朱氏　文生張廷選妻姚氏　陳金誥妻李氏死粵寇難　陳沂妻
武氏金誥子婦刲股療夫疾守節死粵寇難　監生高攀桂妻范氏　文生方潤妻
陳氏　武祺妻李氏　張繼浩妻徐氏　文生王球妻張氏
江某妻嚴氏石板橋居民　李長庚妻夏氏　吳紹彭妻仇氏　縣丞
朱照勳繼妻江氏　文生吳榮曾妻汪氏　監生柯德元妻汪
氏　孫鴻兆妻孔氏　廩生邢吉雲繼妻楊氏　魏立勳妻甘
氏　甘世嵩妻李氏　盧厚存妻周氏　文生沈瑞年妻紀氏
　朱延祚妻胡氏　董達源妻王氏　董停侯妻楊氏　監生
董宏昭妻鄭氏　監生董德周妻戴氏死粵寇難並見貞烈表　監生易同
聲妻董氏　汪育麟妻董氏　孫明珂妻陶氏　俞義春妻李

氏　俞元林妻姚氏　文生馬鉉魁妻蔡氏　施紀相妻楊氏
從九品滕立寬妻陳氏　陳如鶴妻仲氏　陳如岳妾王氏
甘世順繼妻李氏　文生俞廷颺妻許氏　宋大森繼妻許
氏　文生汪家熙繼妻余氏　湯聯奎妻王氏　增生李登醕
妾孫氏　俞秉揚繼妻蔣氏　朱某妻胡氏　汪嘉漣妻周氏
呂立章妻金氏　吳興甯妻孫氏　陳雨田妻張氏　陳傳
喜一作傳嘉妻呂氏　郭家仁妻吳氏　柯大長妻劉氏　金庭階
妻柯氏　劉澤敷妻曾氏　胡永年妻林氏　張咸熙繼妻陳
氏　洪恭妻王氏　金啟妾李氏　張文熙一作元熙妻吳氏　韓
培之妾沈氏　劉藍田繼妻王氏　郭如球妻柯氏　張學堂
妻金氏　何樸園繼妻王氏　呂立元妻金氏　鄒一作鄭昭融
妻張氏　呂裕源一作裕元妻葉氏　朱長楨妻王氏　劉升卿妻

丁氏　王良玉妻柳氏　芮致良妻吳氏　劉心田妻何氏
貢某妻吳氏　趙之桐妻湯氏　監生陶聖謨妻楊氏　端木
瀕妻徐氏鄒坊村人邑人王延長有傳　李某妻侯氏侯大桐妹苦節終身　朱惟悅妻高
氏死粵寇難竝見貞烈表　陶澤喜妻朱氏　陶澤嘉妻楊氏　戴國培妻
趙氏　趙昌祖妻李氏　徐蔭亭妻馮氏　夏遵駒妻李氏
文生夏家鼎繼妻顧氏王墅村人　夏時熙妻許氏　孫聞道妻夏氏
文生周冕妻李氏以上十八人俱守節死粵寇難竝見貞烈表　馬功信妻鮑氏〇以上見
同治上江縣志　武生王銓妻張氏　徐釗妻劉氏　周霖滄妻楊氏
監生李世魁繼妻張氏　監生呂宏仁繼妻貝氏　袁貢虞繼
妻張氏　錢本妻王氏　朱益妻劉氏　舒椿妻李氏　隨崇
恩妻梁氏　徐國培妻馬氏　王朝繼妻馮氏　郭天培妻徐
氏　文生方淩雲妻翁氏　封濬川妻蘇氏　王紱祖妻劉氏

本頁原殘闕，現據南京圖書館藏《光緒續纂江寧府志》（光緒六年刻本，光緒七年初印本）補字。

時仁傑妻王氏　孫應寅妻談氏　高青選妻任氏　高文浩妻王氏　葉大經妻李氏　車持謹妻王氏　李學詩妻王氏　王宣妾沈氏　鄭元福妻何氏　羅訓妻沈氏　周球妻方氏　嚴啟鶴妻劉氏　陸銳妻馬氏　陸廷選妻熊氏　徐國志妻李氏　侯寶玉妻范氏　朱華豐妻徐氏　廣西監生刁大文妻蔣氏　文生李淦妻劉氏　李應金妻劉氏　李應柏妻張氏事孀姑孝　監生呂俊英妻李氏事孀姑貝氏孝　金春陽繼妻許氏年二十六夫亡許工吟咏哭夫詩云詩稿無心理焚灰當紙錢又怕夫泉下命墳上土頻添七言詩云泉臺滋味鬧中恨一樣凄凉兩地嘗等句家貧授女徒度日守節三十年　朱進賢妻章氏　李士忠妻翁氏　陸長祥妻楊氏事孀姑孝　顧修傳妻王氏　徐恆妻張氏　劉純妻賈氏事舅姑孝　方經燮妻李氏事舅姑孝　涂鎔妻方氏　馮雨田妻沈氏　文生李德輝繼妻徐氏　李宗基妻張氏　文生張鳳翔妻

方氏　仝紹德妻司氏　監生姜松泰妻王氏　文生余淼妻
陸氏　王聯元妻陶氏事舅姑孝　任啟祿妻汪氏　張瑛妻王氏
楊煜妻朱氏事祖姑孝　文生阮肇奎妻陳氏廩生陳寶廉長女年二十一歸阮十日夫疾卒撫嗣子桂馨已遊庠娶婦而桂馨又亾　張執節妻朱氏　舉人賈星垣妻黃氏
蕭如棠妻賈氏　金惪全妻蔣氏　周純甫妻金氏　范蘭坡
妻李氏　范履安妻胡氏　范竹香妻甯氏　徐國典妻劉氏
周國泰妻朱氏　李召南妻周氏　張樹妻楊氏　談拙葊
妾孫氏　金鈺妻俞氏　從九品李森妻方氏　張保和妻王
氏　周鎔妻趙氏　武長慶妻許氏　楊朝棟妻李氏　吳啟
元妻汪氏　謝溶川妻龔氏　游某妻吳氏　王安泰妻張氏
倪建安妻吳氏　岳文鴻妻高氏　程志堉妻朱氏　知縣
顧汝恩妻狄氏　許儔妻劉氏　廣西知州朱續曾妾田氏

本頁原殘闕，現據南京圖書館藏《光緒續纂江寧府志》（光緒六年刻本，光緒七年初印本）補字。

監生周汝楫繼妻項氏　未入流高寶繼妻朱氏　隨國柱繼妻童氏　周國興妻鄭氏　隨順祖妻方氏　陳天祿繼妻沈氏　武舉董長青繼妻謝氏　黃槤生妻葉氏　潘鏞繼妻葉氏　申文鈺妻張氏　監生何錫妻陳氏　馬允恭妻賀氏　王肇齊妻戴氏　戴紾妻戚氏　王錡妻李氏　文生岳文溶妻黃氏　林德魁妻朱氏　蕭寶修繼妻成氏　順德知府合肥趙對墀妾郭氏　譚德榮妻王氏　王漳妻沈氏　謝大有妻葉氏　秦鵬遠妻張氏　文生張春來妻車氏　監生范子英妻李氏　州同陳頤年妾程氏　金樹德妻陳氏　夏惟德妻張氏　張執圭妻洪氏　戴春林妻袁氏　監生孫雲倬妻鄧氏　孫念之妻鄧氏　鄒宇範妻李氏　邱士龍妻張氏　韓桂妻李氏　監生方惟憲妻楊氏　陶松妻費氏　劉沅妻

江氏　王長齡妻金氏　張夢燕妻徐氏　陶惟忠妻吳氏
陶嘉第妻朱氏　陶孝仁妻孫氏　陶之尚妻張氏　陶孝聖
妻張氏　陶永賢妻任氏　陶永佐繼妻潘氏　陶永彥妻葛
氏　陶永謙妻杜氏　陶德榮妻陳氏　陶明顯妻李氏　陶
淑景妻李氏　陶淑權妻劉氏　陶淑樫妻葉氏　陶德鈞妻
竇氏　汪立仁妻王氏　江崑望妻楊氏　王民袞妻陳氏
陶澤培妻李氏　孫昌包妻李氏　溫康民繼妻楊氏　許其
祿妻竇氏　李崇信妻龔氏　董心琳妻楊氏　夏紳妾朱氏
　王汝玉妻孫氏　吳紹武妻陶氏　李啟桐妻孫氏　陶德
義妻施氏　陶孝魁妻某氏　陶德閏妻禹氏　陶明揚妻唐
氏　陶淑貞妻陳氏　陶永龍妻許氏　陶德重妻李氏　王
宮鉉妻陶氏　尹永秀妻陶氏　尹永端妻徐氏　柏光啟妻

張氏　柏光有妻邵氏　陳方恆妻陶氏　文生郭大鏞妻徐氏　劉文沛妻張氏　黃豐敬妻劉氏　馬定文妻蔣氏　彭正型妻何氏　朱萬選妻王氏　張泗珠妻汪氏　王安情妻張氏　王幸鴻妻高氏　談其庶妻許氏　李南有繼妻郭氏　李尚忠妻劉氏　端木大來妻李氏　沈二妻陸氏　黃德理妻孫氏　黃德奎妻章氏　董家駒妻梁氏　談秉鈞妻周氏　熊德培妻董氏　桐城姚原遇妻葉氏　劉元楨妻沈氏　戴長齡妻汪氏　戴元齡妻汪氏　王永太妻葉氏　王三妻湯氏　梅景堂妻周氏　張家騮繼妻陸氏　李金聲妻侯氏　馬榮仁妾許氏　劉正南妻夏氏　王如升妻陶氏　陶必蒼妻錢氏　王貞瑜妻許氏　王毓東妻朱氏　胡宏妻陳氏　張國英妻周氏　龔起年妻鄧氏　陳玉常妻胡氏　董

家騮妻粲氏　王某妻張氏　趙某妻吳氏　張位三妻龔氏
吳澄妻董氏　胡永齡妻江氏　余汝調妻顧氏　夏如桂
妻毛氏　劉增妻沈氏　楊大牲妻魏氏　李浩妻范氏　汪
隆昌妻劉氏　施尚義妻查氏　李長年妻謝氏　葉紹彭妾
張氏　張執義妻劉氏　朱永奎妻陳氏　山東武定同知王
彬繼妻申氏　王天禧妻張氏　王錦源妻陳氏　潘增元妻
王氏　周全妻詹氏　周森山妻劉氏　王長元妻于氏　何
維林妻徐氏　邵貴美妻葉氏　濮廷蔭妻王氏　胡吉安妻
倪氏　周桂林妻費氏　于汝霖妻韓氏　袁松齡妻楊氏
文生李長榮妻匡氏　文生顧模妻周氏　謝體義妻張氏
敎士貴妻李氏　羅增盛妻劉氏　監生王嘉漣妻楊氏　王
育杼妻謝氏　王育啟妻楊氏　胡宇釗妻孫氏　朱某妻吳

氏　楊錦川妻李氏　葉道源妻李氏　朱潤西妻秦氏　周
天和妻謝氏　范士貴妻周氏　楊某妻吳氏　秦仲華妻張
氏　吳繼昌妻沈氏　畢長元妻項氏　賈文鎔妻韓氏　周
友志妻楊氏　周成倉妻季氏　林起貴妻蔡氏　楊存正妻
韋氏　葉世榮妻李氏　吳德明妻沈氏　陳萬元妻蔣氏
文生李育堃繼妻柳氏　王璉妻田氏　劉潮妻張氏　端木
從恂妻郭氏　萬仁妻宋氏　王增妻鄒氏　談秉均妻周氏
　監生范詮妻雍氏　朱居森妻陶氏　朱居炳妻吳氏　佘
錫純妻張氏　萬雙鯨妻陳氏　蔣棋妻高氏　吳啟元妻張
氏　湯燕清妻黃氏　黃蔭庭妻芮氏　陶淑釗妻楊氏　孫
範成繼妻楊氏　陶澤玉妻吳氏　朱士元妻魏氏　談學志
妻張氏　劉配坤繼妻胡氏　陶興藻繼妻戴氏　孫肇惺妻

李氏 陶天榮妻戴氏 應宗秀妻楊氏 許景炎繼妻舒氏
王傳極妻楊氏 汪育林一作育麟妻董氏 監生范嗣宗妻甯
氏 監生甯開熊妻宗氏 李潼妻趙氏 趙秀山妻蕭氏
李鴻裕妻韓氏 張宗泗妻毛氏 王安郡妻李氏 趙德之
妻竇氏 趙宇和妻葛氏 翁斌妻王氏 曹惠魁妻羅氏
賈萬福妻許氏 文生端木通培妻嚴氏 程世祺妻江氏
程世棟妻王氏 張天鑑妻孫氏 周國勳妻陶氏 文生鄭
鏞妻劉氏 談學鑌妻李氏 王安邳妻許氏 匡學壽妻易
氏 陶德積妻萬氏 陶德炎妻馬氏 陶延芳妻李氏 陶
德翠妻陳氏 尹天普妻汪氏 尹永利妻范氏 柏華杰妻
鄧氏 劉建楷妻潘氏 劉建棐繼妻崔氏 朱鴻儒妻王氏
毛惟勳妻李氏 毛惟琪妻李氏 朱正恆妻陶氏 黄宗

時妻林氏　陳德貴妻許氏　袁森堂妻周氏　王貞瑜妻張
氏　劉庭匯妻李氏　謝某妻劉氏　黄楚南繼妻吳氏　佘
如松妻賈氏　李元祥妻沈氏　鄭長慶妻周氏　周光宇妻
李氏　吳德茂妻楊氏　任取祿妻汪氏　葉冠庭妻陸氏
楊長庚妻李氏　許子貴妻壽氏　王福安妻劉氏　金長發
妻鍾氏　胡榮和妻吳氏　戴忠妻李氏　吳炎妻汪氏　楊
某妻吳氏　孫信堂妻劉氏　張吉人妻陸氏　楊沅妻蕭氏
　吳潤泉妻王氏　夏鼎妻陸氏　范寶瑞妻顧氏　文生劉
文棣妻陸氏　蔡德元妻劉氏　楊洪如妻某氏　王嘉漣妻
楊氏　李春暘妻陶氏　陶明達繼妻王氏　文生陶師侃繼
妻馮氏　陶澤金妻陸氏　陶淑武妻吳氏　陶德玉妻杜氏
　陶澤仁妻魏氏　任健麒妻陶氏　文生陶錫祺妻陳氏

夏聖章妻陶氏　袁安妻許氏　馬景芳妻沈氏　監生金雲帆妻陸氏　陳鈺年繼妻汪氏　陳銑妻許氏　林大章繼妻上官氏　楊酯妻陶氏　陶鑋情妻龔氏○以上見同治上江縣志　監生翁模增繼妻高氏守節殉粵寇難○光緒年旌　蔣銘妻吳氏　荊甲繼妻江氏

蔡尚泰妻張氏　梅保林妻周氏　陳國士妻羅氏　董宗發妻張氏　顧高妻鈕氏　布庫大使朱桂泉妻張氏　黃金斗妻陳氏　州吏目余居仁妻邢氏　林應熙妻王氏　池某妻戴氏　千總江大朋妻徐氏　龔世德妻王氏　葛庚武妻陳氏　孫載貽妻李氏　朱燾錫妻戴氏　張立名妻李氏

孫昌鑾妻夏氏　孫應晈妻謝氏　孫應聿妻李氏　孫念鈞妻李氏　孫念椿妻許氏　王壽原妻談氏　許正炯妻孫氏

王宗禮妻許氏　張必成妻朱氏　王宏業妻孫氏　夏肇

靑妻孫氏　貝紹禮妻張氏　耿洪新妻貝氏　季端書繼妻
黃氏　梁義椿妻李氏　王大彬妻戴氏　祁金和妻孫氏
監生謝作燕繼妻朱氏　易世匯妻張氏　王恭壽妻岳氏
監生章長恩妻翁氏　王志虎妻錢氏　呂滄文妻周氏　童
正邦妻徐氏　顧永年繼妻魏氏　李金鐸妻侯氏　蕭耀雲
妻侯氏　楊德元妻傅氏　杜蔭芝妻高氏　李衡南妻賈氏
四川三臺縣典史王衍緒妾陳氏　王某妻徐氏衍緒嗣母　張永
誥妻章氏　魏昌遐妻宮氏　王宏燕妻李氏　戴明斌妻孫
氏　潘某妻王氏王嘉言女　徐進斗妻郁氏死粵寇難　夏書田妻孫氏
程開第妻王氏　戴文秀妻許氏　戴宗茂妻楊氏　文生伍
長年妻仇氏　蔡汝廉妻陳氏　仇廷椿妻孔氏　熊嘉言妻
方氏　許灼妻葉氏　許某妻程氏程彩麟妹　文生程寶麟妻羅氏

劉長年妻楊氏　蔣遐齡妻周氏　候選通判湯裕昭繼妻耿氏　張慶連妻邸氏　王宗盛妻李氏〇以上見同治上江縣志　孫正祥妻汪氏　趙崑泉繼妻張氏　朱攸慶妻鍾氏　從九品李家楫妻管氏　文生朱琛妻李氏　張開元妻盧氏　職員朱桂楷妻譚氏　張鎮榮繼妻宋氏　楊子東妻費氏　席存仁妻陳氏　李楨妻徐氏　周啟龕妻業氏　廩生吳方梓繼妻張氏　黃慶瀾妻焦氏　華承海妻汪氏　監生朱暉妻吳氏　陳恩猷妻周氏　官耀先妻王氏　邵聯興妻汪氏　徐永林妻姚氏　楊士純妻陶氏　鄭明遠妻胡氏　程敦榮妻吳氏　黃金銘妻周氏　朱忠妻葛氏　鄭錦濤妻舒氏　李應華妻查氏　田潤長妻李氏　把總蔣文川妻康氏　周長松妻王氏　龔長華妻陳氏　葉長芳妻官氏　縣丞陶大椿妻蔡

氏　何兆棠妻蘇氏　李升之妻陳氏　田芝妻朱氏　陳凝之妻陸氏　周松亭妻張氏　田芸妻陳氏　楊士義妻張氏　張少堂妻左氏　宋蔭槐妻陸氏　陳恩游妻周氏　吳渭川妻王氏　曾金章妻朱氏　袁起賢妻鄒氏　吳雙妻馬氏　王苞妻唐氏　把總王寶林妻陳氏　周芝仁妻劉氏　劉戴之妻李氏　田芄妻王氏　張承鐸妻江氏　方宜昌妻戴氏　蔣貢奇妻葉氏　蔣士曇妻陳氏　許燮妻劉氏　許烈妻孫氏　許炘妻康氏　許標妻杜氏　姚義興妻高氏　駱崇杙妻馬氏　尚炳榮妻黃氏　文生丁金科妻許氏　鄭孝恩妻陳氏守節在清河縣殉難　馬球妻伍氏　曹正富繼妻姚氏　陶兆岐妻葛氏　劉兆齡妻葉氏　華永德妻夏氏　李宗愛妻戴氏句容戴秉忠次女殉粤寇難　陶天顯妻戴氏　徐有坤妻劉氏　丁鵬年

妻王氏　文生李鑾妻金氏　佘正駿妻李氏　周瑞龍妻馬氏　王德元妻戎氏○以上見府署公牘　許明妻陳氏　管文妻許氏嘗兩刲股療夫守節依母居母病復割股愈之○以上見邸報◯續旌賀文泗妻蘇氏年二十一守節至今三十一年　監生王謙妻周氏年二十四守節至今二十六年　徐長順妻蘇氏年三十守節至今二十九年　職員蔡汝厚妻陳氏年二十五守節至今二十五年　監生馬崇福妻伍氏年十九守節至今三十三年　把總馬則會妻盧氏年二十三守節至今二十八年　俞嘉謨妻王氏年二十八守節至今二十二年○以上見同治上江縣志　副貢生孫粱妻李氏年二十八守節至今二十二年○清節堂開報　周長聯妻郝氏年二十六守節十年卒　陸彬繼妻吳氏年二十二守節三十六年卒　翁茂椿妻賈氏年二十七守節至今三十三年　王朝湘妻陳氏年十九守節六十年卒　卞萬永妻陳氏年二十守節四十年卒　王懷讓妻吳氏年二十八守節十四年至光緒二年卒　徐雲韶妻王氏年二十七撫孤守節至今三十五年事舅姑孝　汪炳榮妻謝氏年二十七守節至今四十七年　丁松年妻朱氏年十九守節三十一年至咸豐十年卒　吳培

妻王氏年二十五守節至今三十一年王永基妻華氏年二十四守節三十六年光緒元年卒任汝賢妻陳氏年二十八守節至今二十六年河南安陽知縣朱顯曾妾齊氏年二十三守節二十七年光緒五年卒增生秦士科妻何氏撫孤守節殉粵寇難邵問之妻金氏文生金文炳妹年三十守節至今二十五年常勤耕妻賈氏賈貢瑤次女年二十一守節至今四十五年賈錫蕃妻王氏年二十四守節五年殉粵寇難徐天然妻胡氏年三十守節至今四十八年董存義妻徐氏年二十五守節至今三十一年文生徐楷妻施氏年二十六守節至今二十五年程大紳妻楊氏年二十六守節至今五十一年王桂齡妻劉氏年二十六守節二十六年卒賈國林妻吳氏年二十五守節二十六年卒戴朝烝妻王氏年二十一守節至今三十三年賈桂森妻王氏年二十守節至今三十六年文生李鉞妻胡氏年二十七守節至今四十二年周善泰妻夏氏居石埠橋年二十五守節至今二十四年夏士琪妻劉氏年二十七守節至今三十七年住甘家巷張家庫居人張某妻某氏張之基子婦年二十八守節至今二十年宓增妻馮氏馮士錦女年二十四守節至今六十年武生翁新增妻吳氏吳延

陵女年二十守節三十八年卒候選通判王金釗妻汪氏年二十一守節至今三十二年李軸君繼妻王氏年二十八守節三十四年卒陸長恩妻汪氏年二十七守節三十二年卒陳大椿妻施氏年二十五守節三十三年卒柏宜謙妻穆氏年二十八守節四十年卒席世縉妻楊氏年二十一守節四十三年卒徐德培妻張氏年二十八守節至今四十一年陶可富繼妻柏氏年二十二守節四十八年程大紳妻楊氏年二十一守節三十年卒蕭善舉妻沈氏年二十六守節二十年卒趙自顯妻陶氏年二十四守節十年卒陶德釗妻劉氏年二十九守節二十九年卒文生陶澤球妻劉氏年二十六守節十七年卒業承鑾妻端木氏端木成佑女年二十守節十四年卒○以上見采訪◯待旌方宜熾妻王氏年二十守節至今二十四年監生黃慶光妻甘氏年二十五守節至今二十二年王長年妻陳氏年二十四守節至今二十四年文生王鼎榮妻陳氏年二十五守節至今二十年蘇寶樹妻賈氏賈家邊八年二十七守節至今十八年從九品王有王妻葉氏年二十六守節至今十八年府經歷伍承鳳妻況氏年二十九守節至今十六年孫聖安繼妻濮氏孫家邊八

年二十七守節至今二十一年從九品李瀛妻伍氏年二十七守節至今十六年監生馬毓
祥妻楊氏年二十四守節至今十六年葉自修妻陳氏年二十五守節至今二十二年王嘉
桂妻周氏年二十八守節至今十一年○以上見同治上江縣志胡長發妻郭氏年二十守節至
今二十年張道容妻王氏年二十三守節至今十八年賈錫和妻馮氏年二十五守節至今
十七年周炳松妻馮氏年十九守節至今二十七年鄒春元妻施氏年二十二守節至今
十八年賀式郇妻王氏年二十八守節至今二十一年周百貴妻張氏年二十二守節至今
十五年陳爾康妻金氏年二十八守節至今十一年諸以成妻管氏年二十七守節至今
十九年王金聲妻汪氏年三十守節至今十四年文生汪灝妻趙氏年十八守節至今九
年趙丞甲妻李氏年二十七守節至今九年○以上淸節堂開報見同治上江縣志程光祖妻
沈氏年二十守節至今二十八年于世學妻龍氏年二十三守節至今二十一年盛長炘妻
龍氏年二十守節至今二十年樊家珍妻龍氏年二十四守節至今十年張承雙妻王氏
年二十六守節至今二十二年臧汝霖妻何氏年二十二守節至今二十一年文生邱長齡妻

章氏年二十守節至今二十八年李德修妻朱氏年二十六守節至今十六年楊正瑞妻
馬氏年二十五守節至今十九年姚元燕妻韋氏年二十八撫孤守節斷左指自誓至今七年許
正才繼妻周氏年三十守節至今十七年監生于成諫妻陶氏年三十守節至今十四年
候選同知于成允妾徐氏年二十二守節至今十五年李孟棻妾賈氏年二十二
守節至今十五年從九品田晉垣妻陳氏廩貢生陳傳述女年二十五撫孤守節至今十四年文
生唐犖妻王氏年三十守節至今十一年候選縣丞曹裕後妻王氏年三十守節至
今十七年李嘉玉妻王氏年二十八守節至今十六年許正明妻李氏年二十二守節至今
五年程潤生妻李氏年二十九守節十四年卒劉毓恆妻汪氏汪振聲女年二十五守節至今
十五年方興邦妻朱氏年二十七守節至今二十一年許某妻張氏年二十七守節至今十九
年議敘縣丞陶瑗妻許氏年二十六守節至今十五年〇以上見采訪楊應才妻梁
氏年二十五守節至今九年陳炳榮妻蔣氏年二十五守節至今二年郁尚周妻賀氏年二
十七守節至今六年楊彭齡妻陳氏年十九守節至今十八年康德隆妻龍氏年二十一守節

至今六年陶永敦妻高氏年二十八守節至今三年○以上淸節堂開報周嘉瑜妻□氏年二十夫亡守節至今二十九年現年五十九歲撫嗣子成立張春雲妻孫氏年二十九守節至今十二年李斗南妻陳氏年二十一守節三十年卒江洪延妻劉氏年二十三守節至今二十六年史德福妻吳氏年三十守節至今三十二年陳文榮妻李氏年三十守節至今二十五年孫繼昌妻楊氏年二十七守節至今三十五年謝長茂妻都氏年三十守節至今二十五年姜貴和妻陳氏年二十八守節至今四十八年湖北候補知府湯鋆妻蔡氏年二十九守節至今二十五年都司陳廷芳妻閻氏年十八守節至今三十一年丁松年妻朱氏年十九守節至今三十年舉人丁金榜繼妻倪氏年三十守節至今三十二年張文珠妻朱氏年二十九守節至今三十年夏寶林妻經氏年二十二守節至今三十年陶啟發妻梅氏年十八守節三十一年死粵寇難王成全妻吳氏年二十一守節至今十五年程牛帆妻辥氏何氏辥年二十九何年二十五守節至今俱四十年徐心源妻邵氏年二十九守節至今四十年金心齋妻程氏年二十八守節至今二十九年○以上見采訪

江甯

續曰龔彥妻王氏　董鑲妻張氏　馬汝驄妻張氏　梁某妻厲氏〇以上見江甯袁志　李義尚母耿氏孫載熙有李母節孝詩〇見詩匯　端木節母子林森以鐫書著名　張秉和妻戴氏　萬彩遽妻彭氏　彭某妻夏氏萬彭氏母

江甯知縣葉永清妻辥氏福建人康熙中夫卒於任辥年二十餘撫一女依母家居北門橋　陳濬妻劉氏　李吉甫妻某氏郝墅邨人　文生郎汝賓妻汪氏六合汪滑女

王禧母徐氏　彭澤知縣端木象謙妾王氏象謙以王挐子長淑來金陵居長干里苦節撫孤　金某妻端木氏端木煋女　袁芳林妻朱氏守節工吟咏有讀先兄師晦文集詩云愧我無才成漢史孟堅空自有遺芬　袁某妻陳氏芳林孫婦　張洪寶繼妻陳氏　張其縱妾彭氏子婦楊氏均苦節谷起鳳為之傳　金天福妾吳氏王墅邨孫氏婢　太原知縣徐渭璜妾張氏張山西人嚴介有德操守節終身　陳堯典妾喬氏　易炳文妻某氏　汪某妻陳氏庠生汪榮祖母上新河人〇以上見金陵待徵錄　于湖沈

某妾俞氏沈某坐海上事順治己亥死於江甯妻方妾汪鮑皆同殉。鮑將死，以幼女屬俞哺之。俞爲三氏經紀棺，而子必殮。籍其家惟俞抱一乳女吏疑有匿竊訊俞哭曰主人實無子必欲搒索妾惟拚此女畢命以殉吏不能難沈氏之族以免而俞自髠爲尼守節以終○見施愚山集 曹宋良妻黃氏 柏尚文妻鄧氏 姚韶美妻鄧氏 黃中道妻鄧氏三氏均鄧旭妹○以上見黃越退谷文集 張吼子佚姓氏江北人年二十四夫亡家貧值歲荒尊屬欲賣之吼子矢從一之義抱一牝雞渡江來江甯賣得數十錢市鐵翦作白紙花樣賣以糊口六十年不易業晚得痰嗽疾人呼爲張吼子性耿介得值外周以一錢不受自稱煢煢孤獨天之所蹄也非義得財將生災禍人咸敬之中書端木埰傳其事 王言純妻趙氏 王文錦妻李氏 王言綸繼妻袁氏 謝長庚妻陸氏 談家浚妻賀氏 韓在道妻俞氏 楊甡妻陳氏 鄒岷源妻楊氏 李某妻楊氏 李潮妻郎氏 何守仁妻王氏 麋生秦繼曾妻李氏 汪以貫妻陳氏 鄭劍川妻顧氏 陳世匯妻蔡氏 陳士洪妻葉氏 俞從棠妻汪氏 鮑士塏妻徐氏 葉某妻胡氏 葉某妻李氏

陳大位妻楊氏　監生朱緒妻王氏　陶昌鳳妻李氏　梅廷燕繼妻汪氏　徐茂林妻蔡氏　徐恩林妻程氏　徐茂林繼妻曹氏妾王氏　朱年春妻徐氏　周二妻徐氏〇以上見同治上江縣志

黃象巖妻朱一作宋氏　張尹平妾周氏　丁松年繼妻陳氏　韓棟妻陳氏〇以上見安徽通志

盧樹玉妻周氏年二十五守節四十五年卒〇見采訪

〇嘉慶年旌

任延祉妻唐氏　盧仁基繼妻陳氏　盧純基妻汪氏　王夢齡妻于氏封股療夫不愈守節以終　監生金光第妻孔氏　李雙輝妻陳氏　范延裕妻沈氏　田燮妻熊氏〇以上見節孝備考

閻田邨李義貞妻劉氏〇見金陵待徵錄

〇道光年旌

謝正新妻李氏　魏純妻楊氏　紀心猷妻宮氏　邵梓妻張氏　倪長年妻某氏　顧景濤妻陶氏〇以上見金陵待徵錄

鄧廷榜妻周氏　劉繼潅繼妻周氏　王禹疇妻周氏　方聯妻陶氏子永年性孝嘗割臂愈母疾　繆國懋妻楊氏

史國齡（一作國甯）妻周氏　徐士昌妻丁氏（舉人丁益女）　汪錫金繼妻蔣氏　監生楊仁成妻梁氏　楊鳳雲妻吳氏　劉繼開妻馮氏　葉國楨妻劉氏　王永年妻劉氏　文生許鑰妻王氏　庠生焦以誠妻談氏　錢木妻馬氏　監生高秉源繼妻顧氏　劉洤妻唐氏　楊大增妻李氏　李珍靖妻蔣氏　汪煒妻劉氏　任之淑妻閔氏　楊均妻周氏　楊培妻葉氏　查柯妻陳氏　陸文龍妻苗氏（○以上見節孝備考）　查學恩妻錢氏　李文聚妻徐氏　職員姚立朝妻許氏　增生顧廷璽繼妻汪氏　李盛興妻王氏　佘蕙妻方氏　吳匯川妻張氏　監生蔡惠棪妻龔氏　童天相繼妻葛氏　董心純妻錢氏　夏廷貴妻孫氏　高啟森繼妻時氏　陸象新妻陶氏　汪大來妻許氏　文生顧志禮妻彭氏　文生趙鏞妻陳氏　陶燕妻李氏　石應

龍妻俞氏　李敎敷妻程氏　周允謙妻陳氏　朱以正妻韓氏　張德潤妻徐氏　陳大炘妻姚氏　姚世進妻馮氏　王敬懷妻包氏　游庚妻崔氏　魏湄妻楊氏　知縣周上駟妻金氏　張本繼妻李氏　知州汪沁妻孫氏　陳顯賢妻程氏　張以祿妻談氏　焦子鼎妻顧氏　文生龔蘭妻孫氏　龔彭年妻鄧氏　舉人黃庚妻朱氏　王思庚妻包氏　葉國楨妻劉氏　范光耀妻汪氏　沈慶雨妻姚氏　盧大章妻袁氏　張生榮妻龔氏　王昆妻左氏　張上承妻楊氏　聞述曾妻芮氏　衡廷揚妻蔡氏　馬起鳳妻周氏　李寶林妻汪氏　金大文妻錢氏　袁潮繼妻張氏　徐又新妻司徒氏　黃燦輝妻梁氏　監生濮恩魁妻朱氏　王師啟妻錢氏　徐洪妻易氏　吳光輝妻孫氏　鄭芹妻張氏　李德和妻程氏

羅煦妻姚氏　文生王又曾妻劉氏　于鳳妻陳氏　陶杰妻
朱氏　文生孫兆坤妻鍾氏　姚文燦繼妻陶氏　文生龔夔
妻葉氏　朱照奎妻孫氏　戴德奎妻潘氏　呂友文妻汪氏
張志仁妻秦氏　李士雄妻狄氏　職員談士揚妾李氏
監生周榮祖妻阮氏　夏雨田妻薛氏　張應岳繼妻勾氏
監生楊士元妻陳氏　李自明妻程氏　周銓妻劉氏　董遐
齡妻朱氏　譚端履妻王氏　文生龔如夔妻葉氏　施振榮
妻徐氏　葉子安妻蘭氏　廩生汪清臣妻黄氏　張溥妻朱
氏　陳國鼎妻劉氏　張拱之妻徐氏　沈德妻陳氏　文生
賈文樞妻陳氏　朱蔚南妻石氏　賈鐵妻姚氏　方如椿妻
夏氏　盧大安妻楊氏　文生汪步瀛繼妻李氏　監生聶元
鰲妻朱氏　守備張兆林妻談氏　葉德培妻許氏　邵成妻

王氏　文生汪雲棲妻金氏　知府汪濤妻周氏　王德溥妻
吳氏　談啟基妻胡氏　談兆炘妻嚴氏　周廷柱妻佘氏
陸長柏妻陳氏　余能慶妻陳氏　徐鑾妻平氏　王長春妻
游氏　周觀煃妻姚氏　監生汪煦繼妻李氏　沈體元妻郎
氏　魏尚聚妻龔氏　文生周恩妻魏氏　張鏞妻辥氏　吳
有信妻季氏　李有志妻史氏　李楨妻蔡氏　張靜齋妻聞
氏　賈文榮妻韓氏　金大慶妻伍氏　陸賢仁妻柏氏　胡
長榮妻吳氏　林育新妻王氏　何象深妻濮氏　查洪源妻
陳氏　文生湯銘妻梁氏　杜榮貴妻張氏　戴維周妻劉氏
陳士炆繼妻王氏　許思泰妻葛氏　吳方盛妻湯氏　吳
世炳妻張氏　傅連芳妻劉氏　俞應孝妻劉氏　程珠妻李
氏　王元福妻徐氏　王永福妻劉氏　戴遇春妻池氏　房

開祺妻孫氏　蔡昌祐妻陳氏　張世華妻汪氏以上見雨花山總坊　王
位三妻張氏　顧文濤妻陶氏　陸藝妻周氏　內閣中書陳
維垣妻李氏守節撫孤元恆成立　徐文通妻陳氏　周根培繼妻張氏
焦兆熊妻張氏　監生王錫治妻李氏　鄭維琪妻黃氏　王
遐齡妻鄭氏　黃廷樑妻張氏在室封股療母年二十二守節三十五年死粵寇難○以上見
同治上江縣志　杏花邨高氏氏為高某妾氏兄欺某懦誑言與訟高某以憂死氏懷刃見官請以死殉官責其兄
而許妾守志因作杏花曲以美之○見周介福詩序◯咸豐年旌　增生郭嗣宗繼妻劉氏守節死粵
寇難　監生張士全妻邵氏○以上見同治上江縣志◯同治年旌　丁守謙妻徐氏
曹洪三妻陶氏　金傳鏞妻端木氏　金傳瑞妻李氏　李順
成妻陳氏　王永泰妻蔡氏妾徐氏　高德謙妻章氏守節事祖姑孝
陳松南妻趙氏　江大鋐妻胡氏守節事姑孝　吳文林妻萬氏　王
文鏊妻賁氏守節嘗封股療夫疾　朱萬選妻王氏　周國相妻莫氏　黃

光爕妻任氏　夏慶時妻崔氏　監生王祚祥妻宋氏　張文順妻賀氏　文生施文龍妻王氏　唐壽祺妻倪氏　汪永年妻魯氏年二十一守節撫遺腹子耀堂成立娶婦生孫而子又亾與子婦李撫二孤孫因勞喪明　陳銑妻許氏守節性貞介有以善堂卹款予之者辭不受　張秉揚妻邵氏　監生楊椿年妻費氏　吳文炳妻顧氏夫病篤割臂和藥以進年二十守節三十四年卒　汪配和妻張氏　甘其柏妻臧氏雙善郵居人　陳元方妻甘氏安德門居人　監生蕭煜妻范氏　吳懷之妻任氏　從九品單立奎妻鄭氏鄭維周長女　洪炳南妻趙氏　王會圖繼妻于氏　監生方廷煊繼妻沈氏守節死粵寇難　文生方培蔭妻葉氏　闕位三妻陶氏　莊必榮妻張氏　王介眉繼妻潘氏　陶汝洺妻劉氏　訓導甘炘妻許氏夫疾許刲股以進籲天乞減己算十年夫病愈亦焚疏告神願受半餘歸許炘後果越五稔以危坐終　謝豫桂妻單氏　魏廼鏞妻楊氏　葉之梅妻郭氏　張瑩妻馬氏　任恆吉

妻孫氏　袁紹宗妻佟氏　佟國珍妻王氏　監生周嘉廉繼妻陳氏　高南橋妻吳氏　江全妻顧氏　熊康餘妻席氏　曹德魁妻羅氏　馬安齡妻潘氏　馬鶴齡妻王氏　游雨庭妻吳氏　姚長發（一作長齡）妻石氏　聞清元妻吳氏　監生周英華妻陳氏　李長發繼妻沈氏　文生周洵妻黃氏　朱嘉模妻邱氏　王珍妻邱氏　潘常烇妻謝氏　潘長貴妻劉氏　文生俞暄妻管氏　許漢妻何氏　監生廖開先妻黃氏　朱捷泰妻李氏　曾萃妻孫氏　張肇榮妻陶氏　王祥林妻黃氏　徐子吉妻陳氏　甘可鑾妻周氏（年十八守節四十九年於同治元年賊擾鄉邨死於難）　王崇禮妻汪氏　葉靜涵妻張氏（守節死粵寇難）　文生翁似錦妻方氏　傅濤妻張氏　周寶初妻樓氏　文生焦若淞妻芮氏　監生焦子澄妻洪氏　陳咸臨繼妻林氏　蘭某妻賈氏（守節）

死粵寇難朱某妻張氏　朱某妻張氏　朱某妻韓氏　朱某妻姚
氏　翁祿元妻汪氏　陸景文妻孫氏　李芳培妻林氏　王
某妻某氏以上均守節死粵寇難　庠生高韻繼妻葉氏　汪尚錦妻袁氏
郜國美妻葉氏　陳長庚妻王氏　陳世華妻陶氏　蔣坦
妻謝氏事孀姑孝馮鏞妻柏氏事舅姑孝趙嵩崖妻張氏　金檝妻江氏
李逢源妻汪氏　趙蕙年妻謝氏　朱豐妻張氏　廩生陳
敬中妻華氏　陳紀常繼妻周氏　徐洪妻易氏　查學榮妻
陳氏事姑孝監生蔡紹彭妾孫氏　蔡昌祐妻陸氏紹彭子婦汪景純
妻吳氏夫病刲股救之夫歿年二十二守節文生陳鑑妻陶氏　高暘妻楊氏
華承燦妻吳氏　鮑必揚妻毛氏　廩生許昌琳繼妻陳氏
文生湯必達妻阮氏夫亡貧未能葬阮置小櫃於靈前日減薪米資積十餘年約得錢十五千買地以葬
守節終身朱啟昭妻王氏　周友璧妻姚氏　黃某妻張氏　汪某

妻王氏　湯愼之繼妻王氏　陸聯藻妻王氏　丁靜川妻周
氏　文生張道繼妻徐氏　陳德福妻戴氏　陳堯年妻王氏
廩生錢維楨妻馮氏　惲庭蘭妻王氏　陳超人繼妻邵氏
劉鶴年妻侯氏　王幼詢妻葉氏　高文煦妻紀氏　姚長
齡妻王氏　文生周之幹妻朱氏　葉兆澄妻劉氏　張某妻
柏氏　龔貢金妻李氏　王楙林妻李氏　張以成妻蔡氏
曹闓妻馬氏　張開業妻司氏　監生毛錕妻胡氏　周椿妻
黃氏　張泰年妻陸氏　陳全新妻錢氏　文生王盛鈺妻陶
氏　高森繼妻王氏　高秉錡妻尉遲氏　王光增妻曾氏
孫泰觀妻王氏　王恩榮妻謝氏　穆大衡妻甘氏　蔡世淮
妻盛氏撫遺腹子守節家貧挑野菜爲食　劉建棠妻佘氏　湯大祥妻周氏
文生王文浦妻姚氏　王文潤繼妻周氏　李廷美妻湯氏

柏宜泗妻陶氏　文生王用賓妻周氏　周國士妻陶氏　張廷和妻姚氏　孫國棟妻匡氏　劉文良妻張氏　王際東妻劉氏　王世瀛妻吳氏　張學智妻奚氏　文生王康妻毛氏　陶萬育妻劉氏（事姑孝）　監生陳光國繼妻田氏　張廷元妻陳氏　常啟安妻陶氏　王文（一作文淮）妻繆氏　監生陶時溶妻陳氏　李世畊妻陳氏　文生陶經妻張氏（子婦高相依守志）　濮慶雲妻王氏　王邦林妻李氏（子婦周相依守志）　高啟堅妻劉氏　陳大基妻江氏　馬元英妻吳氏　穆允長妻劉氏　張文龍妻陶氏　張文儉妻蔣氏　張正升妻奚氏　陶鳴琅妻陳氏　蔡嘉瑚妻張氏　陶必巧妻尚氏　白士勳妻張氏　陳仲道妻談氏　劉其相妻高氏　房廷相妻劉氏　房廷桂妻鄒氏　張梅妻王氏　施銘妻盧氏　馬承恩妻梅氏　王之鍾妻孫氏

趙孝堂妻許氏年十七夫亾遺腹生女悲慟截髮斷指誓守至二十歲卒　陳廷浦妻王氏年二十九夫故王鬻田償衙逋曰吾不使泉下人抱不韙之名也守節終身　汪錫禧妻張氏　高大衡妻陸氏　趙正岐妻李氏　劉膺能妻姚氏　陳用章妻邢氏　周觀渭妻張氏　陶遇春妻魏氏　高大效妻王氏　許大來妻劉氏　文生周鑑妻王氏　張懋粱妻陶氏　劉文溶妻張氏　李廷繹妻季氏　談學綸妻易氏　林嘉祿妻胡氏　房廷楷妻陳氏　朱紹章妻陳氏　柳譽中妻濮氏　芮明玉妻奚氏　葉恬妻張氏　李夕泰一作文泰妻嚴氏　陳兆麟妻郭氏孝子郭鴻第三女　湯增妻林氏事舅姑孝　紹正學妻李氏　楊玉秀妻馬氏　卞某妻朱氏　劉某妻馮氏　楊步洲妻吳氏　文生芮玉柱妻張氏　潘孔發妻王氏　唐培年妻陳氏　張龍江妻劉氏　陳某妻許氏　胡毓桂妻程氏　高容妻麥氏　張韻

九妻孫氏　王某妻許氏　周某妻姚氏　王燕妻陳氏　嚴得貴妻索氏　鄭某妻何氏　李某妻沈氏　王鼎聯妻張氏　錢益三妻馬氏　何大言妻錢氏　陳大昕妻姚氏　金智存妻周氏進士周開麒從妹　馬其恕妻湯氏　王雲龍妻朱氏　費永源妻歐氏　劉大興妻胡氏　陳亨妻羅氏　葉洪浩妻于氏　廩生王耀雲妻張氏　王文清妻周氏　齊開宗妻胡氏　張廷椿妻于氏　陳榮妻李氏　錢恩培妻胡氏　監生錢德培妻胡氏　季璜妻常氏　唐廣朝妻易氏　文生周恩妻魏氏　江漢宗妻殷氏　楊守謙妻穆氏　李友福妻任氏　唐潤妻林氏　徐某妻平氏　邱泰妻管氏　張念曾妻涂氏　偊友德妻高氏　陳兆麟妻吳氏　黃桂芳妻李氏　陳天德妻陶氏　張士順妻徒氏　張蘊林妻于氏　陳元章妻郭氏

周如霖妻胡氏　任某妻高氏　杜學朋妻李氏　沈洪妻
謝氏　丁萬鍾妻張氏　甘文恩妻金氏　卞載之妻黃氏
施從模妻尤氏　卞培妻朱氏　李思炘妻余氏　夏霆妻金
氏　文生陸玉華妻汪氏　張以咸妻孫氏　王紹昆妻婁氏
陶懷仁妻王氏　文生項士淵妻邱氏　翁福基妻周氏
葉洪妻于氏　魯覲賢妻常氏　文生陳文海妻程氏　何壽
先妻王氏　文生端木址妻閆氏　文生端木埸妻李氏　廪
生端木垣妻羅氏　端木藝妻陶氏　王士政妻李氏　顧聯
保妻徐氏　路松燠妻薛氏　劉明達妻呂氏　監生許發奕
楊氏　殷啟端妻陶氏　殷宗海妻劉氏（啟端子婦）尚書妻李氏
周開運妻陳氏　周開選妻陳氏　李宗發妻呂氏　周開惟
妻高氏（女適陶步光亦青年守節）陳尚釪妻陶氏　監生江薇照繼妻戴氏

程發妻徐氏　韋學繩妻李氏　毛惟熊妻徐氏　馬元連妻楊氏　張廷銘妻李氏　張宗美妻李氏　繆官升妻李氏　張六金妻朱氏　監生譚端榮妾郭氏　江文錦妻陶氏　張炳鴻妻邵氏　江惟岳妻甘氏　江之極妻尚氏　談國貴妻端氏　趙玉彩妻王氏　鄧宏長妻談氏　鄧以淑妻俞氏　鄧宏聘妻鍾氏　畢其雲妻邢氏　畢紹仁妻劉氏　周以中妻陶氏　談宏海妻曾氏　鄧之剛妻夏氏　談正龍妻夏氏　王彝鑫妻羅氏　顧近賢妻萬氏　常宇合妻李氏　陶應棨妻朱氏　監生陶時溶妾周氏　陶應杲妻鄭氏家貧自食連穀饘粥留米飯奉姑　王承淦妻趙氏　陶應棱妻吳氏　陶應樫妻蔣氏　王一富妻周氏　王大文妻汪氏事姑盡孝　戴大錦繼妻周氏　徐紹文妻陳氏　陶世忠妻周氏　陳其仁妻張氏　文生陶

金生妾張氏　魏元金妻陶氏偕孀姊李事孀姑孝守節　文生陶鍅涵繼妻劉氏　常啟全妻張氏　張可娶妻楊氏　臧世城妻陶氏　高啟根妻章氏　陶繼文妻高氏　周開藝妻蔡氏　陳型仁妻趙氏　文生俞燮和妻劉氏　陶錫璵妻柏氏　陶汝洺妻劉氏錫璵子婦　監生陶錫柯妻嚴氏守節家極貧有周之者堅辭不受　濮譽昭妻楊氏　呂玉銑妻劉氏　夏嘉興妻陶氏　張業經妻王氏　王思信妻張氏　王祖霖妻周氏　陳得基妻張氏　魏世彰妻韓氏　夏朝松妻阮氏　陳光榮妻王氏　張學海妻吳氏　奚艮德妻陳氏　鄧之域妻尉遲氏　江維垣妻穆氏家貧有周之者力御之　聶佩章妻邵氏　陶錫模妻王氏　李秉彝妻殷氏　周開愉妻陳氏　潘士林妻趙氏　業致鈴妻陶氏　趙永型妻尚氏　龔廷傑妻蔡氏　鄧之雄妻曹氏　王德昭妻白氏夫病

割股療之吳汝誠繼妻龔氏　江鑑堂妻劉氏　沈洪萊妻謝氏
張耀庭妻徐氏　夏某妻繆氏　單錦南妻王氏　柳萬全妻
王氏　陳發妻王氏　王宗禮妻費氏　陳其祥妻王氏　江
永年妻王氏　葉恆年妻王氏　吳德裕妻倪氏　葛全信妻
汪氏　孟西堂妻劉氏　姚大年妻張氏　張某妻劉氏　孫
亭松妻沈氏　姚德福妻徒氏　丁永福妻何氏　徐康齡妻
宋氏　程大紳妻楊氏　增生胡勳妻徐氏　馬啟福妻鄧氏
監生甘永年繼妻柏氏　薛慶慈妻周氏　史學見妻席氏
車國垣妻孫氏　吳文泰妻李氏　姚泰春妻馬氏　謝某
妻劉氏　劉啟春妻張氏　王振街某姓妻邵氏　楊宏興妻
王氏　署合肥典史蔡義元妻金氏　蕭照妻王氏　孫運安
妻姚氏　吳士可妻呂氏　戴連森妻潘氏　王椿妻陳氏

邵大安妻范氏　沈瀾妻李氏　張慶增妻蔡氏　焦子鼎妻
柴氏　李大榮妻朱氏　夏士洪妻宋氏　曹必成妻朱氏
葉明禮妻武氏　朱士英妻卜氏　李金富妻王氏　朱如錦
繼妻楊氏　劉起鈺妻高氏　沈鏻妻許氏　臧壽昌妻朱氏
監生陳敬箴妻許氏〇以上見采訪〇光緒年旌　汪桂森妻于氏　汪桂
發妻金氏桂森弟婦　陳霈和妻張氏　監生高左泉繼妻顧氏　陸
宗仁妻孫氏　張巨川妻吳氏　陳乙觀妻胡氏　唐榮九妻
朱氏　譚端禮妻陶氏　丁鍅妻李氏　茹惟章妻張氏　汪
坤妻周氏　州同江思武妻葉氏　郭鎔妻陶氏　邢璉妻李
氏　經燮妻楊氏　王嘉德妻張氏　州同張凱妻周氏　張
樹勳妻談氏工部郎中談述曾長女　監生洪泰妻張氏　閔有昌妻孫氏
　李芳妻秦氏　馬漳妾張氏　陶紹鏞妻盧氏　楊在興妻

吳氏　楊培源妻李氏　謝仙舟妻盧氏　汪元堅妻李氏
沈德祿妻王氏　石在田妻俞氏　王志慧妻周氏　賀起鳳
妻張氏　謝國斌妻高氏　王宗源妻杭氏　任之斌妻鄭氏
宋茂庭妻吳氏　李瑞林妻秦氏　顧起貴妻汪氏〇以上見江甯節孝備考
張某妻王氏文生張光裕母〇見金陵文徵　王國桐妻吳氏死粵寇難　宰裔福妻
鄧氏　陶時進妻朱氏　文生薛廷珍妻宋氏　胡承恩妻魏
氏　任紹和妻毛氏　上官某妻王氏監生王壽廷女死粵寇難　葉兆洛妻
劉氏　程肇琮妻單氏　程開紀妻俞氏　監生程開綱妻王
氏　葉兆洵妻汪氏三里店人死粵寇難　張世卓妻史氏死粵寇難　文生焦彭
齡妻譚氏死粵寇難　江汝器妻吳氏陶吳鎮人　江自淑妻姜氏汝器子婦　潘德
蔭妻唐氏　監生佘啟豐妻陳氏　孫錫九妻席氏　張行孝
妻陶氏　張起鳳妻韓氏　龍發池妻張氏　韓祥楨妻單氏

戴椿元妻鄧氏　戴有亨妻高氏　鹽大使范溥妾郝氏
文生李崇惠妻鮑氏　湖南按察使陳之驥妾郭氏　李伯衡
妻葉氏　從九品程國鉞妻任氏　馬坦妻鄧氏　葉永和妻
沈氏　施鏡堂妻王氏王西莊女死粵寇難　蔡敬科妻毛氏守節撫孤琳成進士　蘭
肇墉妻吳氏　詹雲鉏妻盛氏　張鉞妻嚴氏　何乃安妻王
氏　鍾廷槐妻葉氏　劉青選妻徐氏　有玉臣妻陸氏　王
厚培妻倪氏　杜榮恩妻傅氏　崔子厚妻徐氏　張沅妻劉
氏死粵寇難　張懋楨妻陶氏死粵寇難　杜長椿妻高氏　監生陳德潤妻
吳氏　陳廷棟妻張氏　陳廷球妻陶氏　監生張琳妻李氏
永豐鄉人芮開方妻姚氏　監生朱守芳妻方氏　李滋燮妻朱氏
程士錡妻李氏　國子監典籍程楷妻謝氏　淩壽德妻韓
氏　袁捷桂妻諶氏卒於清節堂　王廷祥妻劉氏卒於清節堂　張寶善妻

李氏　盛保泰妻謝氏　監生王蔭堂妻沈氏　謝德庸妻繆氏　王德華妻黃氏　增生方培厚繼妻殷氏　方書勳妻陳氏　從九銜劉繼曾妻孫氏　張遐昌妻吳氏　謝長德妻李氏　謝德鉦妻劉氏　龔牧妻劉氏　職員朱起麟繼妻張氏死粵寇難　監生萬瀛洲繼妻張氏死粵寇難　吳生妻陸氏死粵寇難　張雲書妻宰氏　舉人端木焯妾王氏　戴某妻蘭氏蘭全祉女死粵寇難　馬得文妻哈氏　夏國寅妻陳氏　王式金妻夏氏　金德昌妻孫氏　高守仁繼妻朱氏　監生焦子瀾妻端木氏　文生焦若瀚妻王氏　文生芮培福妻王氏　錢德楨妻曹氏　王長發妻嚴氏　陳沛源妻袁氏　謝長齡妻侯氏　王志麟妻朱氏　于滄龍妾喻氏　于壯圖妻張氏　戈明德妻張氏　邛人泰繼妻陶氏　邛本妻李氏　高世榮妻趙氏　高永泉妻吳氏

黃珮妻汪氏　董承惠妻姚氏　劉德輿妻楊氏　何乃成妻張氏　李炳華妻陳氏○以上見同治上江縣志　張淮妻謝氏　從九品銜高承溶妻王氏　高宗澤妻陶氏　黃棣生妻葉氏　倪天貴妻于氏　席元桂妻何氏　李毓濤妾楊氏　孫鑫妻胡氏　王崇禮妻汪氏　黃廷樑妻張氏　周長齡妻汪氏　郭賓來妻嚴氏　戚鏞妻單氏　陳士綬妻劉氏　吳邦達妻易氏　文生奚鑾繼妻蔣氏　李良經妻柏氏　馮金桂妻蕭氏　王俊臣妻高氏　朱世泰妻陳氏　蘇桂齡妻李氏　夏葆謙妻施氏　楊士義妻張氏　從九品銜馮與齡妻劉氏　劉繼曾妻孫氏　監生葛純源妻陳氏　廩生李華妻張氏　謝廷漳妻陳氏　馬芝樵妻芮氏　靳遐齡妻王氏　王發祥妻陳氏　吳儀妻王氏　張有恆妻王氏　駱道鴻妻宋氏　謝克

明妻馮氏 張士同妻王氏 林子元妻劉氏 王永源妻季
氏 曹貞妻羅氏 汪祖慶妻徐氏 戈元妻王氏 辛文川
妻馬氏 傅沅妻王氏 鄒鴻恩妻馬氏 蘇德桂妻錢氏
楊家瑞妻何氏 湯錦堂妻馮氏 馮嘉興妻唐氏 胡金聲
妻張氏 顧恩靜妻吳氏 葛玉楹妻黄氏 陳維禧妻吳氏
仇介肩妻韓氏 張宜林妻錢氏 徐相妻秦氏 金長發
妻周氏 余得水妻倪氏 周其祥妻譚氏 殷長春妻馮氏
趙萬全妻謝氏 王元妻周氏 吳有恆妻韓氏 陳學海
妻江氏 金毓海妻仝氏 蔣培元妻鄭氏 潁州府經歷陳
鈞妻方氏 候選直隸州陳長春妻粟氏 金善之妻楊氏
李宗年妻江氏 周廷章妻張氏 倪天貴妻余氏 俞耆吾
繼妻王氏 丁振順妻呼延氏 王楨妻劉氏 從九品楊克

家妻李氏廪生楊承叔母陸潤妻佘氏　盛健亭妻謝氏　何壽光妻王氏　俞仁浩繼妻王氏　舉人盧士瀛妻孔氏　文生呂克峻妻黃氏　胡家楨妻江氏　監生李大鵾繼妻鍾氏年二十守節四十九年事舅姑孝篝燈課子寒暑無閒親戚有急嘗拔簪珥助之　林彭年妻鮑氏　高攀桂妻蔡氏　孟榮妻朱氏　金廷球妻謝氏　盧岑妻范氏　成廣發妻周氏　吳世培妻隨氏　王者相妻佘氏佘楠女　徐大成妻宋氏宋壽堂女　叢燕繼妻高氏　程鑑泉妻梅氏梅有寶女　韓體道妻周氏周竹亭女○以上見公牘

◯續旌

李宗沂妻陳氏年二十五守節至今二十八年　盛椿齡妻萬氏年二十五守節至今二十七年○以上見同治上江縣志　王長林妻陶氏陶應洪四女年二十五守節至今二十五年　鍾承基繼妻蕭氏年三十守節至今十九年　毛志春妻倪氏年二十三守節至今三十二年　吳文鼎妻蔡氏溧水文生蔡永琳長女年二十四守節至今三十一年　監生錢允聰妻王氏貢生王宮銘女年二十八守節至今二十二年　陳大鐘妻周氏監生周槐齡女年二

十二守節至今四十六年嚴長忠妻郭氏年二十八守節撫孤二十二年卒牛松茂妻方氏年三十守節二十三年卒施炳如妻周氏年二十七守節至今三十二年夏芝年妻顧氏年二十八守節至今三十七年王永護妻劉氏年二十三守節至今四十年龔彭齡妻薛氏年二十四守節至今二十六年朱守芳妻方氏年二十一守節至今六十三年孫福德妻湯氏年三十守節至今二十三年順天府尹吳鼎昌妾曾氏年二十八守節至今二十一年朱恩綸妻范氏年三十守節至今二十四年文生朱恩翔妻陳氏年三十守節至今二十年施某妻王氏王德基女年二十八守節二十二年卒葉某妻董氏年二十一守節五十三年卒周贇妻徐氏年二十六守節至今三十年從九品王衣藻妻劉氏劉文楷次女年二十八守節至今五十五年汪德新妻張氏張次西女年二十九守節十七年卒周澄浦妻宓氏年二十九守節三十一年卒張廷槐妻陸氏年二十守節三十三年卒陶世忠妻周氏晉巷邨人年十七守節四十一年死粵寇難鄭崇之妻顧氏年三十守節至今二十年許耀曾妻莊氏三刲股燎夫疾年二十七撫孤守節四十九年陳民銓妻王氏年二十九守節至今三十年王世榮妻

盧氏年二十一守節至今三十二年楊宏貴妻熊氏年三十撫孤守節至今三十七年徐長發妻張氏年三十守節至今二十一年李仁妻林氏名翠環年十八守節五年殉粵寇難里推賢孝劉濤妻張氏年二十七守節撫孤苦節四十五年卒監生閻志曾妻張氏年二十八撫孤守節至今四十一年陳某妻朱氏住藏金橋年二十三守節至今三十一年萬德輝妻劉氏年二十九守節至今二十一年余士松妻李氏年二十八守節至今二十二年傅元英妻鄭氏年二十八守節四十一年咸豐四年殉粵寇難王世華妻盧氏年十九守節至今三十三年監生段寶仁妻李氏文生李銓女年二十八守節至今二十四年夏永清妻周氏年二十四守節四十一年卒陶時縉妻孟氏年二十四守節二十年卒陶時杰妻臧氏年二十九守節四十一年卒郭維翰妻沈氏年二十九守節至今三十二年馬某妻吳氏年二十一守節至今四十五年施鐸妻查氏年二十三守節至今四十八年馬鳴麟妻金氏年三十守節至今二十二年孫三德妻李氏年二十六守節至今二十八年馬鶴軒妻陳氏年三十守節至今四十年文生李鴻妻馬氏年二十三守節至今二十八年○以上見采訪○待旌文生朱開文妻易氏進士易長

華四女年二十六守節至今十三年方長年妻陳氏年十九歸方八月夫故撫遺腹子守節至今十四年朱
義之妻沈氏年二十六守節至今二十一年府經歷方國勳繼妻陳氏年三十守節至
今十五年謝長李妻蔡氏年二十二守節至今二十四年文生葉逵漸妻方氏年二十三
守節至今十一年文生盧峻妻粱氏年二十七守節至今十九年張兆奎妻穆氏年二
十一守節至今二十八年監生周蔚培繼妻馮氏年三十夫亡守節至今十五年潘祝頤妻
葉氏年二十二守節至今二十六年陳明星妻俞氏年二十六守節至今十八年楊文獻妻
蔡氏年二十七守節至今十七年監生哈鶴年妻李氏年二十一守節至今二十三年廣東
鶴山縣陳元孚妾石氏年二十四守節二十二年程長齡妻盛氏年二十三守節二十
二年于德仁妻徐氏年二十三守節至今十七年○以上見同治上江縣志強傑昌妻汪氏
年十六守節至今二十二年何鈊鈿妻高氏年二十八守節至今十八年金大昌妻張氏
年二十守節至今十八年童松林妻甘氏年二十六守節至今十九年曹培元妻石氏年二
十七守節至今十一年何慶楨妻陳氏年二十五守節至今十九年曾錦福妻劉氏年二

十六守節至今十九年朱長福妻穆氏年二十四守節至今十九年陸肇基妻孫氏年二十五守節至今十八年倪文明妻張氏年二十三守節至今十九年文生楊定熙妻王氏年二十七守節至今十二年葉艾亭妻郭氏年二十五守節至今二十年張長元妻孫氏年二十三守節至今十七年程開軒妻陳氏年二十六守節至今十一年周長發妻陸氏年二十九守節至今二十年黃海妻郎氏年二十八守節至今十六年陳元益妻張氏年二十八守節至今二十年王映梅妻謝氏年十七守節至今十年柏繼祿妻穆氏年二十四守節至今九年○以上清節堂開報見同治上江縣志呂家福妻湯氏年十九守節至今二十八年萬家福妻康氏年二十一守節至今二十八年周廷幹妻李氏年二十一守節至今十六年楊宜源妻劉氏年二十一夫亾無子遺一女以針黹絡緯爲生孝姑操井臼有憐其貧勸領恤嫠錢者氏曰今生苦皆前生孽安可負債乎謝卻之守節至今十六年陳安林妻倪氏年十六守節至今十八年汪本銘妻羅氏年二十四守節至今二十一年事姑孝羅德鏞妻陶氏年二十八守節至今二十一年從九品葉其蓁繼妻蒲氏年二十二守節至今十九年順天宛平人李廷玉

繼妻吳氏江甯吳敎本女年二十八撫孤住普育堂以針黹爲生守節至今十九年陸膺增妻胡氏
年二十四守節至今七年蔡以正妻賴氏年二十七守節至今二十年張敬道妻蔡氏溧水
文生蔡永琳之五女年二十九夫病氏籲天割股夫卒不起守節至今六年張敬衡妻王氏年二十八守節
至今十五年魏家璡妻江氏年二十守節至今七年張懷德妻孫氏年二十九守節至今
十六年張順仁妻王氏年二十二守節至今三年王金波妻張氏年三十守節至今十五年
張鳳麟妻朱氏年二十九守節至今三年張鳳寶妻吳氏年二十二守節至今三年朱恩
結妻徐氏年二十六守節至今二十二年謝筆庵妻王氏年二十三守節至今二十一年陸國
佩妻劉氏年三十守節至今二十六年吳有基妻邵氏年十九守節至今七年陶新瑞
妻李氏年二十六守節至今二十一年楊鏐妻吳氏年二十六守節二十八年卒蕭鳴華妻
錢氏年二十七守節三十九年卒辛宏盛妻張氏年二十五守節至今十九年廩生方傳
勳妻萬氏年二十九守節至今四年〇以上見采訪柳秉懿妻李氏年二十五守節至今三年何
昌萬妻馬氏年二十八守節至今二年余克峻妻張氏年二十四守節至今八年曹明誠

妻韓氏年二十四守節至今三年左聯魁妻呂氏年二十八守節至今七年吳肇榮妻經氏年二十守節至今四年李漢郊妻張氏年二十八守節至今七年儘先守備陶吉順妻徐氏年二十八守節至今八年高思忠妻李氏年二十三守節至今五年周順年妻王氏年二十九守節至今二年張榮祿妻章氏年二十三守節至今二年○以上清節堂開報劉錫榮妻李氏年二十一守節至今十五年徐用鏄繼妻余氏年二十九守節十三年卒張學玉妻席氏年三十守節至今二十八年翁模塤妻管氏年廿五守節三十五年卒毛志麟妻倪氏年三十守節至今二十八年朱長發妻莊氏長發刲股療親疾創重而死氏年二十八守節二十八年卒徐振禮妻高氏年二十四守節至今三十一年候補千總毛斌妻伍氏候選通判伍承謙長女年二十七守節至今七年陳茂林妻龔氏年三十守節至今三十年吳鴻卿妻金氏年二十二守節至今二十八年廩生胡嘉桐妻汪氏年二十八守節四十二年卒文生胡嘉桂妻游氏年二十五守節二十三年卒監生柴坦妻王氏年二十九守節四十九年蔣起萬妻梁氏年二十九守節三十四年卒舉人胡嘉霖妻丁氏年二十七守節至今

二十五年武生陳得鵬妻高氏年二十八守節至今四十六年方大元妻周氏年三十守節至今三十年監生范先庚妻賀氏年二十九守節至今三十八年姚粱妻鄧氏年三十守節至今三十九年杜如金妻金氏年二十二守節至今三十一年洪兆全妻楊氏年二十七守節至今三十六年周廷章妻張氏年二十守節三十二年易其富妻聞氏○以上見采訪

句容

續曰駱椿繼妻劉氏　姚宏釗妻張氏　趙克綱妻許氏　錢枝益妻王氏　湯萬增妻宮氏　陳炳之妻劉氏　李廷淦妻陳氏　王同柿妻楊氏　陳學正妻步氏　趙國鋒妻邵氏　戴國亮妻胡氏　潘紹基妻趙氏　裴成瑚妻曹氏　張餘金妻陳氏　周明元妻袁氏　李士含妻張氏　王世滄妻蔣氏　魏可源妻吳氏　陳如榮妻劉氏　許烇妻胡氏　陳時芳妻朱氏　徐明儒妻袁氏　向守勤妻陳氏　曹施玖妻高氏

湯紹全妻宮氏　許維瑾妻周氏　紀長永妻王氏　許樹埰妻張氏　周履宏妻李氏　潘其政妻戴氏　雍繼涵妻李氏　楊時寅妻戴氏　王大梭妻許氏　姚永長妻朱氏　楊朝岳妻華氏　呂玉文妻陳氏　朱焕章妻張氏　裴功冉妻吳氏　趙東錢妻許氏　陳德順妻孫氏　蔡德寅妻華氏　張餘榮妻佘氏　任乾富妻欒氏　潘生春妻巫氏　朱萬資妻茅氏　楊朝紳妻吳氏　陶大熙妻戴氏　徐政元妻陳氏　王龍翰妻俞氏　巫天貴妻鄭氏　駱淑宗妻朱氏　沈業成妻俞氏　許尚寬妾朱氏　趙文姜妻曹氏　趙東昌妻胡氏　張明演妻許氏　潘繼脩妾張氏　唐宜千妻趙氏　周恆儒妻張氏　許尚誠妻陶氏　欒繡彰妻邱氏　雍正會妻楊氏　濮永銓妻王氏　王起龍妻徐氏　孔毓富妻許氏

孔傳智妻周氏　徐正綱妻章氏　李世鏞妻胡氏　趙國珍妻方氏　周儀表妻張氏　趙繼燦妻李氏　朱映桂妻王氏　朱起忠妻張氏　湯世貝妻謝氏　湯紹元妻黃氏　周玉瑛妻成氏　梅承惠妻朱氏　俞士溢妻戴氏　王凝坦妻胡氏　王晉城妻巫氏　蔡士功妻王氏　吳宏起妻周氏　杜元福妻孔氏　包敦賢妻王氏　凌明烋妻張氏　高本泉妻段氏　章有蛟妻茅氏　曹家恆妻呂氏　王家樂妻金氏

李茂聖妻周氏　王禮卓妻姚氏　蔣步瀛妻楊氏　武崇忍妻佴氏　趙學易妻王氏　凌家盛妻張氏　李文權妻酈氏

王貝珠妻徐氏　譚世榮妻尹氏　居於階妻許氏　許繼東妻桂氏　傅奇繡妻裴氏　陳元瑜妻朱氏　王祚祥妻曹氏　唐宣謌妻巫氏　袁美琀妻徐氏　尚丞言妻金氏　尚

徵善妻周氏　吳國幹妻王氏　湯在中妻魏氏　吳世賢妻
華氏　包孝宗妻曹氏　李明琇妻許氏　朱之業妻李氏
湯紹美妻魏氏　朱正福妻劉氏　李明球妻王氏　樊允祺
妻丁氏　吳玉麟妻夏氏　戎秉倫妻湯氏　許洪玉妻俞氏
韓啟耀妻周氏　雍正禮妻張氏　戴武揚妻李氏　朱道
遠妻趙氏　夏大士妻丁氏　萬永科妻駱氏　張餘榮妻朱
氏　朱克誠妻黃氏　許家洲妻胡氏　趙一兵妻王氏　趙
一邦妻許氏　陳宏驄妻朱氏　朱邦超妻戴氏　戴道一妻
張氏　周爾明妻王氏　梅述舉妻朱氏　吳安家妻楊氏
周綸音妻杜氏　施棋妻丁氏　呂德從妻湯氏　周文妻吳
氏　陳應意妻王氏　朱達敬妻樊氏　許懋洳妻倪氏　裴
功性妻張氏　趙仕妻曹氏　倪信宏妻包氏　陳元綰妻朱

氏　張長啟妻湯氏　王祚松妻曹氏　俞文傑妻戴氏　梅
作仁妻李氏　宮孟恆妻陶氏　雍正心妻施氏　朱兆芳妻
經氏　許仕達妻李氏　周篤璋妻王氏　許灝妻胡氏　朱
宜琴妻戴氏　華孝禮妻雍氏　王繼鵬妻步氏　張宏相妻
言氏　倪有泰妻王氏　周榜繼妻陳氏　王用六妻席氏
王用章妻許氏　張德中妻王氏　朱允孔妻范氏　李立增
妻沈氏　張餘龍妻陳氏　胡德鉦妻王氏　許明及妻孫氏
凌餘東妻吳氏　戴金培繼妻張氏　楊毓美繼妻胡氏
凌象之妻吳氏　陳允高繼妻何氏　傅奇泰繼妻劉氏　端
木賢維妻戴氏　耿倫超繼妻許氏　歐陽世連妻陳氏　文
生張汝木妻何氏　文生楊俊元妻李氏　文生湯進元妻李
氏　戴李妻許氏　湯世寬妻張氏　王同忠妻巫氏　陳泰

盛妻張氏　魯公輔妻毛氏　許正紳妻朱氏　孫恩壽妻吳氏　倪信盤妻戴氏　胡世佐妾唐氏　王卜椿妻倪氏　周基順妻吳氏　張德忠妻陸氏　馬德起妻趙氏　姚宏慶妻朱氏　謝重錩妻鍾氏　孫國鼎妻仇氏　吳傳啟妻趙氏　徐加友妻孫氏　成元敏妻王氏　謝重鎬妻朱氏　潘自企妻笪氏　徐廷宣妻潘氏　朱萬育妻姜氏　夏國朝妻朱氏　蔣崧年妻湯氏　陳大賢妻譚氏　王奇科妻歐陽氏　陳隆兆妻歐陽氏　史大觀繼妻王氏　駱正冠繼妻黃氏　文生尚昌暹妻胡氏　孔傳珃妻王氏　文生劉秉衍妻徐氏　文生郭珩妻李氏　增生培于喬妾吳氏　培洵妾張氏　文生王紹曾妻胡氏　王福恆繼妻楊氏　魯宜瓚繼妻蔡氏　楊恆柏繼妻朱氏　文生紀宏銘妻趙氏　張升元繼妻萬氏

文生周章嶷繼妻駱氏　王汝誠繼妻吳氏　王德根繼妻
陳氏　文生譚步雲妻嚴氏　韓昌爵繼妻陳氏　增生沈業
洪妻魏氏　薛祚健繼妻張氏　徐宗雲妻藺氏　王宏良妻
周氏　周應元妻蔡氏　周履鼎妻趙氏　周基德妻尙氏
任乾貴妻唐氏　趙國輔妻王氏　雍仁統妻石氏　戴光前
妻林氏　方東陽妻趙氏　朱家東妻謝氏　王凝程妻阮氏
吳言晟妻王氏　包勝凡妻王氏　王國榮妻汪氏　孫開
方妻邵氏　紀宏式妻陳氏　曾樹勤妻丁氏　張嘉盛妻竇
氏　張美永妻樊氏　黎啟玉妻殷氏　石餘三妻谷氏　陳
道倫妻黃氏　王欽吾妻趙氏　王華章妻汪氏　史文麒妻
陳氏　牟昌啟妻丁氏　仇定宇妻戴氏　趙廷烈妻陳氏
王克大妻陳氏　劉顯椿妻王氏　張華年妻黃氏　楊履亨

妻王氏　江鼎元妻劉氏　李家儉妻蔡氏　徐克堅妻王氏
傅爲坦妻許氏　周基海妻吳氏　王宜家妻胡氏　劉玉
崗妻華氏　丁繼旺妻李氏　湯克桐妻戴氏　楊朝士妻唐
氏　蔣明機妻孔氏　華功纘妻蔣氏　李允祺妻張氏　李
厚亮妻韓氏　魏嘉棨繼妻張氏　文生芮鎧妻凌氏　許萬
廉繼妻蔡氏　許樹業繼妻裴氏　傅奇淮繼妻蔡氏　文生
夏鍾妻華氏　章大秋妻陳氏　顏運東繼妻居氏　文生趙
大椿繼妻吳氏　張德立妻王氏　紀延法妻陳氏　文生陳
茂建妻蔡氏　王兆元妻韓氏　王聰文妻吳氏　吳亨興妻
朱氏　紀其翰妻蔣氏　許姜珊妻胡氏　孫天培妻張氏
倪敦鈺妻蔡氏　倪秉直妻朱氏　陳宏武妻王氏　李開平
妻朱氏　蔣維翰妻張氏　戴時貞妻徐氏　徐明賢妻趙氏

王宏裕妻柏氏　王應元妻戴氏　周基瑛妻楊氏　周恆彩妻楊氏　經鑑如妻俞氏　曹國先妻朱氏　雍朝明妻張氏　楊振州妾李氏　吳朝璞妾闞氏　章於事妻徐氏　王新坦妻姚氏　胡其章妻王氏　丁中富妻趙氏　孫宜綱妻高氏　夏國全妻蔡氏　徐元興妻王氏　徐廷安妻笪氏　朱禮萬妻樊氏　蔣文洑繼妻唐氏　朱明玉妻王氏　姚尚全妻徐氏　謝東曉妻潘氏　孫開選妻洪氏　曹鳳池妻韓氏　紀和彝妻蔣氏　田由安妻唐氏　陳道湒妻趙氏　丁有祿妻柳氏　施元臻妻張氏　朱元瀛妻杜氏　周道洪妻胡氏　朱尚龍妻楊氏　陳明艮妻郭氏　王俊瑜妻許氏　巫俊文妻唐氏　戴懷珍妻李氏　曾廷爵妻謝氏　謝光燦妻朱氏　朱明學妻李氏　樊可景妻巫氏　朱之蘭妻趙氏

蔣協萬妻趙氏　周仲遷妻劉氏　趙名世妻徐氏　唐士倫妻高氏　翁永源妻劉氏　王養吾妻周氏　許維鈞妻張氏　陳隆富妻巫氏　紀用直妻湯氏　吳德源妻濮氏　李興源妻宋氏　劉興旭妻張氏　沈在仁妻徐氏　許熾妻孫氏　許章崐妻王氏　孔傳譜妻胡氏　俞正燿妻王氏　許慶聚妻楊氏　張宏興妻梁氏　蔣明楨妻吳氏　蔣景榮妻邵氏　朱德成妻陳氏　竇啟瀛妻魏氏　朱顯吾妻張氏

朱宣桐妻謝氏　蘇正榮妻石氏　翁秉春妻巫氏　王君佩妻裴氏　周恆琚妻江氏　徐國嘉妻陳氏　章朝統妻費氏

朱顯伯妻周氏　文生戴鴻妻周氏　文生吳鑑繼妻竇氏

孔昭柯妻陳氏　增生陳士元妻笪氏　文生陳廷桂妻邰氏　文生程世淮妻笪氏　文生張汾妻吳氏　文生趙樹聲

妻高氏 陶哲先繼妻朱氏 文生姚燮元妻孫氏 朱達興繼妻蔣氏 程盛經妻歐陽氏 紀存富妻曹氏 陳宏清妻唐氏 王邦儒妻巫氏 桂學辛妻柳氏 王懷義妻高氏 張廷高妻嚴氏 石顯榮妻倪氏 王世政妻李氏 張德松妻許氏 芮天鑽妻尹氏 尹德隆妻李氏 朱揆庭妻孔氏 張承暄妻李氏 湯世科妻蔡氏 蔣文程妻王氏 楊之賢妻吳氏 蘇明貴妻戴氏 徐世禮妻巫氏 汪九如妻呂氏 步嘉潤妻唐氏 秦世珍妻侯氏 王守浩妻陳氏 歲貢貞洛書妾張氏 文生朱孔陽妻糜氏 華思齊繼妻楊氏 巫暹妻項氏 王祥瑾妻凌氏 韓維模繼妻趙氏 張天錚繼妻梅氏 許懋端繼妻駱氏 王福丞繼妻蔡氏 文生趙杏林妾尤氏 周貞璉繼妻端木氏 文生周南繼妻黃氏

翁時茂繼妻楊氏　文生王遇恩繼妻蔣氏　許文周妻趙氏　培功垠繼妻柏氏　王宏劍繼妻趙氏　戴沅妻蔡氏　文生周載陽繼妻龍氏　朱宇平繼妻李氏　李賢瑛繼妻周氏　周天茂繼妻夏氏　陳廷選繼妻張氏　許良雄妻程氏　陳宏政妻趙氏　柏宏熙妻郭氏　胡日才妻尙氏　王晉本妻趙氏　周恆照妻趙氏　王政楹妻周氏　周貞瑚妻范氏　經恆惺妻俞氏　趙立坤妾馬氏　戴秉芳妻雍氏　吳士潔妻方氏　張慶盛妻蔣氏　徐日麒妾須氏　倪家鶴妻凌氏　曹政淮妻李氏　丁起原妻王氏　唐序仁妻戴氏　趙有垠妻周氏　經祖齡妻劉氏　趙尙獻妾楊氏　張昭禮妻方氏　陳光廷妻王氏　胡本立妻裴氏　陳宏悅妻董氏　鄭邦元妻紀氏　居永康妻戴氏　張正統妻劉氏　樊允

範妻王氏　劉德懷妻曹氏　王朝乾妻宋氏　王餘桂妻徐氏　許勝宗妻王氏　孫恩起妻朱氏　張存柯妻許氏　衛昭乾妻曹氏　朱綸淸妻潘氏　王良佐妻經氏　耿學朱妻經氏　孔興壽妻楊氏　笪嘉文妻樊氏　笪于鐶妻段氏　朱元韜妻戴氏　朱宜衛妻姜氏　湯紹愷妻高氏　陶宗銘妻唐氏　蔣文棋妻戴氏　張德崇妻龔氏　鄒我寅繼妻陳氏　文生王濟妻劉氏　趙愉如繼妻周氏　趙起愼繼妻許氏　石世宗繼妻潘氏　朱榮燦繼妻陳氏　李朝碧繼妻戴氏　李正坤繼妻劉氏　沈秉仁繼妻章氏　王南昭繼妻楊氏　李傳芹妻楊氏　徐德羹妻王氏　王凝圻妻汪氏　章志善妻成氏　紀朝滿妻韋氏　鄭國運妻夏氏　陳隆球妻施氏　駱綬昌妻張氏　曾良榮妻戴氏　夏宜榮妻高氏

夏正瑰妻熊氏　王壽田妻許氏　鄒昭果妻張氏　駱舒繼妻沈氏　宋秉智妻郭氏　湯文英妻吳氏　阮家功妻俞氏　蔡宗恭妻趙氏　張延瑯妻喻氏　徐士英妻薛氏　趙年傳妻雍氏　周夢鯤妻趙氏　周貞治妻張氏　陳常槐妻梅氏　程志雄妻董氏　畢元祥妻駱氏　孔傳轂妻徐氏　紀復晉妻笪氏　許維忠妻曹氏　張學海妻潘氏　萬家閑妻蔣氏　蔣聯芳妻李氏　李存和妻蔣氏　張德鋼妻龐氏　陸成山妻王氏　徐世鳳妻陳氏　戴其模妻魏氏　王國柱妻石氏　周俓有妻吳氏　湯昌椿妻習氏　趙廷鈞妻房氏　巫天爵妻陸氏　巫毓瑾妻陳氏　笪開有妻包氏　孫林元妻雷氏　周加賓妻徐氏　駱壽唐妻劉氏　許佐妻蔡氏　高正梁妻雍氏　濮元溥妻張氏　孔毓朝妻許氏　胡之

熠妻許氏　袁世懃妻俞氏　徐士喜妻袁氏　倪開明妻曹氏　丁士壽妻劉氏　陳金鰲妻程氏　周恆昕妻魏氏　周貞濬妻王氏　邛秉和妻戴氏　梅相讓妻陶氏　朱魁源妻徐氏　朱顯爽妻劉氏　趙成祜妻許氏　沈懋仁妻楊氏　吳儒鴻妻經氏　孔毓葵妻朱氏　周本仕妻王氏　章芳庭妻王氏　趙士誼妻熊氏　傅爲湘妻許氏　陳家遠妻朱氏　張慶楠妻徐氏　李正泰妻徐氏　趙賢徵妻戴氏　孔廣沖妻夏氏　孔毓和妻張氏　陳正健妻郭氏　蔣興仁妻吳氏　管朝信妻朱氏　湯彥如妻潘氏　王文秀妻徐氏　嚴起安妻夏氏　蘇道雲妻張氏　朱尊模妻李氏　喬慈富妻譚氏　夏誠福妻張氏　楊有恆妻吳氏　紀存立妻王氏　蔣天元妻巫氏　曹於煒妻孔氏　陳憲合妻王氏　蔡文溢

妻裴氏　戴世忠妻袁氏　徐思賢妻方氏　周基宏妻尙氏
陳德皓妻傅氏　周恆潮妻黃氏　杜成釗妻劉氏　戴元
槐妻楊氏　楊禹傳妻魏氏　王善淮妻于氏　朱天壽妻周
氏　周章傑妻張氏　周章治妻孔氏　朱富學妻趙氏　首
知德妻巫氏　朱之標妻趙氏　虞志滄妻朱氏　胡世芹妻
嚴氏　張世福妻闞氏　鄭賢麟妻吳氏　朱甡章妻許氏
許煌妻裴氏　倪信煒妻許氏　陳宏駒妻戴氏　王應炳妻
徐氏　徐尙寀妻吳氏　王克錫妻周氏　周聖宇妻芮氏
周憲瓚妻袁氏　周恆智妻趙氏　楊國勳妻夏氏　趙逢傑
妻尙氏　戴序東妻朱氏　潘民寬妻戴氏　馮守炎妻周氏
夏可發妻陳氏　許家海妻鄒氏　趙士董妻李氏　首試
庸妻沈氏　施啟裕妻莊氏　朱之芬妻邵氏　湯士宣妻王

氏　巫偉煥妻沈氏　蘇之信妻高氏　唐景範妻譚氏　唐尙俊妻程氏　周章繼妻趙氏　朱善濬妻潘氏　方倫聖妻朱氏　戴世嵩妻張氏　周履士妻王氏　周克岐妻毛氏　王邦文妻尙氏　唐世行妻徐氏　楊大鈺妻石氏　王善嵩妻嚴氏　周章琳妻王氏　周章鐏妻王氏　劉之才妻趙氏　笪守謨妻紀氏　朱應彬妻史氏　朱宜祉妻戴氏　糜彰任妻樊氏　周玉棋妻龐氏　王憲成妻程氏　孔毓光妻陳氏　趙應燿妻許氏　柏士益妻戴氏　朱茂玖妻陸氏　蔡宗艮妻許氏　張美秀妻許氏　王永聖妻周氏　經洪愷妻吳氏　周章維妻程氏　周貞荷妻王氏　許基長妻蔡氏　趙玉金妻邵氏　李揆百妻許氏　楊芳祥妻曹氏　潘明芳妻蘇氏　笪成容妻譚氏　朱元燕妻張氏　朱之彥妻華氏

陶大受妻張氏　夏明牆妻陳氏　蘇明芳妻徐氏　步成
柏妻汪氏　王允明妻宋氏　李惟盛妻趙氏　胡時盛妻孔
氏　王兆熊妻駱氏　施啟錦妻巫氏　劉文培妻鄒氏　楊
道田妻喬氏　許銓妻張氏　王定山妻陳氏　朱渫脩妻陳
氏　戴道行妻李氏　朱雄文妻張氏　雍圻妻宋氏　戴臣
繡妻吳氏　戴德坤妻經氏　孫長新妻袁氏　龔明禮妻王
氏　施恆財妻丁氏　萬永文妻王氏　朱元益妻陸氏　戴
正厚妻劉氏　梅有貴妻李氏　曹施永妻沈氏　張延榮妻
陶氏　張承董妻方氏　吳傳模妻賈氏　吳贊熙繼妻王氏
文生尚徵适妻周氏　笪道治妻歐陽氏　倪光夏繼妻王
氏　趙元義妻朱氏　笪從庚妻趙氏　蔣明順妻朱氏　夏
尊祿妻戴氏　張長明妻曹氏　張金翰妻許氏　王博熊妻

胡氏　許宗懋妻張氏　劉隆本妻趙氏　經世珮妻張氏
魏一熊妻經氏　朱遐調妻孫氏　楊士良妻戴氏　王元皋
妻賈氏　笪士用妻沈氏　楊永盛妻周氏　薛長慰妻俞氏
曾希坤妻王氏　張得玉妻朱氏　田立恭妻凌氏　駱夢
彪妻張氏　趙家元妻許氏　俞東第妻阮氏　陳嘉璜妻周
氏　樊緒梁妻史氏　王厚鈺妻胡氏　許良增妻王氏　許
文明妻劉氏　郭裕明繼妻蔡氏　戴清妻蔡氏　戴良高妻
方氏　周尚義妻王氏　周貞晃妻許氏　趙士高妻孫氏
陳世榮妻濮氏　徐士魁妻袁氏　周恆敘妻張氏　欒傳行
妻陶氏　趙定方妻倪氏　宮法嵩妻華氏　石世宏妻戴氏
沈昌璉妻湯氏　王鴻柱妻趙氏　陳益彩妻徐氏　劉道
俊妻錢氏　姚肇得妻王氏　姚宏聲妻李氏　秦甯貴妻張

氏　監生戴甫亭繼妻王氏　湯朝栻繼妻經氏　監生蔣維城繼妻馮氏　文生劉應元妻魏氏　許維鎮繼妻李氏　文生戴炳華妻宋氏　吳文煌繼妻周氏　張能孝繼妻戴氏　王加職妻皇甫氏　朱仁術妻王氏　文生倪允中妾宋氏　朱茂昌妻張氏　濮承琈妻戴氏　李亮葵妻戴氏　章啟鉅妻任氏　王道元妻歐陽氏　張汝彭妻陳氏　李承禎妻周氏　駱春元妻王氏　張朝松妻田氏　王年有妻朱氏　陳慶楠妻楊氏　周基鳳妻劉氏　朱仲輔妻許氏　戴至如妻湯氏　楊大坤妻戴氏　倪科妻何氏　曹施柏妻李氏　湯家亨妻邱氏　糜國麟妻李氏　奈世旺妻時氏　戎長懷妻詹氏　戴世鎬妻傅氏　胡有枋妻倪氏　周恆書妻夏氏　曹施富妻陳氏　湯元朝妻竇氏　王承念妻周氏　張元楷

妻胡氏　徐重發妻張氏　呂煥文妻孫氏　王德階妻羅氏
吳學濟妻魏氏　朱守義妻李氏　張友蘭妻焦氏　王正
賢妻劉氏　趙廷貴妻張氏　巫肇禎妻許氏　楊禮周妻郎
氏　洪明遠妻陳氏　陳德和妻楊氏　張朝楷妻郭氏　朱
牲亮妻許氏　許勝統妻張氏　裴功起妻許氏　趙家振妻
周氏　王錦堂妻趙氏　王啟椿妻曹氏　許宗通妻蔡氏
周恆址妻經氏　經正定妻楊氏　方志儒妻欒氏　章安學
妻朱氏　張恆榮妻石氏　薛復朝妻趙氏　朱本法妻董氏
石顯智妻洪氏　張德洽妻王氏　雷長林妻嚴氏　許賢
弼妻張氏　駱三組妻陳氏　吳畢志妻胡氏　許聖纘妻蔡
氏　包善彩妻經氏　雍克周妻戴氏　周章鎔妻俞氏　魏
思堂妻華氏　王祥學妻馮氏　譚守演妻歐陽氏　馬從周

妻張氏　戴道祖妻王氏　戴世正妻張氏　王利富妻陳氏　周貞元妻李氏　周貞瀛妻趙氏　尚承舉妻陳氏　俞脩五妻張氏　高明遠妻宮氏　沈昌成妻尚氏　戴儒維妻陳氏　經榮階妻楊氏　孔傳鏞妻陳氏　王肇壇妻倪氏　趙廷槐妻武氏　王正賢妻謝氏　張餘蛟妻王氏　竇忠華妻王氏　房開椿妻高氏　王宜霖繼妻阮氏　文生王治妻蔣氏　蔡尚琦妻戴氏　高鑑魯妻王氏　吳重芳妻笪氏　王國有妻郭氏　杜勝先妻張氏　房思興妻陳氏　杜全邦妻趙氏　朱全達妻韋氏　戴天發妻郜氏　錢萬選妻王氏　許文理妻王氏　王汝恭妾顧氏　毛國楨妻周氏　陳常彥妻王氏　朱顯昭妻樊氏　楊禮榮妻陳氏　韓元明妻言氏　潘道恂妻巫氏　汪宏庭妻高氏　楊興聖妻汪氏　吳顯

堂妻郜氏　張保會妻曹氏　陳夢堂妻施氏　謝世鳴妻蔡
氏　唐賡發妻姚氏　徐瑛賢妻張氏　汪元增妻陸氏　周
基瑄妻陳氏　周履鑑妻王氏　俞掄先妻王氏　張延正妻
李氏　戴禮恭妻潘氏　經崙山妻楊氏　許師湧妻王氏
戴志高妻唐氏　黃松年妻曹氏　樊允堉妻紀氏　張朝林
妻笪氏　張天烝妻柏氏　許貞儀妻戴氏　徐克堂妻張氏
倪開春妻許氏　高正祿妻李氏　唐定棢妻周氏　雍芳
美妻耿氏　高熙翰妻金氏　朱廷標妻姬氏　朱宣札妻孫
氏　史元廣妻紀氏　蔣明松妻孔氏　朱相成妻張氏　王
天爵妻張氏　謝光祥妻周氏　陳春華妻巫氏　笪安敦妻
尹氏　丁繼愠妻笪氏　蔣明華妻王氏　張學三妻欒氏
張德恆妻夏氏　楊承艮妻呂氏　王國安妻雍氏　許廷翰

妻傅氏　許桃繼妻王氏　許文慰妻高氏　柏維喬妻倪氏
孫天博妻柏氏　傅德周妻趙氏　柏維聰妻戴氏　陳憲
國妻成氏　衞昭達妻王氏　許宗友妻曹氏　王祚湖妻張
氏　王道範妻萬氏　王雲衢妻袁氏　席知盛妻王氏　徐
逢雲妻謝氏　徐廷富妻雷氏　倪家適妻許氏　王邦詔妻
朱氏　周恆佑妻趙氏　王利和妻汪氏　周基停妻吳氏
王起麟妻許氏　王凝忠妻傅氏　楊子德妻王氏　王善佑
妻曹氏　王正禮妻許氏　王昭璉妻周氏　王禮孔妻趙氏
　陳上鳴妻朱氏　居仁妻陳氏　夏大德妻丁氏　王世榮
妻張氏　朱俊生妻湯氏　葛文賢妻侯氏　湯聘學妻楊氏
　湯紹溥妻杜氏　施梅妻吳氏　曹家普妻梁氏　王顯猷
妻朱氏　張起綱妻魏氏　張師楷妻周氏　高增量妻趙氏

毛宏亮妻徐氏　程士順妻宣氏　陳泰智妻楊氏　丁正邦妻夏氏　周貞元妻鄒氏　周天成妻陳氏　夏時謙妻趙氏　高賢淵妻糜氏　趙廷璋妻倪氏　樊益邦妻胡氏　朱善科妻夏氏　王凝祚妻吳氏　陳人德妻鄒氏　周基燿妻李氏　周恆棠妻王氏　周恆舉妻王氏　周恆鑾妻王氏

汪宏義妻吳氏　周基祿妻劉氏　楊時忠妻朱氏　居國忠妻江氏　裴成建妻顧氏　雍家本妻楊氏　戴佩玉妻石氏

楊明崑妻張氏　樊清妻葉氏　胡奐若妻周氏　陳孝遵妻吳氏　王福泰妻姚氏　劉明耕妻錢氏　袁文魁妻劉氏

韓昌美妻王氏　朱濬妻姚氏　笪開泰妻王氏　雷茂祥妻李氏　周基鼎妻朱氏　阮賢貞妻傅氏　駱正組妻朱氏

陳世域妻趙氏　尚昌賢妻王氏　李繼楷妻許氏　經朝

勳妻楊氏　楊聚英妻張氏　戴蔭三妻魏氏　王善㕓妻湯氏　王元煒妻朱氏　王善忱妻周氏　王知錡妻張氏　吳尊家妻周氏　王安鎮妻柏氏　袁凝友妻成氏　楊元昭妻吳氏　胡文煦妻戴氏　畢繼仁妻潘氏　周得貞妻許氏　胡承遜妻王氏　孔毓仁妻徐氏　陶艮玉妻夏氏　王興鈺妻張氏　趙正悠妻張氏　倪有國妻趙氏　張才棟妻陸氏

劉際釧妻趙氏　雍嗣彬妻周氏　雍裕三妾王氏　梅履中妻經氏　周章鎡妻湯氏　王禮超妻謝氏　孫國有妻李氏　呂星源妻李氏　劉顯椿妾王氏　劉震泰妻王氏　吳澐妻郭氏　張履剛妻章氏　戴道炳妻孔氏　俞宗洛妾沈氏　戴道基妻李氏　徐柱賢妻張氏　竇昌鎣妻經氏　欒愼脩妻朱氏　吳世珩繼妻高氏　史廣成繼妻汪氏　喬餘

文妻姚氏　徐得賢妻張氏　徐文宋妻王氏　王漢章妻袁氏　姚元仕妻謝氏　陳世德妻曹氏　張餘艮妻何氏　謝重鎮妻朱氏　石有常妻孫氏　孫天祚妻郭氏　孫瑶妻吳氏　陳宏恆妻吳氏　曹施模妻張氏　郃道興妻林氏　笪三舉妻孫氏　笪允漢妻李氏　程盛音妻徐氏　史瀛士妻紀氏　朱裕侯妻任氏　周世用繼妻竇氏　監生王亨積妻趙氏○以上見繼坊　劉燦章妻朱氏安基山人○見同治上江縣志　巫啟悅妻解氏

譚九成妻沈氏　譚守憲妻笪氏　周玉英妻張氏　試用訓導劉祚瀛妻李氏　倪介眉妻裴氏　倪瞻淇妾俞氏　裴功洵妾王氏　張履成妻程氏　裴映圖妻王氏　戴臣善妻朱氏　周溯川妻黃氏　陳德隆妻何氏　趙建樓妻劉氏　尚有章妻趙氏　尚天懿妻趙氏　尚揚舉妻趙氏　張美成妻

阮氏　王濆掞妻裴氏　裴功根妻柏氏　裴子喬妾丁氏
裴暢妻駱氏　裴功性妾王氏　裴銘妻蔡氏　裴祖諴妻許
氏　裴治妻張氏　裴衍妻駱氏　裴功洵繼妻張氏　裴玕
妻許氏　張熙轍妻許氏　李昌耀妻孔氏　張德載妻趙氏
張錦堂妻董氏　張某妻程氏　徐某妻尹氏　駱道周妻
沈氏　王蔭統妻宣氏　王轓妻閆氏　蔡瑞妻裴氏　王子
貞妻張氏　李昌魯妻雍氏　趙明連妻尙氏　曹施嘉妻張
氏○以上見采訪◯嘉慶年旌　吳榮博妻王氏　王某妻紀氏王明遠母　趙家福
妻黃氏○以上見采訪◯道光年旌　李德言妻陳氏○見金陵節孝備考　文生經蘭堂
妻孫氏○見同治上江縣志　雍旭陽妻宮氏　楊敬熹妾方氏　雍延正
妻朱氏　雍孝志妻華氏　雍毓芝妻張氏　雍立培妻潘氏
雍松年妻高氏　濮德昌妻朱氏　張某妻陶氏　周章巍

妻余氏　周恆楊妻成氏　周憲瑜妻仇氏　王聲揚妻姚氏
夏鴻儀妻羅氏　張春林妻梅氏　楊元勳妻濮氏　楊元
漢妻潘氏　朱家稱妻謝氏　朱家乘妻楊氏　朱家穀妻魏
氏　朱某妻張氏歲貢生朱步雲母　朱道愷妻劉氏　朱道澄繼妻李
氏　朱兟妻李氏　朱遐調妻孫氏　楊某妻戴氏　趙步瀛
妻景氏死粵寇難　張某妻劉氏張朝榮母　劉國柱妻徐氏　張錦堂妻黃
氏　趙克平繼妻周氏　趙鳳翔妻王氏　周鯤妻趙氏　張
德忠妻王氏　張德崇妻朱氏　吳懿模妻劉氏見采訪○以上同治
年旌　朱克川妻孫氏○見同治上江縣志　曾昌鍾妻任氏○寶家邊人見公牘　朱繼奎
妻胡氏　趙家松妻周氏　趙家樑妻許氏　許善家妻李氏
田志蘭妻馬氏　尹德良妻劉氏　談經妻駱氏死粵寇難　田上
奎妻劉氏　周玉英妻成氏　周玉琦妻龐氏　監生阮孝坤

繼妻金氏　王德有妻趙氏　李春華妻嚴氏　王景燦妻華
氏〇以上見采訪〇光緒年旌　楊良熹妻許氏　楊世楊妻吳氏　陳忠祥
妻朱氏　監生吳坦妾胡氏〇以上見公牘　朱之荇妻張氏　朱家耀
妻黃氏　陳坤載妻張氏　張榆邨妻徐氏　段某妻金氏
鄭榮儉妻黃氏　鄭榮興妻翁氏〇以上見采訪〇續旌　文生駱道南妻
裴氏年二十八守節二十九年　沈篤信妻駱氏年二十四守節二十八年　文生駱道尊妻
黃氏年二十八守節三十年　周啟貴妻李氏年二十七守節三十七年　張金桂妻駱氏
年二十五守節三十年殉粵寇難　監生張定樾繼妻徐氏年二十七守節二十四年　沈立富
妻周氏年二十四守節十四年殉粵寇難　楊良楝妻李氏年二十三守節十四年卒　魏德華
妻王氏年二十九守節二十八年　戴克昌妻楊氏年三十守節二十年　監生王致中妻
趙氏年十九守節三十四年　楊德配妻朱氏年二十七守節二十七年卒　吳慶年妻王
氏堰北邨人　楊啟榮妻某氏戴家邊人　經德鏞妻王氏年二十八守節十六年卒　潘士

禮妻欒氏年二十四守節二十六年卒　經徵瀛妻潘氏年三十守節二十年　經恆禩妻戴氏年十九守節三十二年　魏祥和妻經氏僉墟郙人　經恆慶妻楊氏年二十八守節五十三年　經徵情妻李氏年二十九守節二十三年　楊明純妻劉氏年二十三守節十一年殉粵寇難　王有餘妻陳氏年二十九守節二十三年卒　楊維周妻經氏湯巷郙人　楊政典妻經氏　張肇興妻許氏年二十九守節二十二年　楊珍益妻馬氏年三十守節十七年卒　楊家才妻某氏年二十八守節二十二年　雍孝茂妻戴氏年二十一守節三十三年　監生雍慈堯妻戴氏年二十守節三十一年　雍艮繼妻李氏　周某妻王氏　楊炳華妻許氏年二十七守節十三年卒　湯元誌妻戴氏年二十五守節三十三年卒　陳敏松妻湯氏年二十二守節十三年卒　湯家寬妻戴氏年二十守節五年殉粵寇難　朱元檜妻戴氏年二十八守節三十九年卒　朱宜鋻妻雍氏年二十七守節二十三年卒　朱宜鏞妻張氏年二十八守節三十五年卒　朱攸椿妻許氏年十九守節三十七年　朱攸宷妻孔氏年二十守節三十二年卒　朱攸實妻石氏年二十守節四十五年　朱道

瑛妻張氏年二十四守節五十三年卒夏智錡妻姚氏年三十守節十一年卒陳明照妻陶氏年三十守節三十九年朱式衢妻戴氏年三十守節二十一年張昭珍妻李氏年二十六守節三十年葛大志妻朱氏年二十八守節三十七年張元全妻朱氏年三十守節二十八年雍德培妻華氏守節殉粵寇難雍立埔繼妻陳氏年二十九守節經德功妻吳氏年二十五守節四十五年卒吳承兢妻欒氏年二十七守節八年殉粵寇難經徵庠妻欒氏年三十守節二十三年經德瑚妻孫氏年二十七守節五年殉粵寇難經德厚妻楊氏年十八守節十五年殉粵寇難經某妻張氏年二十九守節十年殉粵寇難石正郁妻俞氏年二十四守節三十三年吳士鼇妻經氏年二十八守節二十六年殉粵寇難楊元祥妻曹氏年二十六守節三十六年曹某妻雍氏曹國宣子婦年二十一守節六十二年卒周景琥妻端木氏年二十六守節二十五年卒周恆悌妻某氏年二十六守節巫有儀妻張氏年二十四守節二十七年袁慶惠妻劉氏年十九守節三十九年卒虞生袁廣治妻程氏年二十七守節十九年卒董國維妻朱氏年三十守節二十三年卒董國經妻施氏年二

十四守節二十六年卒王開芳妻梅氏年二十七守節三十年卒秦福保妻王氏年三十守節三十三年卒秦文蔚妻仇氏年二十八守節十九年卒劉升妥妻鄧氏年三十守節二十六年胡耆祿妻陸氏年二十八守節二十九年卒鄭保齡妻張氏年二十七守節十二年卒鄭保和妻許氏年二十九守節二十五年佘文魁妻羅氏年二十八守節三十六年許師保妻夏氏年二十四守節三十八年許維英妻王氏年二十九守節二十五年文生曹步洲繼妻王氏年二十七守節二十七年殉粵寇難顧仁貴妻駱氏年二十五守節四十三年吳宏雲妻王氏年二十四守節三十四年張國英妻談氏年三十守節二十五年佘培元妻王氏年三十守節二十二年張曙堂妻朱氏年二十七守節十一年殉粵寇難張瑾懷妻李氏年二十五守節十一年殉粵寇難俞士珏妻楊氏年二十二守節至今二十九年童尚賢妻郭氏年二十八守節至今二十四年高長齡妻戴氏戴儒洛女年二十四守節四十六年卒笪居正曾妻笪氏年二十六守節三十年卒笪安經妻沈氏年二十三守節四十年卒笪繼泙妻王氏年二十四守節三十八年卒笪盛萬妻徐氏年二十五守節二十年卒笪名堦

妻汪氏年二十四守節至今三十七年笪名增妻楊氏年二十二守節至今三十二年笪家炳妻張氏年二十八守節至今四十八年笪家燦妻譚氏年二十六守節二十六年卒笪名烷妻施氏年二十八守節三十二年卒笪厚富妻余氏年二十五守節至今二十五年笪家址妻鄭氏年二十八守節至今二十二年文生魏垣庚妻吳氏年二十七守節至今二十七年駱道炎妻周氏年二十一守節至咸豐七年卒計守節三十六年趙某妻史氏趙清澈母年三十守節至咸豐十年死粵寇難文生紀光庭妻陳氏年二十四守節二十一年卒張貞昌妻楊氏年二十八守節死粵寇難姚餘進妻王氏年二十九守節譚德寬妻姚氏年二十九守節終身謝貞魁妻巫氏年三十守節四十年死粵寇難陳人淵妻笪氏年二十七守節死粵寇難巫立堂妻陳氏年二十一守節三十八年死粵寇難趙元白妻韓氏年二十四守節十二年卒劉大昌妻駱氏年二十守節至今二十九年黃玉桂妻宋氏年二十二守節四十六年卒黃以德妻王氏年二十六守節四十年卒龐道純妻周氏周恆鸞女年二十九守節二十四年卒芮魯妻郭氏年二十七守節撫孤四十年卒陳明鳳妻嚴氏年十九守節四十年卒耿

耀南繼妻閔氏年二十三守節至今三十二年王子忠妻徐氏年二十八守節至今三十二年
潘德昭妻邵氏年二十八守節二十年卒戴世榮妻劉氏年二十二守節至今五十八年韓
德鑑妻王氏年二十一守節至今四十一年韓德鎏妻賈氏年二十五守節至今二十七年王
志廉妻吳氏年二十四守節至今四十年王志科妻吳氏年二十八守節至今二十七年仇
顯鶴妻紀氏年二十三守節十九年卒仇顯富妻紀氏年二十四守節二十六年卒仇安
樂妻吳氏年二十二守節二十三年卒王懿德妻駱氏年二十六守節至今二十五年董國
紓妻蔡氏年二十守節至今三十四年蔣端書繼妻胡氏年二十一守節至今三十四年潘
德祥妻張氏年二十六守節至今四十六年周文元妻李氏年二十二守節至今三十八年呂
啟凡妻楊氏年二十二守節至今四十六年顧紹賢妻張氏年二十三守節至今三十七年徐
本固妻湯氏年二十七守節至今二十三年仇安霞妻施氏年二十八守節至今二十八年文
生唐之榆妻周氏年二十守節二十一年卒姚從善妻張氏年二十六守節三十八年武
生蔡慶元妻王氏年二十八守節三十年蔡之佩妻呂氏年二十三守節十年卒鄭

保林妻張氏年十八守節二十四年卒鍾延湄妻王氏年二十二守節二十年卒裴功俘妻尚氏年二十守節六年卒裴宗銘妻蔡氏年十九守節五年卒裴祖煌妻耿氏年二十七守節七年卒孫俊愷妻尚氏年二十一守節二十年卒樊翰香妻徐氏年二十守節十年殉粵寇難阮傳霖妻張氏年十九守節二十二年蔡祚增妻戴氏年十八守節至今三十九年李善志妻經氏年二十八守節二十九年卒梅丹書妻王氏王甸安女年二十九守節四十一年陳槤繼妻朱氏年二十六守節二十八年陳太珊妻唐氏年二十三守節二十三年朱燾妻楊氏年二十五守節二十九年文生趙杳林繼妻尤氏年二十九苦節二十七年曹家玖妻宋氏年二十七守節五十四年曹以旂妻孔氏年二十六守節五十六年沈業成妻俞氏年二十七守節二十五年張鳳如妻孫氏年二十九守節二十九年朱桐妻王氏年二十一守節三十五年朱杞妻張氏年二十一守節三十年文生戴模妻魏氏魏方泰長女通文義年二十七守節四十七年王鳳儀妻陳氏年二十七守節三十一年文生黃應衢妻汪氏年二十八守節三十四年夏茂蓮妻王氏年二十六守節三十七年許維鎮妻

李氏年二十五守節四十六年戴宏山妻經氏年二十四守節至今二十八年俞學道妻尹氏年二十七守節四十一年周應明妻王氏年三十守節三十二年戴時楫妻吳氏年二十八守節三十六年○以上見采訪◯待旌湯元誠妻葛氏年二十八守節至今二十年董某妻蔡氏年二十四守節至今二十四年余紹棠妻楊氏年三十守節至今十九年陳俊妻趙氏年二十八守節至今二十一年陳其均妻倪氏年二十一守節至今二十一年趙殿英妻許氏年二十二苦節至今二十五年劉隆學妻徐氏年二十五守節至今十九年孫開洪妻戴氏年二十九守節至今二十四年文生趙大椿繼妻吳氏年二十六守節至今十八年朱仁傑妻夏氏年十九守節至今二十五年周存模妻陳氏年二十一守節四十七年卒華某妻戴氏年二十三守節二十六年卒王保貞妻張氏趙文經妻袁氏周長源妻李氏王德有妻趙氏駱道鴻妻朱氏年二十七守節至今二十六年○以上見采訪

年二十九守節三十年卒○見采訪

溧水

續曰郃大綱妻魏氏　郃正校妻劉氏　薛道五妻楊氏以上見
溧水舊志王天章妻朱氏　陳祖培妻馬氏　哈正立妻馬氏　廩
生陶正璋妻柳氏　茆天鴻妻朱氏　姚寅妻吳氏　提舉銜
尹正宓妻郃氏　李正龍妻馬氏　守備趙虎臣妻鄧氏　武
生徐立鏞妻王氏　趙成勛妻濮氏　秦宗海妻顏氏　嚴桂
香妻許氏　徐必達妻項氏　錢培妻穆氏　呂有猷妻江氏
呂有為妻江氏　濮允誠妻丁氏　武定中妻陶氏　端木
如燦妻孔氏　五品銜陶必發妻王氏　沈汝槐妻韓氏　錢
允珍妻成氏　龔吉芳妻董氏　武燮陽妻徐氏　茆鴻儀妻
王氏　石時中妻孔氏　陶文江妻吳氏　程雲生妻孔氏
王金生妻端木氏　郃必發妻尹氏　尹士先妻司徒氏　端
木寶昌妻顏氏　尹正啟妻馮氏　蔡元龍妻端木氏　顏賢

俊妻芮氏　齊國福妻柳氏　丁昌銘妻濮氏　文生徐文勉妻茆氏　孔祥文妻芮氏　齊必成妻邵氏　邛正先妻趙氏　尹鳴九妻孫氏　范禮成妻佘氏　王有成妻卜氏　邛克明妻陳氏　從九品劉正元妻穆氏　增生趙必法妻江氏　丁天鴻妻趙氏　茆鴻儀妻尹氏　翟觀光妻王氏　顏必登妻邵氏　嚴得春妻葉氏　尹正隆妻金氏　李天培妻端木氏　馮必昌妻吳氏　芮本元妻王氏　徐建業妻張氏　孔象徵妻尹氏（夫亡子甫三齡家貧舅姑老尹以紡績供菽水課子嚴月授毛詩數首苦節三十三年）　卞豫鐸妻趙氏　薛崇達妻楊氏　徐元樸妻張氏　芮洪孝妻張氏　芮洪美妻陳氏　文生芮鳴岐妻黃氏　芮兆舉妻趙氏　芮兆順妻徐氏　芮在田妻陳氏　芮在義妻邛氏　芮立中妻陳氏　從九品郎桂芬妻任氏（蒲塘邨八）　文生張德清妻武氏

王德順妻武氏　徐文彬妻端木氏　任鎔妻張氏　武承恩妻趙氏　郜如桂妻余氏　陳立德妻王氏　芮金淮妻孔氏　武項中妻卜氏　端木嘉珍妻吳氏　吳孝先妻陳氏　黃金本妻胡氏　江心鏡妻曾氏　尤文煥妻施氏　陳啟彪妻張氏　徐魁⿰日習妻王氏　徐憲男妻李氏○見采訪○嘉慶年旌　孫祖鎔妻章氏　徐世德妻諸氏○見采訪○道光年旌　何長齡妻甘氏　王光本妻劉氏　范憲詩妻章氏　范粱發妻李氏　陶應懋妻高氏　錢達汾妻張氏　錢成安妻陳氏　章傑陞妻孫氏　趙登臨妻高氏○同治年旌　楊學緒妻夏氏　張興岐妻趙氏○光緒年旌　從九品朱紹斐繼妻李氏　胡立德妻朱氏　馮盛發繼妻蘭氏○以上見同治上江縣志○文生張煥妻孫氏年二十九守節二十年死粤寇難　王德昌妻秦氏石湫壩人年二十八守節十六年死粤寇難　葛繼管妻范氏年二十五守節十年死粤

寇難陳必魁妻陶氏年二十五守節四十八年卒

姚文田繼妻雷氏年二十七守節至今二十二年湯介福妻馮氏年二十四守節至今二十八年王鑾森妻沈氏年二十一守節奉姑至今三十四年任煜妻趙氏事舅姑孝夫病篤刲股愈之年二十八夫亡守節以終監生任举妻胡氏任煜弟婦孝事舅姑夫病篤刲股療之愈踰年卒氏年二十餘紡績撫孤守節終身文生丁文燦妻笪氏年二十二守節五十一年史纘彰妻周氏年二十八守節四十四年史述鎧妻李氏年二十四守節三十九年史是其妻王氏年二十四守節三十五年史述鏞妻陳氏年二十五守節二十六年監生史景玉妻曹氏年二十八守節二十餘年王某妻錢氏年二十二守節七十五年王大富妻朱氏年二十一夫病篤刲股療之夫亡守節四十一年王朝興妻蕭氏年二十三守節三十八年家貧有戚餽薪米者力卻不受文生邱克喜妻某氏守節二十一年邱某妻吳氏年二十九守節五十三年邱士瑞繼妻田氏年二十八守節四十一年事姑孝邱驪龍妾張氏年二十三守節五十一年邱明庠妻徐氏年二十六守節三十六年芮洪燭妻徐氏年三十守節五十年芮在悌妻杭氏

年二十九守節四十餘年張尊榮妻宋氏年二十五守節五十五年王大昌妻謝氏年二十六
守節三十七年王大慶妻湯氏年二十一守節五十餘年張正堅妻莫氏年二十守節六十二
年嚴某妻孫氏年二十一守節四十八年張曰榮妻史氏苦節四十餘年戴文祥妻
黄氏年二十八守節三十五年事孀姑孝靳昌禮妻戴氏年三十守節四十七年馮可遺妻
黄氏年二十七守節五十四年夏某妻王氏夏宗禮子婦年十九守節二十餘年卒夏餘珩妻
張氏年三十守節三十五年子松芳事母至孝薛孝山妻王氏年三十守節三十五年薛友齡
妻張氏年二十七守節與姑王死粵寇難薛友樹妻王氏年二十三守節死粵寇難張其順
妻熊氏年二十九守節四十年張其秋妻周氏年二十六守節四十四年周志松妻張
氏年二十七守節三十八年張其坤妻周氏年二十五守節四十一年張昌壽妻朱氏年二
十四苦節四十二年王肇榮妻任氏年三十守節四十三年尹萬宗妻周氏年二十四守節
五十八年張自美妻薛氏年二十六守節五十九年顏盛松妻徐氏年二十八守節四十年死
粵寇難張正容妻毛氏年二十六守節二十九年死粵寇難湯子成妻方氏年二十六守節

四十八年周正本妻蔣氏年二十四守節四十六年張士泰妻徐氏年二十四守節五十三年張在玉妻楊氏年二十一守節三十五年韋明會妻陳氏年十七守節三十七年朱儒炘妻蕭氏年十八守節四十六年監生薛傳盛妻易氏年三十守節二十五年薛傳瓊妻王氏年十八守節三十二年死粵寇難尤大鵬妻強氏年二十三守節四十七年尤文源妻宋氏年二十四守節三十六年武立仁妻楊氏年二十七守節四十二年事舅姑孝死粵寇難張大義妻陳氏年二十六守節四十八年監生杜天敘妻王氏年二十七守節六十二年張學友妻陳氏年二十五守節撫孤譚永發妻湯氏年二十八守節三十六年易學崑妻徐氏年二十三守節三十五年謝宗義妻張氏年二十七守節十二年死粵寇難甘思經妻李氏年二十三守節死粵寇難陶世讓妻李氏陶之芹妻蔣氏陶世玉妻高氏年二十九守節四十六年陶育經妻吳氏年二十三守節五十五年陶育溥妻吳氏年十八守節三十一年陶育森妻陳氏年二十七守節四十六年陶育琴妻陳氏年二十七守節四十八年陶育榮妻張氏年二十八守節三十二年文生孫汝霖妻鄭氏

年二十六守節三十五年孫守璁妻章氏年二十三守節五十二年孫守琪妻陶氏年二十七守節四十七年孫祖欽妻陳氏年二十二守節以終孫祖偉妻徐氏年二十五守節孫訓鏞妻謝氏年二十四守節五十年孫訓方妻王氏年二十八守節四十九年孫訓霞妻周氏年二十六守節二十一年文生徐廷芳妻范氏守節二十四年范梁隆妻張氏守節二十八年周正烈妻劉氏守節以賢淑稱陳必魁妻陶氏年二十五守節四十九年錢朝澂妻徐氏年三十守節五十二年錢達春妻徐氏年二十守節五十九年錢朝珠妻徐氏年二十七守節三十五年錢朝珏妻邢氏年三十守節三十二年張行适妻劉氏年二十八守節四十六年徐有仁妻楊氏守節四十八年徐承惠妻王氏守節八年卒徐穟仁妻王氏守節三十一年徐有餘妻錢氏守節十四年章傑景妻曹氏家貧苦節章安喬妻經氏嘗割股療夫疾夫亾守節四十年監生端木樂錦妻李氏夫亾守節咸豐閒難民蟻集江北氏傾簪珥施濟年五十六卒章齊煥妻陶氏章安漪妻張氏守節死粤寇難章齊燦妻李氏秦承典妻吳氏年二十六守節三十七年秦有

節妻劉氏年十九守節四十年秦恆彰妻張氏年二十四守節三十八年秦有智妻翟
氏年二十九守節三十一年秦有高妻張氏年二十九守節三十三年秦國寅妻田氏年二
十一守節六十一年徐懷道妻端木氏年二十四守節四十年張大德妻陳氏年二十一
守節三十年事姑孝徐秉亮繼妻宋氏年二十七夫亾父母欲奪其志引刀刺面以死自誓守節四十二年
曹家達妻張氏年二十五夫被賊擄氏攜子依姊居抑鬱而死監生杭公德妻芮氏年二
十七守節二十二年芮肇進妻居氏年二十六守節四十五年趙長榮妻郜氏年二十六守節
五十五年趙天財妻吳氏年二十二守節三十一年文生杭漢文妻宋氏年二十八守節
二十一年呂茂龍妻何氏年二十二守節三十七年徐潤起妻曹氏年二十八守節二十五年
徐錦化妻趙氏年三十守節二十餘年張貞培妻劉氏　吳茂椿妻芮氏
年二十一守節四十三年于恩釗妻吳氏年二十五守節四十九年司徒翼聖妻經氏年二
十四守節司徒懋傑妻孔氏年二十守節司徒敦選妻俞氏年二十五守節司徒
爾任妻楊氏年二十三守節司徒祖晃妻魏氏年十九守節司徒祖應妻魏

氏年二十六守節司徒立恆妻芮氏年二十四守節司徒貞吉妻郜氏年二十守節司徒貞依妻趙氏年二十八守節司徒貞鄰妻方氏年二十六守節司徒貞乾妻陳氏年二十守節司徒宏智妻甘氏年三十守節司徒育周妻胡氏年二十五守節司徒育龍妻陳氏年二十六守節司徒爲模妻史氏年二十八守節司徒爲楷妻楊氏年二十二守節司徒志佳繼妻張氏年二十六守節司徒朝職妻鄧氏年二十四守節司徒典偕妻楊氏年二十六守節司徒正貫妻丁氏年二十守節司徒正隆妻李氏年二十三守節司徒彖周妻魏氏年二十五守節司徒虞佐妻劉氏年二十四守節楊崇清妻吳氏年二十四守節三十六年楊運轉妻史氏年二十守節四十八年楊廷奎妻邢氏年二十二守節四十三年俞士滄妻孫氏年二十六守節二十二年胡茲槐妻劉氏年二十七守節四十年趙學仁妻朱氏年二十八撫孤苦節三十九年楊崇恆妻虞氏年十九守節十八年俞守業妻楊氏年二十四守節二十四年舅年踰七十孝養備至王成滿妻郜氏年二十一守節六十一年趙月勤妻李氏年二十八守節

三十年趙大彩妻諸氏年二十九守節五十五年趙文仁妻朱氏年二十九苦節四十餘年
孔昭歡妻劉氏年二十九守節三十年孔廣煇妻邢氏年二十九守節三十年文生
劉錫瓚妻吳氏年二十六守節四十二年俞守魁妻劉氏年二十八守節二十年黃興
春妻羅氏年二十四守節四十三年後允昭妻李氏年十八守節五十三年史嘉相妻
趙氏年二十四守節四十年後繼炳妻俞氏年二十六守節三十一年虞本珍妻孔氏
年二十五守節四十八年張源熊妻萬氏年十九守節四十五年虞一堂妻胡氏年二十守
節四十年劉作交妻楊氏年二十六守節三十九年魏洪乾妻黃氏年二十六守節四十七年
諸人纈妻張氏年二十四守節四十九年史崇年妻劉氏年二十二守節四十九年史崇
祥妻吳氏年二十七守節二十年史崇春妻諸氏年二十五守節四十年魏春揚妻
張氏年二十七守節五十五年魏洪煌妻張氏年二十四守節五十三年魏洪琇妻邢氏
年二十七守節五十六年魏象純妻張氏年二十八守節四十一年魏洪禹妻諸氏年二十七
守節三十五年楊廷林妻李氏年二十六守節三十二年劉漢勇妻魯氏年十八守節四十五

年周元桂妻夏侯氏年二十四守節四十八年劉繼序妻郞氏年二十九守節四十八年
吳大盈妻孔氏年二十四守節四十餘年楊景蔚妻虞氏年二十九守節三十七年舅年七十
奉養維謹楊景義妻胡氏年二十三守節四十二年楊崇璵妻俞氏年二十四守節四十一年
楊志嵩妻耿氏年二十八守節三十四年羅詩華繼妻袁氏年三十守節三十五年增
生楊毓祖妻孔氏年二十九守節二十五年俞士才妻楊氏年二十九守節三十二年家貧
嘗挑野菜爲食郜象桐妻楊氏年二十三守節四十一年俞天織妻吳氏年二十守節六十二
年紡織奉姑俞天綸妻劉氏年二十四守節六十五年俞天悠妻吳氏年二十九苦節六十
二年俞存德妻胡氏年二十一守節四十年俞時珍妻顧氏年二十一守節五十一年俞
守楨妻梅氏年三十守節三十五年卞志超妻朱氏繼妻金氏卞紹燦妻
趙氏卞紹瑜妻陳氏卞衡芳妻汪氏卞功芳妻蔣氏
楊士桂妻黃氏年二十六守節五十五年楊存彩妻張氏年二十九守節四十年楊鼎
泰妻武氏年二十六奉姑苦節楊向進妻周氏年二十八守節四十九年楊于周妻張

氏年二十六苦節五十年楊廣嵩妻許氏年三十守節三十年楊于強妻胡氏年二十六守節三十餘年楊于仁妻李氏年三十守節二十一年楊得林妻張氏年二十八奉姑守節四十年卞天壽妻陳氏年二十二守節以賢淑稱傅象歡妻楊氏年二十二守節四十二年死粵寇難傅昌盛妻胡氏嘗刲股療夫疾年三十守節三十六年死粵寇難姚廷法妻張氏年十九苦節六十年梅文炘妻俞氏年二十四守節四十六年文生張錫九妻陳氏年二十一守節三十六年張廷祿妻司徒氏年二十九守節事姑孝張毓冬妻楊氏年二十二守節三十年張壽譜妻劉氏年二十六守節五十一年楊義寶妻劉氏楊大根妻劉氏年二十二守節徐立年妻王氏年二十三守節徐錫周妻劉氏監生王朝曜妻張氏守節十餘年張政舉妻于氏年二十七守節四十一年死粵寇難附貢李珍妻姚氏年三十守節四十二年張啟讓妻楊氏年二十三守節四十六年胡廷燦妻趙氏年二十二守節四十七年楊善楹妻章氏年二十九守節至今二十五年事舅孝史是慶妻滕氏年二十八守節至今二十六年劉振西妻徐氏年十八守節至今五十年張愔穩

妻徐氏年二十四守節至今三十二年武傳鈞妻葉氏年二十一守節至今三十三年事舅姑孝徐慶彩妻吳氏年二十一守節至今五十七年事舅姑孝丁明厚妻武氏年二十二守節至今二十九年事舅姑孝卞天春妻某氏年二十守節至今五十二年張貞端妻徐氏年二十二守節至今三十三年○待旌從九品蔡昌鈞妻陶氏同治二年夫從軍松江病歿氏年二十九守節至今十八年陸志鑑妻杭氏年二十四守節撫孤至今四十六年徐啟仁妻楊氏年二十一守節至今二十五年龔貢陸祖培妻張氏年二十四守節至今六年○以上見采訪

江浦

續曰吳德華妻張氏　葉銘勳妻王氏　林定妻段氏　趙祖培妻毛氏　林成妻顧氏　葉淮山妻顧氏　林虎妻周氏　林淦妻鄧氏　葉蔚南妻詹氏　葉蘭友妻朱氏　曹仁寬妻葉氏　吳德茂妻張氏　文生孫範儒妻歐氏　文生丁啟泰妻車氏　吳德聰妻趙氏　文生吳德新妻郭氏　石載興妻

傅氏 劉象海妻秦氏 石泓妻趙氏 夏學勤妻許氏 彭
某妻熊氏 張長華妻王氏 楊德玄妻曾氏 車鳴珂妻彭
氏 詹永年妻王氏 詹惠妻陳氏 詹銓妻仙氏 監生傅
龍海妻朱氏 詹椿年妻葉氏 祝有源妻畢氏 祝有淇妻
莫氏 葛邦泰妻陳氏 張家貴妻趙氏 許德榮妻林氏
高有福妻陳氏 丁舜卿妻王氏 李春元妻袁氏 李光玉
妻嚴氏 史有祿妻趙氏 文生李兆元妻袁氏 許萬成妻
葉氏 甘受和妻周氏 甘天佑妻范氏 林曉峯妻吳氏
林深基妻毛氏 林丕基妻馬氏 文生林開基妻孫氏 鮑學
禮妻傅氏 蔡某妻朱氏 劉禮行妻林氏 曹繼順妻毛氏
沈富來妻丁氏 徐萬如妻毛氏 石松茂妻謝氏 秦觀
海妻楊氏 黃鐸妻趙氏 楊元敏妻成氏 梁有福妻袁氏

劉家齡妻陳氏　李文富妻梁氏　梁在甄妻戎氏　梁大業妻張氏　鍾國永妻田氏　薛耀宗妻詹氏　陳觀瀾妻史氏　吳必元妻趙氏　劉葆齡妻張氏　梁寶善妻楊氏　湯榮妻孫氏　文生唐丹五妻沈氏　張孝華妻嚴氏　黎長松妻熊氏　陳春元妻吳氏　毛中彝妻王氏　陳金生妻彭氏　徐朝海妻施氏　蔣源妻呂氏　趙可彬妻程氏　林中槐妻張氏○以上見采訪○嘉慶年旌　監生趙起鵬妻杜氏○見節孝坊　廩生傅楫妻鄧氏　監生楊寶善妻張氏　吳自昌妻葉氏○以上見采訪○道光年旌　趙龍章妻晉氏　趙之榮妻夏氏　沈維樞妻吳氏　謝登俊妻韓氏　謝登仕妻何氏　侯鑑妻周氏年二十五守節五十四年撫嗣子教養諸姪入以賢母稱　王達才妻戴氏　竇芝蘭繼妻胡氏　竇進堂妻周氏　徐樹德妻傅氏　唐文華妻傅氏　韓奉恩妻孫氏○以上見

采訪○同治年旌鍾世英妻劉氏　韓遇春妻李氏死粵寇難韓森妻琴氏
詹長年妻余氏　黃元吉妻陳氏　瞿承泉妻陳氏　勾大
文妻拱氏　吳俊妻夏氏　胡國祥妻方氏　洪某妻金氏
文生張長齡妻翁氏　毛興宗妻詹氏　莊寶德妻曹氏　趙
英烈妻周氏　曹沛遠妻蔡氏　李兆堂妻徐氏　文生朱楷
妻李氏　陳浩妻戎氏　熊長林妻余氏　馮兆恆妻郭氏
曹立恆妻張氏　王朝佐妻趙氏　許嘉禾妻勾氏　文生趙
之矩妻吳氏以上二十一人均死粵寇難○光緒年旌趙光煒妻孫氏　秦垣妻
張氏　李鍾榮妻曹氏　田淼妻夏氏　宋良玉妻王氏　袁
龍田妻嚴氏　拔貢鄧嘉善繼妻張氏死粵寇難文生姚兆凝妻何
氏　孫兆瑞妻傅氏　文生萬錦城妻詹氏　佾生車鳴春妻
熊氏以上四人均死粵寇難○以上見采訪○續旌唐春元妻姜氏年十九守節四十年卒葛

勳彪妻黃氏年十七守節十年卒尹開二妻夏氏年二十九守節三十六年卒蔣樹妻崔
氏年二十八守節三十八年卒趙林妻何氏年二十四守節二十九年卒金德昭妻程氏
年二十四守節二十九年卒游錦俞妻丁氏年二十三守節二十二年卒趙子文妻吳氏
貢生吳第元女年二十九守節二十年卒文生葉學培妻吳氏貢生吳佑女年二十八守節十八年卒
秦某妻吳氏年二十守節三十一年陳嘉謀妻夏氏年二十五守節三十二年卒周家
祥母祝氏年二十三守節三十二年馬憲章妻金氏年三十守節十四年卒方傑妻彭
氏年二十七守節三十九年王世慈妻張氏年二十一守節九年卒陳本妻包氏年二十八
守節二十三年張敏妻尹氏年十八守節三十五年史志宏妻丁氏年二十八守節二十九年
朱長林妻趙氏年二十五守節十五年卒張某妻許氏舉人許夢麒女年三十守節四十二年
孫岱蕊妻張氏嘗割股愈夫年十八守節十二年卒夏次堂妻李氏年二十六守節三十七年
吳炳賢妻于氏年二十二守節四十年吳倬妻蔡氏年二十七守節十四年卒張冠之
妻勾氏年二十四守節二十二年卒金士昂妻桂氏年二十一守節二十年卒王楠母金

氏年二十七守節二十八年卒左儀妻瞿氏年二十七守節十九年卒金士志妻李氏年二十九守節八年卒吳某妻金氏年三十守節二十年卒金學旦妻王氏年二十五守節四十一年金學逸妻湯氏年二十八守節四十二年鄭金鏞妻陳氏年二十五守節八年卒黃錢妻鄭氏年二十守節六十年邛某妻郭氏年二十二守節三十年盧某妻趙氏年二十四守節十三年卒葛德培妻瞿氏年二十八守節二十年卒葛維屏妻金氏年二十六守節三十年瞿承志妻某氏年二十五守節三十八年林德元妻姚氏年十九守節四十年卒夏天堯方某妻魏氏年二十守節五十八年金宏恩母馬氏年二十八守節三十七年夏天堯妻毛氏年二十五守節三十二年事孀姑孝林昌壽妻段氏年二十守節五十二年文生於捷妻李氏年二十四守節二十五年卒戎繼曾妻傅氏年二十六守節五十年武生張定祥妻虞氏年二十七守節四十年夏學瑟妻許氏年二十三守節三十七年謝佩璜妻許氏年二十二守節三十八年沈麟趾妻婁氏年二十九守節四十一年方堃妻金氏年二十五守節二十五年卒林某妻方氏年二十八守節二十一年卒管杭妻吳氏年二十一

守節四十二年。趙汝芳妻曹氏，年二十九守節五十一年。武舉吳魁元妻徐氏，年三十守節四十二年。文生蔣煊妻吳氏，年三十守節二十七年。熊長發妻吳氏，年二十二守節四十五年。趙埜妻郭氏，年三十守節四十五年。翁大文妻侯氏，年三十守節二十三年卒。查文林妻金氏，年二十九守節二十五年卒。陳長春妻王氏，年三十守節二十九年卒。嚴啟元妻宋氏，年二十八守節十四年卒。尹聯科妻方氏，年二十二守節二十五年卒。文生薛蘭妻趙氏，年二十九守節二十一年。趙學經妻薛氏，年三十守節二十三年卒。劉全榮妻金氏，年二十三守節三十九年。翁維垣妻丁氏，年二十九守節三十二年。葉學禮妻賈氏，年二十八守節至今四十年。夏錫年妻何氏，年二十五守節至今三十四年。郭維翰妻沈氏，年二十八守節至今三十四年。曹福全妻夏氏，年二十七守節至今四十四年。丁兆白妻夏氏，年二十七守節至今三十七年。吳慶煌妻李氏，年二十八守節至今二十二年。吳慶鑣妻嚴氏，年二十九守節至今三十三年。徐世信妻陳氏，年二十八守節至今四十二年。陳大模妻薛氏，年二十守節至今三十八年。吳名榮妻王氏，年二十守節至今四十一年。王宗鑒妻翁氏

年二十八守節至今五十二年朱名迺妻葉氏年二十二守節至今五十五年魏長泰妻呂氏
年二十八守節至今四十四年曹盛魁妻郭氏年二十六守節至今五十五年游永祥妻張氏
年二十七守節至今三十九年葉德科妻洪氏年二十四守節至今四十九年崔文榮妻范氏
年二十二守節至今五十二年吳松濤妻胡氏年二十八守節至今三十三年吳海門妻曹氏
年二十八守節至今二十九年吳起鳳妻姚氏年二十九守節至今三十九年吳大林妻尚氏
年二十八守節至今三十三年夏錫蕃妻陸氏年二十六守節至今三十六年鄭鐸妻金氏年二
十九守節至今二十四年洪鐘妻鄭氏年二十四守節至今三十年文生洪鐸妻左氏年二
十七守節至今三十八年洪鉞妻夏氏年二十九守節至今二十二年文生葉國柄妻李氏
年二十九守節至今二十三年副貢蘇長華妻丁氏年二十六守節至今二十八年周流芳妻
趙氏年二十八守節至今三十二年周五芳妻李氏年二十七守節至今二十四年曾毓連妻
葉氏年三十守節至今二十年陳俊妻張氏年二十二守節至今三十二年趙灼妻丁氏年三
十守節至今四十年朱鰲妻吳氏年二十二守節至今二十九年翁湘妻夏氏年三十守節至今四

十四年金士明妻郭氏年三十守節至今四十年張嘉猷妻金氏年二十八守節至今二十五年張拔妻金氏年三十守節至今二十五年翁模妻金氏年二十六守節至今二十九年金學廣妻沈氏年三十守節至今二十六年孫爲三妻金氏年二十九守節至今三十年姚名士妻沈氏年三十一守節至今三十一年蔣之穆妻趙氏年三十守節至今二十六年郭子九妻王氏年三十一守節至今三十一年章大猷妻吳氏年二十八守節至今四十四年朱慶芳妻王氏年二十九守節至今三十七年徐天池妻沈氏年二十九守節至今二十五年文生鮑錫林妻張氏年二十五守節至今三十五年文生袁汝鼐妻仰氏年十八守節至今三十三年歲貢馬鶴年妻馮氏年二十八守節至今三十八年文生薛藹妻黃氏年二十六守節至今三十八年監生薛一鵬妻孫氏年二十八守節至今二十三年陳朝仁妻薛氏年二十三守節至今三十八年監生陳大榮妻鄒氏年二十九守節至今三十三年郭恆秀妻吳氏年二十三守節至今二十八年徐文炳妻王氏年二十四守節至今三十九年劉運林妻周氏年三十守節至今二十二年葉大連妻湯氏年二十一守節至今三十四年葉二

連妻張氏年二十一守節至今三十二年貢生趙一琴繼妻石氏年二十六守節至今五十年段成純妻姚氏年二十五守節四十四年姚大文妻李氏年二十二守節三十八年劉成美妻王氏年二十六守節二十年○以上見采訪待旌○吳堯賓妻左氏年二十二守節至今二十年○以上見同治上江縣志張春祺妻黃氏年二十六守節至今十九年吳楚賢妻夏氏年二十九守節至今十二年周泗濱妻夏氏年二十五守節至今十七年張永齡妻夏氏年二十八守節至今十五年朱長生妻項氏年十九守節至今二十二年戴相妻柳氏年二十八守節至今十四年瞿紹先妻湯氏年二十九守節至今十四年瞿繼先妻樊氏年二十六守節至今十四年從九品袁汝尊妻顧氏年二十四守節至今二十三年趙其鳳妻劉氏年二十五守節至今二十三年葉某妻吳氏年二十三守節至今十六年劉運升妻黃氏年三十守節至今十六年劉運得妻左氏年二十四守節至今二十一年謝文徵妻許氏年二十五守節至今二十年張友善妻石氏年二十五守節至今十九年文生張明善妻吳氏年二十六守節至今二十二年陳志尊妻陶氏年二十四守節至今二十三年陳克

恭妻張氏年二十九守節至今二十年　車鳴謙妻嚴氏年二十一守節至今二十二年　徐文焜妻傅氏年二十六守節至今二十一年　陳廷俊妻戎氏年二十五守節至今二十一年　陳廷蘭妻王氏年二十五守節至今二十二年　陳廷烋妻毛氏年二十六守節至今二十年　王學禮妻姚氏氏六合人年二十九守節三十五年　候選縣丞陳東森妻陸氏年十八守節至今二十八年○廩生張際雲妻楊氏年二十一守節四十三年已旌○以上見采訪　於懷德妻陳氏年十九守節四十一年

六合

續曰厲鉉妻陸氏　庠生李之實妻汪氏　庠生李廷基妻鄧氏　時舜臣妻吳氏　欒艮朝妻李氏嘗割股療夫○以上見乾隆縣志　袁芝妻彭氏孝坊○見節　朱顯祖妻鄭氏　秦世禧妻潘氏　徐祿元妻朱氏　夏之華妻郭氏　許式楷妻陸氏　陳長春妻謝氏　劉德西妻厲氏　吳漢先妻唐氏　汪肇基妻印氏　倪元文妻孫氏　陳志紀妻李氏　戴松筠妻王氏　劉應隆妻曾氏

陸名楷妻葉氏　金守業妻張氏　卜良賢妻嚴氏　劉鈺妻李氏　褚光德妻朱氏　文生鍾長清妻趙氏　袁德高妻孫氏　文生林克聰妻侯氏　薛漢妻林氏　楊廷棟妻程氏　陸廷佐妻汪氏　賀滙川妻黃氏　葉存義妻朱氏　鮑永年妻林氏　李士堅妻夏氏　桑銘妻曹氏　郭奎星妻陳氏　歐陽祐妻汪氏　文生汪宏妻王氏　陸長源妻汪氏　許式富妻趙氏　陳德山妻孟氏　姚成信妻張氏　劉濱妻厲氏　劉潤妻朱氏○見江甯節孝備考　監生佘杏蕃妻陳氏陳世禮次女年二十八苦節撫孤○見采訪○嘉慶年旌　陳珊妻陸氏　姚廷玦妻許氏○以上見節孝坊○道光年旌　文生沈秉妻吳氏　王桂林妻吳氏○以上見金陵節孝備考　魏長佑妻戴氏　魏長年妻龔氏　魏登瀛妻成氏　徐必龍妻董氏

王德重繼妻葉氏　姚文皓妻施氏　愼永諭妻汪氏　孫

文桂妻王氏　朱葆初妻張氏　顧芝妻厲氏　蕭明遠妻陳氏、倪永濤妻尹氏　監生何秀松妻石氏　王銘盤妻秦氏　監生王坤元繼妻蔡氏　王艮玉妻葉氏　江定坤妻曾氏　董鳴玉妻庾氏　葉近皋妻李氏　葉學起妻李氏　黃蒼玉繼妻陸氏　宋斌揚妻程氏　宋蔚西妻曾氏　朱炅妻汪氏　朱景妻黃氏　毛長庚妻謝氏　汪教琳妻李氏　王隅三妻余氏　湯銓妻詹氏　葉仁士妻劉氏　葉仁安妻陳氏　徐漢妻呂氏　袁某妻毛氏○咸豐年旌　繆玉章妻錢氏　談大珍妻許氏　監生談肇基妻汪氏　鄔永澄妻孫氏　謝中山妻王氏○以上見采訪○同治年旌　王桂林妻吳氏守節事舅姑孝○見金陵節孝備考○監生厲容繼妻朱氏○上江縣志○見同治　葉兆脩妻饒氏　王成昭妻池氏　馬家貴妻李氏　胡廷選妻劉氏　鄭濯江妻姜氏　葉濯江

妻夏氏　葉春濤妻余氏　孫在中妻汪氏　葉炳華妻陳氏
陸定周妻周氏　陳貽孫妻劉氏　王文明妻胡氏　王文
樞妻程氏　魏之福妻沈氏　劉應占妻胡氏　趙正有妻李
氏　黃志金妻侯氏　何禮之妻陸氏　周湘妻夏氏　曹鳳
詔妻張氏　達照義妻胡氏　王正春妻伍氏　徐秀岩妻馬
氏　沈長榮妻潘氏　潘廷章妻劉氏　戴俊儒妻夏氏　李
鶴林妻吳氏　陸新如妻朱氏　葛朝士妻夏氏　徐傳林妻
唐氏　常宏遠妻達氏　徐維騏妻王氏　饒鈞妻王氏　談
正妻汪氏　孫元琚妻王氏　孫元鑄妻朱氏　葛應蘭妻王
氏　何國臻妻曹氏　文生巴錦章妻吳氏　巴錦榮妻袁氏
黃如崧妻汪氏　文生谷有智妻張氏　廩生胡瀛妻黃氏
監生陳清妻陸氏　文生王長慶妻何氏　徐慶遠妻柳氏

蔡國春妻鄧氏　駱文進妻徐氏　駱文標妻王氏　王餘三妾徐氏　王泌妻周氏　袁預三妻沈氏　謝文光繼妻龍氏　王文燕妻程氏　汪鳳鳴妾楊氏　李珍妻傅氏　徐雲妻孫氏　張永妻林氏　徐維邦妻奈氏　董櫞妻朱氏　曾盛周妻胡氏　陳志寬妻黃氏　陳淦妻湯氏　鈕允元妻姚氏　夏泰愷妻熊氏　江星五妻張氏　周文光妻任氏　尹如金妻王氏　魏長年妻田氏　葛炳鎔妻陳氏　嚴開基妻朱氏　唐萬春妻林氏　李益堂妻陳氏　江滙川妻周氏　沈敬脩妻王氏　王國樑妻達氏　李作周妻王氏　孫慶鑾妻洪氏　陸鳳岐妻紀氏　沈鎧妻馬氏　胡天錫妻潘氏　王炳文妻汪氏　周鏡堂妻陸氏　何聰妻許氏　葉厚田妻李氏　陸鳳鳴妻周氏　厲德明妻袁氏　林廷樞妻石氏

曹有慶妻潘氏　馬濟川妻陸氏　鄭長林妻金氏　任合年
妻劉氏　汪景成妻馬氏　馬慶發妻湯氏　姚秀山妻嚴氏
夏之京妻李氏　徐紱華妻林氏　曹義雲妻時氏　葉廷
松妻姚氏　袁超妻汪氏　沈世浩妻周氏　李榮祥妻佘氏
孫文桂妻王氏　任安妻汪氏　湛德順妻李氏　沈永祚
妻何氏　洪瑞廷妻印氏　湛尊六妻孫氏　史之華妻唐氏
謝國連妻金氏　王元湖妻陸氏　戴俊之妻周氏　葉欽
妻馬氏　嚴湖妻王氏　葛尚賢妻王氏　徐慎脩妻李氏
沈璞如妻王氏　饒巨堂妻陳氏　蔡汝舟妻謝氏　余步蟾
妻夏氏　周湘妻夏氏　鄔榮妻汪氏　陳起標妻李氏　任
志遠妻孫氏　褚錦文妻劉氏　余茂林妻鄭氏　談桂林妻
李氏　厲春泉妻劉氏　陳桂芬妻吳氏　嚴沛妻鄭氏　謝

瑞珍妻朱氏　趙延齡妻李氏　汪彥林妻曾氏　葉琤妻周氏　戴會妻李氏　厲連城妻汪氏　許國徵妻徐氏　劉茂林妻沈氏　劉鳴臯妻沈氏　舉人李楠妻何氏　張柳亭妻王氏　劉鶴林妻陸氏　余道林妻周氏　魏紹宏妻張氏　蔣長康妻朱氏　周冠南妻陸氏　曹雍和妻馬氏　田玉堂妻朱氏　許善長妻李氏　何寶雙妻周氏　熊盛傳妻田氏　李培妻徐氏　袁丹亭妻張氏　夏際雲妻董氏　陸寅生妻黃氏　馬標妻汪氏　李春堂妻何氏　周玉堂妻劉氏　周廷楫繼妻許氏　蔡尚鴻妻許氏　唐肇成妻張氏　夏德昭妻沈氏　田潮妻吳氏　汪經邦妻徐氏　劉瑞亭妻馬氏　陳沂妻戴氏　周連科妻謝氏　王行增妻茅氏　孫貽誥妻曾氏　汪翰瞻妻曹氏　汪敎全妻葉氏　李象乾妻龔氏

曹步瀛妻賀氏　謝萬年妻潘氏　劉玉琤妻周氏　陳耀堂妻徐氏　汪錫五妻徐氏　周景福妻馬氏　侯萬春妻曹氏　汪遠揚妻程氏　沈宏妻孫氏　厲丹亭妻夏氏　陸存仁妻葉氏　王國榮妻彭氏　胡錦全妻汪氏　翁啟祥妻何氏　蔣鶴延妻史氏　陳鑑南妻徐氏　劉合林妻陸氏　沈德元妻厲氏　李經脩妻哈氏　何聖脩妻孫氏　薛壽林妻林氏　孫聘三妻馬氏　陸求妻葉氏　周廷棟妻陳氏　葉雨香妻厲氏　陸中林妻袁氏　孫大濱妻張氏　汪經榮妻虞氏　屠桂芬妻蔡氏　姜霞舉妻孫氏　汪達泉妻戴氏

王沅妻曹氏　張樸妻汪氏　陸定楨妻李氏　王天爵妻常氏　孫幹發妻龐氏　余泌妻夏氏　郭長祥妻時氏　葉康華妻徐氏　王雨泉妻陳氏　徐渭華妻葉氏　達起鶴妻劉

氏　沈廣福妻汪氏　馬雲鵠妻魏氏　章蔭甫妻魏氏　魏
錫慶妻倪氏　王汝庚妻達氏　任右餘妻管氏　鄧必元妻
毛氏　王文卿妻張氏　舉人胡體元妻王氏　程恩沛妻毛
氏　張廷梓妻谷氏　毛啟才妻胡氏　張龍標妻葉氏　厲
蘭池妻黃氏　程俊妻史氏　蔣愷妻談氏　朱暢如妻陳氏
袁爲梓妻張氏　黃春陽妻董氏　夏庶氏妻葉氏　常馥
秋妻馬氏　唐肇基妻汪氏　王天祿妻達氏　劉永生妻周
氏　湯熏妻段氏　謝中培妻張氏　田愷妻江氏　汪傳杰
妻王氏　陳生虞妻卞氏　林中祥妻秦氏　梁長東妻江氏
陳樹桂妻吳氏　饒慶德妻金氏　饒思忠妻徐氏　周士
珍妻楊氏　常行培妻王氏　朱貴昌妻謝氏　文生秦士魯
妻林氏　王廷桂妻馬氏　王鎮福妻顧氏　劉兆揚妻謝氏

達掄彝妻王氏　王中立妻劉氏　秦熑妻周氏　從九品
宋錦繼妻汪氏　史錦章妻沈氏　劉鳴魁妻談氏　許澄妻
陸氏　文生沈希頴妻朱氏○以上見采訪○光緒年旌　厲長齡妻陳氏
鄧從元妻俞氏　鄧之宏妻岳氏　鄧善初妻陳氏　鄧之訓
妻林氏○以上見公牘　金光和妻戴氏　許鎭廷妻王氏○以上見采訪　汪遠
型妻孫氏　汪國楷妻沈氏　從九董楨妻王氏　廩生王文
炳繼妻朱氏　徐承祜妻厲氏　從九馬嵩妻孫氏　從九董
鑫繼妻林氏　軍功紀嘉桃繼妻徐氏　李福慶妻陳氏　董
嘉訓妻汪氏　雷慶蘭妻林氏　國子監典籍張頤妻巴氏
府經歷張謙山妻朱氏　李信章妻汪氏　李金章妻唐氏　一
李良知妻馬氏　董枚妻陳氏　監生張振熙妻徐氏　張兆
芸妻葉氏　葉世福妻金氏　從九汪經灝妻王氏　汪經湛

妻黃氏　潘濂妻汪氏　程鏡湖妻曹氏　武舉夏傳模妻晉
氏　王柏妻陸氏　張存讓妻錢氏　葉佶妻李氏　葉倬妻
李氏　孫昌妻江氏　周元貴妻姜氏　余榮廣妻朱氏　劉
從曾妻沈氏　皇甫蘭生妻王氏　夏傳發妻黃氏　陳嘉誥
妻黃氏　雷樹棠妻林氏　孫必貴妻金氏　陳慶升妻紀氏
監生張如炘妻詹氏　張永福妻章氏　文生陸沅妻李氏
朱治田繼妻徐氏　王步德妻常氏　朱葆初妻張氏　蕭
允中妻唐氏　周從智妻蘇氏　唐兆榮妻鄧氏　黃文聚妻
張氏　何國臻妻曹氏　佾生王進取妻赫連氏　王應章妻
陶氏　監生葉庭桂妻李氏　劉國樑妻王氏　彭會祿妻貢
氏　從九劉淮馨妻李氏　汪達福繼妻唐氏　文生余德浩
妻厲氏　監生余德翰妻陳氏　汪芳朝妻葉氏　魏新民妻

張氏　朱石筆妻葛氏　朱慶餘妻劉氏　文生厲明哲妻葉氏　厲耀山妻何氏　文生戴文琅妻汪氏　潘長年妻汪氏　程雲翼妻馬氏　趙琴妻沈氏　齊佩秋妻黃氏　金聿脩妻朱氏　沈檠妻王氏　王弼妻林氏　張錫光妻程氏　胡肇昌妻李氏　紀仲琴妻徐氏　黃惟勤妻吳氏　葉廷瑛妻吳氏　萬佑之妻貢氏　朱志妻沈氏　楊德溢妻夏氏　吳長清妻周氏　宣春妻佘氏　錢如林妻葉氏　潘德三妻馮氏　劉士珍妻戴氏　汪達聰妻王氏　周文濱妻謝氏　徐訓堂妻王氏　汪俊升妻李氏　文生印國煦妻黃氏　黃席儒妻馬氏　王錫九妻葉氏　汪益成妻馬氏　孫藻妻唐氏　佘詰妻戴氏　何九錫妻莊氏　侯鑾妻雷氏　沈光鼎妻王氏　汪學齊妻莫氏　王吉士妻朱氏　嚴霖妻劉氏殉粵寇難

汪彩華妻唐氏　曹坦妻陳氏　張恆元妻劉氏　洪立謨妻顧氏　朱某妻湛氏　李某妻詹氏　吳佩珩妻池氏　魏長年妻田氏　王從義妻孫氏　黃有成妻謝氏以上均死粵寇難　○續旌

鄧必先妻毛氏年二十四守節至今四十七年　吳三華妻唐氏年二十四守節三十年卒　李楷妻汪氏年二十三守節二十九年卒　李樟妻胡氏年二十六守節二十五年卒　李柱妻葉氏年二十八守節三十六年　李煌妻王氏年三十守節二十六年　康國松妻孫氏年二十九守節二十九年　曹延齡妻周氏年二十九守節二十二年　馬元愷妻程氏年二十九守節五十八年　金萬源妻汪氏年十九守節四十七年　袁如成妻曹氏年二十二守節四十一年　沈某妻何氏年十九守節四十九年　朱有隆妻葉氏年十七苦節五十年　朱必招妻陸氏年二十守節四十年　朱必裕妻葉氏年三十守節二十年　朱應春妻徐氏苦節三十年卒　朱詩興妻葉氏年二十九守節三十年　朱洽堂妻周氏年二十六守節四十年　朱本睿妻黃氏年三十守節四十年　劉鳴奎妻談氏年二十八守節三十三年　監生厲式瑛

妻巴氏年二十五守節二十二年程再可妻王氏年二十八守節十八年卒戴訓妻李氏年二十四守節六年卒王某妻程氏監生董致堂妻李氏年二十四守節三十年卒袁逸妻彭氏葉沛妻潘氏年二十五守節四十九年葉廷瑛妻吳氏年二十一守節三十年葉富妻康氏葉承兆妻楊氏年二十四守節三十年汪某妻葉氏文生汪傳綬祖母汪經纘妻賀氏汪經邦妻徐氏守節三十三年孫大山妻陳氏孫仁授妻龐氏孫大林妻陳氏李允元妻戚氏年二十六守節二十年卒李志鴻妻賀氏年二十九守節終身李珍妻傅氏年二十九守節四十五年趙國楨妻陳氏年二十守節三十年文生鄭芑生妻葉氏年二十八守節終身鄭言策妻林氏守節二十餘年陸某妻孫氏年十九守節二十年卒徐霑妻孫氏年二十七守節四十年陳炳南妻黃氏守節六十年林桂妻張氏年二十九守節四十八年文生熊桂芬妻戴氏年二十九守節十一年卒夏純妻熊氏年二十四守節三十年林惠森妻宣氏年二十八守節三十二年李寶林妻汪氏年二十五守節三十五年謝長發妻

陳氏年三十守節四十二年　鄭某妻周氏年二十八守節二十四年　鄭某妻鄔氏年三十守節二十六年　趙林妻葛氏年二十九守節三十九年卒　趙森妻沈氏年二十八守節四十二年　趙埜妻郭氏年三十守節四十五年　趙增妻李氏年二十八守節二十四年卒　史志宏妻丁氏年二十八苦節二十九年　趙瑾妻沈氏年三十守節二十九年　汪教海妻紀氏年二十五守節三十六年　董麗泉妻唐氏年二十六守節十七年卒事舅姑孝　張如清妻楊氏年二十二守節四十三年　潘林妻李氏年二十六守節五十三年死粵寇難　馬蘭馨妻陳氏年二十一守節　馬伍妻汪氏青年守節　馬某妻湯氏年二十守節三十六年　馬元慶妻徐氏年二十九守節十三年　厲某妻汪氏文生厲式玫母死粵寇難　厲森妻靳氏青年守節　厲長齡妻陳氏年十九守節二十七年　厲某妻夏氏年十六守節十九年　茅閏田妻李氏青年守節　林某妻石氏年二十四守節三十四年　林鈞妾朱氏年二十三守節二十三年　從九品林國香繼妻劉氏　吳堯齡妻袁氏　吳華階妻陳氏年二十七守節二十九年　蔣起雄妻唐氏　蔣某妻時氏　監生朱福麟繼妻

李氏年二十守節二十五年　朱蓉妻戴氏守節三十餘年　朱紫妻宋氏守節十八年　文生朱聲佩妻佘氏守節十餘年　朱樹疇妻李氏守節十餘年　增生黃國佐妻朱氏守節十餘年　黃楊妻周氏年十九守節五十一年　黃恆玉妻汪氏　黃傑妻王氏年二十二守節　黃某妻陳氏　陳朝搢妻佘氏　陳嗣妻郜氏　陳某妻朱氏竹鎮人　陳某妻朱氏雲川弟婦年二十四守節二十年　陳燃勳妻談氏年二十五守節五十四年　陳桂芬妻吳氏年二十三守節三十六年　陳庶和繼妻周氏年二十三守節二十七年　陳履元妻李氏　陳世揚妻婁氏年二十九守節五年　陳世延妻洪氏年二十一守節五年　陳世連妻李氏年二十二守節二十一年　陳肇魁妻王氏樊家集人年二十三守節五年　陳嘉和妻李氏年二十一守節十年　陳嘉禮妻王氏年二十八守節　陳炳揚妻李氏年二十五守節　陳樸妻張氏守節三十二年　李廷儀妻陳氏年二十一守節　李虞亭妻施氏守節三十年　文生李春霆妻佘氏

李允中妻劉氏　監生李寶妻田氏年二十八守節十年　李清漣妻厲氏

李安妻田氏　李德二妻孫氏　李士柱妻佘氏　李允成妻吳氏年二十八守節三十六年　從九品李脩誠妻強氏　李瓚玉妻陳氏年二十六守節三十三年　李脩瑚妻錢氏年二十七守節十七年　唐淇妻戴氏　唐肇禮妻王氏　唐肇雲妻鮑氏　唐惠生妻田氏　唐培妻潘氏　唐澧妻印氏年二十二守節三十年　唐淮妻張氏年十九守節　唐泌妻厲氏年二十四守節三十五年　袁承惠妻李氏　袁羽逵妻陳氏年二十五守節　袁如灝妻劉氏年二十四守節　監生袁楚江繼妻施氏年二十七守節三十九年　監生田湘妻汪氏守節五十四年　顧禹書妻趙氏守節三十餘年　顧義妻葉氏　顧芝妻厲氏　鄭玉沅妻錢氏　鄭昭明妻談氏守節五十年　舉人鄭德昌妾某氏年二十三守節　郭錫田妻錢氏　郭士田妻周氏　劉元模妻袁氏　劉茂昭妻王氏守節三十餘年　劉某妻林氏劉遐昌母年二十三守節　劉起元妻張氏年二十七守節三十年　劉早妻薛氏年二十一守節四十四年　劉老妻周氏

年二十三守節三十六年劉錫林母侯氏年二十八守節五十五年劉某妻某氏劉旒子孀嫂
文生汪芳渠妻朱氏　汪漢詹妻曹氏　汪彥林妻曹氏年十八守
節三十年汪芳儀妻董氏　汪禹彝妻程氏年二十一守節十五年　汪經培妻
王氏年二十七守節汪星五妻張氏年二十九守節二十二年汪星五妾郭氏年十六守
節汪景成妻馬氏年二十三守節四十五年汪熙元妻阜氏年十八守節汪毓文
妻鄭氏　汪某妻葉氏年二十四守節汪巒如妻夏氏　汪紹妻曹氏
汪瑚妻程氏　汪教澤繼妻程氏年二十八守節七年汪傳緒妻陸氏
守節三十年許希曾妻陳氏　許善妻李氏年二十七守節三十五年監生董肇
祥妻李氏守節三十三年董福榮妻劉氏　沈煥章妻汪氏　沈學妻
林氏　沈月江妻湯氏守節二十年　沈步雲妻蔣氏年二十三守節三十七年沈
萬有妻達氏年二十三守節三十二年沈維甸妻朱氏年二十一守節陸茂祺子婦
朱氏　陸鸞妻曹氏　王學賢母逵氏年二十五守節三十八年王魯詹妻

周氏　王芳榮妻袁氏　王元宏妻陸氏年二十二守節　王芳鏡妻袁氏年二十八守節　王元純妻徐氏年二十四守節　王方漣妻袁氏　王益宏妻陸氏　王履妻孫氏年二十三守節二十一年　王某妻程氏　王某妻徐氏

王某妻周氏　濮宜堂妻陸氏　濮著京繼妻余氏年二十九守節二十二年　文生濮師成妻饒氏守節五十餘年　江邑妻夏氏守節三十年　夏金聲妻黃氏守節三十餘年　佘聲遠妻嚴氏　佘鳴玉妻紀氏年二十三守節三十九年　任兆蘭繼妻馬氏　任又安妻江氏　任星如妻田氏　謝某妻吳氏公解鋪人　吉映台妻張氏　俞星奎妻吳氏　印永妻劉氏　印永桂妻劉氏年二十七守節二十年　印林妻王氏年二十七守節　鄔某妻謝氏程駕橋人　鄔榮妻汪氏年二十五守節　鄔彭祿妻魏氏年二十七守節　姚序妻葉氏　姚佩三妻袁氏年二十九守節　孫某妻印氏文生孫元壽長子婦　孫延照繼妻張氏年二十七守節四十三年　葉祚壽妻朱氏　葉廷柯妻許氏　葉春

妻余氏年二十三守節四十九年葉學起妻李氏年二十四守節四十六年葉春濤妻潘
氏守節四十餘年周光貴妻談氏　周大蘊妻陳氏　周廷貴妻夏氏
周廷森妻劉氏　周廷槐妻夏氏　周景福妻馬氏　周鴻
妻某氏　何耀堂妻某氏年二十一守節十五年何其廉妻周氏　何兆
妻李氏　徐鍾妻袁氏年二十一守節十一年文生徐維典妻劉氏　徐
尚賓妻王氏　張榮妻汪氏年二十三守節二十五年張華妻戴氏年二十四守節
二十四年張廷獻妻羅氏年二十七守節二十四年張朝棟妻李氏年二十六守節張肇
鼇妻李氏年二十九守節三十九年楊宗壽妻葛氏年三十守節四十二年楊某妻陸
氏年二十四守節五十年曹建中妻張氏年十八守節三十三年石鴻妻朱氏年二十二
守節二十五年葛鳴鸞妻李氏　葛某妻徐氏葛長紀弟婦高錦標妻李氏
年二十八守節詹敬之妻許氏年二十七守節二十二年杜汶母孫氏　文生程炳
文妻李氏年二十七守節倪丹成妻李氏年二十八守節四十四年康士錡妻唐氏

淩某妻夏氏（淩永綏弟婦）　愼朝傑妻陸氏　文生愼朝選繼妻李氏（李志鵬女在室事親孝年二十四守節十一年）　孫元祥母萬氏（守節四十餘年）　陳炳南妻黃氏　錢國宣妻孫氏（年二十八守節）　吳文濤妻愼氏（年二十九守節）　劉國擎妻陳氏（年二十二守節）　劉國經妻平氏（年三十守節）　强海妻陳氏（年三十守節二十年）　章裘妻林氏（年二十八守節三十七年）　劉家祐妻秦氏（翰林秦純熙女年三十守節）　曹步瀛妻賀氏（年三十守節）　文生賀景運妻劉氏（年二十九守節）　周某妻英氏　湯某妻金氏　黃某妻陳氏　黃士如繼妻劉氏（守節四十年）　汪傳鏞妻愼氏（年三十守節以上均死粵寇難）　李遐清妻達氏（年三十守節二十四年）　文生達彪妻伍氏（年二十八苦節四十二年）　沈克昌妻李氏（年三十守節二十二年）　李某妻王氏（年二十七守節三十年）　李某妻金氏（年二十二守節二十五年）　汪芸齋妻黃氏（年二十八守節六年卒）　厲式珏子婦葉氏　厲榮齋子婦何氏（何盛輝女）　朱鼇妻吳氏（年二十四守節二十二年）　監生謝嘉妻王氏（年三十守節五十二年）　文生錢如沂妻楊

氏年三十守節三十一年

監生張文舉妻孟氏年三十守節五十六年

錢如海妻施氏年三十守節二十二年

監生王嘉妻某氏年二十五守節五十四年

朱大廣妻洪氏年二十八守節二十二年

王國岐妻沈氏年三十守節五十八年

王文廣妻汪氏年二十九苦節二十三年

楊大節妻王氏年三十守節二十二年

王國昇妻徐氏年二十九守節四十七年

蔡尚宏妻許氏年二十守節四十二年

馬洪妻陸氏年三十守節四十年

增生唐嘉福妻徐氏苦節撫孤

節婦毛氏死粤寇難

余瑞齡妻吳氏年二十守節三十年

張瑞符妻嚴氏年二十八守節三十二年

湛德妻李氏年二十守節五十三年

朱理妻鄭氏

汪某妻黃氏黃孝珮女年十八守節以上五人均死粤寇難

周廷椿妻朱氏

萬國祥妻李氏年十九守節四十四年

陸葆春妻夏氏年二十七守節三十七年

屠國楨妻趙氏年十九守節三十一年

王榮海妻童氏年二十八守節三十四年

薛大賓妻魏氏年二十六守節三十三年

監生陳樹楨妻姜氏

咼三子婦張氏年十八苦節

貢生郭步賢母冉氏子婦侯氏

林惠生妻宣氏年二十八守節三十三年

張維德妻禹氏年二十九守節三十一年王維興妻張氏年二十八守節三十五年熊士全妻闕氏年二十六守節四十二年黃彭年妻陳氏年二十八守節二十一年黃以琳妻裴氏年二十八守節二十六年郭士秀妻周氏年二十九守節六十五年周文斗妻朱氏年二十四守節三十六年周延年妻魯氏年三十守節二十九年趙啟士妻卻氏年二十守節四十四年趙啟明妻史氏年三十守節四十五年王學臺妻陶氏年二十一守節三十一一年王學武妻劉氏年二十三守節二十七年史康侯妻朱氏年二十九守節三十六年高作孚妻成氏年二十七守節三十二年鄭啟有妻鄔氏年三十守節二十九年汪釗妻韓氏年二十九守節三十三年許希賢妻李氏封股療夫年二十七守節三十二年許希敏妻沈氏年三十守節三十三年鄭啟明妻周氏年二十八守節二十五年郭文田妻成氏年二十八守節三十年郭文聰妻江氏年三十守節三十二年郭學珍妻徐氏年二十九守節二十一年史有梅妻李氏年二十三守節史廣有妻薛氏年二十九守節二十三年黃聚五姪婦周氏年十九守節三十九年陸文進妻胡氏　沈萬妻李氏

張志齡嫂李氏守節五十年林珍妻夏氏守節二十餘年杜玫妻孫氏年二十八守節孫泰妻胡氏年二十八守節四十二年黃孝珍妻馬氏年二十七守節二十年家極貧日無食嘗與子女忍饑而臥以上八人均死粵寇難汪彩六妻黃氏年二十九守節三十七年汪國楨妻尹氏年三十守節四十年汪陶妻李氏年二十六守節六十年汪大賓妻田氏年二十三守節四十五年汪汝椿妻毛氏年二十七守節四十三年汪傳緯妻周氏年二十七守節二十八年汪燕貽妻謝氏年三十守節五十五年汪允疇妻曹氏年二十五守節三十二年汪組妻曹氏年三十守節二十五年汪納妻李氏年二十九守節三十二年汪家琛妻佘氏年二十一守節四十一年汪致中妻何氏年二十四守節三十五年汪之恆繼妻時氏年三十守節三十九年武生汪中妻蔣氏年三十守節二十九年汪教思妻葉氏年三十守節三十一年汪教溶妻孫氏年三十守節撫孤未幾子殤哀毀成病七年卒汪沅妻宋氏年三十守節三十九年汪沆妻何氏年二十七守節四十二年汪齡妻成氏年十九守節三十五年汪繼賢繼妻潘氏年二十七守節二十三年汪志灝妻王氏年二十九守節四十一年

汪敎灝妻田氏年二十三守節五十年　汪敎稼妻章氏年二十三守節三十八年　汪桂林妻唐氏夫亾守節十年哀毁卒　汪登洲妻潘氏年二十六守節三十四年　汪傳慶妻姚氏年二十六守節四十八年　汪時妻曾氏年二十一守節五十三年　文生汪恆成妻曹氏年二十五守節四十九年　汪興宗妻袁氏年二十五守節四十一年　汪復振妻周氏年二十五守節三十六年　汪復儉妻葉氏年二十四守節三十五年　汪復松妻孫氏年二十九守節十九年　汪敎孝妻劉氏年十九守節六十七年　汪必元妻孫氏年二十三守節五十一年　汪濤妻余氏年二十九守節二十五年　汪明妻孫氏年二十九守節三十一年　汪自安妻孫氏年二十九守節四十七年　汪全妻阮氏年二十五守節三十五年　汪長照妻許氏年二十九守節三十三年　汪傳信妻程氏年二十五守節二十七年　王煦妻吳氏年二十七守節二十四年○以上見采訪

高湻

續曰黄宏相妻張氏　孔毓琇妻陳氏　李峙琦妻胡氏　李

宏瀠妻程氏　李德譜妻楊氏　李延春妻唐氏　王敬卿妻
周氏　傅期妻陳氏　趙養脊妻袁氏　吳會嶺妻楊氏　廩
生吳來康妻曹氏　李詔妻邢氏　趙近祿妻邢氏　陳霖相
妻邢氏　陳鳳翼妾趙氏　陳繼斌妻袁氏　朱德昭妻邢氏
李祿臨妻周氏　錢思進妻張氏　芮啟明妻蔣氏　史文
炳妻卞氏　葛至勝妻卞氏　卞純一妻鄭氏　史朝冊妻王
氏　葛奇昇妻周氏　卞士綰妻吳氏　唐仕章妻孫氏　卞
士珍妻夏氏　卞三謙妻陳氏　卞士沛妻陳氏　胡宏泰妻
徐氏　周昌培妻楊氏　周昌鳳妻王氏　卞士寵妻王氏
卞正連妻魏氏　卞正永妻陳氏　芮大任妻陳氏　吳中允
妻陳氏　邢大統妻吳氏　史華父妻王氏　監生孔毓袍妻
魏氏　孔繼郡妻陳氏　孔興名妻王氏　李奇紹妻陳氏

某勝妻邢氏　某秀妻陳氏　陳銓相妻吳氏　陳元過妻諸氏　陳惟盟妻江氏　陳國極妻徐氏　孔傳連妻楊氏　張春元妻李氏　張長齡妻葛氏　張尚崙妻徐氏　李允祚妻魏氏　李長皜妻郤氏　李應瓏妻何氏　邢復盛妻朱氏　張列彬妻陳氏　張允憬妻曹氏　張啟隆妻傅氏　王祖齡妻許氏　王言士妻葛氏　王公麟妻卞氏　魏心鸞妻俞氏　監生王吉士妻葛氏　吳光祖妻孔氏　庠生吳增妻史氏　李時覺妻孫氏　吳承姬妻邢氏　邢蔭渭妻史氏　邢復鳴妻趙氏　夏近蕙妻陶氏　吳寅祥妻管氏　吳更昌妻史氏　徐宗績妻楊氏　李維崙妻楊氏　李昌循妻梁氏　卞正佑妻吳氏　張文萃妻葛氏　嚴芳文妻陳氏　監生孔傳彤妻楊氏　李廷期妻芮氏　張秉正妻葛氏　張文蔚妻宗

氏 王光耀妻劉氏 王錫蕃妻周氏 王祚達妻周氏 張秉貞妻孫氏 王剛一妻周氏 庠生陳相綬妻邢氏 監生孔廣縉妻吳氏 李昌運妻黃氏 李生沅妻邢氏 趙爾治妻杭氏 庠生李養春妻魏氏 李宏實妻田氏 李盛先妻許氏 吳石祚妻淩氏 趙爾蒲妻陳氏 李生琬妻吳氏 孔興逵妻王氏 孔傳祖妻陳氏 黃森春妻韓氏 孔毓茂妻郝氏 邢履坤妻周氏 邢化茂妻陳氏 陳社發妻何氏 邢復中妻夏氏 邢掄芳妻夏氏 邢汝龍妻孫氏 邢勤成妻史氏 陳明廊妻袁氏 邢仲友妻魏氏 陳宏生妻李氏 邢魯昌妻夏氏 吳錫齊妻史氏 邢大乾妻孔氏 姜朝汶妻李氏 陳長庚妻谷氏 夏侯信會妻宋氏 陳淑鼎妻邢氏 黃尚璞妻韓氏 時方貴妻趙氏 陳朝殿妻錢氏

吳智昌妻孔氏　陳熾妻施氏　丁時蘭妻卞氏　芮士瑞妻邢氏　劉士華妻盧氏　高培秋妻張氏　傅懷度妻張氏　濮助理妻王氏　增生李達素妻武氏　芮賓國妻史氏　劉世箴妻孫氏　劉士昇妻陳氏　陳南善妻徐氏　劉毓錦妻張氏　庠生劉超妻沈氏　陳德太妻孫氏　吳震傑妻邢氏　姜紹斌妻王氏　楊紹森妻王氏　陳獻文妻徐氏　監生李友嵒妻吳氏　陳嘉駒妻袁氏　劉觀雄妻李氏　劉師誠妻王氏　陳獻貞妻蔡氏　劉滋慶妻吳氏　劉曙慶妻張氏　史繩祖妻夏氏　史昌理妻甘氏　邢賓昌妻諸氏　邢懋錦妻董氏　邢忠泰妻魏氏　邢居弼妻丁氏　黃尚擁妻吳氏　荀祥炳妻史氏　倪忠應妻陳氏　吳霆妻陳氏　陳葵生妻張氏　楊紹壽妻傅氏　姜國星妻孫氏　葛奇穀妻

汪氏　卞正肇妻張氏　陳方凝妻李氏　文生卞進妻金氏
　邢知略妻夏氏　邢知復妻黃氏　卞貞祚妻徐氏　卞枚
祚妻李氏　葛奇志妻時氏　徐之蕃妻吳氏　徐宗儒妻李
氏　邢復璣妻佘氏　邢淑誠妻陳氏　吳錫企妻趙氏　陳
國卒妻徐氏　杭毓智妻藍氏　庠生張曰漢妻陳氏　王大
桂妻楊氏　劉調鼎妻孫氏　邢常儒妻楊氏　貢生谷清妻
馮氏　芮兆珍妻唐氏　邢化慶妻岑氏　邢戴埒妻張氏
諸本祥妻魏氏　夏學應妻邢氏　陳祿年妻張氏　陳雲柏
妻吳氏　陳秉梅妻徐氏　夏昌賢妻吳氏　周毓梅妻汪氏
　史顯恆妻劉氏　石大鵬妻徐氏　姜掊佐妻黃氏　蔣永
馮妻周氏　李大果妻胡氏　監生李錦妻張氏　李上淮妻
楊氏　趙近呂妻邢氏　李大華妻淩氏　夏正瑚妻張氏

李振顔妻姚氏　周昌燧妻王氏　李國寶妻何氏　李孟啟妻蔣氏　李毓琥妻趙氏　李錫周妻邢氏　李大模妻孔氏　李祖晥妻諸氏　周宏度妾陳氏　王曰瑞妻周氏　汪大綸妻楊氏　孔傳綬妻楊氏　朱光輔妻黃氏　孔傳信妻徐氏　陳克華妻葛氏　邢化全妻袁氏　何彥賓妻張氏　楊仕亮妻黃氏　孔繼露妻王氏　邢迎祥妻許氏　邢之堅妻諸氏　監生吳時淦妻楊氏　邢紹恭妻陳氏　吳繼宏妻楊氏　吳於明妻趙氏　吳錫吉妻邢氏　吳錫洵妻孔氏　唐淑根妻章氏　邢斯琴妻李氏　楊士凝妻宋氏　楊大璽妻陳氏　王建傑妻唐氏　王希益妻黃氏　張宇亮妻史氏　周良聲妻邢氏　王朝選妻葛氏　王建倫妻李氏　周趙鳳妻魏氏　監生周廷鑣妻曹氏　王嘉賓妻張氏　王譜齡妻

魏氏　卞欽烈妻史氏　葛自環妻李氏　張栲妻劉氏　卞欽緯妻李氏　葛至思妻陳氏　王儒妻吳氏　王汝昂妻魏氏　周允清妻葛氏　梁重恩妻孫氏　庠生王兆履妻俞氏　監生李元寅妾孔氏　李士賢妻萬氏　李生楊妻鄭氏　趙季彥妻亢氏　李增行妻朱氏　李孟麟妻夏氏　李化崙妻孔氏　黄勤全妻司徒氏　何邦扇妻施氏　邢復勤妻楊氏　魏昌祿妻吳氏　庠生唐壽妻李氏　監生邢玉相妻許氏　孫壽林妻楊氏　邢沛艮妻陳氏　魏一倫妻史氏　庠生夏青藜妻孫氏　孫純義妻王氏　孫善建妻邢氏　庠生楊蔚妻張氏　吳必揚妻程氏　吳珍溥妻趙氏　邢坤伯妻楊氏　邢鳴高妻趙氏　唐日宏妻呂氏　陳牛桂妻孫氏　邢復槐妻吳氏　吳炬一妻呂氏　邢仲富妻徐氏　周奇清

妻俞氏　陳大祿妻吳氏　邢秉直妻夏氏　湯浩森妻許氏
袁日近妻邢氏　楊廷燕妻荀氏　楊定道妻張氏　楊彥
宏妻陳氏　黃廷隆妻楊氏　楊傳起妻虞氏　楊大標妻湯
氏　邢明煜妻李氏　吳繼秋妻史氏　邢來勸妻黃氏　邢
瑾慶妻劉氏　邢之芬妻吳氏　吳祿敦妻卞氏　陳樹榮妻
孔氏　吳錫剛妻邢氏　邢來仕妻夏氏　楊廷江妻荀氏
楊尚起妻陳氏　戴嘉義妻李氏　邢紹貴妻孫氏　邢茲椿
妻孫氏　吳用士妻韓氏　汪履愷妻楊氏　夏爾瓖妻張氏
史仍武妻孔氏　史期如妻夏氏　史期永妻陳氏　邢祥
賢妻夏氏　史期拔妻唐氏　吳繼坐妻芮氏　吳繼楊妻孔
氏　邢位儒妻俞氏　吳繼謙妻李氏　許光治妻邢氏　孫
禮和妻唐氏　錢爲瑾妻孫氏　劉朝玉妻王氏　劉時文妻

陳氏　湯賢穀妻楊氏　李文啟妻龔氏　吳錫運妻孔氏　陳秉茂
吳九溥妻甘氏　趙同璋妻邢氏　谷宜言妻王氏　陳秉茂
妻孫氏　陳天牲妻吳氏　孫振朝妻趙氏　邵功壽妻張氏
　陳秉盛妻唐氏　史景侯妻邢氏　邢化省妻夏氏　孫穀
秀妻楊氏　邢存信妻楊氏　吳希憲妻邢氏　邢廣申妻黃
氏　胡正華妻孔氏　庠生楊熹妻夏氏　田應鍇妻金氏
楊士琚妻孔氏　楊廷綿妻李氏　孔廣彩妻王氏　州同孔
繼業妻陳氏　荀德慈妻朱氏　路庠中妻何氏　田育恩妻
楊氏　田方煜妻孔氏　邢茲楙妻陳氏　胡體儉妻吳氏
邢漢棩妻姜氏　孔廣來妻汪氏　田中覲妻何氏　田見翰
妻何氏　田見印妻李氏　監生宋鵬鯤妻芮氏　孔廣任妻
唐氏　孔廣餘妻陳氏　孔昭廉妻陳氏　宋承燦妻施氏

庠生孔廣酯妻梅氏　何邦許妻呂氏　黃居慮妻楊氏　吳毓美妻趙氏　吳世瑤妻陳氏　州判黃銘妻劉氏　徐世俊妻倪氏　韓生瑤妻許氏　庠生楊楚妻夏氏　李振鷺妻吳氏　李育恩妻朱氏　王肇文妻劉氏　李大振妻楊氏　葛會時妻何氏　周景聖妻劉氏　葛紹情妻王氏　楊光錫妻史氏　楊正化妻陳氏　邢本仁妻陳氏　劉復贊妻邢氏　邢昭瑢妻王氏　芮俊妻魏氏　李思來妻陶氏　謝諒妻陳氏　孔毓英妻諸氏　張其成妻黃氏　袁向楹妻姜氏　孔繼僎妻吳氏　孔繼似妻王氏　孔昭鏞妻朱氏　黃啟信妻韓氏　監生孔廣逵妻邢氏　陳天緒妻吳氏　邢雲脩妻吳氏　邢自脩妻吳氏　呂廷傳妻王氏　楊昌佐妻劉氏　陳中夏妻趙氏　邢茲輔妻卞氏　監生孔廣照妻吳氏　何方

恭妻李氏　汪朝旭妻芮氏　楊廣宮妻王氏　黃學周妻甘
氏　孔照悌妻湯氏　陳嘉經妻史氏　陳于周妻李氏　陳
天邦妻孫氏　陳雲緒妻徐氏　陳懋華妻王氏　邢紹輔妻
孔氏　邢允元妻徐氏　史有幸妻趙氏　史獻傑妻李氏
廩監生邢梃妻芮氏　邢之有妻周氏　邢育耆妻楊氏　柳
文彥妻杭氏　楊昌琛妻邢氏　趙同漢妻吳氏　諸本象妻
魏氏　趙達梁妻夏氏　楊民棣妻趙氏　張元之妻淩氏
徐善良妻吳氏　楊中詡妻黃氏　張一洲妻金氏　邢育江
妻陸氏　楊明福妻趙氏　韓宮侯妻邢氏　孔繼恕妻張氏
謝原貞妻王氏　謝原鶴妻劉氏　孔昭瑞妻李氏　孔傳
姜妻周氏　祀生傅鷴妻林氏　傅繼南妻翟氏　孔昭銈妻
李氏　陳元順妻徐氏　陳元達妻徐氏　陳元凱妻葛氏

陳嘉賓妻吳氏　陳南楨妻蔡氏　庠生邢秀妻孫氏　吳其錦妻陳氏　魏源夫妻芮氏　孔傳李妻楊氏　繆克端妻孔氏　孔繼軾妻荀氏　孔繼轍妻何氏　孔昭鐸妻芮氏　孔毓僎妻周氏　孔繼煥妾孫氏　劉秉科妻陶氏　邢璟昌妻吳氏　陳起麟妻楊氏　邢允寶妻許氏　邢哲忠妻魏氏　邢允瑞妻孫氏　孔廣訓妻濮陽氏　孔繼龍妻孫氏　濮陽國珍妻楊氏　孔傳誠妻韓氏　虞宗華妻錢氏　孔傳寵妻謝氏　魏鳴漢妻辛氏　夏侯智皜妻高氏　孔昭文妻李氏

商振采妻唐氏　謝志勤妻李氏　楊定桐妻呂氏　周大秀妻趙氏　王在巽妻魏氏　趙文璋妻呂氏　楊光章妻史氏　劉廷綵妻趙氏　王至發妻蔣氏　史允運妻芮氏　王錦高妻管氏　芮士偉妻諸氏　王在璿妻殷氏　王鴻儒妻

趙氏　趙必祥妻陳氏　楊光鶴妻史氏　監生周清妻呂氏
芮禹謨妻陳氏　趙有卓妻楊氏　王增高妻郜氏　楊全
美妻湯氏　吳傳益妻陳氏　監生陳端容妻孔氏　陳紹剛
妻王氏　陳中達妻吳氏　吳聘昌妻趙氏　邢國蘭妻荀氏
夏廼占妻葉氏　魏坦宗妻戴氏　俞嘉亮妻鄧氏　黃賢
志妻劉氏　孔廣鎰妻諸氏　侯宗忠妻孫氏　汪朝逢妻唐
氏　朱德昭妻黃氏　孔繼靈妻諸氏　孔繼淑妻趙氏　王
增珩妻孔氏　周志宣妻吳氏　王烈宗妻彭氏　周方勤妻
呂氏　陳際豹妻強氏　戴翼臣妻孔氏　監生孔廣煥妾張
氏　孔昭啓妻史氏　濮陽觀光妻汪氏　汪勝玉妻唐氏
汪勝根妻徐氏　楊延學妻馬氏　孔廣銅妻趙氏　楊文彬
妻夏氏　王在信妻張氏　劉之法妻王氏　王鈞元妻趙氏

史望林妻陳氏　陳子讓妻張氏　王曾興妻何氏　張際
名妻王氏　孔廣沛妻陳氏　孔廣超妻徐氏　孔昭坐妻陳
氏　孔廣序妻邢氏　孔繼均妻楊氏　孔繼盛妻黃氏　胡
廷華妻閔氏　胡名乾妻陳氏　胡廷配妻呂氏　夏人杏妻
楊氏　魏豪夫妻邢氏　李鍾琇妻何氏　庠生李愼滋妻吳
氏　趙同瓚妻李氏　趙允瓊妻俞氏　李志蟠妻楊氏　許
孝芝妻趙氏　韓文習妻邢氏　李肇祥妻趙氏　張曰合妻
袁氏　魏和部妻夏侯氏　張昌仕妻胡氏　李合珍妻趙氏
趙同義妻錢氏　李肇科妻吳氏　韓正學妻楊氏　陳昌
耀妻蔣氏　荀宏觀妻何氏　庠生孔廣觀妻吳氏　李傳錦
妻濮陽氏　孔廣鈞妻張氏　禹肇祿妻楊氏　禹肇愼妻呂
氏　孔廣鉅妻吳氏　孔昭權妻許氏　孔廣銘妻畢氏　田

方賓妻何氏　增生蔣廷謨妻顧氏　監生孔廣印妻徐氏
章亨慶妻傅氏　孔繼朗妻陳氏　孔毓考妻蔣氏　葛尚金
妻楊氏　何邦傑妻孔氏　何邦起妻李氏　何邦謙妻高氏
孔繼怙妻姜氏　何邦勝妻李氏　孔昭徵妻馬氏　孔昭
鏕妻李氏　何邦顯妻夏氏　孔廣治妻許氏　葛尚松妻楊
氏　張大亨妻葛氏　庠生王安瀾妻楊氏　劉世基妻許氏
葛良祚妻劉氏　王承錫妻李氏　王允仕妻陸氏　王宣
儀妻孔氏　孔繼杠妻邢氏　田見杭妻何氏　汪振鈞妻邵
氏　監生朱天木妻劉氏　孔繼珠妻陳氏　孔昭洪妻丁氏
楊錫理妻周氏　孔繼騂妻田氏　戴世來妻張氏　楊啟
炲妻唐氏　楊啟熺妻夏氏　孔昭琦妻邢氏　卞暢暘妻葛
氏　王燦珽妻周氏　吳錫安妻陳氏　宋之英妻時氏　沈

廷斗妻夏氏　沈助勤妻時氏　沈秉球妻俞氏　諸一濟妻孔氏　陳宗典妻孔氏　陳朝貴妻王氏　夏廼恫妻芮氏　李正降妻楊氏　李正銀妻何氏　湯賢襄妻許氏　周庚妻王氏　孫大有妻許氏　李世璜妻張氏　周大豐妻繆氏　周之楨妻谷氏　王祚浩妻周氏　周毓恭妻王氏　萬興長妻李氏　萬維昭妻邢氏　卞豫襄妻程氏　李傳鋤妻史氏

卞玢芳妻孫氏　葛紹曾妻陳氏　王長佐妻史氏　卞豫祥妻李氏　卞紹紳妻李氏　胡一富妻魏氏　周毓有妻沈氏　王師授妻李氏　劉思化妻卞氏　葛學智妻施氏　魏忠祿妻王氏　卞秩芳妻何氏　卞伯芳妻沈氏　葛正秀妻周氏　胡尚剛妻邢氏　高道吉妻邢氏　趙同南妻史氏　魏和道妻劉氏　黃學優妻邢氏　李化棟妻唐氏　李肇林

妻趙氏　李化正妻吳氏　吳宗道妻韓氏　李育旦妻朱氏
許大嵋妻吳氏　李鍾秀妻趙氏　韓育驄妻魏氏　趙邦
重妻史氏　趙同績妻魏氏　李以聘妻周氏　庠生李型妻
卞氏　李能嘉妻孫氏　李鍾瑶妻唐氏　柳志楨妻夏氏
夏人鳳妻黃氏　韓廷吉妻袁氏　李學晃妻劉氏　趙秀定
妻唐氏　趙友秋妻汪氏　趙志樸妻周氏　李傳祥妻孔氏
韓兆侯妻夏侯氏　韓廷麒妻黃氏　汪世楫妻江氏　胡
邦允妻趙氏　胡萬夏妻田氏　胡一榮妻張氏　胡一華妻
章氏　孔憲洛妻李氏　孔昭傑妻藺氏　孔繼増妻濮陽氏
監生錢青選妻陳氏　庠生孔廷掄妻夏侯氏　邢允時妻
吳氏　邢登漣妻諸氏　葛正桂妻唐氏　孔廣炎妻夏氏
黃學杜妻許氏　孔廣枬妻李氏　鄧偉領妻王氏　劉懷鑰

妻汪氏　陳公祿妻張氏　時大正妻沈氏　唐允芳妻谷氏
庠生陳鍾岳妻卞氏　葛正謙妻周氏　李毓椅妻張氏
葛正魁妻王氏　葛紹國妻徐氏　張紹愷妻卞氏　李敏倫
妻王氏　袁繼傑妻王氏　曹會玉妻王氏　王言全妻嚴氏
李天鈺妻孔氏　李兆忠妻王氏　王言綱妻潘氏　諸一
榕妻王氏　李傳邁妻王氏　王會書妻劉氏　張其理妻陳
氏　張曰理妻王氏　李正金妻芮氏　李正均妻陳氏　陳
道經妻趙氏　湯賢佑妻吳氏　庠生張曰渼妻陳氏　張允
敬妻楊氏　李志虹妻張氏　張昌銘妻劉氏　庠生芮淩雲
妻强氏　湯成玉妻曹氏　芮忠美妻袁氏　孔廣瑛妻李氏
何留賓妻沈氏　孔廣燧妻高氏　何吉賓妻劉氏　邢思
良妻蔣氏　傅其霞妻許氏　魏民範妻呂氏　王象瞻妻芮

氏 王之績妻孔氏 周應衫妻蔣氏 王仲建妻傅氏 陳大蔭妻吳氏 芮允高妻陳氏 傅用汝妻張氏 周良琚妻袁氏 錢正晃妻李氏 李中會妻劉氏 王懷忠妻芮氏 王兆星妻李氏 卞紹儒妻孫氏 庠生王儀妻昝氏 葛正襟妻甘氏 王近祥妻谷氏 張德踰妻魏氏 邢懋鐸妻唐氏 邢介遜妻陶氏 邢朝斌妻夏氏 邢爲招妻吳氏 周承流妻葛氏 夏正身妻許氏 夏人祖妻邢氏 邢朝鈿妻杭氏 邢朝採妻孔氏 周傳楷妻徐氏 周時孝妻王氏 周時乘妻王氏 王在豳妻楊氏 王培繼妻吳氏 倪萬年妻周氏 庠生王翀妻錢氏 王紹宗妻陳氏 唐允忠妻李氏 王允傑妻劉氏 王師問妻劉氏 卞宗會妻甘氏 葛正標妻朱氏 李在驥妻吳氏 張正卿妻王氏 夏廷楷妻

趙氏　周祚鎬妻史氏　周士守妻夏氏　葛世璋妻劉氏
卞欽儀妻陳氏　王承敎妻徐氏　卞欽綜妻甘氏　葛名奏
妻吳氏　卞宗德妻唐氏　卞宗魁妻趙氏　葛世名妻梁氏
葛世鈴妻劉氏　張傳鄴妻史氏　張紹職妻史氏　邢允
亨妻藍氏　邢茲安妻夏氏　史美海妻邢氏　陸正聚妻陳
氏　邢紹名妻楊氏　邢復繩妻夏氏　邢向端妻楊氏　周
正運妻劉氏　周志綬妻劉氏　葛文伯妻傅氏　李宣問妻
馮氏　邢引年妻孫氏　夏鳴伯妻楊氏　夏建賓妻陸氏
夏錫璋妻孫氏　李能楷妻孫氏　李齊仲妻孫氏　李傳鳴
妻何氏　李傳紳妻劉氏　李傳詩妻馮氏　邢遇登妻楊氏
邢知貞妻楊氏　邢爲春妻徐氏　邢國儀妻施氏　張國
謨妻程氏　葛昌榮妻唐氏　陳夢錫妻周氏　劉遴二妻王

氏　甘憲常妻孫氏　王錦餘妻唐氏　陳復騋妻杭氏　邢
會雲妻姜氏　邢立勝妻夏氏　邢化光妻楊氏　邢餘年妻
熊氏　陳中培妻倪氏　陳明寅妻葛氏　陳復蓮妻徐氏
庠生谷清妻馮氏　谷旌賢妻吳氏　邢向彥妻孫氏　陳復
珍妻魏氏　陳廷瑛妻張氏　陳廷珏妻王氏　邢蘭啟妻孔
氏　陳言謹妻汪氏　陳宗元妻趙氏　庠生魏巘妻韋氏
邢志貞妻朱氏　邢載壤妻陶氏　邢秉公妻孫氏　邢重昌
妻袁氏　陳宗龍妻史氏　陳學一妻劉氏　邢志和妻姜氏
陳宗喜妻孫氏　李登雲妻陶氏○嘉慶年旌　李宗祝妻劉氏
周廷鵬妻史氏　錢正是妻劉氏　周翼明妻禹氏　宋繼信
妻葛氏　周寅妻王氏　史繩祖妻陳氏　李錫蕃妻葛氏
周汝功妻沈氏　周大岷妻趙氏　葛尚玟妻時氏　周傳泰

妻李氏　孫宣華妻唐氏　劉歲八妻孫氏　史于煜妻張氏
監生周成妻劉氏　李宣炳妻董氏　張元祐妻卞氏　王
近雲妻陳氏　錢爲錡妻居氏　劉題十妻沈氏　蕭鳴孝妻
陳氏　丁傳榮妻陳氏　丁紹誠妻陳氏　錢大炳妻陳氏
徐懷聰妻邵氏　吳昌炳妻陳氏　蔡振炎妻邢氏　庠生唐
溶妻楊氏　庠生楊駿妻邢氏　邢丙妻楊氏　庠生孫新鳴
妻汪氏　葛世本妻張氏　李傳奎妻周氏　葛正顯妻卞氏
史日存妻李氏　周廷穎妻李氏　張元漣妻陳氏　沈克
慶妻葛氏　卞自祥妻何氏　王承介妻邢氏　周允燦妻劉
氏　邢自松妻繆氏　孫傳輅妻史氏　陳大財妻孔氏　孫
凝恭妻魏氏　楊景喜妻孫氏　陳中瓊妻姜氏　唐沅妾宗
氏　邢鳴孝妻孫氏　邢廷榮妻孔氏　王懷萬妻周氏　蔣

遇鐸妻周氏　虞顯明妻劉氏　張紹伯妻陳氏　張淇秀妻
胡氏　許能義妻劉氏　芮思元妻李氏　王金楊妻葛氏
魏元達妻邢氏　葛學泰妻倪氏　李開和妻史氏　谷裕時
妻徐氏　錢爲縈妻卞氏　梅宏璋妻卞氏　監生錢秀林妻
卞氏　劉佩九妻陳氏　王鉅知妻甘氏　吳履淮妻史氏
趙宗根妻史氏　韓興忠妻魏氏　孔繼沛妻陳氏　韓君盛
妻吳氏　孔尚卿妻呂氏　韓學優妻邢氏　韓楚生妻夏侯
氏　卞金音妻史氏　丁正灝妻禹氏　趙允珍妻黃氏　趙
爾運妻杭氏　陶名潛妻李氏　夏育昌妻孫氏　趙養鴿妻
李氏　沈士倬妻張氏　汪添籌妻施氏　楊明發妻黃氏
盧復美妻陳氏　趙爾勤妻夏氏　監生周廷鏞妻唐氏　呂
繼傑妻王氏　吳其惠妻周氏　夏懷德妻邢氏　邢世魁妻

謝氏 陳中錦妻馬氏 郝之霽妻夏氏 楊毓杼妻夏氏
知縣吳銓妾李氏 郝兹慶妻孫氏 陳蘊輝妻唐氏 柳宗
仁妻曹氏 楊士勳妻郝氏 王允仕妻陳氏 郝肇箕妻卞
氏 吳建位妻陳氏 張瑤楨妻吳氏 夏象該妻姜氏 錢
大鏞妻陳氏 谷裕貨妻張氏 蕭開昕妻邵氏 劉時岷妻
陳氏 杭廣培妻章氏 顧其財妻馬氏 魏泰祥妻黃氏
劉德銓妻夏氏 趙季柏妻胡氏 李興盈妻趙氏 韓生東
妻楊氏 馬元經妻芮氏 魏泰達妻夏侯氏 李合生妻胡
氏 荀英賢妻陶氏 孔傳譜妻劉氏 庠生孔廣熾妾吳氏
孔昭達妻朱氏 荀瑞擔妻傅氏 監生孔昭恕妻蔣氏
孔廣縝妻陳氏 朱天昆妻諸氏 孔繼盛妻李氏 馬壹麟
妻孫氏 孔昭鏞妻吳氏 宋應柏妻呂氏 孔昭城妻劉氏

楊大模妻吳氏　王渠英妻時氏　王椿銘妻魏氏　孔昭繁妻沈氏　庠生楊汝霖妻唐氏　孔昭洪妻陳氏　孔昭英妻李氏　孔昭恩妻陳氏　孔昭質妻李氏　監生孔昭啟妻李氏　孔廣績妻羅氏　孔廣緜妻張氏　王南麟妻史氏　庠生張烈妻李氏　裴啟時妻孔氏　張曰卓妻趙氏　李在福妻俞氏　王懷謨妻張氏　李允珻妻張氏　庠生張大經妻李氏　李兆賞妻丁氏　夏誦芬妻吳氏　王懷尚妻張氏　杭朝名妻萬氏　趙元鸉妻夏氏　楊昌淑妻孫氏　王新英妻楊氏　魏忠坊妻袁氏　王至湆妻魏氏　趙必風妻呂氏　監生王濟辛妻馬氏　魏孝尊妻傅氏　魏忠信妻王氏　王在廣妻吳氏　夏勝魁妻王氏　孔傳隆妻張氏○道光年旌

汪勝鏡妻周氏　王添籌妻施氏　王致菊妻孫氏　萬建華

妻魏氏　孫承卓妻陳氏　徐繼明妻張氏　丁傳滄妻劉氏
李興環妻王氏　吳傳鉢妻陳氏　邢宜紹妻劉氏　周傳
幹妻王氏　孔憲班妻胡氏　邢哲鈿妻卜氏　陳淑品妻魏
氏　孫大悟妻趙氏　魏秉孝妻呂氏　黃居上妻韓氏　陳
文祥妻王氏　楊紹旦妻陳氏　邢大馥妻孔氏　時錫貴妻
王氏　荀瑞仁妻傅氏　楊兆秀妻陳氏　陳元常妻王氏
孔昭法妻馬氏　楊士珍妻孔氏　錢豪柏妻荀氏　監生陳
鳳舉妻錢氏　孔廣設妻王氏　孫允軍妻孔氏　陳時明妻
湯氏　江其祥妻許氏　戴正福妻史氏　汪勝猷妻夏氏
王欽辰妻楊氏　夏廼鳴妻邢氏　孫恩嶸妻田氏　楊其豪
妻司徒氏　王懷文妻魏氏　孫華文妻劉氏　馬是先妻諸
氏　陳廣煥妻邢氏　孔憲模妻唐氏　田育還妻程氏　史

大昌妻許氏　俞光幹妻孔氏　張曰年妻楊氏　周某妻李氏　王某妻趙氏　某幹妻曹氏　某選妻劉氏　某尚興妻邢氏　某培宗妻張氏　劉播六妻錢氏　汪朝文妻高氏　李興銘妻蔣氏　陳朝金妻朱氏　諸一崙妻歐氏　韓學節妻吳氏　邢哲善妻程氏　邢傳璽妻趙氏　魏珍大妻孔氏　黃應芳妻夏侯氏　邢哲思妻卜氏　劉尚忠妻李氏　庠生邢鳳德妻陳氏　吳毓檜妻趙氏　監生陳景詩妻史氏　張貞培妻夏氏　張貞祿妻孔氏　王濟民妻馬氏　張楨妻馬氏　史期詔妻孫氏　周大福妻呂氏　楊以思妻陳氏　孔廣森妻邢氏　張曰淇妻楊氏　朱德戶妻蘇氏　邢仲懷妻王氏　汪勝倫妻王氏　史華財妻陳氏　邢明良妻陳氏　吳懋松妻孔氏　張貞濤妻陳氏　趙允濟妻高氏　諸

一愷妻呂氏　楊廷炎妻孔氏　庠生魏逢春妻王氏　朱天
左妻孔氏　笪士坤妻邵氏　卞自崙妻韋氏　袁心義妻邢
氏　邢育縉妻谷氏　徐傳聘妻沈氏　邢其恩妻夏氏　孫
凝凱妻陳氏　裴啟暎妻陳氏　張朝時妻羅氏　董兆起妻
邢氏　唐允淮妻孫氏　孔憲松妻柳氏　葛正遜妻陳氏
錢爲基妻陳氏　楊位艮妻夏侯氏　謝原官妻俞氏　楊昌
蘭妻湯氏　宋承書妻韓氏　李在玆妻羅氏　趙允錚妻吳
氏　邢中達妻陳氏　孔昭墉妻倪氏　卞蕙芳妻甘氏　周
敬祿妻李氏　邢允伸妻楊氏　吳繼純妻杭氏　呂增銘妻
劉氏　吳名燊妻張氏　王汝洋妻魏氏　楊子進妻姜氏
黃鍾榜妻繆氏　吳起桂妻錢氏　吳亨溥妻陳氏　馬以倫
妻孔氏　史仍忠妻王氏　趙允贊妻史氏　劉思經妻居氏

唐纘琳妻徐氏　劉有寶妻邵氏　吳瓌溥妻孫氏　張宜祈妻劉氏　孔廣周妻李氏　錢大桐妻魏氏　孔繼炎妻趙氏　孔昭貽妻劉氏　王鉅發妻唐氏　芮思武妻孫氏　李秉麒妻張氏　劉裕芹妻張氏　袁向逑妻柳氏　王全林妻孔氏　田錫瑞妻王氏　傅師佳妻王氏　孔昭然妻朱氏　陳大齡妻王氏　陳中楨妻李氏　蕭開瑜妻胡氏　王銘恭妻芮氏　孔憲愷妻劉氏　葛學歡妻邴氏　監生邴俊榮妻張氏　馬元榮妻楊氏　劉家應妻韓氏　李達渲妻陳氏　周大亨妻楊氏　汪治寬妻何氏　楊其壽妻芮氏　杭廣勤妻趙氏　孔廣梃妻李氏　杭廣儉妻史氏　李宣敷妻楊氏

宋毓愷妻韓氏　趙同德妻陳氏　孔慶堡妻焦氏　許本務妻夏氏　孔繼酯妻王氏　李興務妻何氏　趙宗序妻蔣

氏　韓體材妻孔氏　邢廣琪妻胡氏　邢炳章妻傅氏　韓
懷讓妻吳氏　胡脩德妻王氏　劉超曾妻芮氏　陳方金妻
孫氏　周端淑妻史氏　張曰綱妻顧氏　王鈞逢妻楊氏
趙元燧妻邢氏　柏其御妻趙氏　王承代妻周氏　趙允造
妻唐氏　龔光謙妻何氏　楊昌旭妻邢氏　史日化妻葛氏
孔昭起妻吳氏　胡存會妻湯氏　黃居龍妻夏氏　甘愉
珍妻史氏　李台昱妻周氏　楊景煌妻高氏　唐立功妻李
氏　馬定品妻邢氏　陳方甯妻孫氏　張象炎妻陳氏　王
榮達妻陳氏　田增霸妻周氏　孫志士妻邢氏　胡啟源妻
楊氏　卞聽芳妻芮氏　王材敏妻陳氏　陳傳喜妻劉氏
孔昭綱妻史氏　劉時炳妻魏氏　夏慶灝妻楊氏　王能壽
妻馬氏　魏孝衢妻王氏　荀瑞欽妻陸氏　李興書妻趙氏

陳宗春妻柏氏　袁本淦妻劉氏　吳毓驕妻趙氏　魏子餘妻虞氏　李在信妻王氏　孔昭池妻李氏　監生孫謀妻劉氏　徐懷瑞妻陳氏　趙允懋妻魏氏　呂德煌妻楊氏　王添李在灼妻司徒氏　李昭粹妻王氏　陳功起妻蔣氏　王添喜妻芮氏　楊以約妻呂氏　曹廷棫妻楊氏　何方麟妻許氏　朱德儉妻孔氏　時開源妻李氏　時文佫妻陳氏　時開福妻張氏　芮鍾禮妻王氏　陳仲選妻孔氏　楊承宗妻馬氏　湯方堃妻陳氏　劉超選妻孫氏　宋繼祿妻王氏　袁育德妻韓氏　卞昌明妻陶氏　邢餘妻趙氏　邢哲杍妻陳氏　陳嘉僎妻李氏　監生孔昭銑妻濮陽氏　汪吉林妻陳氏　唐立縉妻楊氏　張貞鋐妻王氏　張貞鏑妻芮氏　徐之崗妻吳氏　黃賢敏妻俞氏　張貞銘妻于氏　史允悰

妻王氏　拔貢吳球妻章氏　庠生沈士倬妻張氏　魏忠凱
妻陶氏　王在梧妻魏氏　楊承明妻王氏　倪方平妻姜氏
劉在勤妻趙氏　時開盛妻陳氏　胡濤妻陳氏　趙允艮
妻劉氏　陳德裕妻童氏　呂必富妻孔氏　甘昌淦妻孫氏
胡齊翟妻魏氏　諸一錦妻楊氏　馬以壽妻孔氏　史嘉
瑞妻魏氏　徐紹彤妾錢氏　芮恆德妻張氏　郝其璋妻姜
氏　吳必漣妻芮氏　吳其永妻諸氏　胡兆祥妻孫氏　何
茂颸妻許氏　俞上榮妻李氏　庠生史搢笏妻卞氏　王光
炳妻高氏　柏武暉妻曹氏　錢廷楷妻陳氏　陳德治妻楊
氏　陳可起妻魏氏　谷中遷妻陳氏　職員郝士昕妾鄧氏
諸本根妻趙氏　監生李上達妻陳氏○同治年旌　廩生徐得達
妻李氏　吳祿熊妾楊氏　孫恩榮妻田氏　孫大芹妻孔氏

管興富妻邢氏　孫允鳳妻陳氏　孫瑀年妻張氏　楊景熹妻孫氏　李財進妻袁氏　陶作瑛妻陳氏　陳至秀妻周氏事姑孝　倪方印妻邢氏　許廣其妻史氏　許繼福妻吳氏　陳大猷妻孔氏　陳大謨妻姜氏　夏毓增妻唐氏死粵寇難　夏廼慈妻楊氏　夏錫喬妻陳氏　陳啟麟妻楊氏　邢本武妻袁氏　史明賢妻吳氏　史克耀妻趙氏　唐顯琳妻徐氏事舅姑孝　倪方清妻吳氏　許傳泰妻孫氏　陳懋劼妻孔氏　甘毓紀妻笪氏　文生趙邦鈐妻楊氏　文生胡嘉楨妻張氏　胡脩業妻陳氏　吳名仁妻周氏死粵寇難　陳文楷妾陸氏　徐啟明妻邢氏　邢東元妻黃氏　甘毓明妻陶氏　邢仲香妻魏氏　吳正祥妻邢氏　文生邢文藻妻唐氏　黃以煥妻袁氏　黃心祥妻濮氏　管廣賓妻張氏　趙湘妻孔氏　李志春妻孔

氏　李合倗妻邢氏刲股療夫疾　監生李達妾葛氏　魏大仁妻夏
氏　韓大耀妻柳氏　武生陳馴妻唐氏　陳復聯妻徐氏事姑
孝　陳復根妻吳氏　孫宣華妻唐氏　劉曙五妻錢氏　施忠
泰妻陳氏　李達旺妻陳氏　谷宜侯繼妻孫氏　張元榮妻
吳氏　丁傳淮妻李氏　丁慰立妻紀氏　王映鉅妻倪氏　谷振佑
史憲仁妻芮氏　谷振佐妻孫氏　谷振文妻陳氏　谷振佑
妻王氏　陳世用妻錢氏　吳起佺妻張氏　谷宜勤妻邢氏
葛昌順妻楊氏　葛學陞妻周氏　葛昌佶妻馮氏　劉有
綵妻吳氏　陳名大妻王氏　周耆銘妻王氏　史允愷妻丁
氏　史中杞妻李氏　唐建楨妻陳氏以上九人均守節死粵寇難　葛正直
妻甘氏年二十四守節壽至百歲　葛學歡妻邢氏　葛正勝妻魏氏　周承
武妻楊氏家貧苦節乞食以奉舅姑　周惟勳妻李氏　王宜孝妻呂氏　李

昭達妻楊氏　李宏海妻馮氏　李宣詳妻馮氏　芮朝講妻李氏　史日鎔妻孫氏　徐之恕妻孫氏　卞立芳妻唐氏死粵寇難　劉春育妻錢氏　劉毓德妻葛氏　孔昭游妻趙氏　孔昭墉妻楊氏　濮陽尚辛妻呂氏　徐國柏妻耿氏　諸一賞妻劉氏　諸一學妻王氏　諸一煥妻闞氏　孔昭滿妻諸氏　孔廣煇妻邢氏　孔繼歡妻胡氏　孔昭順妻夏侯氏　孔憲貴妻宋氏　孔廣瑚妻吳氏　孔廣添妻王氏　濮陽國陞妻汪氏　文生濮陽健妻呂氏　李允銳妻張氏以上三人死粵寇難　孔憲維妻王氏　孔憲鏵妻諸氏　孔昭路妻史氏　孔繼福妻茅氏　孔繼艮妻王氏　孔廣傑妻周氏　孔昭財妻鄧氏　孔繼鍾妻李氏　孔廣瑚妻胡氏　王金儀妻張氏　張允纁妻芮氏　張昌垓妻周氏　王懷文妻魏氏　王光富妻芮氏

芮承茂妻楊氏　臧珍銓妻何氏　楊正壽妾王氏　陳良炘妻張氏　芮存增妻李氏　王國玉妻孔氏　陳振芝妻趙氏　王承明妻魏氏　諸一根妻劉氏　王榮興妻楊氏　王秉忠妻朱氏　王汝洋妻魏氏　孔廣培妻張氏　孔廣城妻邵氏　孔廣超妻陳氏　孔傳倫妻郭氏　孔傳迢妻邢氏　孔昭明妻吳氏　孔傳命妻朱氏　孔繁棟妻邢氏　孔憲根妻繆氏　孔憲楠妻黃氏　孔憲渠妻蕭氏　孔繼朋妻田氏　孔廣偁妻朱氏　孔傳來妻唐氏　孔傳考妻唐氏　孔繼偁妻張氏　孔毓庶妻薄氏　孔昭霖妻邢氏　孔昭世妻徐氏　孔廣福妻李氏　孔傳淇妻陳氏　孔憲璜妻唐氏　孔繼根妻趙氏　孔廣材妻高氏　孔昭蕃妻馬氏　孔昭華妻陳氏　孔昭澄妻楊氏　孔毓睦妻楊氏　孔繼湖妻吳氏　孔

繼勇妻姜氏　孔毓典妻汪氏　孔慶熙妻芮氏　孔毓科妻
邢氏　孔廣信妻諸氏　孔憲益妻朱氏　孔繼讚妻章氏
孔毓賢妻司徒氏　孔繼淮妻呂氏　文生楊國華妻陳氏
文生陳清瑞妾邵氏　監生吳項妾陳氏　從九品趙邦榮妻
汪氏　夏敬賢妻邢氏　趙宗瑞妻卞氏　胡齊彭妻唐氏
趙漸盤妻張氏　邢春輝妻楊氏　許友隆妻孔氏　吳國相
妻陳氏　胡脩桐妻陶氏　陳業豐妻馬氏　陳前悅妻邢氏
陳懋英妻葛氏　陳永璋妻邢氏　吳祿仕妻孔氏　邢東
旭妻姜氏　邢哲睿妻陳氏　邢大森妻潘氏　楊景煌妻高
氏　趙宗道妻章氏　孫允耿妻陳氏　袁心豪妻章氏　孫
承代妻甘氏　陳汝文妻王氏　陳汝華妻邢氏　蔣傳嵩妻
吳氏　唐立勤妻胡氏　柳肇艮妻陳氏　唐建寅妻楊氏

杭廣根妻毛氏　史仍遷妻夏侯氏　吳繼宗妾李氏　李建漢妻孔氏　趙同佑妻李氏　吳繼美妻李氏　馬元智妻陳氏　李志爲妻邢氏　柳肇福妻楊氏　韓體旺妻吳氏　芮人傳妻吳氏　柳序亰妻韓氏　孫復華妻沈氏　孫宣鈞妻陳氏　吳起生妻李氏　黃正寶妻吳氏　吳起倬妻陳氏　谷振鑒妻楊氏　劉南九妻邢氏　唐立祥妻谷氏　唐顯崑妻陳氏　王長玉妻蔡氏　蕭宣忠妻楊氏　李達有妻夏氏　李學根妻楊氏　張啟梧繼妻邵氏　丁傳澍妻李氏　李興職妻傅氏　張九如妻陳氏　吳德脩妻陳氏　孫紹全妻吳氏　吳方電妻張氏　吳履校妻陳氏　陳傳禧妻孫氏　楊於連妻葛氏　葛學昕妻邢氏　陳復楠妻姜氏　葛鳴盛妻吳氏　葛學銘妻劉氏　劉有縫妻周氏　沈士森妻孫氏

周承怡妻傅氏　周傳倫妻卞氏　王統智妻顏氏　王宏懋妻陳氏　王宜炎妻史氏　王承謙妻李氏　王統論妻沈氏　李在本妻張氏　陳加福妻錢氏　唐立美妻徐氏　沈名超妻葛氏　監生卞逢年妾李氏　夏傳和妻劉氏　孔憲銘妻陳氏　孔憲芳妻吳氏　趙允海妻高氏　趙宗九妻孔氏　趙宗順妻濮陽氏　荀瑞棣妻楊氏　荀瑞榮妻陳氏錢智遠妻劉氏　孔憲華妻楊氏　孔憲椿妻李氏　曹獻瑾妻吳氏　張方興妻陳氏　張大炳妻魏氏　諸開貴妻湯氏

張茂直妻王氏　周大明妻王氏　周志凝妻趙氏　袁繼華妻柳氏◯續旌　楊茂章妻王氏年二十八苦節至今三十年　陳觀祿妻吳氏子宗璜妻姜氏　陳玉賢妻吳氏子前祥妻魏氏前勝妻姜氏

陳惟璨妻孔氏惟理妻李氏　夏然亨妻孫氏子近開妻邢

氏　夏懷德妻邢氏子傳麟妻張氏　田增左妻馬氏子婦陳
氏　陳蘊緯妻夏氏子毓瑛妻姜氏　陳遇信妻笪氏子秉瀛
妻孔氏　陳宗元妻趙氏陳大蔭妻吳氏陳元順妻吳氏陳元
達妻徐氏陳元凱妻葛氏陳嘉貢妻吳氏陳獻文妻徐氏一門五世
七節婦　陳信六妻唐氏子婦徐氏　邢愜妻陳氏子婦谷氏　孫
振晃妻陳氏子婦楊氏孫婦劉氏　文生陳嶷妻施氏　文生
陳佩菁妻葛氏　陳升德妻魏氏　陳必祥妻邢氏　陳峻枝
妻馬氏　陳復大妻邢氏　陳庭隆妻傅氏　陳錫魁妻張氏
陳開業妻史氏　陳其炳妻楊氏　陳思剛妻李氏　陳世
光妻甘氏　陳廣煥妻邢氏　陳升樞妻徐氏　陳升祜妻吳
氏　陳廷極妻楊氏　陳鳴鶴妻孔氏　文生陳鶴慶妻楊氏
陳積華妻吳氏　陳業義妻孫氏　陳思洛妻邢氏　陳祥

醋妻吳氏　陳懋宣妻焦氏　文生陳時會妻袁氏　陳佐鼎妻李氏　陳開祀妻徐氏　陳大志妻徐氏　陳書達妻徐氏　陳有高妻王氏　陳耀曾妻徐氏　陳思義妻趙氏　邢學魁妻蔣氏　陳大成妻蔣氏　陳晉錫妻劉氏　陳開綸繼妻劉氏　陳作槐妻梅氏　陳開墺妻王氏　陳朝辛妻孔氏　陳朝錄妻孫氏　陳秉旺妻謝氏　陳安國妻李氏　陳朝宗妻楊氏　陳漢讓妻邰氏　陳懋德妻吳氏　陳前德妻劉氏　陳鳳翼妻孔氏　陳廷勝妻傅氏　增生蔣珍妻卞氏　陳開琮妻邢氏　陳德繡妻史氏　陳瀞妻張氏　汪惠喜妻孫氏　陳樹爵妻孔氏　陳樹榮妻王氏　陳魁芳妻趙氏　陳庭英妻張氏　監生陳英繼室程氏　陳開華妻吳氏　陳朝暹妻邢氏　陳秉彩妻徐氏　陳秉思妻徐氏　陳覲義妻朱

氏　陳覲宜妻唐氏　史期萬妻劉氏　陳道裔妻劉氏　陳
泰琛妻裴氏　吳位梓妻陳氏　吳名復妻袁氏　文生唐棣
華妻邢氏　張大智妻吳氏．徐尚球妻袁氏　徐啟秀妻芮
氏　吳祿申妻魏氏　吳祿鼎妻蔣氏　孫學荷妻劉氏　孫
昭愉妻邢氏　孫賡慶妻趙氏　孫大詳妻陳氏　孫曰書妻
楊氏　孫式梅妻谷氏　孫曰茂妻徐氏　孫敬鑾妻劉氏
孫式藻妻錢氏　孫大作妻夏氏　孫敬緒妻傅氏　孫紹帶
妻陳氏　陳延文妻孫氏　陳績裔妻孔氏　吳名泰妻戴氏
倪大福妻吳氏　唐建梅妻夏氏　胡存鴻妻陳氏　徐宏
學妻張氏　徐宏宗妻潘氏　吳祿揚妻邢氏　吳名貞妻徐
氏　監生孫懷妻殷氏　文生孫昭序妻谷氏　孫昌定妻楊
氏　孫大壯妻胡氏　孫大光妻邢氏　孫式愛妻任氏　孫

敬坦妻陳氏　孫大球妻趙氏　孫式維妻陳氏　孫允根妻
許氏　孫應修妻夏氏　孫紹寬妻邢氏　孫紹曾妻夏氏
孫允良妻楊氏　邢士振妻王氏　孫大楨妻霍氏　孫允[illegible]
妻邢氏　孫知元妻谷氏　孫式縠妻楊氏　史期爵妻紀氏
　史期椿妻邢氏　史仍銓妻趙氏　史仍煒妻陳氏　史仍
伸妻杭氏　史仍遺母陳氏　周方泰妻邢氏　杭朝棟妻邢
氏　杭宗盛妻李氏　杭朝端妻李氏　楊顯泰妻夏氏　楊
純僚妻石氏　邢紹琴妻李氏　邢復曾妻張氏　邢仲達妻
魏氏　邢本啟妻黃氏　孫倫妻夏氏　孫昭祥妻楊氏　孫
允蕃妻李氏　孫學灝妻陳氏　孫日壽妻王氏　孫式縠妻
何氏　史期潔妻陳氏　史期楷妻李氏　史期領妻邢氏
史愈垣妻朱氏　史愈懷妻吳氏　史愈愷妻許氏　吳傳森

妻劉氏　周才喜妻李氏　杭朝選妻宋氏　杭家福妻趙氏
楊傳周妻陳氏　楊鍾泰妻夏氏　楊純福妻陳氏　邢允
義妻趙氏　邢茲祜妻陳氏　邢育鳴妻楊氏　邢純啟妻高
氏　邢爲照妻臾氏　邢達言妻孫氏　邢庠文妻甘氏　邢
福忠妻夏氏　邢沛艮妻陳氏　邢升賢妻夏氏　邢茲奎妻
楊氏　邢居金妻李氏　監生童先翾妻汪氏　邢哲厚妻潘
氏　楊建燦妻孫氏　甘昌金妻孫氏　甘國楹妻夏氏　甘
昌禮妻李氏　孫善本妻劉氏　孫均保妻劉氏　文生孫巖
妻于氏　姜國愛妻邢氏　楊毓槐妻邢氏　田方玉妻孫氏
楊宜壽妻卞氏　夏錫健妻楊氏　魏詔妻汪氏　夏之禮
妻唐氏　邢寶文妻夏氏　邢立卿妻周氏　邢昭悠妻姜氏
邢茲淮妻陶氏　邢思韶妻夏氏　邢恆芳妻臾氏　邢連

漢妻許氏　邢思禮妻吳氏　邢廷揚妻夏氏　楊廷棟妻卞
氏　楊承綬妻吳氏　甘昌時妻孫氏　甘昌惠妻韓氏　甘
仁秋妻吳氏　孫承綽妻陳氏　李才能妻袁氏　姜朝乾妻
李氏　袁向亮妻史氏　楊毓森妻顧氏　楊起恂妻夏氏
夏有浩妻劉氏　夏正宜妻胡氏　夏晉妻魏氏　夏迺蕊妻
邢氏　夏鶴英妻邢氏　夏正南妻朱氏　許孝銳妻邢氏
史記本妻張氏　甘仁育妻夏氏　吳企勝妻呂氏　吳祿潤
妻邢氏　從九品吳一治妻孔氏　吳德貴繼妻楊氏　胡正
家妻劉氏　監生胡錦濤妻蔣氏　陳開祺妻孫氏　邢大嶽
妻楊氏　杭正拔妻史氏　吳懋深妻李氏　文生汪應辰妻
夏氏　田增湖妻邢氏　邢毓桂妻徐氏　史必言妻何氏
甘紹鵬妻傅氏　吳壽怡妻宗氏　胡修章妻陳氏　徐世元

妻袁氏　徐時經妻錢氏　監生胡棠妾蔣氏　史必讚妻孫
氏　周宏加妻陳氏　邢家麟妻孔氏　杭宗持妻高氏　沈
國賢妻邢氏　沈燁妻吳氏　沈榮先妻丁氏　文生胡承祖
妻陳氏　王鉅發妻唐氏　邢金友妻孔氏　趙同來妻劉氏
趙元稻妻陳氏　谷允釗妻周氏　孫肇曦妻楊氏　孫光
學妻唐氏　沈傑儒妻吳氏　沈而慎妻張氏　沈其文妻梅
氏　胡尚剛妻邢氏　邢兆禔妻唐氏　邢朝東妻史氏　趙
同盛妻王氏　趙元聘妻孫氏　孫開模妻陳氏　谷允鋥妻
吳氏　魏復本妻陳氏　張元淇妻陳氏　劉思傑妻邢氏
劉爲全妻王氏　劉士連妻鈕氏　梅斯論妻王氏　劉思學
妻孫氏　孫達朝妻朱氏　姜忠恆妻唐氏　朱天增妻丁氏
朱開倫妻邢氏　孫開勝妻陳氏　陳必選妻趙氏　陳前

聖妻李氏　陳應蕃妻史氏　陳加駒妻袁氏　丁傳雲妻陳
氏　趙同德妻陳氏　葛正幖妻朱氏　劉莊妻夏氏　劉璈
繼妻尹氏　劉守純妻邢氏　劉朝坤妻郎氏　劉爲垣妻吳
氏　劉時純妻楊氏　劉爲謙妻夏氏　文生劉皎慶妻盧氏
劉思彤妻丁氏　孫徹烈妻谷氏　谷裕富妻吳氏　陳毓
眉妻邢氏　孫賜驪妻劉氏　孫裕海妻沈氏　陳岱峻妻芮
氏　陳起皓妻孔氏　陳葵生妻張氏　孔廣春妻劉氏　葛
正倫妻卞氏　丁傳因妻史氏　史連士妻吳氏　文生劉瀛
妻錢氏　劉照妻王氏　劉鼎鏞妻魏氏　劉士昇妻陳氏
孫賜彧妻張氏　劉啟榮妻錢氏　劉爲瑾妻陳氏　陳其恩
妻卞氏　徐毓蕙妻梅氏　吳昌必妻張氏　李宏根妻周氏
李傳覺妻周氏　李蔚妻史氏　李傳煜妻劉氏　李志彤

妻史氏　史佳梅妻吳氏　許能榮妻陶氏　劉其純妻李氏
卞心悠妻劉氏　卞欽芴妻劉氏　陳嵡錫妻吳氏　陳毓
瓚妾金氏　陳名浩妻丁氏　卞正瑾妻陳氏　卞正相妻夏
氏　卞法芳妻屠氏　劉毓瑚妻陳氏　劉世開妻張氏　陳
長齡妻葛氏　丁傳純妻劉氏　李傳湖妻陳氏　李則晟妻
陳氏　李傳虔妻徐氏　李果珍妻孫氏　李傳樨妻陳氏
唐立根母陳氏　張紹榆妻王氏　許能義妻劉氏　李宣字
妻王氏　劉萬森妻卞氏　卞紹庠妻史氏　卞心易妻章氏
卞宗珏妻史氏　陳邦國妻徐氏　陳加譽妻許氏　陳毓
敏妻吳氏　卞欽祚妻徐氏　卞紹應妻吳氏　監生卞光華
妾李氏　武生卞長春妻張氏　劉啟棣妻張氏　夏智成妻
陶氏　劉毓錦妻張氏　劉裕松妻沈氏　邢振閶妻夏氏

邢寶慶妻陳氏　邢閎慶妻張氏　邢光華妻夏氏　邢詳文
妻夏氏　邢輔賢妻吳氏　邢位一妻俞氏　邢嘉穎妻楊氏
　邢立楷妻周氏　邢相珖妻談氏　邢煥春妻姚氏　邢昭
醕妻吳氏　邢嘉卿妻楊氏　文生邢斌妻甘氏　邢化茂妻
陳氏　邢開秀妻孫氏　邢鳴宏妻趙氏　邢玆厚妻周氏
邢其慷妻徐氏　邢念典妻卜氏　邢厚墉繼妻楊氏　邢煥
材妻張氏　邢嘉論妻孫氏　邢哲達妻姜氏　邢相班妻談
氏　邢希賢妻周氏　邢昭鍨妻魏氏　監生陳煒妻饒氏
文生陳文英妻邢氏　陳德桂妻汪氏　陳郁展妻李氏　監
生陳至暞妾王氏　楊達先妻孫氏　楊承寅妻夏侯氏　楊
廷華妻陳氏　夏奇豹妻易氏　夏昌益妻孔氏　夏鳴慶繼
妻王氏　夏鳴通妻唐氏　夏艮朝妻宋氏　夏派齡妻孫氏

夏錫瓚妻邢氏　夏宏瑞妻陳氏　夏彖禮妻邢氏　夏楠東妻梁氏　夏履吉妻韋氏　夏本洲妻吳氏　夏希文妻劉氏　夏鼎鐸妻孫氏　邢來惠妻陳氏　陳廷校妻張氏　陳未妻邢氏　陳于揚妻葛氏　陳廷梧妻丁氏　文生陳應進妻唐氏　孫俊妻陳氏　楊鼎鉉妻孔氏　楊雲先妻陳氏　吳塘周妻夏氏　夏昌祖妻楊氏　夏開仕妻孔氏　夏增煦妻吳氏　夏承貏妻甘氏　夏振閶妻孔氏　夏生璠妻姜氏　夏渡齡妻葛氏　夏思敘妻徐氏　夏彖賢妻孫氏　夏九齡妻邵氏　夏彖輪妻淩氏　夏希仁繼妻李氏　夏朝壽妻周氏　夏建名妻楊氏　夏任妻唐氏　夏近禮繼妻邢氏　夏毓發妻柳氏　夏純和妻邢氏　夏毓梧妻王氏　夏裕儒妻周氏　楊振妻孔氏　汪于禮妻胡氏　夏昭綵妻邢氏

夏純財妻邢氏　夏杞妻倪氏　夏有餘妻韋氏　夏墩妻陶氏　夏世鎡妻韓氏　夏孟書妻錢氏　夏燈母邢氏　夏璃妻朱氏　劉守禮妻朱氏　姜培廷妻楊氏　姜開府妻徐氏　姜永升妻胡氏　姜永傑妻劉氏　姜永俊妻李氏　夏楠杠繼妻楊氏　夏源滾妻李氏　夏思善妻祖氏　夏宜瑶妻趙氏　夏裕儀妻吳氏　楊大盛妻孫氏　孫景春妻楊氏　孫九麟妻楊氏　孫九鵾妻張氏　夏迺正妻陳氏　夏清妻孫氏　夏諝妻陶氏　夏寓志妻韋氏　夏宗殷妻劉氏　夏南亭妻王氏　夏懋績妻楊氏　劉躬妻夏氏　劉芳英妻霍氏　姜培彰妻夏氏　姜開忻妻夏氏　監生姜逢旦妻趙氏　姜永湖妻夏氏　姜國年妻徐氏　姜國起妻夏氏　袁長玉妻邢氏　吳傳勝妻陳氏　姜培德妻姚氏　孫坤泰妻夏

氏　孫浦妻俞氏　劉積金妻邢氏　夏瑚妻邢氏　張應道
妻孫氏　張振道妻陳氏　劉思綬妻蕭氏　劉思麟妻陳氏
劉鼎豪妻童氏　劉守遇妻張氏　陳世璣妻唐氏　孫玠
烈妻張氏　劉士瑞妻邢氏　孫友愛妻劉氏　張啟宇妻葛
氏　邢日乾妻楊氏　吳繼墉妻姜氏　孫九鵬妻史氏　邢
其悚妻徐氏　邢其盛妻王氏　劉顯璋妻陳氏　夏育栻繼
妻曹氏　張應謨妻程氏　邢朝怡妻趙氏　劉思義妻孫氏
劉定標妻趙氏　劉煌妻夏氏　陳雲伯妻吳氏　陳開伯
妻徐氏　劉爲孝妻錢氏　吳方憐妻卞氏　孫侯烈妻徐氏
張應德妻谷氏　劉時育妻王氏　文生邢繼榮妻孫氏
劉一恕妻孫氏　陳應偤妻徐氏　吳某妻陳氏　錢某妻陳
氏　錢某妻孫氏　錢某妻卞氏　李傳鉦妻陳氏　李中會

妻劉氏　史朝冊妻王氏　周志清妻呂氏　李合昱妻周氏
王肇文妻劉氏　王承福妻周氏　邢朝正妻劉氏　錢觀
印妻史氏　徐庚九妻謝氏　錢某妻魏氏　錢某妻陳氏
錢某妻劉氏　李向隨妻程氏　周祚塈妻萬氏　李毓里
妻陳氏　王令從妻劉氏　張宜祈妻劉氏　王令舉妻徐氏
張懋僖妻某氏　卞紹需妻陳氏　劉鵬振妻姜氏妾蕭氏
王之高妻朱氏　陳蘊繡妻葛氏　丁傳澮妻史氏　周開
銘妻丁氏　卞天禮妻史氏　夏毓春妻李氏　卞豫元妻徐
氏　卞士嚴妻陳氏　劉之緒妻王氏　卞正卿妻夏氏　楊
源德妻陳氏　史日喜妻王氏　劉茂根母錢氏　卞自賓妻
趙氏　李全洲妻孔氏　李興瑚妻陳氏　萬興長妻李氏
周明聯妻夏侯氏　杭維赦妻邢氏　黃祚金妻夏氏　陶清

華妻宋氏　曹光熠妻吳氏　楊功盛妻趙氏　李肇玉妻孔氏　李陳洪妻黃氏　李典珍妻趙氏　趙宗棖妻孔氏　黃祚琳妻韓氏　黃奇興妻柳氏　唐立庚妻韓氏　曹景鼎妻芮氏　楊敬訓妻吳氏　楊錫龍妻袁氏　楊子曾妻姜氏　陳必義妻邢氏　張曰贊妻夏氏　江毓效妻張氏　楊晉然妻陳氏　黃良圖妻劉氏　武洪高妻黃氏　袁人驥妻吳氏　朱開雲妻邢氏　趙良鵠妻李氏　趙友琮妻謝氏　趙友祿妻邢氏　趙同崑妻孔氏　趙同轔妻唐氏　趙元璵妻夏氏　孔憲禮妻黃氏　孔昭璟妻劉氏　戴志錫妻孔氏　戴政愷妻孔氏　黃心地妻夏侯氏　宋紹鯤妻芮氏　楊子炳妻韓氏　張曰杲妻卞氏　張曰有妻杭氏　杭禹莊妻吳氏　黃子安妻周氏　夏士熙妻魏氏　韓敬衡妻王氏　魏忠

煥妻張氏　趙友勤妻夏氏　趙友福妻楊氏　趙友模妻王氏　趙季恕妻陳氏　趙同信妻魏氏　趙同璠妻邢氏　趙宗診妻馬氏　李興彩妻夏侯氏　吳延陽妻田氏　戴志和妻杭氏　黃居梁妻孔氏　宋承蘊妻馬氏　劉爲淪妻王氏　朱萬柯妻趙氏　朱萬鑑妻孔氏　荀有聘妻楊氏　荀公球妻陳氏　荀有福妻芮氏　荀大敦妻唐氏　荀從龍妻楊氏　荀英庚妻孔氏　文生汪大業妻李氏　汪振書妻王氏　汪治桂妻荀氏　楊大銀妻周氏　楊大詠妻孔氏　楊毓海妻胡氏　陳際叙妻楊氏　楊廷順妻倪氏　楊士通妻荀氏　楊應銘妻唐氏　楊應本妻周氏　楊士祖妻章氏　楊士彥妻傅氏　楊士禮妻許氏　劉紹琨妻史氏　朱萬椿妻萬氏　葛朝輿妻朱氏　汪大韜妻楊氏　汪振畝妻傅氏

楊廷隆妻戴氏 楊士衍妻王氏 楊啟論妻陳氏 楊大奕妻何氏 楊應蛟妻吳氏 楊應鈞妻史氏 楊應虬妻孫氏 楊士琊妻田氏 楊士權妻陳氏 楊廷拔妻許氏 楊廷寶妻徐氏 楊廷宏妻陳氏 楊昌璽妻俞氏 文生楊爲楫妻詹氏 楊爲嶧妻孫氏 朱天讚妻陳氏 汪勝法妻吳氏 周敬瑜妻孔氏 趙同謀妻劉氏 陳必綸妻胡氏 陳際逵妻孔氏 孔昭松妻宋氏 孔昭泮妻謝氏 孔廣成妻湯氏 孔廣林妻李氏 孔繼祥妻荀氏 陳前英妻許氏 唐念信妻周氏 文生孫新鳴妻汪氏 姚毓浩妻時氏 汪大權妻荀氏 張大昂妻劉氏 王能端妻孔氏 楊廷祥妻孔氏 楊廷毅妻施氏 楊廷淮妻傅氏 楊利興妻陳氏 楊廷川妻高氏 朱德滄妻高氏 趙興公妻孔氏 張貞瑚妻

高氏　趙同毅妻錢氏　陳必壽妻張氏　陳必振妻朱氏
孔廣廉妻陳氏　孔廣慮妻王氏　孔憲懷妻張氏　孔昭勝
妻汪氏　李興環妻王氏　李宣起妻魏氏　孔繼銓妻胡氏
汪朝濟妻鄧氏　姚起宗妻傅氏　張啟重妻李氏　陳際
彩妻何氏　馬茂林妻朱氏　楊大宏妻李氏　吳知樂妻邢
氏　曹獻淇妻呂氏　曹獻澄妻呂氏　劉裕蕊妻張氏　張
曰城妻陳氏　張大森妻陳氏　文生張貞祥妻李氏　張曰
珣妻呂氏　張昌言妻芮氏　張昌然妻孔氏孔會顏女　王光民妻
張氏　居時智妻徒氏　居位如妻後氏　陳朝銘妻胡氏
芮應琪妻魏氏　張必達妻夏氏　張允貞妻芮氏　張曰隆
妻魏氏　張其偉妻陳氏　張曰沚妻王氏　馮振己妻史氏
湯艮森妻魏氏　曹宏業妻楊氏　曹宏松妻劉氏　吳斌

徵妻汪氏 張昌鑰妻陳氏 張曰浩妻芮氏 王南富妻劉氏 王昌應妻袁氏 李永梅妻王氏 陳艮雄妻孔氏 陳昌達妻張氏 張其模妻李氏 張必倫妻王氏 張可敬妻趙氏 張其裕妻呂氏 張昌耆妻陸氏 張士廣妻吳氏 張大綱妻汪氏 張大楠妻周氏 張宏秀妻施氏 張大銘妻盛氏 張宏紀妻魏氏 張大豫妻魏氏 陳錦釧妻傅氏 王錦裕妻唐氏 王在中妻楊氏 王樹儉妻魏氏 張昌福妻蔣氏 張大緯妻傅氏 張有楠妻吳氏 張大富妻傅氏 張宏甯妻施氏 張士謨妻施氏 陳淑品妻魏氏 陳定勝妻楊氏 王汝頻妻魏氏 王濟英妻馬氏 王季彭妻吳氏 王煜楨妻胡氏 王至涫妻魏氏 王愷風妻湯氏 施洪昇妻韋氏 芮遇鶴妻夏氏 傅覲洪妻何氏 傅毓霸

妻汪氏　傅元序妻姜氏　傅增湘妻陳氏　魏昌耿妻龔氏
魏泮夫妻呂氏　魏洪瑞妻張氏　魏士恆妻傅氏　魏春
夫妻何氏　魏大瑞妻謝氏　魏宗肅妻吳氏　魏廷相妻呂
氏　魏大璽妻芮氏　周大運妻趙氏　周正旌妻呂氏　周
方圭妻趙氏　王致菊妻孫氏　王文修妻吳氏　王秉鶴妻
趙氏　王煜篇妻陳氏　王至喜妻芮氏　施曰盛妻傅氏
施采文妻高氏　芮慶珣妻周氏　傅其斯妻孔氏　傅元社
妻陳氏　傅元維妻高氏　傅象龍妻魏氏　魏繼賢妻陳氏
魏大瑞妻胡氏　魏增勇妻王氏　史永勤妻王氏　魏大
鶴妻傅氏　魏朝鍇妻楊氏　魏朝繡妻陳氏　魏夫桐妻楊
氏　周大惠妻陳氏　周端孝妻芮氏　王培金妻吳氏　王
材孝妻魏氏　王在耀妻趙氏　王德超妻呂氏　文生王秉

本頁原殘闕，現據南京圖書館藏《光緒續纂江寧府志》（光緒六年刻本，光緒七年初印本）補字。

時妻楊氏 楊翼人妻陳氏 楊全祧妻呂氏 楊曰義妻嚴氏 趙必川妻芮氏 韋正溥妻張氏 韋士鳳妻呂氏 葉自傑妻陳氏 葉明震妻邢氏 陳昌訓妻湯氏 楊昌明妻陳氏 楊正仁妻馬氏 楊秉順妻陳氏 楊紹鼎妻談氏 楊錫起妻魏氏 楊善員妻湯氏 陳淑仁妻魏氏 陳必麟妻周氏 魏昌晉妻吳氏 魏光貯妻楊氏 趙必元妻方氏 芮禹璨妻唐氏 芮禹謨妻陳氏 趙彥安妻劉氏 楊忠卿妻夏氏 楊金美妻湯氏 楊全圻妻陳氏 趙志植妻呂氏 趙彥智妻呂氏 韋方熙妻盧氏 葉永清妻王氏 葉自新妻楊氏 陳際讓妻張氏 史恭盟妻王氏 楊光營妻芮氏 楊秉元妻陳氏 楊秉謙妻王氏 楊錫嶟妻王氏 楊作新妻魏氏 楊作圩妻王氏 陳選梧妻陸氏 嚴延信

妻王氏　魏大球妻芮氏　魏朝連妻諸氏　王煜星妻呂氏
芮禹瓚妻傅氏　魏成章妻楊氏　楊昌龔妻周氏　楊以
球妻周氏　胡承烈妻王氏　芮正乾妻魏氏　魏思義妻傅
氏　芮承瑚妻呂氏　呂昌斌妻楊氏　呂興位妻傅氏　王
銘瑱妻時氏　趙士琨妻孔氏　武洪清妻邢氏　魏泰甯妻
武氏　魏運亢妻黃氏　趙季渭妻孔氏　趙友道妻甘氏
文生趙倘炎妻劉氏　趙季昂妻李氏　趙元湑妻夏氏　趙
允蘭妻李氏　趙允玉妻張氏　趙宗燈妻史氏　周志瓊妻
孫氏　胡正元妻傅氏　芮正春妻周氏　宋明禮妻韋氏
呂汝榮妻劉氏　呂汝琛妻張氏　呂益智妻周氏　黃勤贇
妻韓氏　韓大忠妻孔氏孔步舒女魏寶夫妻朱氏　夏廷校妻魏
氏　趙經財妻李氏　趙友侯妻楊氏　趙季傑妻姚氏　趙

元彥妻孔氏　趙元純妻李氏　趙自新妻孔氏　趙宗霖妻唐氏　孔興玉妻皮氏　謝原羣妻孔氏　荀玉恆妻唐氏　荀德遺妻楊氏　楊啟府妻吳氏　濮陽純禮妻張氏　李世年妻虞氏　田錫順妻王氏　田育朝妻吳氏　汪昌洪妻王氏殉粵寇難　蔣延謨妻顧氏　荀玉盛妻楊氏　禹廷瑞妻邵氏　楊啟和妻呂氏　濮陽忠剴妻魏氏　孔興傳妻汪氏　李則蓮妻趙氏　濮陽國楨妻楊氏　何邦友妻丁氏　何廷政妻楊氏　何方納妻李氏　何方駢妻陳氏　何茂蔭妻王氏　何秉良妻路氏　何秉芹妻李氏　丁存模妻胡氏殉粵寇難　王元達妻徐氏　王義公妻楊氏　楊昌璽妻俞氏　胡廣洪妻濮陽氏　陳朝富妻居氏　何茂仲妻王氏　何茂高妻荀氏　何方武妻孔氏　何茂堂妻卞氏　何秉文妻王氏　高善金

妻劉氏　王孝端妻姚氏　王能根妻孔氏　吳其培妻曹氏
時煥泗妻史氏　芮忠銓妻張氏　芮寶祿妻陳氏　芮鐘
鳴妻陳氏　芮鐘圭妻陳氏　芮生覲妻張氏　吳艮南妻王
氏　芮復泰妻邰氏　葉建勳妻魏氏　芮顯珍妻傅氏　芮
肇璀妻葉氏　王欽孝妻楊氏　王銘江妻馮氏　陳序林妻
魏氏以上三人均殉粵寇難　陳業信妻王氏　文生陳邦鐸妻孫氏　陳
詩清妻葛氏　陳中聚妻倪氏　唐立德妻吳氏　陳學廣妻
濮陽氏　胡立讚妻孔氏　監生胡堂妻郭氏　汪多福妻吳
氏　楊裕豪妻孫氏　邢坤伯妻楊氏　邢茲健妻徐氏　芮
應愚妻陳氏　芮賓彥妻陳氏　芮應燕妻王氏　芮其興妻
吳氏　芮允勝妻葛氏　魏光度妻吳氏　葉明根妻趙氏
王涫高妻邰氏　魏書麟妻芮氏　監生王懷珍妻魏氏　史

承祿妻芮氏　胡修忠妻王氏以上四人均殉粤寇難　陳業旺妻徐氏
陳會元妻張氏　史愈珍妻趙氏　史加仁妻杭氏　吳壽坤
妻甘氏　徐懷瑶妻史氏　邢進良妻陶氏　周員梧妻張氏
邢允亨妻藍氏　邢漢進妻柳氏　邢宜豐妻杭氏　邢錫
良妻韓氏　邢順良妻劉氏　吳宗柏妻邢氏　孫紹乾妻吳
氏　孫允潤妻胡氏　孫廷科妻陳氏　芮良謨妻孫氏　趙
上明妻孫氏　文生邢效曾妻黃氏　文生楊華國妻陳氏
姜永倫妻袁氏　姜國清妻史氏　夏毓徵妻薛氏　夏存貞
妻孫氏　邢毓富妻魏氏　史仍熺妻吳氏　吳其材妻夏氏
徐廣海妻邢氏　沈其訓妻陳氏　孫忠連妻袁氏　孫廷
海妻王氏　王正保妻吳氏　孫元興妻羅氏　吳期音妻王
氏　邢宜欽妻吳氏　邢哲恭妻孔氏　邢宜嘉妻劉氏　孫

考林妻邵氏 孫允詮妻邢氏 孫祥壽妻丁氏 邢向端妻
楊氏 姜國平妻史氏 姜永典妻吳氏 姜國學妻孔氏
夏松章妻卜氏 胡邦岐妻宋氏 杭益秀妻夏氏 姜承武
妻邢氏 李維旺母商氏 沈學忠妻吳氏 沈攸基妻孫氏
張允壽妻孫氏 梅傳書妻陳氏 吳大聯妻袁氏 姜廷
相妻魏氏 蕭宣章妻邵氏 劉啟春妻陳氏 吳起修妻陳
氏 孫忠長妻張氏 俞光前妻張氏 陳廣純妻劉氏 李
傳勝妻謝氏 李典信妻周氏 劉大來妻張氏 李典昊妻
邢氏 陳業金妻劉氏 胡思睿妻楊氏 吳懋喜妻邢氏
孫祥履妻曹氏 孫大興妻丁氏 孫均長妻陳氏 袁彬珊
妻張氏 文生邢鳳喈妻孔氏 夏修文妻陶氏 王統言妻
吳氏 卞長青妻高氏 劉秉茂妻陳氏 史萬元妻孫氏

劉復晟妻孫氏　孫宣覺妻陳氏　傅于海妻谷氏　徐槤八妻沈氏　張允興妻孫氏　李傳荃妻史氏　劉瑞棻妻孔氏　邢東祥妻倪氏　孫承林妻夏氏　史華榮妻李氏　孫象瑛妻徐氏　邢東谿妻王氏　夏萬林妻李氏　李則浩妻孫氏　李則根妻徐氏　李典世妻孔氏　黃召印妻馬氏　黃心地妻曹氏　楊善相妻孔氏　徐紹才妻魏氏　趙允升妻李氏　李典創妻丁氏　李則彭妻史氏　孔昭謀妻陶氏　汪振鈞妻邵氏　孔慶振妻張氏　李則泉妻濮陽氏　黃召春妻陳氏　杭一旺妻劉氏　孔憲粱妻邢氏　魏忠炳妻俞氏　趙宗瑞妻邢氏　李遵香妻高氏　文生孔慶雲妻夏侯氏　孔憲根妻朱氏　孔昭治妻陳氏　徐振炳妻王氏　趙元森妻孔氏　李廣春妻石氏　何秉起妻周氏　侯汝金妻

魏氏　陳俊祖妻吳氏　孔昭柯妻楊氏　王禮台妻紀氏　汪家潮妻濮陽氏　吳煜進妻史氏　張貞寶妻芮氏　周端愷妻陳氏　陳定佳妻薛氏　王樹本妻楊氏　孔慶海妻孫氏　汪勝潑妻孔氏　侯汝滿妻汪氏　孔廣富妻楊氏　李志旺妻邢氏　拔貢生孔憲爵妻汪氏　曹獻勤妻吳氏　周方大妻虞氏　周志篚妻邵氏　史順清妻趙氏　劉文培妻章氏　陳業勤妻齊氏　陳文煌妻甘氏○以上見采訪

補遺

許某妻唐氏上元人住塘坊橋年二十一歲守貞現年五十一歲　武湘聘妻梁氏溧水人年二十二歲守貞五十五年　廩生張際雲妻楊氏江浦人已旌　於懷德妻陳氏江浦人年二十九守

才淑

續曰李世俊妻周氏濮紹謨妻周氏上元人周幔亭二女長適李名斯莊次適濮名斯敬俱善天文能製天球圖李之女適朱諾能熟華嚴字母善譬窠書

陳宗彝母某氏江甯人通理學○以上見詩匯

王貞儀字德卿本籍天長祖者輔遷江甯貞儀性敏慧九歲卽好讀書輔成吉林貞儀侍大母董氏塞外學射于阿將軍夫人發必中的者輔歿藏書七十餘篋貞儀侍父錫珍護持以歸記誦淹貫最嗜梅氏天算之學夜觀天星言晴雨豐歉輒驗尤精王逭且知醫詩文皆質實說事理不爲藻采于浮屠禍福利之說闢之尤力年二十適宣城詹枚三十而歿著有天算之書曰及雜著十種德風亭初集十三卷嘉興錢給諫儀吉序其遺書曰班惠姬之後一人而已妹靜儀亦幼慧早亡○見金陵詩徵

清節堂婦佚姓氏同治四年金陵復立清節堂遴少婦之嫠者以統之此婦進止有度有司異之訪其族儒者也延爲諸婦傳諸婦多不卒教此婦默計曰是惟告于司事者然吾言朝以入則諸婦夕以出彼出則必死是吾不操刃而刈之也無何病悒悒死

同知朱松年妻舒氏山陽人從夫籍上元爲師晦太史冢子婦太史沒姑老氏盡醫奩篋佐松年合葬從共爨者二十年暨松年卒家益貧又燬於火氏營葬撫子瀾命從師授章句音義而自課誦教以定志氣親正士戒逸遊後瀾服官所至皆有政聲人謂其準母訓焉○以上見同治上江縣志

童嘉梅妻張氏

名湘筠字倚竹上元人博通書史兼善倚聲琴棋窮愁多病工吟咏著有冬蕙軒存稿妹名蘊輝字約蘋亦能詩

趙啟鋕妻陶氏句容人名素心夫亡有挽夫詩三十韻守節三年卒

夏宋妻邢氏高淯人承姆訓好讀列女傳孝舅姑敬夫如賓子婦劉氏亦逮下有樛木風

夏慧妻邢氏高淯人夏維孫婦性和厚事姑孝謹工詩著有咏雎草

唐三姑高淯人貢生唐階女幼明慧隨父課讀諸成童無能及教以詩輒矢口成吟及笄適孔憲遲勤儉持家性好周急尤善解紛鄰人有爭折以一言即解人稱爲女中丈夫著有鋮樓偶草五十餘首○以上見采訪

續纂江甯府志卷之十五

拾補

同人公纂

書有拾補昉於抱經先生今仿行之大較有四曰人曰事曰文曰雜記而聖人所不語者不及焉海者百川尾閭也珊瑚明珠產焉鮫龍蛤蜃萃焉厥物惟錯不名一名也拉雜書之作拾補以殿志之末

德沛字濟齋乾隆初總督兩江黜陟大公不避勢要視民如子尤愛士以實學勗勵每朔望躬莅鍾山書院集諸生聽講尋內召十四年襲簡親王爵謚儀肆業者於書院堂隅立碑曰濟齋夫子講學處奉木主春秋祭之

世襲伯承公乾隆間任江甯將軍寬嚴並濟教兵於戎馬之餘以孝弟忠信爲務而於旗營孤寡尤加意撫卹五十九年奏請以充

公地租每名月給銀一兩以資養贍至今煢獨猶依德焉
將軍容公乾隆閒任古道自持愛兵不以姑息有不守法者懲責
無少貸而於兵丁生計籌之若家事二十九年飭於馬價存款借
銀五百兩創立八旗事益公局凡昏喪事用物悉備價值甚廉即
在餉銀内展月扣繳官兵頗獲其益道光年閒計存局利銀六千
數百兩之多而器物尤爲精備
楊超曾字孟班武陵人乾隆五年總督兩江增兵額築陂塘浚支
河撤免税所以惠民者無不至六年疏言松江太倉沿海土石塘
工計占壓及挖廢民田不下百餘頃撫臣許容奏請挖廢零田仍
令業戶領種定額輸租臣思此田皆民閒恆產並未給還原值若
以錢糧旣經豁免又必按畝徵租似非情理之平且半作溝潭不
成阡陌將來歲脩取土正無底止在業戶亦不能長爲己有請聽

耕種免租得
旨俞行秋上元江甯等二十六州縣水災尤重超曾力籌賑卹全活尤多卒謚文敏

尹繼善字元長號望山滿洲鑲黃旗人雍正時曾任南河總督疏陳天然壩不可開適浙督李衛入覲傳
旨嚴飭且云衛已奏明黃水小開固無妨覆奏李衛不問河身之深淺而但問河水之大小非知河者也倘河淺壩開宣流太過則湖水之弱不敵黃水之强
世宗喜曰卿有定見朕復何憂撤
御衣冠賜之

噶爾杭阿字森如性剛正而與物和厚歷佐將軍幕府識議過人尤善八分古朴端重如其人補官協領以暴疾卒時論惜之

錦春字叔絅道光甲午舉人雋靜寡言文法先正工詩有洗桐山房詩草

鑲白旗人蔡某貧而好善還人路遺都統春生贈以不拾遺金匾額諸生月桂父也聞蔡隱於茶肆不語人以名殆五月披裘之亞與

沈葆楨字幼丹福建侯官人道光二十七年進士由編脩轉御史咸豐五年出知九江府調廣信以守危城功升道員幫辦江西軍務擢任巡撫請養歸總理閩省船政再渡臺辦生番事務奏建臺北府及淡水新竹宜蘭恆春四縣光緒元年授兩江總督五年冬卒於任　賞加太子太保銜入祀賢良祠幷立功省分建立專祠前以金陵收復　賜一等輕車都尉世職至是　恩恤加優謚曰文肅六年仲冬蘇撫吳公元炳彙刊其奏議曰政書凡七卷公廉明嚴毅能任艱鉅其督兩江也大端在聯北洋操輪船以固封圻挖蝗子典耕牛脩揚州東隄以保農畝捕淮渦海沂盜匪減省會漕糧以安閭閻分別邪術民教以持平得情而靖中外之競至力

行海運規復淮南引地皆時勢不得不然公亦無成見也惟末購鐵甲船爲公未了之願云七年正月始得公政書故補次於此

夏之蓉號醴谷高郵人雍正癸丑進士丙辰召試授檢討嘗典試福建督學廣東及湖南於治經外以古文之學校士録其尤爲汲古編乾隆癸酉解組後主講鍾山書院殆十年憐才訓士汲汲若不及著有半舫齋古文八卷詩集二十卷卒年八十有八録本集

盧文弨字紹弓晩號弓父浙江仁和人生而篤實濡染家學又得外王父馮景之緒論長爲桑調元壻而師之故其學具有本原乾隆壬申以一甲第三人成進士授編脩入直上書房由中允洊陞侍讀學士充乙酉廣東正考官旋督學湖南戊子以學政言事不合例部議左遷明年乞假養親歸先生潛心漢學精於讎校主鍾山龍城講席凡二十餘年勤事丹鉛垂老不勌所校之書大戴

禮記左傳經典釋文逸周書孟子音義荀子方言釋名賈誼新書獨斷春秋繁露白虎通呂氏春秋韓詩外傳顏氏家訓封氏聞見記諸書本鏤板行世又取易禮註疏呂氏讀詩記魏書宋史金史新唐書列子申鑒新序新論等三十八種如經典釋文例摘字而註之名曰羣書拾補所自著書有抱經堂文集三十四卷儀禮註疏詳校十六卷鍾山札記四卷龍城札記三卷廣雅注二卷乾隆乙卯卒年七十有九錄先正事略

錢大昕字曉徵號辛楣又號竹汀嘉定人乾隆十六年　召試舉人用內閣中書十九年進士由編脩累擢少詹事時　朝廷脩熱河志續文獻通考續通志一統志天球圖先生皆充纂脩官歷主文衡入直　上書房授　皇十二子書而先生淡於榮利以識分知足爲懷自奉諱歸里後卽引疾不出嘉慶四年

仁宗親政　垂詢先生里居狀廷臣寓書勸還朝皆婉言報謝歸田三十年歷主鍾山婁東紫陽書院門下士積二千餘人爲臺閣侍從發名成業者不可勝計九年卒於紫陽年七十七先生博極羣書不專治一經而無經不通不專攻一藝而無藝不精凡經史文義音韻訓詁歷代典章制度官制氏族年齒古今地理沿革金石畫象篆隸以及古九章算術迄中西歷法無不洞晰其是非疑似說經大指具見於潛研堂文集十駕齋養新錄竹汀日記鈔者不下數萬言又病元史蕪陋爲元詩紀事補氏族表藝文志二書撰二十二史考異詳論四分三統以證諸家術數精確不刊尤嗜金石文字舉經史子集以證其異同有潛研堂金石跋尾文二十五卷目錄八卷別有通鑑注辨正三統術衍三史拾遺諸史拾遺洪文惠洪文敏陸放翁王伯厚王弇州年譜各一卷疑年錄恆言

錄聲類地球圖說諸書皆行世（節先正事畧）

姚鼐字姬傳一字夢穀桐城人端恪公文然元孫也家貧體羸多病而嗜學世父範學者稱薑塢先生與同里方苎川葉花南劉海峯善諸子中獨愛先生令受業苎川尤喜親海峰客退輒肖其衣冠談笑爲戲薑塢嘗問其志曰義理考證文章闕一不可遂以經學授先生而別受古文法於海峯先生乾隆二十八年進士選庶吉士改禮部主事歷充山東副考官湖南副考官分校會試改擢刑部郎中四庫館開劉文正公朱竹君學士咸薦先生遂爲纂脩官時非翰林與纂脩者八人先生及程魚門任幼植爲尤著于文襄梁階平相國皆重召致之先生婉言以謝遂乞養歸時多尚新奇厭薄宋元以來儒者詆爲空疏掊擊不遺餘力先生獨反覆辨論嘗言讀書者求有益於吾身心也程子以記史書爲玩物喪志

若今之爲漢學者以掇殘舉碎人所罕見者爲功其玩物不尤甚耶瀕行錢璞溪學士來乞言先生曰諸君皆欲讀人間未見書某則願讀人所常見書耳先生嘗謂學不博不足以述古言無文不足以行遠孤生俗儒守其陋說屏傳註不觀固可厭薄而矯之者乃專以考訂名物象數爲實學於身心性命之說則詆爲空疏無據其文章之士又喜逞才氣放蕩理法以講學爲迂是皆不免於偏蔽集中贈錢獻之序與魯賓之論文諸書皆其宗旨所在也歸里後主梅花鍾山紫陽敬敷諸講席凡四十年而主鍾山爲最久先生貌清臞神采秀越澹榮利有超世之志而文名尤重天下自堅溪方氏以文章稱上接震川劉海峯繼之先生親問法於海峯論者謂堅溪之文質恆以理勝海峯以才勝先生則理與文兼至三君皆籍桐城故世或稱桐城派云嘉慶十五年先生與陽湖趙

翼重赴鹿鳴　詔加四品銜二十年九月卒於鍾山年八十五著九經說十九卷三傳補注三卷老子章義一卷莊子章義十卷惜抱軒文集十六卷文後集十二卷詩集十卷書錄四卷法帖題跋一卷筆記十卷古文辭類纂四十八卷今體詩鈔十六卷集本

朱珔號蘭坡涇縣人乾隆五十九年舉人嘉慶七年進士由庶常洊升翰林院侍講道光元年以丁內艱歸飾相濟甯孫公聘主鍾山書院講席以通經學古爲勗士論翕然願就裁成者衆後移主正誼紫陽兩書院先生以許鄭之精研兼馬班之麗藻出入承明金馬著作之庭二十餘年　內府圖籍外閒所未見者輒錄副本又性好表章遺逸宏獎士類四方著述未經刊布者多求審定先世培風閣藏書最富而其萬卷齋所得祕本尤多於是博采　本朝說經之文覈其是非勘其同異分類編錄名曰詁經文鈔凡易

八卷書八卷詩八卷春秋八卷周禮十卷儀禮五卷禮記五卷三禮總義十卷論語孟子附羣經義共五卷爾雅一卷說文一卷音韻一卷總七十卷續鈔又已積二十卷其文多鈔自諸家集中而解經之書有分段箋釋自成篇章者亦同錄入尋其義例宗主漢儒惟收錄實之文不取蹈空之論至於一事數說兼存並載以資考證蓋欲讀者因文通經非因經存文也然而諸家撰著之精亦藉是萃聚不致散逸也又選 國朝古文彙鈔百七十六卷二集百卷凡百二十八冊更極搜輯之富別有文選集釋二十四卷經文廣異十二卷說文假借義證二十八卷

唐鑑字鏡海湖南善化人陝西布政使仲冕子也嘉慶十四年進士由檢討授御史劾武陵令顧烜圻貪劣狀一時稱快出知平樂府盡除陋規不以一錢自汙創立猺疆義塾陋俗丕變遷江安糧

道留靈胥於法累遷江甯布政使入爲太常卿海疆事起疏劾總督琦善耆英等直聲震天下以老告歸主江南鍾山講席咸豐元年

文宗下詔求賢　召赴闕凡進對十有五次中外利弊無所不罄　諭旨以其力陳衰老不復强之服官令還江南書院矜式後學七年卒　特旨予謚確慎生平潛研性道宗尚洛閩在翰林時箸有朱子年譜考異省身日課畿輔水利等書在廣西著讀易反身錄居喪著讀禮小事記及官九卿又著易屬學案小識等書時與相國倭文端曾文正吳侍郎廷棟竇侍御垿何文貞桂珍考德問業曾文正稱其陋室危坐精思力踐年近七十斯須必敬蓋先儒堅苦者亞時賢殆不逮也采先正事略曾文正文集

程恩澤號春海歙縣人翰林侍講學士昌期子也嘉慶十六年進

士由編修洊升戶部右侍郎道光九年丁項太夫人艱歸籍十一年制府陶文毅延主講鍾山書院十七年卒於京邸儀徵阮文達志其墓曰公學識超於流俗六藝九流皆好學深思心知其意本工篆法益熟精漢許氏之學官貴州學政時與布政使吳榮光勸士民育桑蠶利大行于民重刻岳珂五經以訓士及奉　詔刻春秋左氏傳與祁公議推本賈服不專守杜氏一家之學平日好士說士技若己有試廣東期取實學之士知曾釗之名期必得之釗父丁憂公不知也書榜大失望然所得佳士亦甚多出闈後與學海堂學長吳蘭脩遊白雲山名士會者數十人有蒲澗賞秋圖所著惟國策地名考二十卷已寫定本其餘多未成書詩文雄深博雅稿亦盈篋按平定張穆刻有程侍郎遺集十卷又多藏書宋元以來子史雜錄博覽彊記金石書畫亦多考訂苟有叩者必舉以應元入京與公居

相近偶校毛詩有椒其馨椒訛本作馥其訛久在六朝罕可相語者公獨深會其意謂詩苾芬孝祀韓詩作馥芬孝祀馥字毛韓兩見形聲不謬於六書爲加一證公又謂近人治算由九章以通四元可謂發明絶學而儀器罕傳乃與鄭復光有脩復古儀器之約又嘗深究開元占經謂道光十五年木火同度當有火災人驗其言而驗之吉地案發因水之故曹文正問公古有之乎公曰水齧王季墓見棺之前和呂覽載其事所撰國策地名考如謂孟津在河北非今孟津縣亦非古河陽縣蒲反非舜都乃衛蒲邑以嘗入秦仍歸故謂之蒲反諸條皆確不可易歿年僅五十有三朝野皆悼惜之錄阮文達所撰墓志

任泰字階平荆溪人釣臺先生孫行也道光丙戌進士點庶吉士性端介恬退未散館告歸閉戶不詣人賀耦庚方伯重之延主尊

經書院蔣礪堂相國延主鍾山者十年先生久客京師館英煦齋宅習知掌故其二十四福堂筆記及比翼朝天圖儀注備述南齋典故命婦朝長樂宮禮節與大農制用制度本末皆先生述英公語也又編集鈞臺經學遺書未及成而先生卒其自箸有質疑二卷采訪

道光十年戶部假照案發司員失察者數十人當刑部嚴訊時惟於績溪胡先生及蔡君紹江無所污然獄成猶以隨同畫諾鐫級而天下之稱清官者率首舉二人蔡君事無可考辛卯胡先生襆被南歸督部聞之喜曰爲人士得一身教者矣遂延主鍾山講席先生訂以月之八日集諸生爲說敦行力學之要於是士鐸乃得與楊君大堉三四人請業門下稍稍得窺燕寢考研六室雜著及說經文諸篇時皆未刊行也癸巳先生丁外艱歸其後壬寅當道

又延先生主惜陰講舍於是昔之請業者從而請益遂得窺先生儀禮正義之稿其時甫成長編未審定繕寫也先生家固貧歲刻苦自勵在書院中僅自繕其大半太歲己酉秋先生已歸道山養泉世兄挈其稿謁陸立夫制軍陸公使楊君大堉依例編次且俾陳君石甫督刊之而祀先生於鍾山惜陰兩書院從公論也其書大旨見於先生與羅椒生尚書書其言曰鞏撰正義約有四例一曰疏經以補注二曰通疏以申注三曰彙各家之說以附注四曰采他說以訂注書凡四十卷稿本初成未及繕寫至賈氏公彥之疏或解經而違經旨或申注而失注意不可無辨别爲儀禮賈疏訂疑一書宫室制度今以朝制廟制寢制爲綱以天子諸侯大夫士爲目學制則分别庠序館制則分别公私皆先將宫室考定而以十七篇所行之禮條系於後名曰宫室提綱陸氏經典釋文於

儀禮類略擬取各經音義及集釋文以後各家音切挨次補錄名曰儀禮釋文校補憶犨從事禮經自戊辰始經今四十餘年矣中間科舉仕宦消磨歲月書迄未繕成云云先生以嘉慶廿四年名進士主政戶部捐納房時所謂至天下膏腴處也而先生清介嚴峻戶部吏胥爲胡背晦其風采可想見矣孔子所謂不使不仁者加乎其身先生之謂歟悔翁集

李聯琇字季瑩一字小湖江西臨川人道光二十五年進士散館授編脩咸豐二年大考翰詹

文宗擢一等一名由講讀學士歷典文翰升大理寺卿江蘇學政八年以病引退琇性清峻遭亂寓居通州不受無處之饋不詣要人門寒素或媿其貞潔而琇曾不自覺也江表既平曾文正公延主鍾山惜陰兩講席謂人曰吾爲此郡得一大宗師矣琇在院裁

成誘掖十四年如一日光緒四年卒於院人士感慕籲建饗堂以祔抱經姬傳諸先生之次總督沈文肅公爲之入 告奉 旨嘉予以事蹟宣付史館幷入 國史儒林傳著有好雲樓初二集臨川答問諸書若干卷采墓碑

金陵昔多游宦僑寄六朝盛矣唐宋以來名德寓公事蹟有易徵往籍而前志遺之者唐王仲康輿地碑記目鎮江府紫府觀在金壇馬迹山有唐上元令王仲康記張銑主六合簿見張綱華陽集呂仲任啟運撰呂從慶豐溪遺稿小傳從慶字世膺大梁人從其祖仲官于金陵廣明元年黃巢攻金陵乃走歙之歇田家焉宋趙蕃官建康與揚誠齋同時有淯熙稿景定志官守未載危和字應祥臨川人主上元簿攝校官闢明道祠字眞西山爲作記關嵤字仲山紹熙庚戌進士授鹽官尉不赴終江東安撫司機宜文字袁甫字蒙齋官金陵有蒙齋集豐銑諡清敏熙甯中主六合簿其四世孫有俊集縣庠祠之見袁燮絜齋集王漢之字彥昭常山人宣和元年江東水災起漢之知江甯府事明年平靑溪賊會以功遷龍圖閣直學士去之日金陵人流涕遮道黃度嘉定二年知建康府兼江東安撫行宮留守江淮制置使時大祲活饑民百六萬八千三百餘人蠲閣緡錢几七十萬禽橫彎

之盜吏定擬令其餘善政尤多詳見槃齋集**會炎**字南仲南豐人淳熙八年知江甯縣事治獄催科民戴其惠撰邑政總類錢文惠上其治最詳見樓鑰攻媿集**連南夫**字鵬舉安陸人建炎三年知建康府直齋書錄解題有連寶學奏議二卷今惜不傳耳**宋張榘**字方叔南徐人有芸窗詞嘗官建康縣令**蘇泂**字召叟山陰人金陵雜詠多至二百首出奇不窮嘗再入建康幕府**元鎦渙**山陰人通毛詩為三茅書院山長見四庫書目**陳孚**字剛中有白門詩槀**明方克勤**台州人正學先生父也洪武中謫充役江浦見明史循吏傳**顧章志**崑山人嘉靖三十二年進士累官南京兵部侍郎萬厯中奏減進奉馬快船額南都人祀之見明史顧濟傳**陸崑**字如玉歸安人官南京御史疏陳亟風紀八事又請汰南京增設守備內官時劉瑾用事崑又偕十三道御史上疏極諫後被逮命杖於南京闕下六合王弘與焉見明史本傳**陳桂林**字孟芳以學行名遊金陵耿天臺之門見焦竑天月書院記**陸采**長洲人有冶城客論二卷乃肄業南雍時記所聞見見四庫書目**黃克晦**字孔昭惠安人有金陵游藁朱彝尊謂青溪社集諸人當推克晦為祭酒見四庫書目**吳汝紀**字肅卿新安人卜築金陵有仿宋刻陶靖節集見焦澹園集**袁中道**字小脩公安人萬厯中官南吏部郎中嘗結台城社愛南中山水不忍去吏隱其間卒僑居芝蔴營有珂雪齋集**張大晉**新安人能聲詩居白下所游多聞人見澹園集**李舜臣**字茂欽樂安人著有金陵藁見四庫書目**佘翔**字宗漢莆田人有金陵紀遊文見四庫書目**以上或遺澤仍**

續纂江寧府志 卷十五 拾補 一

留或流風未沫續志例無可入故附識之
宗敦一字凌霄一字景虞宜賓人崇禎庚午舉於鄉辛未成進士爲旌德令爲政六年去之日士民勒石紀其績爲生祠祀之擢御史値明治欲衰公極言時政前後十萬言旣而視鹺長蘆巡按蘇松督學江南尋由大理寺少卿陞通政使當有明末造未展所蘊年未六十而卒遂居金陵宗氏寄籍者凡二一爲督學宗先生敦一北人也居城之北一爲傅巖先生南人也居城之南
江浦縣庠生張行言崇禎乙亥禦寇諸公始末張國維號玉笥浙江東陽人天啟壬戌進士性至孝遇事沈毅敢爲當明之季當事伴食嘗怏怏憤廟堂無謀坐致闖獻猖獗國步日艱遂慨然以經濟自任而憂危社稷每一言論聲淚俱下然神氣鎭定智深勇沈絕去一切矯戾浮淺之習當時之倚爲安危者惟盧公象昇與公

二人崇禎庚午方重假藩鎮而左良玉據皖上流外很內怯遇賊輒畏葸不前賊勢益横潰四出蘄黄安池之間水陸竝進殺人如麻江左諸郡習於承平不復知戰聞賊勢甚急皆倉皇洶涌慮無所出適公以上命巡撫應天諸郡素知公之威望且喜朝廷知人人心以安公始莅事即討軍實嚴武備募果敢勤訓練日御戎服指揮三軍退則集搢紳官民於講堂申明忠孝大義以徐及姚江良知之學雖嚴寒盛暑不爲稍閒當是之時東林士類經璫逆網殺略盡祖宗培養之澤蕩然萎爾而豪猾大憝先曾鷹犬於毛一鷺顧秉謙等之門下者方炎炎餘燄以務爲陰鷙誣害人公皆廉而得之日坐講堂捕斬十數人竿其頭於前死義者之墓前一時忠勇之氣爭自奮激三吳素號柔媆輕佻里中少年與之講裙屐歌舞之事則往從之及一試之於戎馬介胄鮮不靡然惴慄者及

公之新撫而驍勇競出力敵燕趙其智略反有百倍之者以故特
署其部曰蘇兵吳人稱若來蘇兵之豪傑也公壯其英武特拔之
於行伍中署爲前軍僉事會賊攻潛山掠太湖焚燒無爲府州一
帶羽報甚急公檄左鎭進兵以若來往初良玉稍立戰功卽驕蹇
不奉調發迨若來至危言剴切聲繼以泣良玉始自舒城進發攻
賊六安連戰三捷皆若來爲之前鋒既返報捷公益器重之未幾
賊衆復合攻圍巢含良玉擁兵不能進勦乙亥歲之十二月十七
日賊破和州殺人之慘江水盡赤賊距吾浦僅三舍時邑侯李公
諱維樾由瑞安鄉薦筮仕於浦俶儻有風節與撫軍張公髫髦同
學又同年登賢書入官又爲屬吏故聲譽益篤自庚午給事中陳
懋奏裁驛遞後四方警報皆不得驟聞甚至賊至門庭而守臣有
飲酒鼾睡者以是賊出入益無所忌當其破和州也李侯先時遣

探役回報以賊破大創去旣遠矣其實探者畏避不去詭作偵報也其接壤寨聞如此十八日夜滁州太僕丞王鐸自應天渡江道經城下叩門丞與侯語握侯手曰賊至矣尚處堂燕坐耶侯乃大駭遂留以問訊王屏人與語始知賊破和州十日狀官紳死者若干人民人屠戮者無算時嚴城霜柝小几對談酒約略數行紅燭易數寸許王乘馬出北郭去侯亦馬上送二十里寒月並轡言詞甚密人莫知者侯急歸署料理守禦事宜飭脩城隍充廩庫申文上司備言賊氛迫近邑無守禦狀是時張公治師京口沿江兵火帆檣數十里儀徵六合戈甲相望越九日侯循故事祈穀於南郭甫行禮賊自西郊突薄城下城上人譁曰賊來矣賊來矣西城之閉始此侯驚遽上馬師儒僚貳冠服踉蹌與士女老弱闐躪爭門號哭之聲轟震遠邇賊暴聞之以爲備也是用稍戢而東南兩郊

之民亦賴以入城而免於死日晡賊衆大集踞山爲營侯輕裝上城見賊馳嘯排突百千爲羣而內顧無寸兵一矢斗大山城危在瞬息會屠人張東保者從侯登敵臺賊自外發礮矢一鏃矢二東保手連接之賊遥矚之以爲中有人也禁無急攻侯亦喜其機敏遂屬之以守既昏賊有一盞燈者援城登陴號爲絕技破陷者十數州郡矣時方自城下猿行疾升手附於堞東保見之紿之曰幸我援爾爾勿遽也急按其兩手揮屠刀斷之賊不勝痛猶爇雞湯啖之因積薪以焚一盞燈遂滅賊衆愈忿誓屠全城漏二鼓有標兵一隊來開南關入之戎裝靚麗然皆紈袴少年又無將領弓矢佩刀之外射後雜繫絃索入城但就民舍具幃幃裀褥索酒食膾炙而已民甚困之侯用益憂懼羽書告急一夜凡十上夜五鼓有廠監自應天至輿坐城下駡曰乃公遣爾等援城今老回回闖塌

天等率大隊而來眾號十萬不及今遏其鋒萬一俱至城不粉碎
耶眾兵始上城佯應曰諾黎明會都督陳某者自盧大捷班師應
天道經於浦軍容整肅旌旗耀日侯開迎北門具犒甚盛厰監因
遮留之借兵以剿陳允諾監別去十二月二十八日陳遂統全軍
併新來標兵開西城距賊營一里督戰賊按伏不出陳整兵以待
新標兵既驕怯不諳紀律又不受陳轄制踰時有倦色行伍漸離
次陳亟令僉軍止之標兵散亂不顧介馳入山徒搒括民廬淫汚
鄉婦俄而陣雲如墨陳仰天曰事無濟矣某提兵千餘擊賊數萬
前後經數十戰全城班師不失一卒不料今日命隕凶地頃之伏
發標兵奔潰殺傷過半陳執月牙鏟督師迎戰厲氣百倍殺賊之
數逾於我軍顧以憤恚創病迸裂仍忍痛揮鏟力殺渠魁十數人
創益劇乃急麾收軍躍馬大呼投農廬引火自焚以死時標兵大

潰卒蹂躪塡甃會賊中訛傳有某總戎統大兵至者因內疑不敢進某參軍慟主將陣亾歸不啓食一軍皆縞竟渡江以去是日也主兵旣衂客兵又南民心皇皇益無所恃會晚有輕騎百餘人自瓜步來俟坐南城驗符勘合詭知張公援兵急延進守其將領卽將僉軍也將不就館帳疾急上城四望閴然曰賊誘我也賊今夜必援城以攻去年破麻城亦此日也吾今夜誓殲此賊遂列陣女牆傳飯以食俄又報廠臨奉撫令賚大礮十餘舟來火藥可應五月俟大喜以語將將欣然曰是主帥賚先生竝令余小子成功也夜二鼓城中民各具除夕酒餔賚城上爲士卒餉士卒多醉飽邑人熊生者乘醉登城上據女牆罵賊賊有援城者已潛殺醉卒取其兜鍪潛入隊中以爲內應猝遇熊生生醉且甚瞋目叱之曰若非流賊乎賊懼其洩遽揮刃砍之生大呼曰城上有賊疾走雲梯

十數級賊追殺之以其頭置虎皮椅上蔣侯守西城聞變亟麾將士陣於壁上賊揮石擊之齒盡落蔣佯語衆曰幸殺賊賊來傷我因腋起巨礮二左右然起火光騰越照見賊衆如蟻附城墉不及登者一二版耳蔣乃實所挾礮以脅格女墻連隳二十餘堵賊之攀垣者盡墜壓而下更以兩膝屹立以當礮門自跨下架紅衣巨雷連發之烈燄飛爍賊遇之盡成齏粉喊殺之聲震沸天地獨蔣侯山立全身在火藥之中鬚髮焦赤不稍移動自夜達旦礮不絕聲更指揮軍士短兵執炬環陣迴城遇無腰牌者盡殺之賊遙望之疑為天神畏怖宵遁明晨視之竟拔營以徙丙子元旦為崇禎之九年撫軍發粟三萬斛草十萬束授蔣侯以守禦方略且馳書於李侯曰方今賊寇充斥攻城陷郡所在瓦解明公忠孝武勇務竭力以保孤城毋使逆賊衝犯咽喉長驅北向公捍衛牧圉功在

社稷實有慶焉僉軍蔣若來忠勇兼全折衝素裕假以一旅力能殲賊明公宜同心協謀以圖制勝今特嚴檄尅期滅賊獻醜仍令駐軍貴邑分兵據險南倚天塹使不得窺伺京都北扼滁淮使不得震驚陵寢近已密檄滁守劉大鞏深溝高壘與明公互爲聲援以成犄角賊雖豨突不足平也君侯察之侯得書卽持就僉軍帳中時日方旦僉軍左持弧右握刃血凝濡兩手不可強釋諸校卒以酒沃之徐張目瞪視曰殺賊何如侯近前慰勞之登樓覘賊惟積尸盈野血流成渠稍近午賊料城必不可破悉縱火焚民廬舍西南二郊靡有孑遺遲七日燔燄始熄大率流寇不過糾集烏合屠城掠倉庫爭括財寶淫子女務多殺人稍挫衄則付之一火而已故止攻而不守志實不在大也正月二日賊竟颺去蔣侯率軍校追逐四十里外惟見殘骸斷骼糜爛山野皆中礮所傷之賊也

十餘年來無此奇績遂分兵守要一遵撫軍制誅正月三日露布獻捷事聞朝廷有旨陞敘浦人張可聞林登儁等念茲全城之功永維捍患之義倡衆構祠歲時祀之並封露尸以哀戰亾後二月賊由舒城襲滁州戒毋犯江浦尺寸土滁守劉大鞏百計以拒會經略盧象昇克之命下晉國維兵部侍郎賜蟒玉蔭前府都督欽取李俟兵科都給事後復晉秩少師殉國難宏光末援立瞿公式耜奉岐王攝西粵張公奉唐王攝臨安李俟佐唐王先後皆殉節蔭奉討獻逆卒於陣李字天棟越嶲人蔭字龍江吳人陳督不可考或以爲陳于王號柳塘舊說一爲程周佑云浦邑諸生熊國璽以登陴力鬭死蘇岫梅以被執嫚罵死葉公孺以夫婦殉難死孝廉劉曰珽率衆守城中流矢二得未死同時同事例得并書項志

常忠四川人也官游擊崇禎十年奉檄率所部偕永生洲兵守六

合流寇陷廬鳳知縣鄭同元謂賊尚在數百里外不設備既聞賊信急商民籌燈不寐而偵騎以無賊告七月十八日黎明忽礮聲連震同元騎而逸永生洲兵亦無鬬志獨忠率所部七百人禦之中道逃者半甫及西門而賊之驍騎至忠嚴陣待之賊不得入詭呼入東門忠聞之令分兵往守賊見陣動麾前鋒十七騎突之後兵先潰忠見勢不支呼曰百姓速走予保南門耳民爭趨龍津浮橋南忠且戰且卻兵悉渡而忠以五八殿後賊逼橋次忠右手提鞭左手拔橋板一驍騎馳至刀砍忠忠避之馬下揮鞭格殺之賊大至飛矢如蝟忠揮鞭撥之紛紛雨下有泅水者斧斷橋索賊乃不得渡然倏忽閒一矢中忠股又洞項矣賊大掠橋北二日縣署有總兵程龍遺存大礮經火自發賊驚遁出東門將竄儀揚居民焚治浦橋賊乃折而北去未幾忠以箭瘡迸發死徐鼒曰六合爲

金陵門戶方賊未至時巡撫張國維檄鄭同元築城同元以財力不逮築土城高丈許巡撫責其苟且發銀造磚城工未興而賊已至矣故以忠之勇壯能據河守橋南不能憑城全橋北也然賊不渡橋則不能至江保障南都厥功偉矣忠死後守備楊芳張人傑方世勳皆以客兵防守著勞績爲邑人所倚賴焉未灰集

張名振字侯服南京錦衣衞人崇禎戊辰武進士官台州石浦遊擊魯王監國加富平將軍與舟山黃斌卿相犄角議由海道擾三吳以援錢塘未行而江上兵潰魯王走石浦名振棄官扈從入閩魯王封名振定西侯歷官中軍都督府左都督浙江援勦總兵挂定西將軍印已名振招軍由南田復健跳所與阮進迎魯王居之斌卿在舟山有貳心王朝先獻議曰海上諸島惟翁洲稍大而斌卿負固不若共誅之則監國可駐軍名振阻之不得遂傳檄進討

誅斌卿魯王入居舟山明年二月名振察王朝先擅權襲殺之其部將張濟明投誠於

大清於是舟山虛實盡洩我總兵陳錦決計大舉七月　大兵分道取舟山名振以蛟關天險海上諸軍熟於風信敵必不能猝渡乃留阮進守橫水洋大學士張肯堂以兵六千守舟山自率兵擣吳淞以牽制之或謂曰物議謂公藉此避敵名振曰吾母妻子弟皆在城中吾豈有他心哉遂發魯王欲攜世子登舟名振諫曰臣母耄年不敢輕去恐寒將士心主上督率六師躬擐甲冑是爲有辭世子豈可遽去將爲民望耶已而舟山急呼名振還救名振會師火燒門外離城六十里候潮突見城中火起知不可救乃解維去尋聞母范氏妻馬氏弟左都督名揚及名甲名遠繼榮二十餘人同焚死慟哭曰臣誤國誤家死不足贖奮欲投海魯王及諸將

救之乃止嗣是往來海上隨魯王寄鄭成功所成功初見名振大言曰汝爲定西侯數年所成何事名振曰中興成功曰安在名振曰濟則徵之實蹟不濟則在方寸間耳成功曰何據袒而示之背赤心報國四字深入膚理成功愕然謝待以上賓拜爲總制名振請兵北上與之兵二萬獲叛將金允彥于金塘山磔之誠意伯劉孔昭偕其子永錫以衆來依遂號召舊旅破京口截長江駐營崇明尋同厦門進屯平陽糧絶名振與士卒同餓有太師枵腹我輩忍飢之諺用是軍得不散是年十二月我崇明兵乘凍涉江入平陽名振鼓衆迎之崇明兵大敗無一人返者甲午年正月名振以上遊有蠟書爲內應率海船數百泝流上再入京口掠儀徵至觀音門還登金山向東南望祭孝陵設醮三日掠輜重東下四月復以海艘上鎭江焚小閘至儀徵索鹽商助餉不得焚六百艘而去

俄以沙船六十入山東登萊諸處直抵高麗乃還乙未年五月成
功拜名振爲元帥統二十四鎮入長江我甯波守將降進攻舟山
取之名振徒步入城哭祭其母哀動三軍十二月我台州守將某
請降納之刻期入見而名振已寢疾是夜有大星隕海光芒如電
有聲名振起坐擊牀連呼先帝而逝葬於蘆花嶴有白鶴成羣盤
旋數日遺言以所部歸張煌言采小腆紀年
陳友龍上元人明季與應天劉承允同起行伍爲承允標將短小
精悍善步走日行三百里性嚴急慣戰隨承允征黎平苗嘗先登
破苗砦執叛苗則生剝之爲羣苗所畏呼爲五閻王桂王立承允
迎居武岡大推恩諸將友龍拜宮保都督同知是年我
大清定南王孔有德攻武岡友龍扼險要背山而陣三戰皆捷承
允遽至令閉壁勿戰遣人詣定南軍約降定南憚友龍疑不肯受

而承允已自詣營門獻印劍矣友龍舉軍大慟乃投戈薙髮定南以是遲二日入武岡桂王得逸去定南宴諸降將自持酒飲友龍曰使諸將皆能如陳將軍吾安能至此定南既深重友龍令鎮守黎平友龍固無降意覘定南既去僞令人告我靖州守將曰友龍將反諸軍皆不欲從若許我輩自新當以某日縛友龍詣城下獻功守將喜懸賞待之至期縛一人前行擁至靖守將開門受之友龍雜小校中拔刀捽守將曰身是陳閻王爲索汝頭來耳斬之麾兵入遂收黎靖沅州黔陽平溪清浪鎮遠算子東取武岡陷寶慶不逾月得城二十餘魏某帥兵來爭寶慶與戰大破之遂復湘鄉馳檄治兵將下長沙眾殆數萬輯殘黎儲芻粟郡邑安堵桂王敕授總兵官左都督封遠安伯別將郝永忠襲併其軍友龍挾一矛走三日夜不得食乃達柳州馳疏訟冤桂王不敢問仍給敕印令

收兵復楚西友龍至新甯諸部曲及土漢義軍皆響應數月間得萬餘人將出寶慶永忠懼詭言求好友龍自念受桂王眷最篤思恢復自効不欲與永忠久相仇致阻大計遂許和永忠輕騎詣友龍營奉金幣交拜酹酒約爲兄弟盡歡數日而別友龍報謁永忠盛張設延入居次日張樂飲永忠忽自坐捽之起磔殺之殲其軍而自施州走入峽友龍死湖南北盡裂遺民追思之無不欷歔流涕采王船山集

諸老道者馬文毅公僕也名兆元江南句容人老而蔬食喜佞佛故稱老道云文毅公撫桂林遭變拘賊中四年抗節不屈語具在公家傳及新都朱昉所爲殉難紀略方賊遣騎收公時幷縛其僕次及老道賊以其老縱之去老道大呼曰吾得從主人地下甚幸豈效鼠輩叛主苟圖富貴貽千古罵名耶奮然隨公行公至箕踞

大歸老道亦詬詈不絕口公遇害賊亦竟殺老道或曰老道僕也於法不應銘邵某曰嗚呼老道之死烈矣所稱殺身成仁者非耶吾見今世士大夫嘗詈人輒詈曰奴儕嗚呼奴儕乃有是是宜銘銘曰生也主從死也主依其遺骨窆於斯青門旅稿

張廷超字文躍號乘庵句容人也幼沈潛渾樸嘗侍其祖燕客客出對行酒曰飲春醑其祖意其不能對也命之飲公從容對曰攀秋桂舉席皆賀時年方數齡也康熙乙亥領鄉薦癸未成進士授廣西懷遠令懷遠獞猺雜處善讐殺喜侵掠邑南有梅寨者地與黔之黎平煙寨隣兩寨世仇動輒興鬭相傳自明季以一野牛起釁至今未平公聞之甫下車卽率徒履寨親加約束吏民泣阻謂其地古無人至者公笑曰苗雖愚亦有人性吾以理諭之有何不格及往苗果持銃執刃以待是夜宿山下吏役潛散平明公以一

騎一僕逕邐入山苗見無他意乃徹衆以迎公捧　聖諭十六條反覆開陳泣涕勸誡衆苗亦泣作番語叩謝而去其後再至三至無不雀躍歡忭設鼓樂送歸城署而後返黎平煙寨聞之亦皆感化由是爭鬬遂息五十五年春調隆安值大水民居漂泊衆議詳請賑恤公以往返申報民飢且死冒禁先賑民賴以生繼任大竹大竹以升科戶出費銀一錢吏嫌不敷公諭吏以空身進署辦事紙張飯食皆自捐給不取於民冊成司房戶部索費公皆以養廉償之竹邑民刁好以假人命誑騙結訟破人家公懲其弊先揭反坐之條嚴命案之和有誣必懲未數月而澆風盡息川蜀地接粵黔奸頑棍結夥入苗疆荒僻之地誘拐苗女轉相貨賣公切齒其事廉得馮姓家獲苗女三人繼獲拐犯六人通詳抵法調任太康時賭禁例嚴而康邑以制造紙牌名公訪得十餘家按名傳至指示

利害衆民洗心抱板自首而私造爲之一空制府田文鏡曰張令不貪議敘開釋無知而積習頓易是何其恩威並濟也薦陞刑曹年已六十六矣然猶朝夕在署勤懇無懈宫保李衛解金相贈以爲各司員勸奏對時詢及司官賢能首以公對蒙賜蜜鮮荔枝蓋異數也尋卒於官公爲文宏博淵雅當雍正時莫不賞識海甯許宗伯汝霖督學江南尤奇其才癸未殿試掌翰林院事石門吴公又有江南兩超之薦其一則高淳張自超也家傳

張自超字彝歎號補庵高淳人世居蒼溪少孤課耕奉其母其族故不繁而親屬凋盡高祖以下惟一身常自惴視人世所歆羨泊如也爲諸生試必冠其曹年將五十始舉康熙壬午鄉試明年成進士長洲韓文懿欲處以上甲自超聞之踵門辭曰某有老母病且衰登上第必以館職留公當愛人以德試畢歸其母竟以是秋

没母疾篤因其無子爲買妾命入側室自超泣曰兒方寸亂矣雖入室不能合歡成子姓天果不絶張氏兒何患無子其後終母喪數年妾終不孕衆乃歎其知命而不惑也高淳故湖壖以圩障水於外而耕其中歲大潦隄潰居人議撤屋材以塞之自超有船直百金曰速毁船以板築隄完大有年衆歸其直終不受平生未嘗入縣治歲連祲死者相藉一日造縣庭具陳方畧知縣夙重之爲設飲盡召富人富人曰張君吾邑之望所蠲助則吾儕視焉自超遂注籍二百金諸富人相視大駭次第注籍然私料不能猝具也越數日自超首納金諸富人大屈盡出金爲部署活邑人幾半自超故有田二百畝畝六七金披其半索直三之一衆爭購之故得金速也晚歲家益落每取菽麥雜稊稗食之或遺之財終不受鄉人有不善常畏其知旣而主講浙江萬峰書院戊戌　詔舉

經學工部尚書徐乾學以自超對赴京卒於道著有春秋宗朱辨義滄溪淄音集無子以從子九成嗣采方望溪集參以詩匯

汪銓字晉揆江甯人幼果毅善刀槊爲漕標千總漕運總督長白顧琮奇其才試以事皆辦先是淮安運丁輪養軍犯兇暴運丁苦之銓請令歸驛當差鎮江舊有私例錢銓以之代丁完納積欠琮因保薦之乾隆七年補山東德州衛守備衛有屯田在直隸山東諸州縣民會賴之會九閱月不雨銓徒步禱於清源廟三日大雨時謂之帶來雨又屯缺賦浮銓躬查荒畝續爲開墾以均其利衛雖漕屬其時刑政未盡歸州銓悉心聽斷務得其實諸城劉文正有事東河營飛檄召之至則曰聞君名急欲一見耳及告歸兵民皆焚香執酒泣送之舟泊運河夜有盜舟人呼曰此無物可劫但送汪某歸耳盜曰汪某清官我素知遂太息去其德之感人如

此歸里後居雞鳴山麓閉戶課孫卒年八十有六據新志

葉源濬字樹東江甯人幼穎悟喜結納嘗從涇包世臣問書法得閩鄧完白篆八分之秘壯遊燕趙粵逆之亂奉母轉徙至上海與泰西人游獲聞其軍政輪船機器諸制幷醫算之學會開廣方言館源濬迺倡幼童往美利堅學堂習藝之議當道奏行之以同知粵容閎護監之而以源濬爲副時同治十一年秋七月事明年古巴國私買華工之案發總理各國大臣檄使治之時今駐美利堅日郎西班牙秘魯大臣粵陳蘭彬方在美以其地屬日而遠在南北花旗海界中憚生事源濬請先往其酋盛兵衛以延之源濬坐堂皇溫詞霽色鞫得情實正言責其酋酋大屈服卒取其成而歸光緒二年代還四年五月陳公復出使三國仍以源濬爲參贊明年病卒於美之公署陳公歸其櫃上海源濬以布衣先後歷官光祿寺典簿中書科中

晉某部主事賞戴花翎照參贊 賜卹
陳嘉禮字秩卿江浦人以州吏目需次廣東歷署筆架博羅兩巡司道光末年隨勦廣西賊擢知縣嗣又勦平連平黃蜂圩土寇時惠州龍川土寇蠭起上官以嘉禮軍務嫻習令署龍川縣事咸豐二年賊酋火姑率眾圍之城毀十餘丈嘉禮隨堵隨禦凡十四晝夜而賊退以花翎同知直隸州升用調補普甯知縣三年火姑復思逞撲城嘉禮出奇兵殲之奉 旨擢知府嘉禮已先一夕積勞病故矣復贈按察使銜廕一子縣丞於龍川建立專祠
莫巖號魯詹江浦人歸安運市司巡檢琳子也由軍功保縣丞分發浙江素諳兵事大府才之委署黃巖知縣到官察吏傷勤撫字嚴斥堠貸牛種凡息民之政極力爲之題補浦江知縣會布政使蔣益澧調辦營務以勞疾卒於軍

王振脩字梅生句容人入順天籍中道光辛卯科舉人善屬文不爲流俗所可屢試不售性孤介不理於口故遇益嗇而不屑不潔泊如也戊戌居京師謂人曰若博一飦粥以養親贍家人獲免凍餒足矣進取非所計也榜發復黜歸句容而其父先逝振脩撫棺擗踊痛不欲生妻龔氏夙賢且孝家屢空振脩未歸私貸鄰嫗以供菽水冀其歸而償如是三年比振脩歸遘梗之餘身無長物龔旣不欲以俗累重其憂而又赧於責者卽自縊振脩廉知之痛悔欲絕無何母又逝振脩遂以抑鬱終邑人陳立有哀辭曰翳兮王君淑厥躬覿茲百罹胡不慵君之先葉累厥德詒後必昌惟君特有集惟鵬乃身丁桐轊逆旅蒿宮嘗殃慶餘兮曰弗爽信歟否歟天胡罔

徐士怡字棣友其先石埭人父廷芳道光閒爲句容典史有惠政

遂卜居句容中街士怡幼穎悟好讀書嘗受業於邑人王貞濟之門既長益篤志苦學博覽古今而嗜詩古文詞駢體雜作獨山莫祥芝之任通州時招致令其子弟師之遂殁於其署采訪

江甯工繪事者上元鄧斌字南廬明遺老也丹青精絕能入宋元明諸家之室而盡有其長零縑斷楮人爭寶之丹徒韓叔起先生藏其題畫一絕云眾山雨集響寒泉漠漠疏林閒晚烟世界迷茫如此甚倩誰搔首問青天可以知其志矣張寶字漢槎偏遊五嶽隨其所至繪為泛槎圖題詠甚富楊天璧字秀廷工山水王霖字春波工花卉朱齡字菊坨沈捷字南坪朱[redacted]字補堂蘇濬字梅山方嶼字秀山程璋字達人劉芳字素園筆墨之妙或流傳於異地猶有愛而珍之者以其迹不可得晦也若醫則華宇範張致和周芍園孫懷仁湯濟五徐春帆之屬非不皆有盛名然無書傳世故没世而無聞矣

吳繼曾字啟明晚號癡仙郡廩生性曠達博覽羣籍妻亡義不再娶以兄之子爲其子好獨遊嘗徧躡蔣山幽巖絕壑得宋以來題名甚夥皆手搨以歸與其師朱君緒曾考證所藏金陵掌故書遊記裒然成集惜燬於兵燹喜刻書而力不逮然如吳可之藏海居士集曾極之金陵百詠皆所重刻

呂志雖載武科而自順治以來闕佚甚多茲據胡君光煜從學政署中抄案補錄之　武舉人順治三年丙戌科馬河圖解元劉冠趙宋琦楊世榮皮大韺汪元通以上皆上元顧彥吉劉之贊陳勳徐大德黃柱孫翊以上皆江甯　五年戊子科施俊解元楊正元馬光國陳詩張國樞楊擁明國卿趙宋修以上皆上元龔象服吳京王儀解[忄飛]陳璧李成茂侯廣顧來鶴都司僉書陝西甯官中衞守備見忠烈以上皆江甯　八年辛卯科梁元佐沈時崔岱薛偉張烈亭以上皆上元周正金瑞陳奕新吳元以上

皆江寧

十一年甲午科林本直解元潘賢士張楓丁諫高長善董灝王益余達卜萬春汪隆皆上元陸瑞石生芝吳必奎劉斌朱鉉李雋范巽趙英韓琦皆江寧蔡日吉廣東瓊州游擊周邦丁卯武舉聯登戊戌進士許建剛丁酉武舉皆江浦

十七年庚子科鄭珽解元陳策劉祚遠鄭象乾汪桂劉煥楊璽林曦皆上元楊粹程光先楊增吳亨懋陳嘉相吳伯周靖焦綖皆江寧李瑄江浦周京童福謙盧鵷徐尚謀裘元服陳書尤啟龍汪選江謙馬雨文宋烱顧式龍單畢皆上元胡一驥章國鼎趙輝張秉乾姚時雍潘龍士周選李言胡士標胡必奎滿士行吳中言皆江寧

以上科分無考

康熙二年癸卯科邢湛趙鼎阮珏謝斌修倫皆上元卜世儼江寧潘鱗吳重吳亨選方中皆江浦

五年丙午科章紘葉天植方夢龍周任張象辭必顯皆上元李芳挺熊維姚世玖陳淶褚良弼李芳延皆江寧胥進莫儔陳翰徐敏武皆江浦

八年己酉科黃廷弼李

卷二二一五拾補

相董三策張遵杜亮鄧宏鄭世琦程桂梁鑲諸應鵬程陳鼎李修齡朱焜皆上元　卞三晉湯敬許講趙廷位許炎芮皋聞廷鳳劉芳陳俊王之璀李代傚吳克壯張巽王諫皆江寧　俞倬解元聯登庚戌進士官漳州游擊才略過人通子史工詩文所至著有偉績　方新皆江浦　十一年壬子科寶彬上元　田栰樾江寧　十七年戊午科尚武王汝鼎徐炳皆江浦　胡振祖高淳　二十年辛酉科劉朝程贇皆上元　曹賢靖海衛守備江寧　尚欽尚懋彝俞文明黃起鵬皆江浦　二十三年甲子科俞皋解長治潘賞張祖實孫翽楊皆上元　王諫王度吳漢經大受張大志宰粲皆江寧　二十六年丁卯科薛大壽江浦　二十九年庚午科吳昆徐允皆上元　袁韜吳有倫皆江寧　周植江浦　三十一年癸酉科楊繼道金元鐸皆上元　胡倚衡江寧　許忠武舉甲戌進士　鄭斌趙士煒翟基隆丁秀策劉嘉御皆江浦　三十五年丙子科龔鵬上元　俞宏道江浦　三十八年己卯科白德輝寶淯林芳英

皆上元黃兆麟劉濤皆江寧雷逑曾□嫻韜略兼擅丹青時人比之李營邱江浦四十一
年壬午科孫湘楊世春竇澇皆上元方元燦江寧邢士俊江浦四十四
年乙酉科簡龍薛象鼎皆上元龔天瑞江寧四十七年戊子科胡玉
書解元金球皆上元盧佩吳來儀江寧五十年辛卯科劉灝上元吳乃斌
江寧徐承祚江浦五十二年癸巳科王彭年解元隨樞皆上元談鵬洪鈺
皆江寧五十三年甲午科潘亶征上元陳鋐江寧五十六年丁酉科
宋延才胥朝鼎徐都皆上元沈其名洪鐸談仕名皆江寧劉昭惔江浦
程光先施純馬文燦嚴威杜鵬汪偉熊黃昶周銘常肅崇仁黃嘉
俊謝瑛陳晉李陸周鼎趙虞征程九萬董人龍徐鵬龔國臣皆上元
陳岱楊其英馬蕃王天益楊鈁陳偉署周濟施士俊顧譽沈祖壽
劉光裕吳天祚龔應芳馮源張煒李人龍邢元灝周宗旦馬純士
皆江寧以上科分無考雍正元年癸卯科吳斌尹凱馬象貞程光祖武玉

理皆上元 田鶴齡楊彪劉非熊李仙祺皆江甯 方璉吳懿吳忠劉世棟

梁廷翰 四年丙午科陳銳周岩金城皆上元 涂曉許標楊象乾皆江甯 翁國標馬銓皆江浦 七年己酉科邱山劉銘隨逵僉珊皆上元 姜

昌陶同升王家麟陶同科皆江甯 十一年壬子科楊承年上元 孫希援江甯 十三年乙卯科楊煊楊發翁燮皆上元 楊崧年孫球王鼎元皆江甯 又陶禕上元 薛夔江甯 李文標馬源江浦俱科分失考 乾隆元年丙

辰科趙作楫解元上元 李莊丁巳進士隨征小金川陣亡 三年戊午科劉亦麟鄭嘉謨皆上元 隨凱吳愈光皆江甯 六年辛酉科楊世保陳炳顧鋐官至總兵著有秋亭詩集 楊廷獻皆上元 哈鯤金從龍伍大定官南安營參府皆江甯 九年

甲子科吳雙解元 劉安皆上元 王國璉楊愷皆江甯 吳思江浦 十二年丁卯科楊世偉哈國泰皆上元 楊廷幹江甯 十五年庚午科陳超上元 潘楷廣德營把總江甯 十七年壬申科江光國周國英皆上元 李長春吳

楚皆江寧　十八年癸酉科趙瀧上元潘燮江寧林對林崧乙丑進士皆江浦

二十一年丙子科陳飛鵬上元王斌江寧袁鑣金岳嚴一元吳魁元皆江浦　二十四年己卯科潘掄元劉大樟上元馬燮江寧　二十五年庚辰科熊保泰上元游璉江寧　二十七年壬午科徐鼎士上元李縉江寧

三十年乙酉科陳鶴慶千總海繼清守備皆上元　王朝恩千總王朝爵高郵千總皆江寧　谷運昌高淳　三十三年戊子科黃元恩上元姚百祿上海守備江寧　錢亭高淳　三十五年庚寅科韋起鵬千總潘勳城守左營把總皆上元韋元勳千總吳彬督標左營千總皆江寧　谷豐高淳　三十六年辛卯科陳鶴齡千總上元哈廷標建平把總江寧　三十九年甲午科顧長春上元朱錦堂北河汛把總江寧

四十二年丁酉科張廷標把總上元陳德奎江寧　四十四年己亥科陳鶴鳴千總程國凱把總皆上元朱大鵬金山營守備劉大勳都司王寅皆江寧

四十五年庚子科崔大鵬解元松江營守備王宏勳泗洲衛千總皆上元金榜荻港千總

江寧　四十八年癸卯科張朝瓏上元王朝選江寧張華文廣東肇慶都閫府張犀文江南提塘是科兄弟同科六合　五十一年丙午科王萬年泗洲營千總上元朱文溥把總芳綱千總皆江寧　五十三年戊申科汪掄元鮑國恩千總皆上元伍光元署青山營守備楊綱皆江寧　五十七年壬子科許恩壽上元汪錦舒江寧　五十九年甲寅科王國祥平望千總高淳　六十年乙卯科張永清荻港千總吳暘京口游擊皆上元汪錦標江寧把總　又王度上元胡堯勝江寧俱科分無考

嘉慶三年戊午科李恩元福山營游擊上元許長春江寧把總　五年庚申科周安上元許長清江寧　六年辛酉科宗岱上元徐金鋗泰州營把總江寧　九年甲子科丁洪源上元許德興江寧陳有鳴湖廣游擊陳梅衞千總　徐鎮國奇兵營千總俱高淳　十二年丁卯科秦恩元張兆熊皆上元陸恩元江寧　十三年戊辰科張萬春平湖把總上元黃玉麟江寧　十五年庚午科張冠軍解天池皆上元武攀鳳侍衞江寧　又張憲張寬常國慶貴州銅仁協鎮常豹高郵千總魯

國彪原名璋魯沅魯琴皆六合科分失考俱

世職雲騎尉道光中兵事已前檔案無存今考咸豐以來府屬雖蔭子孫部准承襲各員姓氏記之並其投效營次其未入標學習者莫能稽也然督轅案宗始於同治二年其第一二次入奏無郡人故從三次奏案始　上元江甯

右營外委楊善保胞弟福保同治二年發江甯協標　文生王金洛嗣子式

璧　江甯附生胡沛嫡長孫啟勳　候選訓導孫際雲嫡長孫承

年　蘇松右營千總顧駿驊嫡長子雲標　原任豐縣訓導馮調

鼎嫡孫承年　原署天門縣知縣楊明善嫡子正堅　上元原任

白水縣典史趙煥文七世孫聲蘭同治五年發督標　上元千總江繼勳

嫡子維藩發督標以上第三次同治三年十月初一日部准其第四次無郡屬人　上元孝廉方正

倪德新嫡次孫宗鼎　舉人倪嘉禧嫡子益　從九品呂振聲嫡

子長海發督中營　把總海成龍嫡子天培發督中營　江甯未入流黃懋

和嫡子鎮　六合河中營都司夏定邦嫡子光遠發京右營　祖籍武

進縣寄籍江甯殉難知縣湯大奎五世孫候選縣丞世倬以上第五次同
治四年正月十九日部准　上元督標中營把總陳景元嫡長孫兆麟發標　江
甯城守右營把總陳澐嫡次子瑞麟　督標左營把總陳景元
嫡次子樹廷　安徽潛山營守備包廷芳嫡長孫桂林　安慶把
總周崧發嫡子耕祿皆發督中營以上第六次同治四年八月初五日部准　上元江甯城
守右營千總王占先嫡長子兆龍發督中營　江甯城守左營把總唐
沛元嫡子繼春發城守協標　溧陽營把總蔡錦元嫡長孫天保　江
甯城守左營千總伍長霖嫡子儘先把總承彪　江甯從九品徐
以諧嫡子守義　從九品韓坦道嗣子鎔皆督中營　六合安徽潛山
營外委達成榮嫡孫藍翎從九銜彩廷發江甯協標　上元報捐縣丞
葉槐嫡曾孫永祥係恩騎尉發督中營以上第七次同治五年正月十七日部准　上元增生
仇安元嫡孫祖賢發督中營　安徽池州營都司方錦榮嫡子湧濤先行

承襲以上第八次同治　上元平望營千總李天麒胞弟國泰
五年八月十八日部准發督中營　文生李翼棠嫡子五品藍翎外委振海　文生李振鏞胞
弟五品藍翎振邦　候選鹽大使朱桂楷嫡子傳芸　報捐衛千
總戴黼廷嫡子長華　江甯藍翎武生陶澤嗣子應鑫皆發督中營
上元原任炘州知州曹森嫡三孫山西補用典史裕德兼襲以上第九次
同治五年六月十五日部准　上元江甯城守左營外委許長華嗣子六品藍
翎朝幹發督標　從九品銜傅和嫡曾孫振聲發城守協標　文生毛起
驊胞弟起驄　文生張勤之嫡子鳳采皆發督中營　江甯山東候補
縣丞王子筆嫡子洪謨發城守協標　高淳江浦汛外委世襲恩騎尉
徐綸庚嫡孫敬德　句容邢門縣知縣唐治嗣子之植皆發督中營
上元從九品張瑛繼曾孫兆淇兼襲恩騎尉發督中營以上第十次同治五年十二月初二日部
准　江甯貢生沈葆純嗣子福江發城守協標　文生戴森嫡子錫麒

發督中營上元副貢生石恩元嫡子藍翎外委文卿發督中營以上第十一次同治六年五月十一日部准上元江甯城守右營千總王占先嫡次子起鳳發督中營未准部覆雲騎尉世職吳攀祥嫡堂弟攀祿江甯議敘八品周泗嫡子昌隆皆發督中營議敘八品劉桂生嫡子存榮發江甯協標以上第十二次同治七年正月初七日部准上元文生涂我齡嗣子五品藍翎寶泰州同銜管燕嫡孫紹保候選巡檢劉彭年嫡子均增生沈國寶嗣子德明江甯從九品銜朱鍾秀嫡子紹勛淮安府教授盧光綸嗣孫金殿增生翁鯤嫡子大梁句容潛山營守備凌慶桂次子武生長淦皆發督中營上元從九品郭太平嗣子荃先行承襲江浦文生吳必正嫡子文生學詩句容從九品李慶連嫡子從九品序東皆兼襲以上第十三次同治七年九月初十日部准上元文生汪復胞弟震發督中營江甯升用知縣龔汝弼嫡子國棟先行承襲上元孝廉方正

倪德新嫡次子舉人知縣嘉祥　六合廩生周廷楊嫡子拔貢生焯皆兼襲以上第十四次同治七年十二月二十九日部准　上元候選鹽大使蔣漢卿嫡子廷幹　八品頂戴徐國棟嫡子俊臣　江甯城守左營千總陳大勳嫡孫沛恩　從九品齊鑄嫡子椿齡　江甯武舉人馬步原嗣子裕麒　江浦文生楊乾嫡子六品藍翎把總申之　儘先把總左標嫡子連驊皆發督中營　上元徽州營右軍守備錢湘嫡孫煥候選未入流夏榮遴嫡子希曾　文生夏家銑嫡子仁溥皆先行承襲　附生孫長華嫡子文生雨辰兼襲　原籍無錫寄籍上元湖北從九品湘寶光四世孫篤泰接襲恩騎尉發督中營未准部復以上第十五次同治八年五月二十三日部准　上元文生陳玉堂嫡孫嗣昌　江甯藍翎外委李錫功嗣子嘉德皆先行承襲　甘肅涼州鎮右營游擊哈國瓏嫡曾孫贊勳承襲恩騎尉以上第十六次同治八年十月十八日部准　江甯從九品銜翁大純嫡子長楨

文生田銘嫡子學義皆發督中營　上元督中營把總龔寅嫡孫玉
麟　儘先守備金永瑞胞弟永發　儘先守備吳長年嫡子連喜
江甯補用參將劉錫榮嫡子恩祥皆先行承襲　上元選用知縣劉
大鏞嫡子文生錕兼襲以上第十七次同治九年六月二十六日部准　上元浙江候補
按司獄朱則彥嫡子致中發督中營　儘先都司王杰嫡子臣良先行承襲
祖籍碭山縣寄籍上元廣西提標後營游擊王檀嗣元孫鼎臣
接襲恩騎尉發徐州鎮標未准部覆以上第十八次同治九年五月二十四日部准　上元武舉人方鳳
來嫡子占魁　候補外委劉占鰲嫡子炳南皆發督中營　外委董長
發嫡孫世熙先行承襲　江甯把總胡颺嗣孫永昶發督中營　儘先千總
童本嫡子炳乾發江甯城守營　文生楊邦杰嫡子藍翎把總得勝發督中營
從九品王長興嗣子朝柱　從九品周恩元嗣子長祥皆先行承襲
以上第十九次同治十年正月初五日部准　上元揀選知縣孔繼周嫡子廣沅發督中營

候選從九品秦錫麟嫡子啟勛發江甯城守營　文生金之觀嫡子五品藍翎澄　從九品唐耀章嫡子鑑　候選從九品諸培基嫡子鵬飛　候選從九品邵培基嫡子嘉鋐　文生程寶麟嫡子有慶　廩生蕭八俊嫡子儀來皆發督中營　儘先把總馬長興嫡子春華　文生高士元嫡孫鶴鳴皆先行承襲　江甯文生周銘恩嗣子祖貽　江浦文生石桂嫡子武生安皆發督中營　文生鄭蘭嫡次子鑾兼襲

以上第二十次同治十年十月二十三日部准

上元外委鄭長庚嫡孫五品藍翎福基　鎮江營千總金詔嫡次子五品藍翎士華　從九品杜培基嫡子錫純皆發督中營　廩生陳寶書嫡孫文華先行承襲　江甯從九品王森堂嫡子葉　知州銜柏湧嫡孫以昌　從九品張鏞嫡孫光甲皆發督中營　句容從九品楊有仁嗣子德福先行承襲　上元候選訓導胡嘉楨嫡子廩貢生光煥　江甯從九品銜王本基嗣子五品

頂戴縣丞晉　句容附貢生李受祺兼祧孫候補鹽知事宗泌皆兼
襲　以上第二十一次同治十年十二月三十日部准　上元文生秦學明嫡孫希唐　溧
陽營外委張發春嫡子德祥　試用巡檢陶允吉胞弟謙吉　江
甯城守右營外委章安國胞弟安邦　文生汪遇年胞姪朝瑾
泰州營守備朱正源嫡孫祺　江甯附生談葆華嫡孫鍾祺　五
品頂戴徐萬開嫡子恒有　武副榜馬得龍嫡姪鳴和　從九品
雷丞蕙嫡子宇澄　議敘八品馬蔭山嫡子錦榮　文生高溶胞
姪遐齡　高湻都司銜王維城嫡次子安國　江甯山東候補縣
丞王子筌嫡孫長林皆發督中營　江浦千總周光玉嫡姪垣厚部覆未准
江甯文生錢適嫡孫嗣宗　從九陳恭杞嫡子寬舒　監劄把
總方振海嫡子宏根　高湻守備銜王定國嫡子賜恩　溧水候
選縣丞馮毓華嗣子傳書皆先行承襲　江甯陣亾候補同知鄧爾晉

嫡次子文生嘉緝　九品頂戴謝連陞嫡子文生洪齡　句容文
生王矜式嫡次子文生琢成皆兼襲以上第二十二次同治十一年十一月十五日部准　上
元把總范開先胞弟先銳　鹽知事陶德椿嫡子洪鍾　候選從
九品陶德錕嫡子恩蔭　江浦六品軍功陳彪嗣子士菁　六合
儘先外委王存禮嫡子椿　高淳恩貢生史丹書嫡子繩武　廩
生史傳經嫡子長德　從九品沈達胞弟适　廩生沈登魁嫡次
子允濬皆發督中營　上元從九品陸嘉穗嫡孫紹榮　從九品陶寶
賢嫡子啟瑞　六合候選衛千總張景留嗣子調元皆先行承襲　上
元從九品易鴻釆嗣子泰瑜　六合候選訓導朱安祺嫡次子立
坤　文生賀廷榮嗣子翔鸞　廩生唐肇熊嫡孫毓麟皆兼襲以上第二
十三次同治十一年十二月三十日部准　江甯從九品馬仁齊嫡子裕臣　江浦廩
生馬迅嫡子德昌皆發督中營以上第二十四次同治十二年六月二十五日部准　上元溧陽

營千總李大全嫡孫魁元　武舉人史悠祚嫡子久恩　議敘八
品季仙槎嫡子鐸　選用從九品江洪均嫡子圖坤　金山千總
海從龍嫡子天爵　文生徐湘胞弟五品藍翎沅　文生唐恩發
堂姪汝霖皆發督中營　從九品謝景培胞弟三春發城守標　選用主簿
王光斗嫡子葆華發督中標　江甯議敘八品鮑武淦嫡子代臻發城守協
標　議敘八品劉桂生長子存榮嫡長子天錫接襲發督中標　從九品
胡梓胞弟棟　廩生吳元慶嫡子源璋　從九品洪長全嫡子覲
揚　縣丞周嵩齡嫡子昌恩　建平縣教諭蘭滋疇嫡長孫爾服
皆發督中標　上元督中千總海定國嫡曾孫金彪　文生張樹垣嫡
孫鵬霄皆先行承襲　高淳舉人田萬清嫡孫錫啚　歲貢生邢尚森
嫡子臬臣　文生孫祉福嫡子達珍　歲貢生史褒嫡孫日章皆發
督中營　以上第二十五次同
治十二年七月初十日奉旨　上元從九品徐蔭槐嫡子廣仁

候選從九品蔣德全嫡子恩元　文生謝沂兼祧子炎皆發督中標督標把總郭延年胞弟堯年發城守協標　原籍上虞候補從九品顧紳嫡子曾佐　江浦游擊銜都司尹廷燎胞弟廷楨皆發督中標附生康國楷嫡子士鎮　文生陳慶和嫡子家騄　選用從九品陳慶鯤嫡子家鑫　增生談春池嫡孫慶康　廩生談慶元嗣子文信　候選州判陳榮慶第三子家騮　從九品陳慶年嗣子家珍　理問銜汪世瑞嫡次子芳茗　附生熊桂芬嫡子爲寶皆發城守協標　上元督標外委郭萬年兼祧子寶善　江甯副貢生孫念揚嫡孫新源　六合廩生王兆蘭嗣子棟　文生夏延禧嗣子傳鼐皆先行承襲　上元河中都司李發澐嫡孫花翎遊擊泰　候選縣丞吳文鏞嗣子藍翎守備鳳起　候選從九汪雲上嗣子廩生錫廷江甯凝保訓導陸炎嫡子增生家龍　江浦文生張步林嫡子

文生從直　六合附生夏毓萊嫡孫文生延濤　附生陳慶華嫡子文生家俊皆兼襲以上第二十六次年月未載　江甯候補總兵楊祺嫡子長生先行承襲騎都尉　上元選用教諭侯敦泰嫡子錫銘　上元孝廉方正倪德新次子嘉祥病故嫡孫宗鼎　督中營把總寇承恩嫡子兆霖　江甯文生盧峻胞弟崇　補用訓導陶繩武嫡子鼎　盧生錢萬青嫡子廷琛　即選訓導王寶鼎嫡子家駿皆發督中標　武舉人毛兆棨嫡子銘恩發城守協標　句容六品頂戴從九品趙丞儒嫡子裕良發督中標　溧水候選縣丞周垣嫡孫志銘　六合文生陳樹棟長孫毓仁　文生劉昌言嫡子師儼皆發城守協標　上元署江甯城守營都司吳攀鳳繼子錫瀛　江甯文生方志勳子長源　廣東遊擊王夢熊嫡曾孫和麟　洪湖營外委王燦嫡次孫培麟　署督標左營把總武舉人王占彪繼子榮麟　議敘八品邵璠嫡

孫增　六合候選訓導唐嘉謨嫡孫志杜皆先行承襲　上元布政司理問銜郭慶霖嫡子廪生傑　江甯從九品江景麟嫡子文生錫金　江浦議敘八品銜梁如楫嫡子文生光華　六合甯國府經歷朱廷碩次子文生逢咸皆兼襲以上第二十七次年月未載　上元從九品銜王準嫡子弼廷發城守標　候選州判朱金聲嫡子承烈　廪生史佐廷胞姪友賢　浙江候補知縣李作相嫡子源　候選縣丞李作桂嫡子照　千總徐錦濤嫡子亮勳　江甯從九品柏嘉駒嫡子以興　直隸滄州李邨巡檢孫文驄嫡子緯　從九品許實然嫡子其榮　選用縣丞王心畊嫡子培義　安徽祁門縣知縣王宫淦嫡孫朝俊　把總朱昌齡嫡孫培成　六合文生陸德康嫡子靜深皆發督中營　候選訓導金蘭芳堂姪國元　文生彭會康胞姪德普　文生許昌儀嫡子延春　揀發廣西知縣劉承炳嫡子嚳

杏　溧水儘先千總徐憲淦堂姪樹濤皆發督中標　句容潛山營守
備凌慶桂嫡孫鑑堂發督中標　上元補用府經歷縣丞孔昭榮胞姪
志達　江甯把總金萬泉嫡次子大和　候選從九王鏡湖嫡孫
培詩　千總李得勝嫡孫堯年皆先行承襲　上元外委白如青胞姪
儘先守備文富發督中營　江浦選用直州張元炳嫡次子補用都司
廷英　六合文生秦翔鶴嫡次子歲貢生臻　文生顧棟嗣孫文
生掄元皆兼襲以上第二十八次光緒元年七月十八日部准　上元京口水師中營外委
馬安正嫡子長華發城守協標　從九品苗瀛嫡孫燮　從九銜苗溱
嫡孫燾　無錫黃浦墩把總許長清嫡孫志元　武舉人王洪
嫡子承基　江甯從九品毛德培嫡子繼懷　從九品毛繼會嫡
子國樑　廩生俞恩綸嫡子堯暢　原籍會稽寄籍江甯議敘八
品張桐三子圻　又議敘八品張濤嫡子焯　江甯城守外委章

安國嗣子恩錫　溧水從九品丁延㒲嗣子鴻保　江浦把總滕
繼賢胞弟繼純皆發督中營　六合文生陳樹槐嫡子本智　附生陳
樹樟嗣子本榴　教習舉人林中芬嫡次子正嘉皆發城守協標　上元
武舉人史悠藩嫡孫濟林　江寧從九李涪嫡孫永芳准末　州同
朱金聲嫡孫吉脩　六合文生龔珏嗣子光傑　附生魏錫光嫡
子桂秋皆未及歲　原籍會稽寄籍江寧議敘八品銜張灝嗣子鹽大
使文耀　句容從九徐日昶嫡次子增貢生廷佐　六合議敘八
品康國標嫡子文生士錕皆兼襲　高淳廩生陳鏞嫡子興運在籍應試
以上第二十九次年月未載　上元從九品汪靖嫡子得元　江寧從九品劉
隆舒嫡子祖香　從九品周鏞嫡子德賢　附生李宗沂嫡次子
長林　外委龔長源嫡子承福　外委馬忠緒嫡子安邦　附生
邵士純嫡子寶慶　六合議敘從九萬其德嗣子承恩皆發督中營

文生厲圻嗣子慶桂　附生陳樹楨嫡子本騶　江浦文生萬錦
城嫡子政勤皆發城守標　文生周樸忠嫡孫開驊　千總石模嫡子
榮　從九翁大禮嫡孫恩用　外委姚德林胞弟德榮皆發督中標
上元把總蔣文川嗣孫廷鑾先行承襲　六合文生李湘蘭嫡四子文
生長楨　江浦文生萬錦標嫡子文生政柄皆兼襲　江甯游擊沙
洪順胞弟廣順承襲七品官用發江甯城守標以上第三十次光緒二年五月初二日部准　江甯總
兵武攀鳳長孫國泰承襲騎都尉　上元未入流劉紹熹子騰霄　縣
丞劉介臣子芾華　縣丞李作棫子煦　巡檢馬逢春子加才
外委艾光榮子濬源皆發督中營　采石把總奚廷楨子殿元　千
總劉榮慶子洪德皆發城守標　城守外委馬相如子忠艮　從九陳
夫增子邕　江甯增生田寶書子曾經　從九王文耀孫斌　原
籍成都寄籍江甯都司虎懷慶子文光　六合遊擊成寶亭子兆

齡　上元生員涂我齡嗣孫繩武　江甯原任副將湯貽汾曾孫安清（皆發督中營）　把總劉上元孫嘉珍　外委劉占鰲嗣子廷選守禦所千總朱亮儀孫藻　江浦八品職銜梁庚韶孫一明　文生趙德泰嗣子鍾驥（皆先行承襲）　江甯外委葉祥發嗣子千總德勝（發督中營）　守備鄧長勝嗣子文生秉儀（兼襲）　江浦增生趙仕清子炳泰（以上第三十一次光緒三年四月初二日部准）　上元把總馬廷棟長孫殿華　千總鄭天麒子廷森　文生張雲翔長孫肇元　附生俞晉胞姪維植　江甯從九陳錫勛長孫嘉祥　把總陳玉亭胞姪潤田　從九葉兆元長孫春華（皆發督中營）　文生徐培基長孫保福（發城守協標）　縣丞朱繼宗長孫寶全（發督左營）　把總楊正富胞姪子龍　把總鍾庭槐長子德源　外委林金彪長孫恩揚　外委林光明長子恩祿　把總張長青長子來儀　把總謝兆豐長子璧昌　外委李

得勝長子薇　外委陳運偉長孫治尚　把總徐凱胞姪祿臣
外委張得勝長子明揚　原籍麻陽寄籍江寧補用縣丞張光誥
長子明亮　原籍江浦江寧附貢生鄧洪埰孫長海　江浦把總
趙德成胞弟德茂（皆發督中營）　上元附生王允中長子德鳳　把總
胡啟貴胞姪鳳祥　江浦外委林源長孫培厚　六合從九陳慶
雲次子家驄　同知銜宋浩長孫徵芳　附生彭會安長孫汝爲
增生劉昌齡胞姪師儉（皆發城守協標）　江浦文生熊懋子汝楫　廩
生陳學濂長孫國安　句容文生楊振聲子義源（皆發督中營）　上元
縣丞梅琦長子兆藩　江寧把總蔣錫齡長孫珠　州同銜林曰
康次孫燦奎（皆先行承襲）　把總楊得勝胞弟督中營藍翎守備福勝
把總胡得勝胞弟督中營把總四明　上元議敘八品蒲淇長
子山東同知德愼　從九張雲翔長子文生汝和　八品銜周廷

楨長孫長庚皆兼襲　已革提中營千總曹鎮國長孫壽昌皆襲次發督
中營以上第三十二次光緒四年四月初六日奉旨　上元從九談鈅嫡孫有珍　從九
陶鑄嫡子澤勳　祖籍元和寄籍上元監生孫葳基嫡三子愷業
江甯從九品周永錫嫡子旭昇　文生單立犀嫡子承緒　江浦
六品軍功熊國安長房次子恩鑑　六合文生朱福昌嫡孫立邦
高淳文生陳邦藩嫡子國楨皆發督中營　上元把總佘元林長房
次子先椿　文生林傑嫡孫虞生　貴州候補府經歷顧宗楨嫡
子家松　江甯文生華墫胞姪元鑄　把總伍迪祥嫡子從順
六合議敘八品達鳴鵠嫡三子玉書　文生王鶴齡嫡子安榮
附生陸沅嫡子宗漢　從九陳朝楷嫡長孫家騋　句容都司原
任雲南臨元鎮把總東溶嫡子潮皆發城守協標　上元文生李翼棠嫡
孫國恩　江甯文生戴森嫡孫長桂　從九品徐以諧嫡孫繩祖

六品軍功把總劉上元長房姪孫立繼爲嗣嘉蕙　上元通判銜候選府經歷謝汝霖嫡堂姪雲官　直隸天津鎮右營游擊周得雙次房長子嗣堂　六品頂戴經制外委卞鋙次房長子士元　把總汪與彪嫡孫承恩　把總沙殿奎胞姪昌仁　從九品梁承誥嫡孫煥章　附生張兆登長房次子善紱　文生楊祝堯次房長子鹿鳴　從九施寶成嫡孫鴻林　千總陳開牧嫡孫達　外委顏鳳麟嫡孫泰壽　江浦文生許廷吉長房次孫克光　原籍潛山寄籍江甯前浙江石門知縣熊光煦嫡孫紹桓　六合從九康國梁嫡孫燧聲　從九王承恩次房子翔官　候選從九馬彭庚嫡孫宗儀皆先行承襲　江浦都司金治邦嫡子八品監生守常

發浦口營　以上第三十三次

光緒五年七月十九日奉旨

以上志八

金陵文獻之徵惟金鰲朱緒曾二賢是賴金有待徵錄十卷分記地記人記事記言記物五種今擇其事言物五十餘則以見梗槩

鍾山東峙鳳臺坡陀南横以故城中之地首昂中窪淮水之外又并青溪潮溝運瀆而并洩於下水一門前人明於形勢在城外紆以中和橋在南城東以大水閘上水門涵洞啟其二閉其六砌石罅隙使之洊至今橋改直閘又損壞者書逞妄者刱言天門宜敞因有拾其唾餘請於大吏全開八洞此道光丁亥以後所由辛卯已亥庚子頻年大水也謂宜從赤山湖施工爲是彼圩民謂開堤去濶亦不揣其本之論僅知一隅也　元王士點禁扁記六朝來宮殿之名最爲賅備茲益以南宋行宮并明陳沂世紀所記總計宮之名三十九室一苑二十一園七圃二院八殿百六十七堂三十六其大本堂則明太祖建以教太子諸王者蓋如今上書房

矣齋二亭三十三房五廬一廊二樓十九閣十六臺十五壇二省十館十六部一寺三學四署十倉七山二石一池八湖一橋六井二門八十二關三觀二十九閫一城一而八代之規制具若明之十六樓六苑之名皆不屑錄然明制以勺中志明宮史爲備也

白夢鼎冠山堂文集云自漢至明祀鄉賢者四十三人近惟鍾淑王公爲無媿此督學儲公上之表揚也按王公名芝瑞事具鄉賢錄

梁武帝制南郊明堂用沈香取天之質陽北郊用土和香以地與人親見周嘉胄香乘今以土和榆屑香料梁所遺歟

南唐試舉人放榜日給會府紙一張長可數丈闊一丈厚如綿帛數重今榜紙其遺意歟

明大司馬閔武肅白鶴錦袍又百官照道皆白祭酒獨紫見張峭巖彥之　華亭人後金陵竹枝詞

溧水設桑棗主簿境內桑二十萬七千餘株棗三十五萬六千餘株尋革見萬厤

縣志蒙以爲蠶桑之利隨地宜求不必讓能於湖州也　程棉莊有代上湖南巡撫請令民種麥書謂職方氏宜稻宜麥語不必泥引邱文莊力苟至天可回況地乎之言爲證先君子問山公官黔西地近湖南亦購種勸民種麥行之有效　吳捷三家藏有遠祖吳士仁以鳳陽陵工授軍器局帶銜大使工部執照目曰舍人按明初設舍人衞教武官子弟錦衣世襲初試帶刀舍人又額設揀花舍人五百名供祖廟薦新及玉食餹餭之用而掃雪者役三千人焉　上元庠生周書明儀賓周韻之裔藏有南漳郡主下嫁敕命曰古之君天下者子孫有女必錫封號叔祖郢靖王第三女今已成人特封爲南漳郡主配安陸州京山縣周鼎之子韻彼爲儀賓爾爲郡主既入周氏之門閨門整肅內助常佳無累爾父母生身之恩爾惟敬哉宣德三年十二月二十日按韻字英璧倪文毅

爲賦西池草堂詩郡主墓在板橋西今名周府墳　老學庵筆記建康城李景所作高三丈因江山爲險固惟東北兩面受敵而濠塹重複皆可堅守至宋紹興時所損不及十之一　明太祖營建都城規模鴻廓晚年悔之其祀竈文見一統志曰宮城之地首昂中窪形勢不稱本欲遷都年老力疲廢興有命惟有聽天　顧炎武作孝陵圖補實錄之缺寄禾黍之思又有建康古今記十卷

明太祖崩宮人多從死者建文永樂相繼優䘏如張鳳李衡趙貴張璧汪賓諸家皆自錦衣衛所試百戶散騎帶刀舍人進千戶帶俸世襲時謂之朝天女戶明用殉至英宗始罷　顧文莊誚金陵不親迎次日乃詣拜女父母三日而後見舅姑今此風已革遵古禮親迎先祖後配又云婦將登車用彩巾羃首合卺後乃除之名曰蓋頭古名幜引北齊納后禮加幜去幜爲證按詩衣錦尚絅爲

本頁原殘闕，現據南京圖書館藏《光緒續纂江寧府志》（光緒六年刻本，光緒七年初印本）補字。

大夫以上婦人始嫁之服行路避風塵當覆絅衣也士昏禮作景乃今之過街衣北齊禮爲其覆於首而加巾於景已非初制今合卺後仍有釆須下垂名遮羞鬚　阮吾山云史閣部視師維揚寄拏白下有孕妾於滄桑後生一子康熙時鄧鍾岳督學江南史之孫年四十餘尚應童試鄧閱其履歷詢諸老生曰此不可以文字論與入泮且刊石示後無憑文黜陟兩般秋雨庵隨筆言浙中宗師會自鄧公始亦載此事　白仲調爲王東皋門人官京師東皋計至爲位以哭於慈仁寺受唁茶餘客話魏環溪尚書薦以鴻博云蕭然環堵惟以讀書自娛佟縣志云戴雲邨磻祿中得破書輒半日不啼八歲能詩十歲能射十九歲遊京師爲王符躬所賞而與弟樗園論詩則云徒恃自己一分靈光憑空斧鑿不墮惡道者鮮矣多讀百家之書多讀百家之詩與君共勉之　談階平以孝

友官訓導嘗自序其桐陰吟草云年家故舊勸置簉室然予春秋五十有三衰相漸露卽蟠花結子未必見其成立設以豚犬貽譏不如伯道之爲愈也　予少時見人家喜壽宴客以前輩之有品學者辱臨爲榮主人埽除一室款留殷勤後生小子不召不敢入入者爲榮蓋主有不易致之佳客客有不輕詣之人家　聞見錄云往年金陵市上有一材一技自負者或修琴或補鑪或作竹扇或鬻古書或裝字畫或刻木石墨迹廿與文人爲知己不肯向富貴家乞憐　建康實錄宋本已佚張海鵬從滋蘭堂鈔本重刊尋燬於火近人車持謙又從張本影刻僅成三卷而車歿惜哉　六朝事迹編類十四卷宋張敦頤撰朱緒曾從曹楝亭家藏宋本影鈔附錄一卷張寶德校刊　金陵世紀陳沂著紀載勝朝宮闕亦足徵一代之制按丙申埜錄載南都災異有興慶左房永福永壽

二宮則世紀未詳也　應天府志府尹汪少泉以義例授諸生爲之謹嚴純潔不語神異謂王謝後裔及明初諸賢豪宜別爲一卷　江南通志其書餉而賅金陵與修之士爲倪粲朱之翰謝觀劉思敬白夢鼎王槩史秉直徐孝常王元蘅程廷祚　江甯府志張怡膺太守陳開虞之聘爲之　江甯府新志姚惜抱鼐膺太守呂燕昭仲篤之聘與諸生分爲之　上元縣志乾隆己巳藍公應襲設局上乘庵延何夢篆退庵修纂因前令唐開陶之書也嘉慶開續修則岐山人武念祖字潤泉延敎諭陳栻字榕軒董其成　江甯縣志佟公世燕延歷陽戴本孝字務旃一字鷹阿山樵重修乾隆間袁公枚再修則王孟亭爲之　句容縣志今所存爲曹襲先重輯本　溧水縣志　國初閔派魯延林古度重修康熙中劉登科再修尚仍林本凌世御乃變易之今僅見凌書　高淳縣志　國初紀聖訓重

修亦林古度之筆再修于李斯佺則谷起鳳吳越彥參焉故其書序次明簡體例純潔而宋紹文本亦能仍其舊　江浦縣志明時李維樾本尚存　國朝郎廷泰項維聰後先纂輯序云舊志論斷有關體制者必攟拾無遺合觀兩書並皆善本　六合縣志舊有唐郟滂懷古詩五十首文獻之資也明儀徵志舊存三十二首國初蘇作睿六合志存十六首廖掄升重修乃並去之孫國敉棠邑枝乘其子宗岱更為外紀十集采明人詞翰最詳亦不可見按廖志為戴敬咸祖啟主修其論鄉賢名宦及郭汾陽墓張老灘皆確有見地而風雅實非所長　金釵稻宋王君玉琪金陵飲酒詩錦江雪浪來天際一派泉春寶釵碎詳姚寬西溪叢話　南唐玉屑箋於蜀中求紙匠為之惟六合水最宜於用　玉枕蘭亭賈似道用靈璧石刻於悅生堂明楊文貞公云一在南京火藥局劉家

本頁原殘闕，現據南京圖書館藏《光緒續纂江寧府志》（光緒六年刻本，光緒七年初印本）補字。

南唐後苑宮磬石乃張祐故物上有杜紫薇杭州刻字相寄之迹見江南餘載　吳文企字白雪守湘州爨薪不給課童僕刈草折樹以炊得片石有玉笋二字題識已滿乃宋元豐間物載歸置香雨樓中　金陵任白受藏有松化石研松理而石質見吳梅邨詩童子巷以宋夏錫試童子科賜出身得名溝中掘得曹仲元武洞淸畫山水佛像石刻見客座贅語以爲奇賞然吳石君履介宅牆中得老龍鱗三字印章石黝色有三橋款識培人龔甲以一研售於蔡之子柔云得自金粟庵溝底銘曰克文明致文德抒九芝揮翰墨物之升沈隱見亦因乎時也　宋牧仲筠廊偶記言米萬鍾藏六合石甚多有一枚如柿而扁采翠錯雜千絲萬縷錦繡不及後墮燕子磯下逾年泊此見江面五色爛然米曰必吾石也泅求之果如其言後與七十二芙蓉硯山同殉公葬　張白雲瓦枕

臨終以遺程尊尼見之溪老生集　王元倬居山莊鄉人掘地獲銅盤周廣盈尺內鏤雙魚元倬取以靧面見朱嗣宗詩　朝天宮有銅人一具徧體有孔皆穴道也炷香驗之脈絡交通依法用鍼病患立愈見緘庵憶說　王安節高座寺志言阿藍菜爲藍類曰蒟藍而非蒟醬蒟蒻之屬也曰漚藍漚之以去其辛也曰阿藍則阿字僧所尚也今名阿臘袁縣志名稻椿始產孝陵擷瀆高座寺池中乃亦生之今按此菜僅見安節志形質似薺乃薺屬非藍屬湖熟江甯鎮皆有之非產自孝陵而至今製造之法則雨花山下人家爲獨擅耳薺屬二味甘葉小者爾雅所謂蒫本草所謂薎菥詩谷風其甘如薺是也今人固常食之味辛葉大者爾雅所謂菥蓂大薺蜀本云俗呼老薺則陳藏器辨焉斷爲葶藶乃爾雅之蕈廣雅之狗薺本草之丁歷一名大室一名大適詳其形狀據郭璞

注實葉皆似芥卽今之阿臘菜也味辛必去汁始可入饌謹按李時珍引許鄭以此爲月令之靡草有甘苦二種朝天宮黃安中履金陵雜咏云有鍾阜軒錢竹汀謂軒名不見他書可據以補郡志之漏　小運河古鹿苑寺前今金陵驛地在明爲留守後倉倉前池塘爲運河受孝侯臺下水匯五板觀音藏金采蘩星福小心六橋之流有半邊營南岸皆河有水所營水軍所次合流至麥子橋石橋循五塊磚入長塘實運河故道出金陵閘入秦淮見余賓碩詩注及白下餘談今居人猶名驛中爲倉裏也濯錦塘見私乘卽運河之水而美其名斐園在焉近李泌仙鷗天閣　蓉槎蠡說云晉宋五代有兩世家一則袁氏山松殉孫恩之難淑不從元凶劭被殺顗不受明帝命死粲殉國昺殉父此以忠節世其家者　周吉甫云太祖三幸陳遇家武宗兩幸徐霖家皆布衣然陳參帷幄之謀徐進詞曲之技

元張翥有修孟母墓記言墓旁片石載孟子後孔子三十五年生時周定王二十七年考證史事與皇極經世不符蓋經世本不足信　據太常志所載劉曰梧疏又朱茂曙兩京求舊錄又或謂松陽王景請葬建文以天子之禮似乎建文有墳師荔扉範滇系言獅山有庵曰龍隱中祀明建文帝帝棲此山四十餘年始自白歸大內又似燕京金山應有天下大師之墳滇系又載有遜國記略言錢謙益潘耒駁致身錄爲僞按崇禎時鞏永固請以建文入祀典思陵曰建文無陵從何處祭且伏讀　御批明鑑　欽定日下舊聞皆可知其難據也　憶說云洞神宮斗姥殿多埋鐵礟縣令每歲差查按此聞見錄所言鄭成功敗軍遺器自朝天宮移此者　伍屏秋光瑜於鼎新橋得古刀上有七星作詩紀之

大香爐俗傳張士誠墓在明瓦廊北鎭以小白塔門外有鐵鑪

鑪上有萬厤時顧質同妻祁氏造等字　鐵鶴建於信府河或言制火災嘉慶甲子知府清華重修稱鐵鶴重六十四斤桿高八丈八尺圍八尺　南城銅鼎乾隆時制軍書麟建篆八卦以禳火災

鍾山書院鐵矛或以爲鄭和遺物按應天志坊廂類有鐵矛局坊書院爲前明錢廠鼓鑄之所兼及鐵冶耳石頭城外臥地之矛甚多附矛字應天志作貓焦弱侯俗書刊誤云當作錨錨同俗讀若茅茅茵首別其義一也陳鱣云當作鐵矛即矛之遺制亦名鐵十字見留青十札古兵制四刃而旁出下垂謂之矛　華都尉玉印一葫蘆式虎鈕陽文刻帝甥二字一橋鈕陽文刻華茵私印四字嚴東有購得於市肆中

朱氏書多未刊兹自金陵詩匯外更錄其題跋有關金陵事實者十有六則惜此志不經二家殊慚疏漏也　其跋建康實錄云唐

許嵩撰二十卷爲考金陵六朝事最古之書與陳壽房喬沈約蕭子顯姚思廉李延壽諸人相表裏首有許嵩自序許氏爲丹陽句容舊姓有許邁唐有許淹多識廣聞許叔牙宏文館直學士獻詩纂義十篇嵩豈其族人乎是書用編年體惟宋書用裴子野並載其論子野書賴此以傳余初得張海鵬照曠閣本尾有宋銜名一葉次後主分豫章廬陵長沙下奔走兵勢下宋文帝元嘉九年下齊明帝十一男遙光下俱有闕文　文瀾閣本缺亦同後見汪氏士鐘宋刊本亦有脫葉即張海鵬所從出也　其跋景定建康志云宋溪園先生周應合湻叟爲留守馬光祖華父撰五十卷明南雍藏板散佚陽湖孫星衍淵如以總督費公湻所藏本重梓行世張月霄愛日精廬藏書本嘗言其訛脫數處按宋刊本卷十三表孫刻少宣和元年己亥至七年乙巳宋刻元年己亥王漢之顯謨閣直學士知府事再至

盜發青溪横潰四出聲搖江東起漢之知府事其經術政理文詞
字畫當時皆號第一二年丙午十月二十三日詔金陵乃喉襟之
要當占據江甯守把鎮江次議討賊時王稟已守揚子江口劉鎮
守金陵童貫次鎮江賊已陷崇德縣又陷甯國府旌德縣劉延慶
御守金陵劉鎮移廣德軍楊可世赴宣州合兵討擊五月六日臣
僚言睦賊猖獗大兵奉行天討已見平靖慮班師之後餘孽尚在
詔江甯府帶安撫使五月八日宣撫司奏江浙破賊會經焚刼處
竝令增脩城池無則創築詔脩江甯府城壁仍招置脩城人兵二
百人專一脩浚不得別兼差役又奏睦賊既平民方還業非屯戍
兵鎮遏無以潛消凶暴今措置已於江東路留戍兵七千九百六
十八分在江甯府等處其軍竝隸本路安撫統轄訓練四年戊申
五年己酉盧襄以徽猷閣待制知府事四月十一日江南東西路
置提舉鹽事官於江甯府置司六年庚戌七年辛亥襄移知湖州
九月二十二日襄奏請罷丹陽固城石臼三湖爲圩田及言開銀
杏河爲不切之務詔陞徽猷閣直學士御筆王安石輔相神考建
立法度弟安國安上安禮亦嘗被遇先帝今其家聞顇零替可特
推恩二房見居長人與除初等職名王槃王棁竝除直祕閣二十一卷城闕志四十葉以下先
後次序紊亂四十葉季語告下應接勿替此心朝斯夕斯燕興一
堂無愧此顏是答已知孫刻心誤必在四十九葉今據宋本存心堂吳別館吳客館宋儒學館宋招隱館宋
四方館宋商飈館齊梁士林館梁集雅館陳別館婚第凉館德星
館通江館横江館高齋學齋昭文齋式敬齋紬書齋江甯館菁淸

館儀賓館需館終焉涼館輪奐一新下當接宜移其名孫刻先後舛誤二十二卷半山園在今報甯
禪院是其地王荆公營居半山園文未完宋刻王荆公營居半山園有詩示蔡天啟備述
其事所謂今年鍾山南隨分作園園者是也又有次吳氏女子詩
注云南朝九日臺在孫陵曲街傍去吾園只數百步舊志繡春園
在府社壇東隸運司端平二年高公定子作記云予昔經行得繡
春堂於酒名嵩來將漕訪其堂無有也問遺址亦未知何所客爲
予言繡春焉所取名予謂之曰繡衣春當霄漢立綵服日向庭闈
趨乃杜少陵人春行之句此嘉名也吾欲堂而顏諸司存造船場
有餘地鄰亦願益以廢圃乃庀之拓而新之匪事游觀其
所以示興廢之一也端平二年九月臨卭高定子瞻叔識卷二十
九儒學志二建明道書院宋本云明道先生程子事見程子書及先賢傳師
濂溪先生周子慨然有求道之志窮性命之理率性會通體道成
德自孟子没聖人之學不傳先生生於四千年之後得不傳之學
於遺經志將以斯道覺人天不憖遺哲人蚤世嘗爲上元主簿且
攝縣事政教在人至今思之因人心之所思而明先生之教此書
院所由建也孫刻本逈然不同乃鈔本缺臆補孫版歸江甯甘氏余據宋本郵寄

廿祺壬祺壬欣然補刻誠快事也金陵兵燹祺壬之弟星如來杭言書板俱燬余幸存副本於篋中因備錄之以俟再梓藏書志於二十一卷舛誤未載余細校乃得之常南陔中丞亦藏舊鈔一部今幷不可問矣　文瀾閣本與宋本同此以知孫刻之宜正也其跋金陵新志云至大十五年元奉元路學古書院山長光州張鉉用鼎撰前列新舊志引用書目然陶宏景古今州郡記帝代年歷蕭大圜梁舊事庾季才地形志明克讓古今帝代記丹陽尹傳之類元時未必存亦未見他人引用又金陵百詠注曾極陳岩二家曾詩見景定志陳岩百詠新舊志不見一首何以虛列其目余嘗謂金陵志乘六朝取建康實錄宋事取景定志元事取至大志明事取洪武京城圖志金陵世紀應天府志以一代之書考一代之事確實可據也　其跋南唐書注云周在浚雪客注陸氏南唐

書十八卷附戚光唐年世總釋馬令建國譜吳非三唐傳國編年圖楊維楨正統辨李淸南唐書年總釋前論邱鍾仁南唐承唐統論以申陸氏正統之論近有青浦湯氏運泰注於江表志南唐近事江南餘載江南野史五國故事玉壺淸話及宋人雜家小說無不采輯獨惜其未見徐鼎臣騎省集耳今年權篆海昌見拜經樓藏書目知吳槎客有雪客注亟借觀之附朱竹垞致蔣羅郵札云攜過廣陵曹荔帷見之勸其弟燕客郡丞開雕未果張文漁徵君得於易州吳槎客周耕厓校訂粘簽眉開有陳無軒學博及槎客耕厓跋徐騎省集均經采入精博逈勝湯注爰錄副本以原書歸之余前得陳致雍曲臺奏議十卷全唐文亦采入不及余所藏爲原書致雍仕南唐多議禮議謚之文又得宋詔令一百卷平江南諸詔令多建康志所未載此外如宋人文集中各碑誌敘及先世

官南唐者其可掇補者尤影曹寶書先生森云曾見胡恢南唐書十卷爲有力者所購去余僅見蘇魏公文集中有與胡恢推官論南唐主紀載公卿表李氏詔令云考李映碧淸南唐書合注亦以陸爲主取馬附益之馬令自序云先祖太博元康家世金陵考咸淳毗陵志景祐元年進士馬元康赤城志有馬元康知台州未知卽其人否　其跋元牘記云明上元盛時泰仲交碑帖跋語也仲交家有蒼潤軒楊升庵爲之記明金陵收藏家顧璘東橋徐霖髯仙黃琳蘊眞羅鳳印岡謝少南與槐並著於時後多散佚惟印岡太守傳至其元孫蘐字原溥與姚淛元白嚴賓子寅俱精鑒賞仲交所跋多羅姚二家物於金陵碑碣頗詳如楊翮文舉八分書古追東漢余惟見其嵊縣學宮記行書此有瞻儀堂記八分書宋劉次莊仁壽縣君墓誌曾欲碎爲路顧東橋見而止之王荆公此君

軒詩嚴子寅欲搆亭種竹東西壁以是石嵌之及王南原詩四卷徐子仁三體千文顧司寇詩稿足資遺聞維時姚汝循鳳麓司馬秦西虹黃甲首卿李登如眞朱之蕃元价黃居中明立俱以收藏名焦竑弱侯有金陵名賢帖顧起元鄰初有江甯古金石考尤爲表著近世鄭簠谷口嚴長明東有樊明徵聖模亦多藏碑帖東有之子觀字子進有江甯金石記待訪目然牛首山茅君別院碑未載其文仁壽縣君墓誌不知趙嵘乃清獻公弟揚之子齊巴東獻武公侍中蕭穎胄碑判爲二人余所見宋少保威定王德碑亦未見余暇嘗與陳宗彝雪峰汪士鐸梅郵張寶德容園吳繼曾凝仙議譔金陵金石志篆隸各體鉤摹必肖始漢校官碑迄明初孝陵及陪葬功臣墓碑明初碑亦五百年故物也至待訪各碑分爲二例取建康志金陵新志古刻叢鈔諸家文集其碑未見而文存者

錄其文六朝事迹輿地碑目寶刻叢編類編各家目錄其碑與文
俱未見者錄其目以俟後之人有所考云　其跋洪武京城圖志
云此明初應天府京城圖志也首有承務郎右春坊右贊善王俊
華記次爲皇都及敘楚威王秦始皇吳晉宋齊梁陳隋唐南唐宋
沿革目錄分宮闕城門山川壇廟官署學校寺觀橋梁街市樓館
倉庫廢牧園囿十三門其有圖曰京城山川圖大祀壇山川壇廟
宇寺觀圖官署圖國學圖街市橋梁圖樓館圖其文簡括明初建
國規模瞭然在目共六十葉半葉十行滿行十九字其樓館圖在
城內者南市北市在城北在聚寶門外者來賓重譯在清涼石城
三山門外者曰鼓腹謳歌鶴鳴醉仙集賢樂民梅妍柳翠輕煙澹
粉共十四樓與陳魯南金陵世紀合晏鐸春夕詩花月春風十四
樓楊升庵藝林伐山數樓名有清江石城而遺南市北市胡元瑞

謂金陵有十大樓今按此圖淸涼門外卽鼓腹樓石城門外卽謳歌樓淸涼石城或爲後建故也紀亦不數之也若駱駝亭在靈谷寺西南則爲靈谷寺志者所未知　其跋金陵六朝記二卷云唐尉遲偓著有中朝故事一卷題朝議郎守給事中脩國史驍騎尉賜紫金魚袋臣尉遲偓奉旨纂進此書每朝末云至唐景福三年甲寅歲凡幾年按唐昭宗景福止二年其甲寅歲改乾符元年偓仕於南唐烈祖李昪自言系出唐吳王恪都金陵故偓奉命纂中朝故事又述吳大帝至陳後主六朝世系帝王建元陵墓丞相將軍儒學醫術畫神仙諸人姓名無事迹也然吳一代丞相失載萬或而張悌後又復出濮陽興儒學有岑昏昏乃邪佞何嘗有學又列罷統孔文舉更與吳不相涉此或鈔者之失眞也宋史藝文志別史有金陵六朝記一卷未載作者姓名故事類中朝故事作尉

遲握崇文總目雜史又作尉遲樞樞又有南楚新聞三卷此又名之不同耳　其跋臺閣名言六卷云明張合㦸觀撰合一字貢所江甯人十六寄籍永昌嘉靖元年領雲貴鄉解第一十一年進士官至湖廣按察副使爲戶部侍郎南園先生志淯之子戶侍有南園漫錄十卷續錄十卷此書自憲典人物至利用錄事凡二十八門原名甾載石城許穀更題其首曰臺閣名言弁爲之序羅璧拾遺引萬見春云公羊穀梁皆姜字切韻腳疑爲姜姓假託㦸觀謂公穀不如左傳核實有何畏懼而隱其姓戴宏序載公羊五世之名姓纂亦謂下邳有穀梁氏且如從祀諸賢巫馬漆雕今日皆無亦可指爲某字韻腳而隱其姓乎引漢書證論語能以禮讓爲國乎何有國字下俱有於從政三字皆明確有據惟以子見南子爲公子郢字子南子路仕輒故不悅此則不免穿鑿耳紀載時事如

楊一清馬理湛若水等俱不諱其過亦明人雜家之翹楚也合之
兄含字愈光正德二年舉人以詩名楊升庵有禺山詩選懋觀有
賁所詩文集　其跋千頃堂書目三十二卷云上元黃虞稷俞邰
徵君所輯俞邰父居中字明立世稱海鶴先生閩籍萬厤乙酉舉
人官上海教諭遷南國子監丞轉黃平知州不赴築千頃堂藏書
數萬卷年八十三聞北京陷北向一慟而卒今西華門外馬路街
是其遺居也虞稷爲海鶴次子能讀父書薦脩明史一統志遼金
元三史俱無藝文志而此書以明一代爲主每類末附宋金元所
以補各史之遺也此書自序略云明初修元史者藝文不爲特志
明文淵閣書目僅及元季三百年作者缺焉故更其例紀一朝之
著述元史既無藝文宋志咸淳以後多缺今竝取二季以補其後
而附以遼金之僅存者萃爲一編列之四部此其體例也脩明史

者取此書明人著作爲藝文志倪闇公錢辛楣補元史藝文志遞相增益杭大宗云千頃堂載宋人著作皆宋史所遺非復出也其跋顧東橋鞠讌倡和詩云吾鄉顧東橋以右副都御史巡撫江西乞終養忤旨勒致仕於是有歸田集歸後築屛山小隱松塢草堂以脩祀事託棲隱於是有山中集陳渼序山中集云丁酉詔起公於山中節鎮全楚是爲嘉靖十六年此卷乙未菊讌倡和蔡九逵引云中丞解政之五年則知乞養忤旨在十年辛酉路氏人文略謂嘉靖壬辰巡撫湖廣略去江西乞養非也卷中諸老先後不以爵亦不以年蔡孔目吳郡人引後卽繼以詩九峰以諸生武宗賜金魚袋不受官印岡以石阡知府致仕是年七十一攝泉亦諸生爲會元穀之父是年六十七石亭終行太僕寺卿是時官侍講故稱學士年六十八東橋終南京刑部尚書是時巡撫江西乞養

歸故稱中丞年五十八橫涇以河南副使歸里故稱副憲年四十九諸老年齒各據墓誌生卒推而得之九峯得壽八十惟乙未不知其年未見墓誌也愛日亭者息園記云以奉驗封公養驗封公名紋字廷繡有二子長琮字方玉東橋爲其次橫涇則東橋叔父縉之子爲從兄弟也王逢元字子新號吉山爲少僕卿韋南原之子東橋南原石亭爲金陵詩家三傑南原先歿東橋廳事書室屏幛必子新之詩與字作過秦樓詞以美之此卷繪菊石文壽承爲衡山伯子書八分鞠讌二字於幀首皆一時之極選也卷後有康熙丁亥程京萼跋程字韋華上元諸生爲程廷祚緜莊徵君之父

其跋帝里明代人文畧二十二卷云青巖逸叟路鴻休子儀撰取王導金陵舊爲帝里之語分天宗王宗懿宗勳宗品外大學士尚書文武甲科諸宗及宗系未考諸門偕其友汪道鄰訪世族子

弟閎家乘益以金陵瑣事客座贅語存徵錄合爲一編年八十刻意纂輯四年乃成江甯甘氏始以聚珍版印成余讀是書如丹陽男孫炎祖文嗣父顯卿皆爲儒融之子毅有父風見宋學士集明隱逸詩入多未載郝伯常賣藥金陵市自稱青溪釣者張復字光奉喻詢張士安以詩稱張繼先精三禮見梁寅石門集鄭大同以詩歌自雄薛恭字克恭搆竹西草堂見劉崧槎翁集杜泰字伯恭爲幕賓楊鐵崖爲作永思堂記李訶字孟言學詩於鐵崖見宋學士集谷美之輕財好施見陶安學士集徐季東字靜庵搆怡晚樓得異書手自鈔年九十不倦嚴景入清溪詩社晚創頤老室李詠字太素築此樂樓自號太虛散人有醉吟稿俱見倪文僖集名臣如鄒和字允達性至孝闢別墅於鳳皇臺先塋之西寫萬竹蒼烟卷倪文僖稱允達英邁有氣節磊落不羣武臣如定西侯張名振

及父少溪弟名甲名揚名遠繼榮安洋將軍劉世勛蹈海孤忠令鄒公祀鄉賢名揚世勛祀忠義乍浦輯聞有武會元參將董汝梅上元人舟山志徐公祠祀金陵徐一鳴字起鳳舟山參將陞潮州副將俱未之及舉此推之則姓氏未載者可補也童軒之父碧瑄有玉壺集見曹石倉詩選次集此不言其有詩集鄧伯言名雅新淦籍有玉笥集十卷今存余藏其本此直以伯言爲名舉以推之則考核未備也　其跋淸風亭稿八卷云明童軒撰字士昂一字子佩號雪厓先世鄱陽人父碧瑄以欽天監天文生遷居南京家秦淮之西有玉壺集軒應天學生景泰辛未進士官至南禮部尚書卒贈太子少保倪文毅岳誌其墓焦文端竑京學志有傳所載皆同明詩綜謂官至吏部尚書誤也文淵博雄麗有枕肱集二十卷未見此詩稿八卷門人李澄編陶元素項麒張楷皆有序篇中

送陶希文校文浙江陶名元素和鄒允達懷仙吟鄒名和酬丁鳳儀丁名鏞寄和友菊賀名誠皆金陵人青陽道中詩自注有蟲名蠓醬亦類書所未及　其跋檜亭集云元金陵詩家有集存者惟集慶路訓導丁復仲容檜亭集九卷檜亭天台籍負詩名延祐初遊京師與楊載范梈同被薦辭不就浪迹江淮三徙居家金陵城北有園亭之勝古檜列植左右名其集曰檜亭金陵新志尾校訂姓氏有訓導丁復知會官儒學也其壻饒介之門人李謹之各有編輯南臺監察御史張惟遠合編爲九卷至正十年刊於集慶學有中山李桓永嘉李孝先臨川危素上元楊翮四序　其跋海陵集二十一卷外集一卷云宋知樞密院周麟之茂振撰麟之紹興十五年進士江甯人於紹興己卯使金知結好不足恃言宜練甲申儆以觀變使不當遣詩言牛魚牛魚出混同江一魚之大如牛

本頁原殘闕，現據南京圖書館藏《光緒續纂江寧府志》（光緒六年刻本，光緒七年初印本）補字。

或云可與牛同價周益公二老堂雜志云金主以所釣牛魚享使臣使歸言于朝卽此事但振不言金主所釣爲異耳　其跋宛陵羣英集云集前有汪澤民叔志張師愚仲淵二序云施璇明叔昆弟請叔志仲淵編輯蓋此集爲施明叔所蒐采其摘警策類分而臚列之則叔志仲淵也永樂大典輯本存詩七百四十六首作者一百二十九人五言古以陳天麟爲首梅詢次之然陳爲紹興中進士梅爲端拱中進士先後似舛梅賓字仲賓堯臣九世孫官集慶路照磨至正末明兵破城不屈死此人當坿祀衞國公福壽之廟梅賓寄李遵道與君相別後湖海久無書聞在龍舒郡新開馬隊居斯文欣未墜客況近何如自昔鄱陽學何門不曳居近施愚山輯宛雅乃元時先有施璇明叔人所未知也梅賓送董憲使詩云金颺玉鉉舊家聲使節南來此按臨家有春秋三對策囊無暮夜四知金東風忽動歸田興今日難忘臥轍心蔽芾甘棠休翦伐江東父老去思深　其跋佩玉齋類稿云楊博士名翮字文舉上元人曾祖遂

宋知黃陂縣祖公溥宋鄉貢元進士婺源州知州追封上元縣男父剛中字志行師事導江張頴爲世名儒與兄敏中友愛家貧力學辟主江甯縣學升郡學錄正徽州路教授擢閩海廉訪司照磨兩主浙闈文衡不濫取以充額丞相脫歡薦爲翰林待制兼國史院編脩月餘謝病去著易通微說詩講易霜月齋集學者稱通微先生翮少承父訓元末官休甯主簿歷提舉江浙學校太常博士元政亂還金陵明太祖徵爲纂脩後以謫死今所傳佩玉齋類稿十卷皆官主簿以前雜文也翮弟羆字文開亦有集妹柔勝適龍興路學正孔友益讀書通大義翮妻父孫怡老官集慶路府判母吳氏見陶安學士集子元碩見至正直記翮集中其耆舊姓名可考者楊宗訓爲撫州守楊公孫劉建中爲南臺御史楊公之徒陳希賢以薦爲贛州學正王中父以薦爲信州照磨明道書院

山長張子逸寓官馬彥翬中山處士王某其著述可考者胡天祺譯史余東鄉秦淮棹歌江丞之雷鍾小稾唐本道九曲韶語王仁甫衄蒨詩孔肅夫自然亭詩丁復檜亭詩集李謹之詩稾張用鼎儒籍志元平章阿朮占居明道書院軍士蹂躪書院儒人古之學等詣丞相淮安王前告給榜文還復書院招安秀才由是諸學絃誦不輟集慶路儒人一百六十五戶明道南軒書院上元江寧縣學各有儒籍宋末故家如包秀實國華陳仲謀吳季申外有董烈宋丞相文清公槐之後知池州房元龍宋進士承議郎懷遠軍節度判官李皇宋太師襄國公琮之後制司判官沿江屯田分司王艮耜宋荆國文公之後貢士沿江制司幹官趙崇回宋進士累官句容令楊公溥進士戴俊卿謝克仁皆宋進士子孫相繼以科第儒術仕進顯榮其家元志所載如此翮同時金陵有燕敬廖毅馮椿李懋李桓王造王諶嚴瑄雷秉義皆有詩而其集無考　其跋明國子監進士題名碑云

雞籠山麓江甯府學爲明南雍舊基也道光己亥仲春余與陳雪峰吳啟期至其地見明洪武永樂進士題名碑臥於蔓草閒藤絡其上因洗剔讀之雪峰手搨數紙以歸凡洪武二十一年戊辰進士九十七名宋訥記二十七年甲戌進士一百名胡季安記永樂二年甲申進士四百七十名王達記四年丙戌進士二百一十九名九年辛卯進士八十四名皆胡廣記十年壬辰進士一百六名王英記其中建文死難諸臣亦剷削其名洪武戊辰一甲三名缺爲盧原質浙江甯海縣二甲第一名缺爲卓敬浙江瑞安縣二甲二名缺爲齊德應天府溧水縣即齊泰也甲戌進士一甲二名缺爲景清陝西眞甯縣二甲三名缺爲戴德彝浙江奉化縣至建文二年進士碑蓋以革除去之也其姓稍僻者戊辰 郕鵬北平唐縣求棣浙江富陽縣甲申辛敏道福建南安縣仵欽河南獲嘉縣

辛卯進士桓桓浙江金華人　其跋建文元年京闈小錄一卷云明建文元年應天鄉試錄也首有翰林院侍講方孝孺序蓋是科考官爲董學士紀方侍講孝孺太學暨畿內士千五百人八月七日甲辰入院越十四日丁己而畢登名於籍者二百四十人第一場四書義三題行夏之時四句親親而仁民二句可以託六尺之孤五句易書詩春秋禮各四題春秋以伐鄭戍鄭虎牢伐鄭會於蕭魚爲一題餘倣此乃合題也二場論詔誥表各一判語五三場五問中式舉人二百四十名中式程文第一名劉政可以託六尺之孤五句義一首第二十一名錢蒙親親而仁民二句義一首其餘易二首書二首詩二首春秋二首禮一首論二首詔誥各一首策五首各擇其人之佳者惟劉政四書義春秋義第七名李城易義策問各二首其一百九名爲桐城方法後官斷事死遜國之難其二

十九名爲武進胡濙後官尚書稱名臣然不如方斷事之不愧師門也知變化之道者二句義方侍講批云場中諸卷言數者或遺理言理者或遺數此作獨發明詳盡苟非積學之功則必善於記誦者也宜取之以爲好學之士勸策問三代寓兵於農及府兵之制答問頗詳江甯李氏宋有襄國公琮參知政事同元有餘干教諭桓蓋以博洽世其家者也宋竹垞孝子長洲劉君墓誌云遠祖德基從宋高宗南渡官黃州統領居建康其後曰順之仕元爲平江路榷茶提舉遂家焉曰政中建文元年鄉試第一方公孝孺之所拔也金川門之變痛哭不食死追謚靖節先生沈德符萬厤野獲編建文元年己卯應天鄉試首題爲可以託六尺之孤一節是時靖難兵已漸動衡文者有意責備方黃諸公耶抑偶出無心耶即云無心與時事暗合亦不祥甚矣沈景倩蓋未見小錄不知方

公之爲主司也　其跋南雍志二十四卷云明高帝定鼎金陵洪武元年改京學爲國子學拜博士晉祭酒十五年改建於雞鳴山之陽三月初七日改國子學爲國子監中爲彝倫堂分兩廳六堂三十二班以舊國子學爲應天府儒學成祖永樂元年二月庚戌初設北京國子監此志名南雍者別於北京之稱也景泰中祭酒吳節始創爲志首之以紀事次職官表次爲考者六規制謨訓禮儀音樂儲養經籍次之以列傳終焉規制音樂仍畫爲圖凡十八卷嘉靖中祭酒黃佐重纂爲二十四卷體例一仍其舊大學東堂爲齋宿所西堂爲考課所祭酒廂房在東其連廟北向者爲司業南廂房西廂房爲監丞繩愆廳亦呼博士廳六堂在正堂之後率性脩道誠心正義崇志廣業助教學正學錄分居之典簿廳在彝倫堂東近倉三間以居典籍其左爲掌饌廳前爲儀門有進士題

名碑四左有小門下有進士題名碑前有東西井泉二東西書庫各七間各爲樓街南有國子監牌坊東西成賢街牌坊二座南成賢街牌坊一座與珍珠橋相連敬一亭在廣業堂後嘉靖七年少師楊一清奏立有御製敬一碑御注視聽言動心五箴光哲堂在敬一亭後爲琉球國官生受業所居講院在英靈坊東祭酒湛若水以故射圃隙地爲之正堂曰觀光堂屏刻心性圖說中允呂懷於堂東立心統圖碑堂西立律呂古義圖祭酒程文德於前建聚樂亭又前爲蓮池射圃司業王材題其門曰觀德門堂曰正直堂又士橋名浴沂橋如此之類非披尋是志不能知也憶道光二十年余與陳君宗彝吳君啟期游普德寺遇樵夫指其旁曰國子監地諸君不解今觀此志有聚寶門外園地圖四洪武間撥賜國子監園四十二畝四季辦納瓜菜乃知野老之言有據也經籍考

順治年間官書有二十一史分藏彝倫與六堂七處一百四十七部三千七百八十本以便師生觀覽其十七史皆元建康道肅政廉訪使所得善本正德十年刊補嘉靖七年校正補刊乃完其梓刻本末助教梅鷟盤板分經子史文集類書韻書雜書石刻九類十三經注疏皆宋元刻六經正誤係元大德三年刊補金仁山論語集注考證二十卷多於今本止十卷元緱山杜氏論語旁通今無傳唐書二百十五卷釋音二十五卷另編宋靜江教授江文叔乾道桂林志二十七卷宋瑞陽志二十一卷新泉志今無傳本其餘明八書多足備考證亦目錄家之所必考也石刻有詹同大字千字文杜環千字文亦金陵書家之遺蹟黃佐又有南雍條約一卷又體銑南京國子監條例類編六本草稿二十二本南雍申教錄十五卷留都錄五卷皆與此志可互證俟訪之其第十五卷載

黃觀字瀾伯池州貴池人父贅於邑城許氏生觀遂從母家姓明尚書補邑諸生受業於元翰林待制黃㝵㝵死王事觀砥礪以忠義自許洪武甲子貢入胄監是歲領鄉薦辛未會試第一三月丁酉入對禦戎策高皇帝嘉之擢狀元及第年二十八是月甲辰拜翰林院脩撰上以其有政事才凡法司諸㮇文令觀撰成即書之又令清理軍職貼黃兼管註銷諸司案牘其見委任如此命侍東宮講論累遷尚寶司卿禮部右侍郎乃奏復其姓會更官制進本部侍中壬午五月往上游諸郡徵兵至安慶聞內難已平慟哭謂人曰吾妻素有志節必不苟受辱明日家僮自京兆來言將執家屬夫人翁氏出通濟門先擠二女于河即自沈焉觀遂招魂葬之江上舟次李陽河乃朝服東向再拜於羅剎磯湍急處紿舟人奮棹佯爲溲解投水而死時年三十九　其跋七政推步七卷云明

貝琳撰琳字宗器號竹溪拙叟其先爲浙之定海人祖可父永阜
明初以戎伍至應天遂爲上元人居成賢街琳幼穎發思脫戎籍
遂往北京投太僕寺卿廖義仲欽天監五官靈臺郎臧珩司厤何
洪求天象之學得充天文生正統己巳邊警監正皇甫仲和薦琳
命隨昌平侯楊洪至獨石景泰庚午隨總兵石亨抵賀蘭山壬申
隨左都御史王翶征瀧水其占候多有功授刻漏博士天順改元
因天象示警奏對稱旨賜綵緞白金陞五官靈臺郎成化庚寅陞
監副壬辰改任南都與弟珙居武定橋西庭植絲瓜一蒂相連而
異瓣倪文僖公謙以文賀之以張九齡庭木連理崔希喬室生芝
草爲比自琳以天文起家次鵬次仁次豳次尚質次元禎七世以
天文相終始豳字西山著厤法要覽十二卷厤書小帙數種康熙
中有名國珍者與梅定九交善其厤法諸書定九多所採擇故厤

算書記云回回厤法刻於貝琳其布立成以太陰而取距算以太陽年巧藏根數指此書也貝氏爲金陵天文家乃志乘漏其名氏惟路鴻休明代八文略言之最詳琳書得釆八　四庫惜斷書不傳慈溪張景暘云貝先世立本仕南唐至常州刺史賜錦魚袋宋開寶間吳越克常州被流定海守志不渝常服舊賜錦衣時人呼爲南唐錦貝考馬令南唐書云吳越圍常州使余成禮劫刺史禹萬誠以降陸游南唐書云吳越攻我常州權知州事禹萬誠以城降並無貝立本事或貝卸任仍居常州以禹權事禹被劫而貝不屈獲罪未可知也　以上記事

同治十年正月十二日曾文正公　奏爲陳明河運艱難情形應行設法預籌恭摺仰祈　聖鑒事竊九年分江北冬漕遵照部議仍辦河運臣於十一月十二日專摺陳奏在案伏查八年分江北

漕米於九年河運赴通節節阻滯水陸兼運直至十月杪始能蕆
事一切經費雖由糧道王大經格外撙節不至過鉅而人事之艱
時日之久較之海運難易懸殊該糧道交米事竣赴部引　見現
已馳回江甯臣面詢情形證以臣出京時由運河南下所見者其
言多屬相符若不預爲籌畫恐下次又蹈覆轍據稱本屆承辦河
運在事六月之久中間處處沮滯歷歷可數如嶧縣境內之大泛
口該處爲山水經由之所一遇暴漲則汎流急湍迨水退之後則
沙淤停積今年漕船經過該處水深不及二尺河底碎石縱橫最
礙舟行必須由山東認眞興挑挖深四五尺並將近灘石堆剗除
與河底配平方利行駛自大泛口而北則有滕縣境內之郗山口
該處爲入湖要道淺而且窄又微山湖內之王家樓滿家口安家
口獨山湖內之利建閘南陽湖北之新店閘華家淺石佛閘南旺

閘分水龍王廟以北之劉老口袁口閘處處淤淺或數十丈或百餘丈亦須由山東逐段勘明一律挑深方可無阻此未渡黃以前阻滯之處宜預爲籌辦者也議者謂早日開兌早日過湖卽使費力尚不愆期不知濟甯以南淺處已多濟甯以北運河尤爲乾涸總須守候伏汛盛漲方足以資浮送至黃水穿運之處漸徙而南自安山至戴家廟三十里自戴家廟至八里廟二十二里運河舊有之隄盡被黃水衝破缺口極多黃水湍悍而勢急漕船載重而質脆斷難破浪而行需用划船下椗以立之根然後由漕船繳關步步上移否則簸蕩急溜之中無復收泊之處而十里鋪姜家莊道人橋等處又極淤淺似須由山東設法一面於淤淺阻滯極力疏濬一面於運隄各缺口排釘木樁貫以巨索俾漕船經過有所依傍牽挽不至爲洪溜所吸倉卒失事此渡黃時艱滯情形宜預爲

籌辦者也及至渡黃以後若在伏汛未落以前或易爲力若伏汛已過等候秋汛卽屬杳茫不可必之數九年在八里廟守候兩月之久可爲前鑒自張秋至臨清二百餘里河身有高有下其疏導之法須量河身之高下高者開挖宜深下者開挖稍淺庶可高低相等一律深通再於黃流已長未落之時卽下閘板蓄水以免消耗或就平水南閘迤東築一挑水壩引黃入運皆多方設法力圖斡旋之策此渡黃以後運道易涸宜預爲籌辦者也山東水勢長落無定或先長而後忽落或先小而後復大漕船經由東境一千數百里向歸嶧滕魚臺濟甯東平東阿各州縣封雇船隻以備起剝之用而地方官相距甚遠兼顧不遑九年所雇剝船不免臨時逃散擬請酌改章程責成東省管河廳員雇備剝船小者裝米三十石大者至百石爲止一遇漕船淺阻斟酌起剝而由糧道撥石

給發飯錢以免枵腹至閘夫亦改由河員招集歸其約束一併由糧道給予工食庶不缺誤此又略改舊章宜預爲籌辦者也東平州運河之西有一鹽河倚山爲障爲東省鹽船所經要道漕船若由安山左近繞入鹽河至八里廟仍歸運道計程二百餘里較之徑渡黃流上有缺口大溜下有亂石樹樁者其難易懸殊是以商船率多避黃而趨此路上年因非運漕正道未敢試行十年行抵安山時如遇黃流過猛祇宜變通改道惟自安山三里堡入鹽河之路亦須預先勘明何處平順先立標竿爲誌免致臨時周章此又渡黃改道宜預爲籌辦者也以上五端皆河工應辦事宜又皆在山東境內從前糧艘運北沿途脩閘築壩挑河過剩均由南河東河兩督臣洽黃治運注意專在漕務事事各有考成處處不惜重費故能駕輕就熟事無不舉今則黃流橫決運河失脩河員責

大減河運之米數極微欲以江北一隅數萬之漕而責山東以全力治河治運未免獨爲其難然部臣所以不肯竟廢河運者亦因成法不可輕改圖事不可畏難具有遠慮丁寶楨見義勇爲力顧大局亦必不因米數太少之故而忽視沿河應辦之工糧道王大經躬肩重任旣已經歷險艱茲令再試危途不得不預爲綢繆免其遲誤現在欽奉　諭旨飭派漕臣張兆棟前往山東會勘築隄東黄事宜必可與東河督臣蘇廷魁山東撫臣丁寶楨面商一切相應請　旨敕下該督撫等通籌運道全局建可久之宏謨并將臣此摺所指與工之處分投興辦利目前之漕務臣當飭催該糧道等趕緊兌米及早開行仰慰　宸廑所有河運艱難設法預籌緣由謹會同漕運督臣張兆棟江蘇撫臣張之萬恭摺由驛馳陳伏乞　皇太后　皇上聖鑒訓示謹　奏

頭品頂戴兩江總督臣沈葆楨跪　奏爲漕項無從劃撥海運難以議分遵　旨覆陳仰祈　聖鑒事竊臣准戶部咨會議倉塲侍郎桂清畢道遠脩治河道一摺請　旨飭下該督撫體察情形核實妥籌恭錄　諭旨並覆奏原摺行令欽遵辦理前來竊以因轉漕而治河因治河而籌費沿流溯源意至善也　國家軫念河務原爲漕務起見從前脩費不惜歲數百萬金良以　天庾正供非河運不行航海風濤難測故也今　國帑艱難萬非昔比不得已而取資於漕項又合數省之款以濟之設爲各省力所能逮亦必有一勞永逸之計而後費不虛縻若歲歲脩河以供歲歲辦運無論費無從出也竊慮受病日甚有求如目下之河形而不可得者敬將原奏交議各節爲我　皇上分晰陳之原奏有漕省分應酌提漕項一節查甯屬起運光緒元二年分冬漕以漕項開發運費

因沿途起剝沿途挑濬處處周折各短數萬金數千金不等惟光
緒三年極力節省二萬金撥充晉豫賑需則　恩准暫行海運之
所致也蘇省運費亦遞年不敷甚鉅全賴藩庫挪款墊用若再令
分撥數成無論河運海運均將束手河未修而漕先廢矣安徽係
北漕省分宜有漕項盈餘而京餉出其中協項出其中本省軍餉
出其中以盈補絀尚難相抵并非有提存的款以待不時之需今
若取之於民民不堪命若將京餉協餉停解參處隨之挹彼注茲
計惟有裁勇之一法夫設防如故又值年穀順成伏莽尚不時伺
隙而起倘一旦潰籬盡撤良懦無所依附宵小因而生心雖智者
不知所以善其後也原奏江浙兩省能否將海運糧石各分出數
萬石辦理河運安徽省下屆漕糧能否起運本色若干幷運米船
隻能否多僱一節查蘇省辦理海運已苦經費不敷再令舍易趨

難更從何處挪款安徽之窘甚於江蘇力不從心不言而喻徽本色又運本色甚難本屆江北漕船六月尚未儘數渡黃回空更不知何日卽事竣催令南返盤壩守凍觔朽過半或冒險求速飄海散失各船戶前鑒具在下屆欲勉從舊款勢須多方勸勉招集方得成行更於此外求多恐百呼而無一應者矣原奏運河宜如何設法脩濬將全河形勢一併詳細查明議覆一節查全河詳細情形 臣未親履其地無由臆斷但以大勢揣之前人之於河運皆萬不得已而後出此者也漢唐都長安宋都汴梁舍河運別無他策然屢經險阻官民交困卒以中道建倉何便轉餽而後疏失差少元則專行海運故終元之世無河患焉有明而後汲汲於河運遂不得不汲汲於河防運方定章河忽改道河流不時遷徙漕政亦隨爲轉移我 朝因之費旣踵事而增而獷悍游食之徒萌孽其

閒所謂青皮黨安清道友者引類呼羣恃衆把持成固結不可解
之勢前兩江督臣陶澍憂之乃創爲海運之說明以節省經費暗
以消患無形蒙
宣宗成皇帝允行而漕政於窮無復之之時藉得維持不敝迨髮
捻事起此輩潛入其中南北蕩平消磨殆盡雖闤闠市鎮尚有此
等名目然無大淵藪以容之偶或什伍成羣良有司足以治之矣
是河運所可慮者又不僅在經費也原奏運河貫通南北漕艘藉
資轉運兼以保衛民田意謂運道存則水利亦存運道廢則水利
俱廢然無漕省分水利亦關民田命脈未嘗敢任其廢弛臣竊以
爲舍運道而籌水利易兼運道而籌水利難何則就下者水之性
也必使貫通南北不能復聽其就下矣不聽其就下則事事皆以
人力爲之費用不貲利亦大減且民力之與運道尤勢不兩立者

也兼旬不雨民欲啟涵洞以灌溉官則必閉涵洞以養船於是而挖堤之案起至於河流斷絕且必奪他處泉源引之入河以解燃眉之急而民田自有之水利輸之於河農事益不可問矣運河勢將漫溢官不得不開減水壩以保堤婦孺橫臥壩頭哀呼求緩官不得已於深夜開之而堤下民田立成巨浸矣東境河道經撫 臣 隨時飭屬挑濬地方官何必全無天良其所以旋濬旋淤者則借黃濟運之害爲尤烈前淤尚未盡去下屆之運已連檣接軸而來高下懸殊勢難飛渡於是明知借黃之非計而舍此無以資浮送又百計逆水之性强令就我範圍致前修之款皆空本屆之淤復積部 臣 所謂歷年興修均以隨時挑挖逐段疏濬爲權宜補苴之計者誠洞見癥結之論不可不思患豫防者也議者太息於經費之無措舳艫之不備致此舉之不成 臣 竊以爲使道光年間歲修

之銀與道光年間官造之船至今一一俱存以行全漕於借黃濟運之河未見其能達也蓋江北所僱船隻其大小不及糧艘之半然必俟黃流泛漲且竭千百勇夫之力以挽之過數十船而淤復積今日所淤必甚於去日而今朝所費無益於明朝若使船大且多有所施其技乎且懍乎其不可犯者大河之性也近因江北連年苦旱來源不旺遂乃狎而玩之物極必反設令因濟運而奪溜北趨則必畿輔受其害南趨則淮徐受其害如民生何如　國計何伏願　朝廷師元人創行海運之成法體

宣宗成皇帝試辦海運之深心以收近日輪船自然之利幷念時局孔棘萬不容作無益害有益實事求是以濟艱難　臣自知蠡測管窺無當萬一第既奉　旨飭令核實籌議愚慮所及萬不敢强不知爲知以自欺於　君父之前除山東運道詳細情形應由漕

臣勘明覆奏外所有微臣遵議緣由理合會同江蘇撫臣吳元炳護安徽撫臣傅慶貽恭摺具陳伏乞皇上聖鑒訓示不勝惶悚待命之至謹奏軍機大臣奉旨該部知道欽此光緒五年八月二十七八日邸抄

道光三年奉旨永免僉快碑文

欽加道銜江甯府正堂余爲謝恩祈恩勒石垂久事據封翰林院編脩伍光瑜等因江邑快丁運造兩費浩繁異常公飭快丁王大鵬董加喜楊宏議吳永祿募捐及快丁撥田變價折實紋銀七千二百九十餘兩並稟請籌借庫款銀二萬兩一併發典生息所請庫款分作十年歸還以資調劑業荷中堂孫允行司道會議奏奏恩旨准行職等已告知各丁同慶更生恩深世世職等葑菲之見亦蒙不棄謫闕桑梓感謝難名惟祈恩全終始賞示勒石給照分執俾丁等咸樂昇平以垂永久等情到府據此查各屬快丁僉管漕船內有不諳運務者按船按年捐貼造運二費委伍代運無如快丁自乾隆二十四年併僉以來至今數十載日漸貧疲運造二費毫無所措惟江甯縣快丁貧疲爲尤甚而每年所貼費銀又係代丁專指辦公之需絲毫不能短絀以致各丁破產蕩家死亡流徙無歲無之甚至縣役無故飛扳殊爲可憫該縣共計額僉快船二十七隻內除快丁自行捐本生息船三隻不計外仍該二十四隻每年需運造費銀三千四百六十六兩六錢六分六釐

除有招墾中屯烈山二官洲租息連快丁胡友仁之妻呈出慈塘招佃繳租合計共有銀一千八百兩仍不敷銀一千六百六十六兩有零又上元縣極疲船四隻每年需運造費銀五百二十兩前經該紳士等目擊顛連誼篤桑梓公同募捐並快丁瘠田變價計得折實紋銀七千二百九十餘兩並於江安糧道憲庫籌借庫款銀二萬兩合共本銀二萬七千二百九十一兩二錢分發上江溧高四縣城鄉各典按月計閏一分生息分給各快爲額繳歲貼之需所借庫款分作十年扣還歸款俟庫款還清餘息銀兩再爲撥濟上元縣自運快船貼造等情呈奉閣督部堂孫批令藩糧二憲督同本府籌議章程詳蒙督漕撫憲奏奉

上諭孫玉庭等奏江南等屬快丁追徵運造兩費極形苦累請酌籌調劑一摺江甯等屬快丁積累成疲逃亡遷徙拔民入快株累甚多江甯一縣快丁歲需運造費銀三千四百六十六兩零除官洲租息等項外不敷銀一千六百六十六兩零上元縣快丁每年需運造費銀五百二十兩共應籌餘息銀二千一百八十餘兩經該縣紳士捐湊銀七千二百九十兩仍請借庫款二萬兩江浦縣快丁歲需運造費銀五千一百六十兩經各該快丁認捐本銀二萬三千兩仍請借庫銀二萬兩均准其在於道庫減存項下照數借撥發江甯揚州兩府屬典商領運按月一分生息分給各快丁爲額徵歲貼之需所借庫款分作十年提本歸還原款即將餘息捐款作本存典永資生息以濟窮丁而裕運造該部知道欽此等因由院轉行到府奉經轉飭各縣欽遵在案是江甯各縣快丁積累頓甦永沐調劑恐日久弊生今將各快船名開列勒石曉諭爲此仰江甯縣通衞快丁暨上元縣極疲四船各丁知悉即便欽遵所有爾等應完運

費卽自道光四年起運三年分爲始造費自道光五年起運四年
分爲始歸於調劑案內辦理永免該丁等完繳亦無更名飭提親
運之事俱各稟
遵毋違特示

十年十一月初一日會公又　奏爲微臣查閱營伍事竣回省陳明大概情形恭摺仰祈　聖鑒事竊同治九年輪應查閱江蘇行伍前督臣馬新貽未及舉行臣莅任後奏請展緩嗣經定於八月十三日出省校閱均附片具奏在案伏查江蘇通省水陸各營大閱之典自道光三十年以後迄未舉行東南用兵十有餘年綠營幾同虛設軍務肅清稍稍補募缺額尚多而挑練改設日有增損此次通行校閱約有四宗曰原設之綠營卽經制額兵也曰新改之水師卽臣七年冬月所奏經部議定者也曰挑練之新兵卽就各營挑出另練馬新貽丁日昌所奏准者也曰留防之勇營昔年未撤之勇陸續酌留者也臣先於八月十二日在省城閱看江甯

本頁原殘闕，現據南京圖書館藏《光緒續纂江寧府志》（光緒六年刻本，光緒七年初印本）補字。

督標四營暨新兵五營又星字勇丁二營十三日啟程十八日至
揚州二十日閱看揚州城守鹽捕二營並調閱奇兵泰州泰興瓜
洲靑山三江等營又慶字勇丁三營二十九日及九月初一初二
日在清江閱看淮揚鎭標中右兩營及挑練之新兵營並閱漕標
中左右三營淮安城守海州鹽城東海宿遷廟灣佃湖洪湖等營
初三日由陸路赴徐州初九初十日閱看徐鎭中營城守營及挑
練之新兵二營並調閱蕭營宿州營又鳳字勇丁二營仍由清淮
南旋二十日在鎭江閱看鎭江營並調閱淞南淞北二營二十三
日在常州閱看常州營並調閱孟河江陰靖江等營二十六日在
福山閱看福山鎭標左右二營並調閱狼山鎭標陸汛及右營劉
河通州海門等營十月初二日在蘇州閱看撫標左右城守等營
並調閱平望太湖等營又慶字等勇丁二營初六日在松江閱看

提標中左前後松江城守等營並調閱金山青邨柘林等營又駐防鳳凰山洋人教練之勇丁三營十二日在吳淞口閱看吳淞川沙南匯掘港等營並調閱提右營及蘇松鎮中左右等營又在海口閱看外海艇船六營內洋八團舢板五營及新造輪船操演一次遂於十五日由輪船回抵江甯省城綜計通省水陸各營除浦口溧陽二營兵數太少淮揚鎮左營清江城守營蔣壩營及葦蕩左右二營均係河營改操但將官弁校閱未經調閱兵丁外其餘各營查閱一周計陸營四十有一水營十有一挑練之新兵營十有一留防各勇之營十有二兵數則原額三萬三千四百名有奇現存二萬四千二百名有奇其中多寡參差不一有已逾原額之半者有不及原額三分之一者兵數較多之營演陣尚有可觀其畸零不成隊者數營合操仍難整齊緩急殊不足恃臣悉心酌核

就今日之情形準以舊時之條例參訪當世有識之議論其必宜更改者約有數端向例營兵差操二字混在一處然差則護餉押犯緝捕等事必須散處塘汛各專責成操則習技練陣聽令等事必須聚處營盤同受約束其事迥不相同近來聚處扎營者如神機營直隸練軍及江寧蘇州之新兵皆於額兵之中另挑立營既須屯聚常練即不能散處當差而各項差使勢又不能盡廢將來經制之兵似宜分差操為兩起差則兵宜散而少官宜以分塘分汛為額操則兵宜聚而多官宜以分營分哨為額此舊制之宜改者一也向例綠旗餉銀馬兵二兩戰兵一兩五錢守兵一兩米則一律日支八合三勺即使照數滿發猶不足以供事畜之資而各省司庫支絀尚有祗發七成八成者勇丁口食或多至一倍二倍兵丁或小貿營生或手藝餬口應名充數出征則漫無鬬志毫不

足恃此天下綠營之通病目前直隸練軍及江蘇新兵各營皆已加餉然加餉而不裁兵則度支立匱斷不足以持久此舊制之宜改者二也向例各營軍械俱用鳥鎗門藥風則吹散雨則沾溼實不利於戰陣近年各處兵勇俱用洋鎗銅帽精而且捷風氣一開人人以鳥鎗門藥爲苦在上者雖有大力不能强遏人情軍事最貴神速而最忌遲鈍準情度勢恐不能不全用洋鎗且各項器械亦有當用洋製者此舊制之宜改者三也向例各路水師並不講求船隻造船經費不取之於司庫但令官員攤派或由紳富捐辦兵丁仍用馬戰守名目殊覺名實不符竊謂既號水師即宜居住舟中官兵皆以狎水爲能但有頭舵鎗礮之分並無馬兵戰守之名日漸月摩或者由支河而漸及大洋由小舟而漸及巨艇由防內而漸及禦外亦銖積寸累之義將來各省水師似皆宜籌造船

之費以船爲家但可兼操陸隊不能分管陸汛此舊制之宜改者四也以上四端如水師先重船隻一節臣於同治七年奏改章程厥後馬新貽脩造外海内洋裏河各船大致粗備操練亦頗勤篤其軍械全用洋鎗一節各省果能籌款均可自行奏改其差兵與操兵分爲兩途及酌加餉數二者則大變舊章關係全局非奉有
特旨飭改或由部臣議定通行外省臣工不敢率爾立意遽議更張臣前改水師已自覺其鹵莽今閱陸營豈敢復有變更惟當就缺額最多之營飭令招足一半認眞操練稍復舊觀亦未敢必其遂堪折衝禦侮也所有查閱營伍事竣回省陳明大概情形緣由理合繕摺具奏

附曾公言勇丁事宜一曰文法宜簡勇丁帕首短衣樸誠耐苦但講實際不事虛文營規只有數條此外别無文告管轄只論差事不甚計較官階而挖濠築壘刻日而告成運米搬柴崇朝而集事兵則編籍入伍伺應差使講求儀節卽有一種在官人役氣象及一

其出征則行路須用車紮營須用民夫油滑偷惰積習使然而前此所定練軍規條至一百五十餘條之多雖士大夫不能驟通而全記文法太繁官氣太重此當參用勇營之意者也一日事權宜專一營之權全付營官統領不爲遙制一軍之權全付統領大帥不爲遙制統領或欲招兵買馬儲糧製械黜陟將弁防剿進止大帥有求必應從不掣肘近年江楚良將爲統領時即能大展其材縱橫如意皆由事權歸一之故今直隸六軍統領迭次更換所部營哨文武各官皆由總督一派撥前往下有翼長分其任上有總督攬其全統領並無進退人材總管餉項之權一旦驅之赴敵羣下豈肯用命加以總理衙門戶部兵部層層檢制雖良將亦瞻前顧後莫能放膽任事又焉能盡其所長此亦當參用勇營之意者也一日情意宜洽勇營之制營官由統領挑選哨弁由營官挑選什長由哨弁挑選勇丁由什長挑選譬之木焉統領如根由根而生幹生枝生葉皆一氣所貫通是以口糧雖出自公款而勇丁感營官挑選之恩皆若受其私惠平日既有恩誼臨陣自能患難相顧今練軍之兵離其本營本汛調入新哨新隊其挑取多由本營主政新練之營官不能操去取之權而又別無優待親兵獎拔健卒之柄上下隔閡情意全不相聯緩急豈可深恃此雖欲參用勇營之意而勢有所不能者也又聞各營練軍皆有冒名頂替之弊防不勝防蓋兵丁之常態口分不足以自給每兼以小貿營生手藝營生以補事畜之資此各省所同也直隸六軍以此處之兵調至他處訓練其練餉二兩四錢在練營支領其底餉一兩五錢仍在營支領兵丁不願離鄉往往正身仍留本處特於練營左近僱人頂替應點應操少分練軍所加之餉給與受僱冒名之人一

遇有事調使遠征受僱者又不肯行則又轉僱乞丐窮民代往兵止一名人已三變練兵十人替者過半尚安望其得力耶

用兵之道隨地形賊勢而變焉者也初無一定之規可泥之法或古人著續之事後人效之而無功或今日致勝之方異日狃之而反敗惟知陳迹之不可狃獨見之不可恃隨處擇善而從庶可常行無弊即就紮營一事言之湘勇初出亦屢爲粵匪所破既而高其壘深其濠先圖自固之道旋即用此以制敵厥後淮勇諸軍繼起亦皆以高壘深溝爲自立之本善紮營者即稱勁旅直至移師北來改剿捻匪每日計行路之遠近分各營之優劣曾無築壘挖濠之暇而營壘之或堅或否於勝敗全不相涉即詢及陝甘剿回貴州平苗亦不以築壘挖濠爲先務至天津捍禦外洋雖堅壁亦不足恃即此一端已知陳迹之不可狃兵勢之變化無常矣然安營支帳埋鍋造飯一則不擾閭閻一則自固壁壘斯乃古來之常法并非勇營之新章終未可棄而不講也臣愚以爲直隸練軍宜添學紮營之法每月拔營一次行二三百里爲率令兵丁修壘浚濠躬親畚築以習勞勩不坐差車以慣行走至運米搬柴則勇丁不過偶爾爲之如今年近事老湘營之勇由綏德州運米至花馬池銘軍之勇由濟甯州運米至張秋是也論平日之常例則採薪等事每勇百人照章有長夫三十六名兵丁百人舊例亦有夫役三十名并有報銷四十名者臣意練軍既拔營行動即須添募長夫百兵給三十名雖所費較鉅似亦不可省之項有長夫任樵汲負重之事則兵丁可不任搬運之勞既以稍示體卹又以見築壘挑濠等事必須躬親寬於此者正欲其嚴於彼至部臣所議兵丁宜講衣冠禮節臣意老營操演儘可整冠束帶以習儀文拔營行

走仍宜帕首短衣以歸簡便凡此皆一張一弛擇善而從者也臣
前指所謂正統領之權者蓋因平日之事權不一則臨陣之指揮
不靈臣在南中嘗見有藩臬衙門募勇多營平日之領餉拔缺請
獎等事皆由衙門主政至臨陣之際則另派武員統領率之打仗
致指麾不克如意即巡撫及大帥所部多營平日無一定之統領
臨時附撥數營派一將統之赴敵終不能得士卒之死力而江楚
諸省倖獲成功者大抵皆有得力統領具權素重臨陣往來指揮
號令進退之人即係平日發餉挑缺主持賞罰之人士卒之耳目
有專屬心志無疑貳是以所向有功○近日以文臣兼武事者公
爲首胡文忠言任封圻者不可不知兵故載曾文正公之已入
告者記之
俱見奏稿

奏承業奏爲追遠陳情叩　恩旌表事竊臣高祖應珊始遷江邑
原籍安徽太平府當塗縣高郵地方明亾爲土賊所擾肆行淫毒
臣高祖避奔江邑高祖母方無計自全赴祖塋側拔簪剌地殞身
於池時年二十二歲臣曾祖邦燦甫五齡被棄路隅仆地而僾會
賊退郵人返有經池側者見之隨曳起遺簪在焉知其失母伏池
邊時經七日求諸潛淵衣履預縫生軀自若郵人乃就塋後平處

葬之隨負臣曾祖歸江邑具述其事厥後棄農就藝餬口不違遠
隔鄉城力難招干謁直至百年之外臣父大士舉於鄉而山邨猶
昔人物已非旌例不符遂成憾事伏念臣家累世業農無緣識字
自臣父以殿撰歷官學士臣兄承恩以翰林官躋九列臣以翰林
供奉內廷臣子若姪俱以科目充京職回憶耕雲鋤雨何德何
功榮遇至於如此當緣苦節之一誠所感召臣每見鄉城衢路
節額貞坊姓氏標題指爲人紀獨臣高祖母方世遠無徵遂抱沉
痛自臣父兄以來懷欲陳之忱而未有路臣今叨蒙殊榮至再至
三焉敢復有陳乞惟是聖人御宇明倫察物萬象昭蘇臣久賤
歸田白首靑氊幸依朝旭再不懇恩亦無以仰對祖考乞
俯遂臣請不交部議優詔自天而發潛德之幽光於代遠
年湮之後則事因罕見傳說愈眞不獨臣一家歿存銘心於無已

也奉
特旨朕召見秦承業知其高祖母方已得受伊兄承恩一品封典
着照所請卽贈一品節烈夫人由廣儲司賞銀三百兩自行建坊
欽此按胡芝山先生任輿祖籍蘇州明洪武初移大戶以實京師徙居金陵其六世祖母陳氏守節爲啓禎末年兵亂年饑借興土木之工以濟窮民芝山公其曾孫也中甲戌殿元後亦蒙 賜建坊以旌

以上文

附記曰八旗舊俗雄渾直樸男不經商女不纏足兒總角卽便弓馬忠誠其性生撓之不濁婦女刺繡文樹百果瓜蔬供養祭祀賓客取給中廚不慕豪侈結束蓋邠岐之風尚弗隨叔季而轉軸也是故言其吉禮以春秋之仲上日祀其先前期齊宿眂具庀器質明奉主於案陳豕於俎三獻主人率子弟主婦率子婦行六叩禮納主徹饌燕族人皆如儀凶禮斬衰者子截髮子婦翦髮在營者

穿孝百日餘與郡人同嘉禮納采親迎廟見皆同惟無茶果爲異粵逆之亂男子巷戰婦女運瓦甓從旁助擊衆寡百倍血肉狼藉雖乳哺亦就死如驚鳥乎何其烈也古所謂田橫島者今乃見之矣同治三年百爲草刱次第建將軍副都統牙署兵房公衙門他務未遑也秩祀有典仁里諸耆重修城隍廟在小門內大街路南餘如馬神廟在五馬橋南大街孔聖廟在嵩祝寺西文昌祠在孔子廟旁武夫子廟在嵩祝寺旁雖應祀典修建尚有待也舊廟之畧存者厚載門外香林寺朝陽門內迤北半山寺有古檜二株云王荆公植也今毀道光初協領王耐庵結屋築亭疏泉疊石極一時觴詠之盛公子奎光字益之更築弢光別墅山色泉聲幽秀甲一郡旁有石阜荆公所爭之謝公墩傑立池上山花匝舒飈沸溪流淨明軒檻不亞莫愁湖也兵燹後補葺數楹遠遜其舊矣又菜市口後延壽寺朝陽門內海惠庵大陽溝泰山廟亦稍稍存若朝陽門內路南之一芝庵外五龍橋東西長安街國初時正白旗人建東長庵正黃旗人建西長庵今幷毀此屢志其目云旗營舊有洪武門外田租乾隆三十三年將軍富奏准正陽門外空閒敎場召民開墾計田三千四百畝歲共徵銀一千五百六十四兩嗣准將軍容奏准作爲義學紙筆及餘丁學習

本頁原殘闕，現據南京圖書館藏《光緒續纂江寧府志》（光緒六年刻本，光緒七年初印本）補字。

騎射弓箭之用歲需四百八十兩餘
存右司庫以備軍裝器械隨時咨用
鍾山草租乾隆三十三年將
軍容總督高晉奏准查明鍾山牧場界內柴山年交草租錢一百三十四千**漢**
以備春秋馬租炎帝武夫子香燭祭品及申祝萬壽之用
城地租各城內外馬路要津橋上及狀元境舊王府紅花地下江
考棚口漢府城外印子山等處亂後無册可稽同治九年
將軍魁玉奏明將已經查明地租交上江二縣年繳銀一**八卦**
千兩以濟八旗鰥寡孤獨者人月一兩歲終報部查核焉
洲在上元東北江中乾隆三十五年總督高晉奏置洲二段價
九千八百七兩八錢每員各得柴歲二十餘束其地凡一萬五
千三百十畝外有泥
灘一段今亦生柴**城三門河魚藕租將軍署旁園地租**數皆
無多**務**
本節用兼資文武雖八戶未繁光緒六年現只協領六員佐領二
十員防禦二十四員驍騎校二十
四員筆帖式三員世職官八十員甲士一千五百七十五
名小甲八百四十九名曩者旗有五甲今只三甲而已**而篤厚**
之氣如故故一切散見於各類而特撮其要於此亦詩陳七月之
遺也
歲貢方物同治十年七月二十七日總督李公宗羲因署中無案
咨請內務府開示年節土貢十一年六月十七日署總督何公璟

准總管內務府咨由內奏事處所開江南進貢方物花色數目尺寸單照道光二十八年十二月初一日兩江總督李星沅進五龍硃砂絹福方五十張泥金長聯絹箋五十張宣紙五十張硃錠五十錠墨錠五十錠歙硯五方問政筍一桶珠蘭茶一桶青餅二桶蜜棗二桶櫻桃脯二箱藕粉二箱咸豐十一年七月　奏准各直省督撫將軍鹽政織造等呈進方物清單內務府援案抄出兩江總督紬緞紗羅屯絹繡納紗龍袍褂衣料荷包手巾香袋銀錁各色念珠書扇曹扇茶葉箋紙歙硯硃墨錠火腿春筍等項又由內奏事處抄出　萬壽貢總督孫玉庭進三鑲玉如意成對天青藍醬二則大春甯紬二十連天青藍醬二則線縐袍褂二十件米月色春紬二十端米月色縐紬二十端泥金雲龍大福字絹箋五十張五色絹箋五十張鵞黃桃紅長寬絹箋二十張蟠桃脯四瓶

本頁原殘闕，現據南京圖書館藏《光緒續纂江寧府志》（光緒六年刻本，光緒七年初印本）補字。

櫻桃脯四瓶枇杷脯四瓶橄欖脯四瓶端陽貢總督孫玉庭進天青醬色二則實地紗袍褂二十端天青駝色二則芝地紗袍褂二十端天青寶藍二則直地紗袍褂二十端湖水色春羅十連紫金錠線絡念珠五十串紫金錠線絡手珠五十串桂香圓式手珠五十串桂香欖式手珠五十串十錦貼絨扇五十柄棕竹畫扇五十柄金面畫扇五十柄烏木畫扇五十柄棕竹曹扇五十柄十錦宮扇五十柄芙蓉手巾一百条碧螺春茶五十瓶銀針茶十瓶梅片茶十瓶年貢總督孫公玉庭進三鑲玉如意成柄天青藍醬二則甯紬袍褂料二十連天青藍醬二則線縐袍褂料二十端米月色春紬二十端米月色湖縐二十端宣紙一百張歙硯十方餘與李公星沅所貢同惟各件加一倍耳

江甯正貢全棕曹扇五十柄又備用全棕曹扇十柄高淯正貢鵰

綢扇二十柄又備用鵝綢扇二十柄查江高兩縣貢扇自同治十二年起因赶辦不及奉蘇撫面諭飭委吳縣代辦至差弁賫進盤費等項計庫平銀五百兩包紮漕平銀七十五兩則奉蘇撫扎知與常熟荊溪吳縣通州江都元和等處解歸蘇松太道呈解給發

粵逆亂民爾無難撲滅也有黠者佐之故橫益熾陷武昌安慶席未煖輒棄去亟亟趨江寧陷之乃謀割據以江寧爲根本揚州鎮江爲犄角後乃放軼北收安慶廬州滁和則氣已吞之矣又西收武昌南昌岳州以爲可以包夏口豫章諸支郡縣矣其兵略在步步據要害設卡相聯絡成常山蛇勢守以數悍賊配以所擄鄉民數千百焚掠爲糧耑恃眾勝是故七邑受禍二首縣最久且甚江北自都將軍來邗上李世忠投誠其害稍紓江南則高邑害在東壩甯國廣建之省會所必由也然無所於戀故丞成鄉外其慘虐

爲末減溧水之要在烏山烏山小山也賊立卡以譏之句邑天王寺當衝故大小十八戰較他鄉爲重句容之龍潭下蜀自古爲兵衝自江寗東北姚坊門至棲霞石埠橋江濱地古江乘縣境又東北龍潭自古江津始皇所繇以渡也今爲宜昌洲洲南便民河河尾在鎮之炭渚首受上元北山之水所會形如弦江如弧而洲中紅旗港爲之矢其積皆賊屯河南大山迤邐句邑北之胄王寶華郎華山侖山空青以接鎮之九華山北自句西北曰東陽山以次而東陽龍潭下蜀倉頭句邑之江濱地橋頭以至鎮江高資炭渚皆傍山瀕河官道城賊援鎮往來孔道也官軍營九華障賊東南奔而不能過其西於是句北鄉民屯最爲扼要賊自上元烏龍山東石埠橋老鸛河龍潭圩上山岡下蜀街高資金山各據要隘立土營於江北岸瓜洲儀徵沙漫洲泗源溝浦口亦立營爲聲援饋糧之所必由也句北要隘曰上山岡其東東西峴岡古翻車峴其西十六郵再西東西郭砦近華山其卡在山岡險而

可守上山岡爲頭卡下山岡爲二卡 自竹里廟至縣城大路 其公所在金粟庵五年二月賊營高山廟張國樑破之於是岐山廟 在下蜀街 竹里廟爲邑北之藢終賊之始未有自北犯邑者民卡力也又有各局團練若何莊廟 何泰集 土橋 孔兆高 天王寺 趙弁朝王坦 王莊 王錫蕃趙家彬 三岔 章玉霖 郭家廟 蔣開山 白冕 施貞文 茅莊 笪熙 趙莊 趙俊 王岡寺 裔光祖 皆彈壓保衛地方者也

團練最著名者溫紹原之於六合其目有六曰編牌甲曰稽查奸宄曰責任曰選練曰防禦曰禁私鬭賭博之屬簡而易行故能衛閭閻靖宵小道光二十二年 洋人乞撫 咸豐三年 粤匪 在城之保衛亦然今之保甲亦其比然以之壯聲威而非以之供征戰 此在城廂耳若在郊外須兼淮泗之圩行之然亦必與官兵鄰圩之軍聯聲勢相接應方可自立否則孤危 皆以籌經費選人材勤訓練習勞苦爲第一義至召勇士備干城則此郡人士非其選矣

高淳俗朴人壽乾隆六十年王言海妻孔氏年百歲奉　旨建坊嘉慶四年史喬觀妻趙氏年百歲給扁示旌十四年夏宗裕年九十四歲五世同堂奉　旨旌表（旌者必實歷百年不計閏也）江甯崔瑤妻黃氏（道光中年登百歲）句容章鳳臺妻張氏（乾隆元年壽一百一歲）謝某妻周氏（生員謝蘭母乾隆十七年壽登百歲）六合陸應試妻蔡氏（年登百歲）夏文明妻翁氏（年登百三歲）汪瑱妻饒氏（乾隆二十六年壽一百二歲）陳珊妻陸氏（乾隆三十八年壽一百一歲）張士魁妻馬氏（年登百歲）胡敬安妻達氏（年登百歲）

以上事

同治四年署總督李公鴻章飭上海洋砲局製洋龍一架發交江甯府安放公廨高燥處所以備緩急之用是年七月知府涂公宗瀛以洋式水龍較民間土造者精巧省垣地方遼闊人煙稠密恐不足以敷防範請檄飭上海道添製三架同治六年秦到一架存

於善後局備用其器具有上牛喉四個銅灣角喉管一個鐵喉匙一枝銅喉筆一枝下牛喉四条銅槎二枝捻木棍二枝銅龍頭一個水爬斗十石火鈎四根燈籠十二個肥細棕繩三根扁擔十根吊桶四個大小旗五面一施放水龍須先將牛皮水喉用水浸透逐段聯合扭緊鉗口則皮喉和軟任其所指不致屈强一遇施放之地靠近河井應以尾喉配上水櫃尾口以尾喉之口納入水中尺許將櫃內之水注滿搖動兩旁按手再將櫃面鐵匙擢正開其尾口銅門則水從尾喉汲引而上上噴下吸一氣貫穿按手不停水源不竭 一遇無水之地不用尾喉即仍擔水傾入櫃中其櫃面鐵匙則宜側擢使尾口銅門閉合則水不外洩 一施放既畢務將喉內餘水瀝盡用繩穿喉高挂陰乾乾後圈轉放於高燥處庶免潮濕損爛

江甯機房昔有限制機戶不得逾百張張納稅當五十金織造批准註册給文憑然後敢織此抑兼并之良法也 國朝康熙間尚衣監曹公寅深恤民隱機戶公籲奏免額稅公曰此事吾能任之但奏免易他日思復則難慎勿悔也於是得 旨永免機戶感頌

遂祀公於兩花岡此織造曹公祠所由建也自此有力者暢所欲爲至道光間遂有開五六百張機者機愈多而貨愈積積而賤售則虧本洋貨遂得乘其弊蓋予人以瑕也曹公頗慮及此無如民間不解所謂不知物以希爲貴耳回憶道光年間緞機以三萬計紗綢絨綾不在此數按廣東之裕成絨仰啟泰之靴素福建之恆升合素又如大敬素嘉泰閩貢皆其著名者

江甯緞機以元色著名而染坊多近秦淮兩岸漂絲必於青溪東水關北銅管三水合流之間其色烏亮江潮上時則染匠退休矣如鎮江大紅常州果綠蘇州玉色西湖杭色皆以色名者也元緞之名不一統謂之曰頭號二號三號八絲所織也帽頭懷幨噴嚕驗次貨也可以七絲五絲所謂頭號緞其廣自二尺六寸至三尺二寸其長以四丈六尺爲率二號之廣自二尺二寸至二尺七寸甚不一三號皆廣二尺七寸經數以九千五百根止其頭號經數以萬七千者爲最上近有專貿京師韓料增至萬八千者然難織矣天青以萬五千爲率廣則不過二尺九寸過廣則織不美也　元緞織工頭號必須江甯鎮人有膂力無疵瑕次則秣陵陶吳再次祿口殷巷南鄉以外皆不如也天青則城内人爲佳以北鄉邁須大力而能細密耳又有錫緞乃二尺二寸窄而佳者以不臯橋人織最善黑絨首推建絨建絨者建業之絨也昔稱大宗其機在孝陵衞故又曰衞絨製暖帽沿邊者非此不克另有翦絨

者爲專門之業織成而修整之近日爲西洋絨所排擠質雖不佳其價廉甚建絨於是日索矣　金陵線緞昔當盛時其質地皆淸水元色經緯織成購用者十年不壞近則油粉攙染不易售矣甯綢府綢線縐昔皆金陵產也今則遜於杭州以經緯不及昔日故帷存告朔之羊而已　摹本緞今尚有織者以工大而人少合而計之不過數十機而裝花緞亦不常織秋冬始有商販定購也二則龍光紗機皆聚於城西鳳凰臺杏花邨一帶　金陵織緞之絲有經緯之別在昔經用震澤南潯緯用湖州新市塘棲雜色之緯用蘇州香山而溧陽則絨線料也咸豐癸丑以前上等緞皆一買絲於吳越以純淨潔白適用而價廉也自洋人買絲驟盛價增一倍於是小機一戶參用鄉絲矣然搖經則非海甯絲不可價雖昂不能易也海甯一隅所出絲供各處搖經用而西洋亦樂此不疲近日震澤南潯之經改爲洋經京緞不能用矣則專資於海甯之絲購歸搖成方織矣（接吉志修於嘉慶年間其物隸門內云紅甯不出絲皆買於吳越趙思兒嵩年鄉闕土絲尚精）硃（耳鄉今蘇瓜有頭能飼二蠶三蠶也蠶）從前金陵經工不佳近則仿震澤南潯之法頗爲適用搖經者皆北鄉人自北門橋至太平門外姚坊門邁臯橋皆善此業　染元色以溧水人爲佳祿口人次之天靑染坊高湻人居多溧水次之染布者亦以高湻溧水人擅場　今廣植桑田年復一年自必茂密由上元之銅山謝邨迤東各鄉產漸旺秣陵祿口陶吳橫溪橋谷里邨六郎橋江甯鎮銅井慈湖皆養蠶地也然而搖經之絲非海甯不可頭號緞之絲非湖州不可此非人力可勝殆天所以資其生歟　近日江北產絲甚廣六合江浦揚州高郵如臯通州皆有絲至三號緞可用以爲緯當價昂絲少時卽池州之靑陽絲四川之黃絲亦作染黑用而溧陽絲肥白

劣弱祗能參於天青中州甌紈調　江甯物產猶有摺扇治扇骨者聚於通濟門外曰扇骨營與高涫之鵝翎扇昔曾充土貢云句容之茅山蒼朮溧水之桑棗玫瑰花南鄉米江浦之小葉茶江甯之雨花岡石六合之靈巖石僅云土產不以入貢也

陳江總棲霞寺碑亂後石毀同治七年句容尚兆魚得片石於石埠橋道上僅存六行凡二十七字又有一石百餘字以重大未能攜及光緒二年往訪已以礙石充江北運堤用矣

曾公奏稿卷二十七載道光二十四年總督璧昌奏稱江南營船舊例二百七十五隻業已破壞今另造舢板一百三十五號大舶十二號等語此舊章之僅存者曾公云中樞政考所載江南水師分外海內河外海兵六千七百七十六內河兵八千零二十一雖非指江甯一府以關掌故特記之

名宦鄉賢向以八月前咨部部中年終彙奏其人不得以樂善好施隨同督練守禦爲詞在官必有實政可指在家必有經術文章方准　光緒五年正月禮部儀制司奏准

必待其人身故後三十年方准呈報尤必其人子孫不官三品以上者足見俎豆之難

崇祀兩廡者向無儀注今爲酌增之　查做各地規式高卑作栗主供明倫堂地方官諏吉與校官率諸生先示於學黎明以籩豆告先聖及入祀之主其文曰年月日某官等遵旨以某人從祀廟庭今肅奉栗版入廡敬告木主前卽其人事蹟撰數言於首餘畧同鼓樂彩亭舁主自持敬門入升東階冠帶九頓首自西階降詣其位次然後於配哲先賢先儒總位前三叩首而退

忠烈備考江甯高德泰編今忠義錄之所資節孝備考孫金相等同編節孝錄之所資粵匪兵事記略今兵事表之所資實政資之善後局沈師齊建置資之工程局陳海仁自督署至本府案卷資之報銷局石永熙故坿記之

以上雜記

附記

江甯府屬公車費碑　江甯府正堂馮　爲詳請立案事竊於同治九年三月十三日轉奉　湖廣爵閣督部堂李　札發湘平銀八千七百五十兩由府轉發鹽典生息以一半爲該屬各縣士子公車之費以一半爲救生恤嫠善堂等項經費會同該地紳士條議章程通稟立案等因奉經前署府錢德承將奉發銀內提銀四千三百七十五兩發交鹽旂領運按月一分五釐生息爲府屬士子公車之費並會商紳士江西候補知府王延長安徽候補知府石楷議擬章程送核旋據該紳士稟稱遵卽集議謹擬章程繕摺呈送通詳立案並請批飭鹽旂嗣後毋庸解府轉發以省周折等情由前署府移交前來伏查所議章程尚屬周妥理合照繕清摺詳送伏候　憲台鑒核批示立案　一蒙撥鉅款遵發鹽典生息

也蒙　李爵中堂賞發捐款銀四千三百七十五兩由江甯府錢守德承上元縣張令開祁江甯縣莫令祥芝邀憑紳等轉發省城何公遠鹽旂兌收生息爲江甯府屬士子公車之費取具鹽旂圖領交府存案另立印簿按季支取息銀其餘銀兩亦由府縣同紳等發交協和典商生息爲崇善堂恤嫠之費各歸各事不准互相通挪經辦紳董不得提用銀本亦不得商由地方官用印文提用

一鹽旂息銀定章支取也公車費一款今由府與鹽旂議定每月一分五釐生息按季支取載明領狀從同治九年五月初一日起息核計每季三個月應取息銀湘平足實紋一百九十六兩八錢七分五釐閏月照付另立取息印簿一本由鹽旂加用圖記呈府蓋印發交紳等轉交救生局崇善堂紳董代爲收存按季由紳等持簿取息隨時公同交存殷實錢莊取具圖記收條交堂局董

事代收俟屆會試年分憑條取銀匯兌京莊　一酌定提用息銀
按科結清也提用公車費公同酌議以所收息銀按科結清匯寄
攤送如三年屆會試一次即以三年息銀儘數提用如遇　恩科
年分則以一年半六季之銀截數送給　恩科後之正科亦如之
無論人數多寡均照鄉場年分截至歲底爲止不得預提至出入
平色均照湘平折成曹平足色寶紋一律匯兌收支　一由京致
送計人均攤也京都上江會館向於會場後由值年京官邀同鄉
公讌名曰接場今公同酌議卽於公讌時查明府屬七縣會試人
數以本科匯到銀數除由會館值年者先提接場費銀四十兩備
辦外卽於是日取出寄到聯票請各舉人自塡姓名某縣某科字
樣逐一畫押按人分算均攤各裁聯票一紙自赴匯銀京莊照兌
京官會試者一律照送俟發竣將票根及收回聯票寄回金陵交

省城經管紳士查收開冊呈府備案　以上章程四條由府通詳
立案奉　湖廣爵閣督部堂李　批據詳已悉繳　兩江總督部
堂馬　批如詳立案仰江寧布政司轉飭知照繳　江蘇巡撫部
院丁　批查閱所議章程似尚妥洽仰江寧藩司飭候兩江督部
堂批示遵行錄報繳　江寧布政使司梅　批據詳收支章程尚
屬周妥應准照辦繳　江寧鹽巡道凌　批如詳立案繳　同治
十二年十月立勒石

上元江寧六合三縣加廣學額碑　戶部禮部兵部謹　奏為遵
旨議奏事湖廣總督李鴻章等奏總兵王永勝所部各營報
効欠餉請廣學額一片同治七年六月十八日軍機大臣奉
旨該部議奏欽此欽遵抄出到部據原片內稱據統領淮軍開字
營記名提督南贛鎮總兵王永勝稟稱所部各營歷年欠餉甚鉅

目擊餉源支絀情形情願全數報効飭據軍需報銷總局詳稱閒字各營截至同治五年年底止共計報効欠餉銀二十二萬一千五百兩有奇該統領王永勝籍隸江蘇六合縣寄居江甯該軍原係安徽桐城縣已故提督程學啓舊部開單請奏前來查該總兵情殷報効所請加廣文武永遠學額名數懇　恩俯如所請勅部核覆施行等語戶部查該督等奏稱總兵王永勝所部各營欠餉請以銀六萬兩加廣六合縣文武學額各六名以十萬兩加廣江甯上元兩縣文武學額各五名以六萬兩加廣桐城縣文武學額各六名核與捐輸章程及歷屆成案均符應請照准禮部兵部查江蘇六合江甯上元三縣所加文武永遠學額應准照數加廣其安徽桐城縣學額前已加過定數七名此次應准加永遠文武學三名其餘應改爲廣一次學額十五名所加學額均自本屆歲

試取進以符定章恭候　命下由臣部行文遵照辦理謹　奏
同治七年十一月初一日具奏本日奉　旨依議欽此　同治
十二年六月立勒石府學明倫堂
永禁金陵城外諸山開礦碑　同知銜署上元縣正堂郝　知府
銜署江甯縣正堂顧　抄奉　調署江南江甯府正堂趙　為
出示曉諭事查接管卷內光緒六年八月初十日奉　兩江總督
部堂劉　批發江甯在籍紳士　太子少保頭品頂戴前戶部
右侍郎溫紳葆深前掌江西道監察御史朱紳鎮二品頂戴前署
浙江杭嘉湖道陳紳魯按察使銜安徽候補道石紳楷前直隸保
安州知州韓紳印舉人揀選知縣汪紳士鐸舉人大挑知縣蔣紳
鳴慶歲貢生陳紳汝權等稟稱金陵為省會重地四山環繞一脈
相連同治十二年有莠民王浩生逼勒鄉民出結請開上元東北

界連句容之寶華山祠山土山一帶煤礦前紳方俊等以各山皆在禁例若任其採煤則諸山氣脈盡失省垣必日形凋敝況城外山場冢塚鱗櫛一經開挖勢必毀墓卽或讓開墓道而山腹已被掘空墓塚浮存晌必坍陷且開礦之事江南土人未諳必招外籍游民供役若輩獷悍性成尤慮蹂躪四鄉久而爲患稟奉 前督憲李 咨商 直隸爵閣督部堂李 批示禁止在案然恐奸人狡詐多端難保不思逞於後與其禍患已成嗟燎原之難撲不若防維先事作未雨之綢繆查江甯與鎭江山川接壤唇齒相依鎭紳已稟請永禁江甯事同一體公籲俯准立案勒石永禁議開煤鐵各礦樹立江甯府縣學門外俾衆咸知等情奉批查禁開挖煤礦一事昨據鎭江李紳士承霖等具稟當以採煤以給民用開礦以興利源只可於幽深荒僻之處爲之若人烟輳輻之區且爲墳

墓所在豈可傷地脈拂輿情啟亂召侮顧小失大批飭鎮江府遵照勒石示禁在案茲閱該紳等稟呈各情核與鎮紳所言大略相同自應准其勒石示禁並樹立府縣學門外俾眾咸知仰江甯府遵照辦理仍移該紳士等知照繳稟抄發等因到前升府移交本府奉准此查金陵城外諸山久奉　各大憲禁止開挖煤礦在案茲奉前因除照會各紳知照並飭縣隨時查拏究懲外合行出示曉諭為此示仰軍民人等知悉爾等須知城外各山非關地脈即有墳塋斷不容任意挖掘况江南山中素鮮煤鐵即有所產亦難適用嗣後無論官民山場一概永遠封禁不准開挖煤鐵各礦倘有地方棍徒勾串外來游民圖利私挖一經訪聞或被告發定即拏案嚴辦該山主容隱不報一併究治各宜凜遵毋違特示　右諭通知　光緒六年九月　日示勒石府縣學大門外

附錄鎮江紳士恭勒 聖諭碑通鑑輯覽萬歷開礦條
高宗純皇帝御批理財而取資山澤其謬亦人所共知且成化時
因開礦之故致聚盜滿山前鑒匪遙神宗何以復踵故轍 內閣
檔冊乾隆九年五月 上諭軍機大臣等前據部選藁城縣
知縣高對呈請自備工本開採礦廠一事戶部議令發與喀爾吉
善查議朕思此事於地方甚有關繫必不可行可寄信前去即停
止 直隸總督高斌奏前准戶部密行藁城縣知縣高對請自備
工本於嶧滕費及淄沂平陰泰安等山開採銀銅鉛礦臣查山左
開礦之說聞明嘉萬間到處開採積歲無獲官民重困至我 朝
康熙五十八年巡撫李樹德奏請開濟兖青登四府礦場以佐軍
需
聖祖仁皇帝恐其擾民即停止蓋開採礦砂向惟於滇粵邊省若

中原內地從未舉行且開鑿之處官役兵弁更有不能不擾民之勢若致開掘民間廬墓更易滋怨況利之所在易集奸匪爭鬬之釁必生是於事則無利而有害於地方則甚不宜於輿情則甚不願若必僥試行無益而後中止萬一有奉行不妥之處將爲盛德之累　諭所奏甚是朕竟爲舒赫德所欺有旨諭喀爾吉善停止矣　恭讀

聖諭三道斥禁開礦並闢自備工本之說

天語煌煌允宜萬世遵守本郡礦事現經兩江總督部堂

劉　立案勒石永禁特再敬錄勒碑嵌立學門用肅觀瞻而垂永久　光緒六年九月　日本郡士民公建

崇善堂記　予老屋在金沙庵西咸豐三年粵逆陷城其次日族人松崖舉火自燔合室燼焉延及姻戚朱錫九之宅暨它諸小屋悉成焦土賊取寺觀材搆爲僞府壯偉蓋殊昔矣事平權以祀城

隍神神廟建予與錫九同願以其基入官前爲向榮張國梁二忠
武公祠以報功其後爲崇善堂以䘏嫠鳴之節帥李公宗羲商之
姻家石君楷石君堂之總持也僉以爲可遂記其顛末且爲之箴
以諗後之人曰邑有顛寡仁者憂懂將取秉穗䘏此衫褏辟之穫
稻不易耕耘上天雨粟賢愚何分畀雖合句望等霓雲如何肥家
屯膏紛紜彼嫠之髓匪供饒臕彼嫠之膚匪供元纁嗟我同人在
廉與勤毋懈心瘁毋惜足皺前之爲不令者而亦既聞往轍能愼
穀魄欣欣爲謀弗臧死賊炊炊瞀學司直敢告同羣光緒元年三
月江甯汪士鐸記署理江南鹽巡道勒方錡書
華藏菴甘棠文舍記　華藏菴在金陵城西北王半山詩屢詠之
或曰卽鐘龍書院故址則其爲講學之區也舊矣同治中江邑侯
甘君愚亭從悔翁汪先生之議首捐廉以養邑中耆老續募得制

本頁原殘闕，現據南京圖書館藏《光緒續纂江寧府志》（光緒六年刻本，光緒七年初印本）補字。

錢一千八百緡寄協隆質庫取息以其餘設立文會敎童子之孤貧者爲膏火資月一試之屬余與甘建侯孝廉子蒓博士規其事邑人感侯之惠名其會曰甘棠誌去思也然講舍未有定所假崇善堂以肄業五年于茲會有僧某墖院當毀請以其磚瓦木石改建文舍余憐其誠許之而華藏庵適有隙地因爲構立三楹蒔竹數竿稍存籜龍之意於光緒五年五月落成課文者咸就是以會秩秩如彬彬如可謂盛矣抑聞之宋有童子科建康夏錫與焉所居里巷至今猶以童子名然則士之克自立者其植品與學未有不自童子始此固甘侯所以設敎之心而余與悔翁同深有厚望也是爲序光緒五年邑人石楷撰湖口高心夔書

頤壽堂記　此堂郡所無也其源出於地官之保息蓋謂伏羲畫卦屯復之際受之以頤頤者養也然必上有列郡之方岳下有百

本頁原殘闕，現據南京圖書館藏《光緒續纂江寧府志》（光緒六年刻本，光緒七年初印本）補字。

里之侯封互以藩衍之坤厚謀以耆成肩以俊彥具是五德迺臧厥事茲維休哉蒙嘉其勤爲築斯室亦冀任恤之風由是引翼勿替也光緒六年九月石楷記

金陵倉聖祠祔祀版位證

倉聖制造古文奇字漢儒謂卽科斗書孔壁遺經皆沿其體漢以後承用已少今世摹印刻石榜匾之體三曰大篆曰小篆曰隸書經典文字官府史書及翰札簡牘之體二曰楷書曰草書大篆爲周太史籀作漢書藝文志有史籀十五篇班固謂周時史官教學童之書與古文異體是也小篆出於爰歷篇博學篇見晉書衛恆傳今其體莫備於漢洨長許愼說文解字其自序所謂今敘篆文合以古籀篆文卽小篆也隸書爲秦人程邈作史記正義論字例云程邈變篆爲隸江式亦云隸書者始皇使下杜人程邈附於小

篆所作也楷書即八分書爲秦羽人王次仲作水經注謂始皇得次仲文簡略赴急疾之用張懷瓘書斷謂次仲八分從大篆出鋒則加疾是也草書爲漢黃門令史游作書斷引王譜云漢元帝時史游作急就章解散隸體麤書之書斷又曰草書爲章草因史游急就章而名也此五體書皆倉聖古文奇字之支裔大小篆隸書固爲講求小學辨章文字者所重而楷書草書尤爲日用行習所需倉聖創之於前史籀等變通於後作者謂聖述者謂明其授受源流見於故書雅記皆可尋按今金陵建倉聖祠以史籀許慎程邈王次仲史游配食實合崇報之義謹爲證其原始如此

免收絲捐碑　同知銜特授上元縣正堂沈　正任沛縣署江寧縣正堂陸　爲出示曉諭事案奉　藩憲札准金陵釐捐總局咨奉　督憲批本總局詳甯屬設局抽收落地絲捐開摺呈請示遵

由奉批此案現據江藩司呈據紳董高德泰等稟陳窒礙情形未便造次定議聲明札縣會委傳集紳董行戶妥議稟詳應俟議定由司具詳察辦仰即移會一體知照等因飭即遵照會委傳集紳董妥議稟復轉詳定案等因奉查此案前奉　藩憲札飭即經傳集該紳董行戶面詢籌辦旋據紳董高德泰等以前呈四端均係實情深恐捐數無多難以奏效兼以時勢維艱仰求體卹以免繁擾如日後有出運賣洋之絲俟買戶打包即責令行戶舉報照章繳捐等情先後呈復前來正擬據情稟復閒奉飭前因伏查該紳董等所稟四條均屬實在情形所有飭辦落地絲捐當此民閒元氣未復委實難以籌辦應請俯如該紳董所稟免其收捐以順輿情而免繁擾至此後倘有出運賣洋之絲一俟買戶打包即責令該行戶舉報照章繳捐以符原議當經本縣等會同　委員候補

直隸州分州閔　稟奉　藩憲批開已據情核議詳復　督撫憲仰候奉到批示另行抄詳飭遵等因奉經遵照在案茲奉　藩憲札奉　兩江總督部堂沈　批飭前署司詳據上江二縣暨委員閔倅式文會稟江甯議辦絲捐飭卽會議傳集紳董詢據該紳以前呈四端均係實情經縣會委查明民間元氣未復委實難以籌辦應請免其收捐以順輿情而免繁擾至此後倘有出運賣洋之絲一俟買戶打包卽責令該行戶舉報照章繳捐以符原議會稟請祈詳咨免辦等情經司再四察訪所有金陵城鄉土絲土產土銷應請率由舊章買賣一律免捐以順輿情至以後江甯土絲如有販運出江應照原議每包按八十斤計算實捐英洋十六元准其驗照放行如無捐照由各局卡查出照章收捐給發捐票以便下游驗放核議詳復緣由奉批如詳辦理仍候　撫部院批示繳等

因到司奉此並准金陵釐捐局咨查會否議詳核復飭遵前來除
抄詳移會常鎮道並移金陵釐捐蘇省牙釐總局查照外合亟抄詳札飭札
到該二縣卽便遵照摘錄簡明出示曉諭仍移委員閔倅式文知
照毋違等因並蒙抄詳到縣奉此除移委員閔知照外合亟照詳
摘錄出示曉諭爲此示仰城鄉絲行機業人等一體知悉須知議
辦絲捐一項業經本縣等會委臬蒙　藩憲核議所有金陵城鄉
土絲土產土銷應請率由舊章買賣一律免捐以順輿情詳奉
督憲批示如詳辦理以後凡江甯土絲如有販運出江應責成行
戶按照原議土絲價值較賤於湖絲應每包按八十斤計算免去
滬捐善後海塘等捐洋八元四角實捐英洋十六元由行戶轉繳
地方官衙門給發收照准其沿途驗照放行如無捐照由各局卡
查出照章收捐給發捐票以便下　游驗放如出口第一卡收捐給

照免罰至第二三卡始行查出收捐之外仍應照章議罰以杜偷
漏營私華商販運出江既須報捐則洋商事同一律凡持洋票來
甯購買出江者亦應照此報捐查前奉常鎮道憲咨行洋商請領
報單向章於給單時卽將運照札發產地州縣俟商夥買貨後報
請驗照將報單繳換運照由縣於照內塡數蓋印持作沿途驗放
之憑報捐後應於運照內加用產地捐已收訖字樣以免逢卡周
折中外商人一律辦理並無偏狥足昭平允爾等務各凜遵毋違
特示　光緒三年五月二十六日示
特調江南江甯府正堂加三級紀錄十三次余　爲曉諭勒石永
垂善政事案據上江二縣紳士前任貴州遵義府知府胡鐘　封
承德郎翰林院編修伍光瑜翰林院庶吉士方傳穆　封文林郎
內閣中書陳授內閣中書易長華陳維垣卽用知縣陳維屏舉人

陳燦勳王嘉言梅沖陳公綬章貢金胡澄陳榮林端陳克寬張恩洋優貢生郭鴻副貢生鄭繼僑拔貢生温肇江歲貢生程有恒管培貢生李德興職員葉枚甘福張兆桂王言經梁龍龔鑑鄭懷珍陸景福生員汪棟邢崑方中量吳剛周承祖陶岑陳克家陶濬思龔士標周寶佚周鳴阜臧錕陳炳文陳瑞符楊銓汪度費士嵩王佐才梅曾蔭路聲揚林惟堂閔文昭金其相王芝林劉光斗王汝梅監生劉廷傑陳遵宜陳德槐鄭國恩甘韶九張大杰龔湧濤曾世傑鄭子熙周廷鏞等先後公稟每見下關至浦口渡江舟楫往來風波不測常多失事又城中秦淮河道亦間有落水人口流淌屍身情願公捐紅船專司拯溺創立迎江高樓便於遠望設局在於下關草鞋夾及各險要江面以資救生並於省城長樂渡水府祠作爲總局議立規條責成江船搶救分別優犒救活人口酌給

路費撈起屍骸埋標記仍令委員不時稽查毋許攏江多裝致虞覆溺按照大中小船編號粉書額裝人數倘遇風狂浪大扯旗止渡至上元江甯水陸地方一切江河溝塘園池道路祠壇寺院城市關廂井巷東廁等處遇有路斃浮屍概行報局查辦除無傷之屍照例掩埋設或屍身有傷即由縣驗明飭捕跟緝均與水路船戶旱路報信暨倒斃處所地主隣佑人等無涉庶人無畏懼見善勇爲而臨驗之時仵作刑招亦不再致藉故妄傳拖累無辜等情當將先後悉准飭辦規條列敘轉詳　各憲核示在案卽蒙　江甯藩憲恆　批現據該府詳覆救生局遵議規條專辦救生水陸斃屍擬具碑式並不藉傳堂董地隣一切人等訊供拖累所用屍埋費用由局給發悉蘇郡一善堂成例變通辦理均屬盡善其不准江船多裝勒索冒風走險恐虞覆溺各情弊冊結迄今未據取

送此中難保無違混仰即速行差取補送備案該府仍不時委員
抽查以免廢弛而全民命應即先行刊板刷摹通飭遍行曉諭一
面飭局勒石樹立以垂永久並候 臬司巡道 批示錄報繳册存等因
又蒙 江蘇臬憲覺羅麟 批查核覆議規條甚屬妥協具見該
董等樂善可嘉仰候據情會同 藩司巡道 詳請 院示至日另檄飭
遵該府仍飭諭該堂董即日赴司呈請頒發護照給執一面諭令
妥爲經理如果始終實力奉行著有成效再當詳請優獎並候
藩司巡道 批示繳册存送等因又蒙 江甯巡憲碩 批查核所擬金
陵紳士現辦救生事宜各條款詳晰周妥仰候移會 藩臬二司轉
詳 督撫 二憲批示至日曉諭濱臨江河各約所地方遵照飭取刑
招差仵夫役不致藉擾結肰備查仍諭知該紳士照案刊刻成書
另稟頒發俾闔境士庶得以家喻戶曉共知免累以杜吏胥藉端

恐索擾害愚氓之弊仍候　藩臬二司批示繳冊存等因又蒙　江蘇臬憲覺羅麟　憲檄詳奉　總督部堂孫　批查核所議均屬妥協如詳轉飭該司事等實心經理辦有成效卽請優獎以示鼓勵仍候　撫部院批示繳冊存又蒙　巡撫部院陳　批開據呈規條均屬妥善仰卽如詳轉飭遵照給示勒石以垂永久仍取碑摹送查並候　督部堂　批示繳規條存等因飭行各到府蒙此除諭局分別遵辦外合行條列示諭爲此示仰商民船戶刑招仵作兵保快甲土工馬頭一切人等知悉凡江河救護人口以及水陸斃屍各就附近局所報明遵照後開規條分別辦理設屍身有傷俱由坊甲報縣請驗嚴飭捕快跟緝不得藉以取供牽傳重事地隣船戶報信人等到官伺訊取結等事倘有刑仵隸役藉端需索再行滋擾一經訪聞或被首告定卽嚴提究辦決不稍貸以全

善舉其各凜遵須至碑示者

計開

一江面遇有覆舟人口責成擺江船戶搶救河道溺水人口責令涼篷船戶救護每救活一人赴局領犒勞錢一千文如值外江暴風加倍錢二千文撈尸一口給錢三百文凡救起不活與救援者無涉該船戶等務當臨時踴躍保全生命切勿觀望貽悞亦不得藉救生之名乘閒搶匿失風貨物察出定卽照律治罪

一江河救護活人局中預備衣帽衾褥履襪等件以備更換該快甲卽便知照家屬領回其有住處較遠暫留在局將息以三日爲期倘實貧苦無出量給路費回家

一江面遇有漂淌尸身該船戶隨時撈起帶岸局內司事鳴知該處坊甲驗明男女面貌約畧年歲及身穿衣服鞋襪佩帶各件

逐一唱報局中登載痊旅底簿即用局材一具殮布三幅紙錁一千石灰十斤殮埋局設義冢標記待認局給抬埋錢四百文築堆高三尺坑深三尺寬七尺務得如式倘有草率不堅三年內有坍卸者即著原埋土工賠修該馬頭土工務須有呼立應如臨喚誘延該地快甲隨時稟候提究倘屍身或有傷痕該坊甲即赴縣報驗局中給棺收殮抬至官設義冢

一查有等慣於泅水之人串同快保船戶人等假意落水救起希冀犒勞分肥一經查出除將得錢之人提案追罰嚴加懲治枷號游示外定將包容扶混之膾玩快甲人等一併拏究

一上下江面各岸口擺江船隻例應編立字號分別大中小船額載人數以防多裝覆溺以裝三百担爲大船二百担爲中船一百四五十担爲小船查例載大船每隻裝二十五人中船二十

人小船十五人每貨一石抵人一名每牛驢一匹抵一人猪羊大者抵一人中者二抵一小者三抵一業經委員於船兩廂載明第幾號大中小船船戶某人該裝人數若干連同掛幫各船用白粉硃圈一律大書仿崇明沙船之例永遠存記嗣後擺江如有增添更替卽由分防之員照例粉書由救生局專案造報以杜遺漏其未報官編入字號及未書廂之船概不准於江面裝渡違者立拏重懲其已編號各處江船敢復違例多裝一經紳士查明許卽稟候鎖提船戶嚴行懲治枷示江干幷將船隻充公以禁玩違又無桅舵涼篷等項小船只許渡河不准出江大號涼篷許裝十八人其瓜撇時馬小划等船許裝六七人稍寬者至八人爲止敢有貪利多載冒險出江除提船戶嚴究外亦將船隻充公以垂炯戒

一擺江裝載自應渡送過江泊岸後照例取錢卸載查近日船戶每有載至大江中流任意勒索及裝至病人與夫婚喪過渡格外留難種種惡習或至因爭失事深堪痛恨此後倘敢仍蹈故轍許被索之人報知公局查明稟究其報局之人卽刻放行免致拖累至涼篷等船敢有在於河道勒索橫爭者亦許被索之人照江面之例報局稟究不貸

一擺江渡船遇風狂浪大之時除公文驛馬相機行止外惟來往行人當俟風平浪靜過江不得冒險搶渡現在奉　憲印發大止渡旗交局收管若遇風起救生局豎旗後各船戶卽當停泊倘敢抗違由局稟請拏究

一紅船三隻專爲救生局設自應遵照　憲示永遠不得濫捉差使貽悞游巡亦不得通情借用倘紅船私裝擅離江面本局查

出即將該水手革退

一局設義塜坐落通濟門外神樂觀鳳臺門外朱家牌坊金川門草塲地方仍有康熙年間濟川會捐置義塜在於神策門外孫家凹地方現今紳士查交大廟僧人吉中照管並將來或有續置義塜皆不許居民樵牧人等侵佔及縱畜作踐情事倘敢故違即由照管僧人指名具稟以憑提究

一救生公局乃紳士辦公之所理宜肅靜不許一切閒雜人等在於門前踢毬跌錢以及擅入窺探該地快甲鄉保兵頭營兵不得稍縱滋擾倘有違示及該快甲等知情徇混一經紳士稟報定即一併提究

一城鄉河道溝塘祠壇寺觀井巷東厠墳墓田地等處凡路斃浮屍無論有無傷痕由該坊甲赴局領費報官相驗無傷者局中

給棺殮埋有傷者候官示殮埋官設義塚
一相驗收殮時如有書信銀錢當票及有記認物件當場註明交
貯縣庫另單存局仍請出示招屬認領
一路斃以及浮尸有傷服滷服毒非病斃溺斃應行查究者如有
親屬出認應聽該親屬自行報官驗殮如無親屬出認經官相
驗後局中出棺盛殮仍聽印官辦理交坊甲停放官設義塚立
標註明男女老少服式面貌以待屍親查認
一凡路斃浮尸報官相驗者奉　前督憲陳　禁止差仵人等向
地隣索詐在案惟驗傷需用等物及各項人役飯食無出難保
其不串坊甲滋擾今仿照蘇郡除本官供應自行捐給外所有
雜費由局捐貼計屍格錢一百六十八文硃墨筆錢四十文布
五尺錢一百文芸降香錢二十四文燒酒錢七十文蘆蓆錢三

十五文紙張錢一百四十文共錢五百七十七文刑招房飯食錢一百六十八文仵作飯食錢七十文皂快頭役飯食錢一百四十文跟隨散役飯食錢一百四十文禁班飯食錢七十文刑杖皂役飯食錢一百四十文茶房飯食給錢七十文號房飯食錢七十文衣箱摺椅夫役飯食錢三十五文軍夜傘轎夫飯食錢三百三十文土工看屍搬屍抬埋工食錢一百四十文坊甲飯食錢一百四十文共錢一千五百一十三文總共錢二千零九十文此城中驗場之費其有路遠各鄉紙張需用之錢無須加添而計途五十里者往還爲一日局中加添一倍飯食共給錢三千二百六十六文計途百里者往還爲二日局中加添兩倍飯食給錢六千零五十二文此外如有多索分文及再向地主隣佑需索者經局訪知稟究

一無論江面城市四鄉一切遠近有傷等屍凡不明來歷報官相驗者誠如　臬憲明諭旣難知其來歷其如何受傷又從何得悉紛紛傳訊徒開索詐之風重重取結益增無窮之累應遵照藩臬憲指飭更正事理概不得牽連董事地隣船戶報信人等伺候取結以免拖累而全善舉

一各約所坊甲遇有前項屍身除循例報驗外卽赴局知照領取貼費如坊甲匿不報局希圖向地主索詐許地主赴局報知司事代爲稟究以免牽擾

一路斃屍身經坊甲報縣後如有親屬出認不願報驗赴縣具認領狀聽其領殮查係赤貧局照給棺殮擡埋各費

一附近土丐或病故於路或溺斃於水遺有乞食籃捧碗鉢經丐頭認明查無別故丐頭卽係屍屬亦聽其領殮赴局請領棺殮

㙟埋各費出具領紙存局備查不得復向地隣需索

一各寺院山場有久停棺槨以致暴露後裔無人者由坊甲查明報局局中照貼㙟埋各費聽其埋葬義塚

一鄉城曠僻處所如有路斃浮屍坊甲地主未及查知行路之人看見許其赴局報知往看屬實當給報信人錢三百文令其自去則報信者踴躍

一本局於城中信府河長樂渡設立生生堂總局於草鞋夾烈山三山營西江口周家山龍潭三江口設立分局總辦救生水陸斃屍均屬一體遵行倘將來濱江險要之區仍有見義樂爲者不妨踵事而增倘經費少裕再照蘇府添設棲流所庶遠邇無遺則於民生更有裨益

以上各條分別詳示爾等務宜恪遵倘有玩忽定當盡法懲治毋

貽後悔該司事亦須實心經理若果終始妥當將來仍當另請

獎予以示後效切切

嘉慶二十五年五月　　日示

終

記貢院添造官房讓寬街道緣起

江南貢院甲於他省惟西路官街太窄街南向爲民房所占局面亦隘是以歷屆文闈多搭蓆棚作爲官房而士子大受擁擠之累委員辦公者不免露宿風餐之苦兵燹以來民居皆燬所遺地基房屋皆官爲給價收買至同治八年馬端敏公有添造官房讓寬街道之議事同刱舉而籌費孔艱先是曾文正公官總督時有存儲捐金萬餘兩函致今都轉洪公汝奎察看地方公事有可爲永久之利者儘數提用並不以此區區要譽等語至是乃撥此款以應用焉惟良法成規期於垂後日月既久侵佔堪虞爰將貢院東至利涉橋西至魁星亭街道丈量寬狹開列以備考證

一貢院門首官街東至西二十八丈一尺五寸北至南十五丈三尺四寸

一貢院官街東第一段寬三丈二尺八寸長九丈七尺三寸　第二段寬三丈一尺六寸長十四丈七尺　第三段寬二丈九尺二寸長四十七丈八尺　第四段寬二丈　長二十丈八尺　第五段寬三丈長一丈五尺至利涉橋官界止

一貢院官街西第一段寬

二丈八尺八寸長九丈一尺　第二段寬二丈八尺一寸長十二丈二尺八寸至魁星亭止

奏請停辦快丁編審碑　江甯府正堂趙　為出示勒石事案奉

兩江總督部堂劉　札開據江甯紳士安徽候補石道稟稱竊查江甯紳士條陳快丁編審擾累請永遠豁除一案荷蒙

沈文肅公彙案

奏免僉快業經照錄全帙刊印成書謹呈一本並搨摹道光三年永免僉快碑石一道仰祈垂鑒所有此次奏案擬懇札行江甯府轉飭上江兩縣一併勒石以垂久遠等情到本部堂據此除批快丁免僉既有勒石成案應准所請辦理即由該紳籌款分別勒石外札府轉飭遵照等因到府奉經轉行上江兩縣一體遵照在案茲據江甯紳士石楷汪士鐸甘元煥陳元恆楊長年秦際唐方培

容陳慶霖黃慶承甘塏等呈請給示以便籌款勒石前來合行摘錄

奏案出示勒石爲此示仰上江兩縣暨江興二衞軍民人等一體遵守毋違特示計抄奏案見前光緒七年八月勒石

附記

李天洪江甯下莊村人事親以孝聞先是父寓皖北三河鎭洪隨侍左右事無鉅細輒先意承志父若不知在客中者嗣江南大營潰粤賊肆出殺人洪叔姪兄弟十三人同被擄至馬鋪賊厲聲問衆曰願歸家否如答云願歸則竿首以號於衆此賊絕破擄者思家之念也洪獨曰我願歸時環立者皆爲洪懼而洪猶復侃侃曰我有老母六十餘歲尚不知生死焉得不歸言之悲憤不可遏賊感其孝釋令歸不數日同擄十二人以皆有母賊亦漸次放歸皆

賴洪之力也迨母朱氏歿雖當烽烟告警時洪於一切殯葬猶不失禮焉洪壬戌九月卒於鄉無子以弟之子開域嗣

附職銜封贈

曹崧森溧水縣太學生光緒中以嗣孫續熙職貤贈奉政大夫

曹靜之溧水縣太學生光緒中以從子續熙職封奉政大夫

附仕籍

曹續熙溧水縣增貢生五品花翎光緒中署阜甯縣訓導

舊志所載節烈婦女有爲呂志所遺者今復甄采若干氏懼其久而就湮也

孝婦五人

明上元趙錫吉妻陳氏割股療姑疾　李芹妻王氏太僕寺少卿王𦬁女姑夏氏疾篤割臂和藥以進姑卒哀毀如禮子甫三歲而王氏卒　陳某妻朱氏陳名謨母刲股愈父　劉某妻陳氏陳名謨姨刲臂愈母疾　以上見陳志　六合季金妻段氏刲股救夫　見六合縣志

孝女二人

唐上元倉曹參軍殷遙女父死貧不能返葬女甫十歲日夜號泣親知憐之相賻贈埋骨石樓山中　見陳志　元袁氏女父早卒事母至孝年十五母病癱室中火起鄰婦呼之出女泣謝曰使我生而無母不如無生遂抱母死火中　見上元武志

烈婦十四人

宋上元趙淮妾翠蓮綠雲淮被執二妾從渡江淮死帥欲納之二妾請先葬淮擇吉以從帥許之令二卒從往至江干焚骨置器中操小舟至中流抱持投水死　見上元武志　明陶元妻沈氏歸陶二年守節行乞養姑有謗之者沈憤不食八日嘔血死　見上元武志　宋江甯兵馬元帥陳遘妾定奴遘守中山適金人再至堅壁拒守步將沙振不受命懷刃入府定奴責其輒入振立殺之遂害遘　見眞定府志名宦傳　明羅田知縣梁志仁妻唐氏賊陷縣城志仁被創死於縣門外倪公祠前氏同死節　翰林檢討汪偉繼妻耿氏甲申之變都城

陷與夫同死節以上見陳志

汪烈婦居江東門黃侍中祠側爲民人婦夫引惡少調之不從爲惡少所殺見杜岕些山集

定西侯張名振母范氏妻馬氏妾某氏名振仕魯王封定西侯橫水洋之戰其弟名揚偕幼弟及范氏馬氏與妾合門自焚死

襲定遠侯鄧文昌妻徐氏徐洪基女偕赴唐王文昌年十九徐年十七會大兵入景甯關徐謂夫曰君毋自辱妾請先死遂再拜飲鴆死

夏某妻張氏張其綱女夫亾以身殉

孫某妻張氏張英甫女封股療夫疾不愈自經死以上見金陵待徵錄

禮部侍中黃觀妻翁氏觀奉建文帝命往上游徵兵聞靖難兵已入哭語人曰吾妻素有志節必不受辱明日家僮逃至云將執家屬夫人出通濟門先擠二女於河遂自沈見研漁筆記

明句容曹友權妻戴氏見句容舊志

節婦二十人

宋王友筠妻李氏見上元武志

元曹子英妻尤氏見上元武志

明汪希和妻余氏

汪授元妻劉氏希和孫婦

殷一桂妻吳氏封股愈夫

徐揚吳陳志作徐張吳妻宋氏以上見上元武志

周芝才妻王氏許字後芝才病瘋自願毀婚王之父母將從之王不可歸周十年生一子夫故守志撫孤見詩匯

宋江甯羽林監垣曇深妻鄭氏夫卒於交州鄭時年二十子文凝始生苦節自矢自交州移夫柩歸里訓子以義方州里稱美見江甯袁志

明呂氏以節孝著見童軒集

焦沂川妻胡氏　京學生焦譓生妻韓氏　武舉人焦綖妻盧氏

鄒景賢母某氏　王嘉祉妻周氏以上見詩匯　明句容曹位妻許氏

曹瀨妻王氏　曹貨妻孔氏　曹孝橋妻王氏　周禧妻劉氏

以上見句容舊志

才淑七人

元王勳母勳幼喪父母令其侍孔約讀書每訓之曰汝親近窮人學做好人我當紡績供汝衣食且買書與汝讀他日識幾個字免爲賤隸我含笑入地下矣勳既長試吏後至府架閣見研漁筆記

龍興路學正孔友益妻楊氏楊翩妹名柔勝讀書通大義見金陵詩徵

明常延齡妻徐氏開平王十四世孫婦明季阮馬擅政延齡露章糾劾忤權貴卽挂冠去氏魏國女也食貧如飴操井臼荆布不充毫無怨尤人以爲難能

李疑妻某氏居通濟門外平陽耿子廉械逮京師妻孕將產衆懼不納露臥草中號泣疑謂妻曰人孰無緩急倘爲風露所襲則母子俱殞吾衛舍之而受禍妻欣然邀至家產一男踰月辭去不取其報金華宋學士有傳

龐景華母上元人孀居鬻簪珥市書課子景華承母志力學不怠比長娶婦徐能順姑志勤織紝家因以裕

盛時泰妻沈氏上元人時泰文場屢蹶常仰屋而歎氏曰君見里中得意人乎不過治第舍買膏腴榮耀閭里爾以妾觀之有三殆焉屈志殉爲人一也踰憲黷貨二也生子不肖之心三也孰如君家著書之爲高乎從君隱山中可免三殆之憂奈何長歎哉識者以爲名言

武卨妻某氏妾蘇氏 卨溧水籍家金陵有族某負千金事急卨歸謀諸婦妻出其簪珥之屬值八百金以償聞者義之妾蘇善持家卨嘗宴客失金杯一諸僕驚索蘇曰無容覓已收入矣客去謂卨曰杯實亡去然公平日好客任俠豈可以一杯故而令座客不歡乎卨善其言 以上見上元陳志

續纂江寧府志勘誤

新志既成亟付剞劂雖經讐校而梓人倉卒竣事譌誤遂多因復與同人詳勘得若干條惟版片質脆刓補易撤謹依原書卷次作勘誤坿錄如左

卷一 圖說 十六葉後三行南運應作南連 二十五葉前六行棣東應作埭東

卷二 田賦 三葉前注二十二行辦認應作辨認

卷四 祠祀 九葉前十二行忠烈應作忠毅○後二行大僕應作太僕

卷五 學校 四葉前五行千千應作千有○後九行駐房應作駐防 七葉後五行會議應作會詳 八葉後五行二年應作年二

卷六 實政 一葉前五行電舉應作霞舉○後三行額取應作約取 三葉後九行及後十二行撤子皆應作撤子 七葉前十一行鱲魚應作鮎魚

卷七 建置 一葉後四行採口應作埰口 五葉後十二行政建應作改建 六葉後八行二賢應作四賢

續纂江寧府志勘誤

八葉前十行添撥應作添撥　十三葉前十二行四十下脫六字　二十葉後一行小橋應作小石橋　二十三葉後二行旌楊應作旌陽

卷八名蹟　一葉後二行賓硯應作賓碩　二葉後九行另建應作另建○後十二行侯駕應作候駕　四葉後六行人光應作人堂　五葉前十行可城應作建城○後三行新歷應作游歷　九葉後九行榻之應作搨之

十一葉前五行山以子推名山字上脫介字○後一行鴿子應作鴿子　十二葉前二行民便應作便民○前七行是日應作是年　十五葉前一行推金上脫一出字　九葉後十二行陳善八應作尹善人尹名蘊六詳縣志

卷九上藝文上　一葉前四行以求應作以來　四葉前六行鐘山應作鍾山　五葉前六行萍坪應作菭坪　九葉後七行柏峴應作柏梘　十三葉後十一行晥水應作皖水

卷九下藝文下　六葉前三行吳忠應作吳志　五十六葉後一行宅卿應作宅鄉

卷十大事表　七葉前三行敬海應作鏡海代折應作代折○後十一行撤散應作撒散　十七葉後六行八日應作八口

卷十一上秩官　二葉後十一行攸銛應作攸銛○後十二行廷楨應作廷楨

卷十一下守令表六葉後三行姚瑜應作姚俞後九行范湘應作范驤○二十葉前三行汝湛應作汝諶

卷十二科貢表十二葉前三行天源應作天元十五葉前四行葉鎧應作葉鏜二十四葉前十二行錦芳應作鏡芳二十五葉後五行朝安應作潮安二十六葉前八行邱全應作卯全○又漏道光戊子科武舉人金英庚子科武舉人石模均江浦格

卷十三兵事表一葉前九行戌堠應作戍堠二十九葉後四行上元江甯格常州應作蘇州三十三葉江南北將帥格前四五六行都將軍分統北軍當作都將軍奉旨督辦陝西軍務江甯將軍富明阿以欽差大臣統北軍三十四葉江南北將帥格前八行都將軍應作富大臣

卷十四之一人物二葉前十行檢樸應作儉樸○後八行同治應作咸豐七葉後一行上達應作暢達十二葉前三行專詞應作專祠十六葉後九行據張應作劇張二十一葉前十一行漂水應作溧水○又沿江下脫乃字○後七行磯登應作磯發二十二葉前八行狗也應作狗者二十三葉前四行日課應作課日二十八葉前十一行上達應作暢達二十九葉後八行扶微應作抉微三

十二葉前十行進士應作舉人
卷十四之三　人物　三葉後六行巳本應作已本　二十五葉後七行庶吉士三字應作甘肅知縣
四十三葉前六行郎中轉御史應作文選司郎中○後五行英成應作美成
卷十四之四　人物　六葉後二行天麟應作天齡　三十四葉後二行教諭應作教授　四十一葉後六行訓徙應作訓徒
卷十四之五　人物　三葉後二行王建初佚其名應作王元字建初　六葉前三行文照應作光照　十一葉前二行必以先親應作必先奉親
卷十四之六　人物　十四葉前八行鴻銓應作鴻荃
卷十四之八　人物　一葉前七行悅文應作悅人○後六行弟大文應作兄大文　三葉後三行光武下多著字　十葉前二行惜心應作措心○前七行若千應作若干○前十一行默寫上脫試字　十二葉前九行以生應作其生○後六行以生應作其生　十五葉後二行性孝友上脫志蓮二字　十七葉前九行弟大文應作兄大文　十八葉後八行行視應作日視

卷十四之九上　人物　四葉前十行茂相應作茂桐　六葉後七行春日應作春日○後十二行徙步應作徒步　八葉後十一行德鐘應作德鍾　十八葉後十二行錫履應作錫履

卷十四之九下　人物　一葉前四行粗雜應作粗雜　二葉後九行八行應作八分　四葉前十一行以處應作其園○後一行收牧應作後牧

卷十四之十上　人物　一葉後三行注著有忠義備考應作忠烈備考　三葉後二行歧鳳應作岐鳳

十一葉後三行毋戚應作毌戚　十四葉後十一行幕壯應作募壯　二十六葉後四行其祠應作其詞　三十二葉後六行後七行歧鳳皆應作岐鳳　三十四葉後三行徒日應作徒日　三十五葉前十一行團練應作團練○後一行高涫應作句容　三十六葉後五行厠牏應作厠牏　四十六葉前九行九月應作九年　四十七葉前三行翌日應作翌日○前四行理間應作理問　四十九葉後六行祥慶應作慶祥　五十一葉前七行瞑目應作瞑目　五十二葉後十行易辨應作易辨　六十二葉前三行兄女應作弟女　六十三葉前六行樊昀應作樊昫○前十行品永下脫昌字　六十四葉後四行裹衣應作裏衣○後十一行事此應作似此　六十五葉前六行牽連應作牽連　六十六葉

後十行長鞭應作長緶　六十九葉　後十行定銀應作定鋃　七十一葉　後四行自瞻應作自贍　七
十四葉　後六行猶豫應作猶豫
卷十四之十下　人物　三葉　前二行榮陽應作滎陽　二十四葉　前一行聃年應作聃年
卷十四之十一中　人物　十九葉　前二行鄖氏應作鄖氏　二十葉　前六行小了應作小了
卷十四之十二下　人物　三葉　前三行明學應作明舉　四葉　前三行傳綬應作傳壽銓應作全○
前九行象瑞應作象端○後七行咸貴應作咸貴　五葉　前三行成煌應作成埕○前六行振煌應作振埕○前十二行
守先應作守元○後三行承有應作求有○後八行賢林應作賢益　六葉　後六行天智應作元智○後七行大坤應作大
紳○後八行誠換應作誠煥　七葉　前一行毋李應作母俞○後十一行啟茂應作茂啟
卷十四之十三上　人物　六葉　前十行周瑞應作周端　九葉　前十行元洛應作源洛　十葉
後六行之炬應作之矩
卷十四之十三中　人物　十葉　後三行生生應作文生　四十三葉　前六行玉琨應作玉昆
卷十四之十三下　人物　一葉　後十二行傳登應作傳橙

卷十四之十四下 人物 二十一葉後一行今釗應作金劍 四十五葉後十二行綏昌應作綬昌 五十六葉前四行元庚應作垣庚 五十九葉前一行大彬應作文彬○前二行頂中應作項中 六十葉前三行大祥應作文祥 六十二葉前四行爲恒應作爲模○後十一行淇尚應作洪禹○後十二行劉漢勇妻李氏應作爵氏 六十三葉前八行存聽應作存德 六十四葉後九行林開下脫基字 六十五葉前十行注三十一應作五十四 八十三葉後八行雲相應作雲柏 九十三葉後九行忠巧應作忠坊 九十四葉後三行掊宗應作培宗○後十一行勝淪應作勝倫 九十九葉前五行傅倫應作傳倫

卷十五 拾補 五葉前三行嘗講應作嘗謂 十葉前三行雜咏應作雜詠○前八行天臺上脫耿字○後十行倦食應作件食 十一葉前七行惘殺應作網殺 十二葉○後二行百斤應作百千○後七行猶熱應作猶爇 十四葉前五行兩滕應作兩膝○後九行子遺應作孑遺 十五葉前五行命卞應作命下 十六葉後一行忌王應作祭王 二十二葉前三行黃蜂應作黃蠭 二十三葉前十二行汲世應作没世○後二行其爲應作爲其○後三行題多應作題名 二十六葉前三行大撣應作大幃 三十六葉前三

行成基上脫孫字三十九葉後八行寶錄應作實錄四十葉前八行陳試應作陳栻容軒應作榕軒

四十七葉前十行碎仙應作醉仙五十葉前五行光亭應作光奉○前十一行鄒利應作鄒和五十

一葉前八行淮遠應作惟遠○後十一行策蘘應作策囊五十二葉後一行高彥應作馬彥○後二行秦惟應

作秦淮五十五葉前十二行縣志應作野老○後一行順天疑是順治○後三行其榜應作其梓五十六

葉前三行胃監應作胄監○後五行楊珙應作楊洪五十七葉前六行佘成應作余成○後九行剗徐應作剗

除五十八葉前十行於淤下脫淺字六十一葉前十一行政示應作政亦六十二葉前三

行河事應作河勢六十三葉前六行後二行兩瘠田皆應作瘠田七十葉前二行注馬祖應作馬租七

十一葉前五行心錦應作十錦七十二葉後七行紹源應作紹原七十五葉後四行校宮應

作校官八十五葉前六行聲楊應作聲揚○後五行掩理應作掩埋

光緒十年分重印一次按卷中誤字有改正者坿記於此

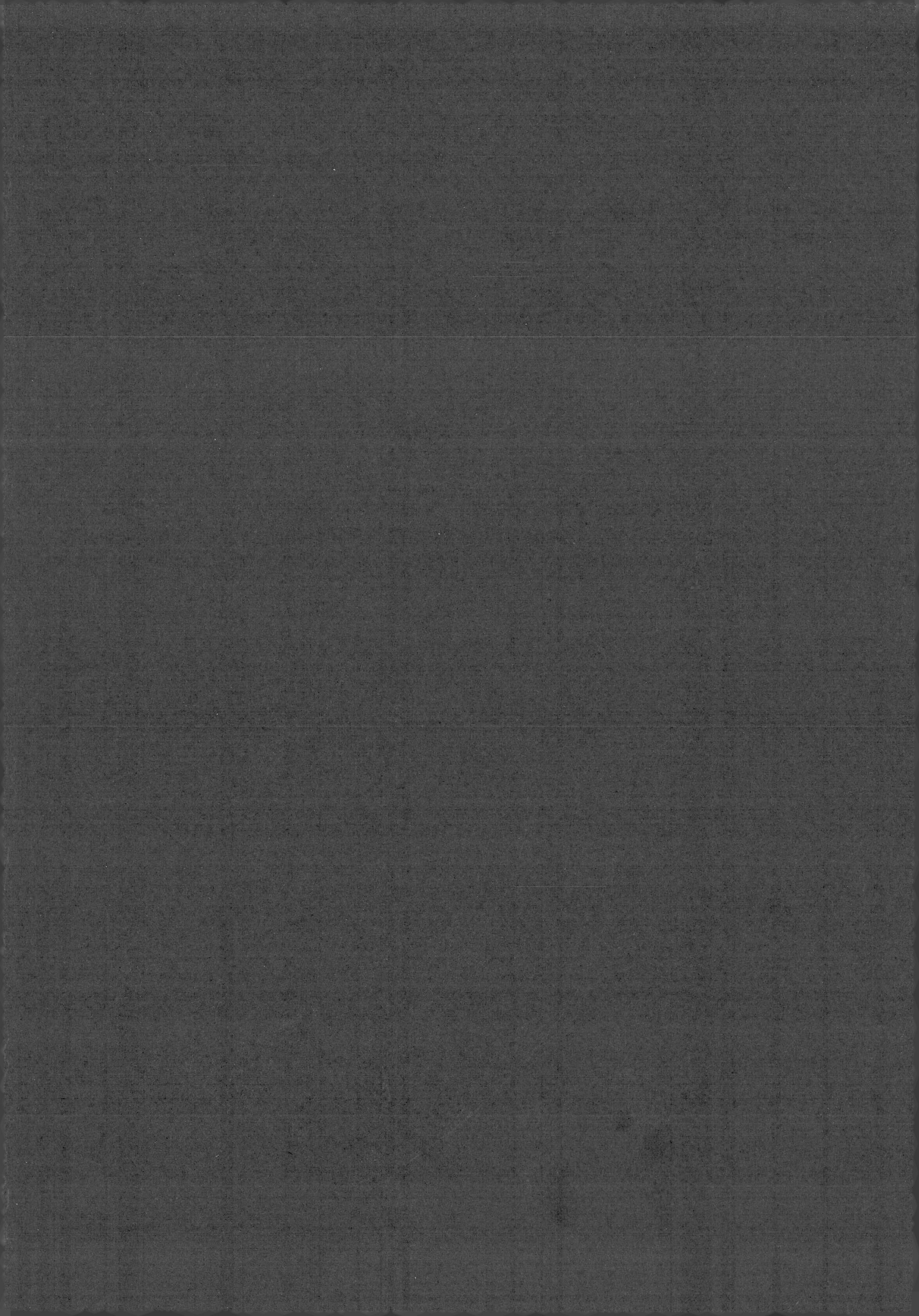